Boeken van Monika van Paemel bij Meulenhoff

De vermaledijde vaders. Roman
De confrontatie. Roman
Marguerite. Roman
Amazone met het blauwe voorhoofd. Roman
De eerste steen. Roman
Het wedervaren. Autobiografische notities
Rozen op ijs. Roman
Het verschil. Een geschiedenis
Het kind met de alwetende ogen. Teksten bij foto's
Celestien. De gebenedijde moeders. Roman

Monika van Paemel

■■■

Celestien

DE GEBENEDIJDE MOEDERS

Roman

Deze uitgave kwam mede tot stand dankzij financiële steun van de Stichting Fonds voor de Letteren en het Vlaams Fonds voor de Letteren.

Vormgeving omslag Robin Uleman (www.dietwee.nl)

Foto achterzijde omslag Maîtrise

Meulenhoff Editie 2099
www.meulenhoff.nl
ISBN 90 290 7308 X / NUR 301

Stamboom van de familie Van Puynbroeckx

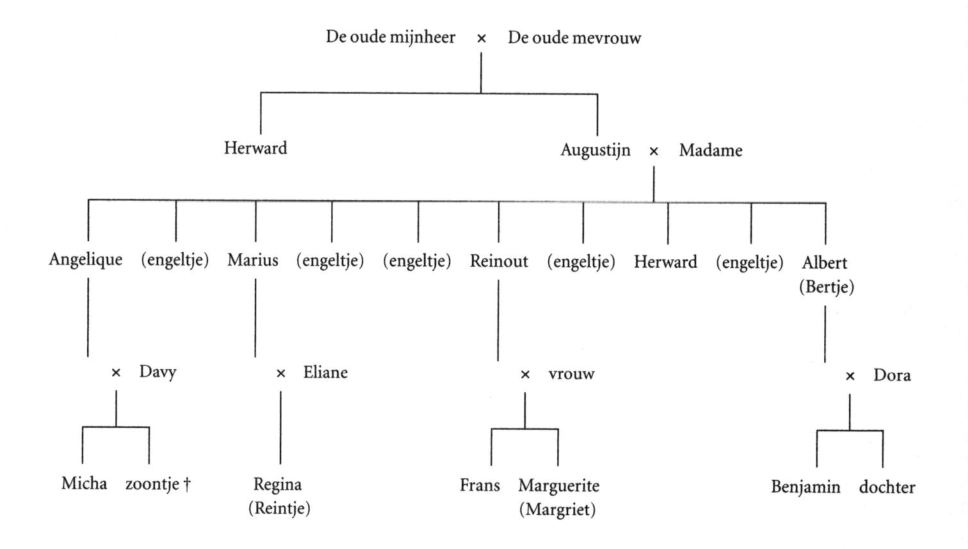

Zo is het waarlijk wat het was, de herinnering van
de herinnering.

Niet waar, maar waarachtig en echt.

(Als dit zo is, dan ren je vergeefs, dan loop je vergeefs weg. Als er weinig meer te vertellen valt, dan zou ik er alles bij verzinnen, maar dat zal niet nodig zijn, het leven… tja, het leven, zolang het leeft is het onuitputtelijk.)

Péter Esterházy

Het witgepleisterde landhuis staat aan de elleboog van de weg die het dorp in en uit slingert. Nog altijd statig, met dubbele deur, hoge ramen en driehoeksfronton. Een solide bouwwerk, uitgevoerd in eersteklas materialen: bak- en hardsteen, marmer en eikenhout. Achter het hek dat het domein omsluit de contouren van een siertuin. Ceders en rododendrons, rozenperken, een vijver, en voor de oranjerie een apenverdriet. Een buiten voor de burgers die in de stad hun binnen hadden.

In de zomer was het aldoor feest, met het komen en gaan van gasten; er werd rijk getafeld en er werden danspartijtjes gegeven. In de winter waren de rolgordijnen neergelaten en de meubels met witte hoezen overtrokken. De uitheemse planten werden met stro afgedekt of overwinterden onder glas.

Er werd in het huis slechts per abuis geboren of gestorven. De amourettes waren hartstochtelijk, maar even kort als de zomers in het noorden. Het buiten was een Arcadië dat met de seizoenen verlevendigde of verstilde, en dat zich leek te onttrekken aan wet en nut.

In het begin troonde het witte landhuis boven het glooiende landschap waar de gouden rivier doorheen slingerde. Wijd en zijd de leegte, daarboven de hemel die alles omvatte. Mettertijd werd het land dichtgemetseld. Het huis raakte ingesloten en ging schuil in het woekerende groen van de tuin. Twee wereldoorlogen gingen eroverheen, het huis werd in beslag genomen, verlaten, verkocht. Het kwam in handen van een brouwer, van een kippenboer. Het werd een woongemeenschap voor weggelopen nonnen. Voor het als bejaardentehuis werd ingericht, deed het dienst als maison de rendez-vous. *Het wit bladderde af, maar werd er als blanketsel weer opgelegd.*

Het landhuis kreeg vele namen, maar van Mon Repos tot Welverdiend bleef het overeind. Het heeft de tijd opgeslagen en is vervuld van geuren en geluiden. In het souterrain hangt de echo van meisjesstemmen, in de eetkamer weerklinkt het gekeuvel van de gasten, in de salon overstemt pianogetingel het gekonkelfoes, in de slaapkamer mengen zich kreten en gefluister. De geuren van gesteven linnen, van parfum, van gebraad en sigaren lijken daarvan afgeleid. Ook de duisternis heeft allerlei schakeringen en de schaduwen zijn magisch. Bij avond huppelen konijnen over het grasveld, egels scharrelen in het kreupelhout, soms is er een glimp van een vos. De tuin is een verwilderd paradijs. En het witte landhuis is als een poppenkast, waarin de poppen voor de ramen aarzelend het leven naspelen. Soms staat een van de poppen stil, soms steekt er een de handen op, soms valt er eentje om. Het huis slokt hen op, in de nacht staat het bleek zijn tijd te verbeiden.

Bertje heeft me hierheen gebracht in zijn nieuwe wagen. Het witte landhuis met het ovale venster onder de daklijst, het grasveld afgezet met rododendrons. Huize Welverdiend, voorheen Mon Repos. Ik had het kunnen weten. Terug naar af, zoals in het ganzenspel.

Bertje hinkte de trappen af met zijn manke poot, de meubels – bed, toilettafel en commode – zou hij later afleveren. Het was weer eens te vlug gegaan. Hij verzekerde me dat ik op twee oren kon slapen; wat ik had uitgekozen zou ik krijgen. 'Beloofd is beloofd. Een man, een man, een woord, een woord!'

Ik heb Bertje vervloekt, hij deed alsof hij het niet hoorde, maar ik ken hem beter. Het ene kind na het andere bezweek aan 'de oude man', maar die kleine duivel bleef leven. Hij begon pas te groeien toen hij zestien was, en hij is altijd de kleinste gebleven. Lange armen maar korte benen, vief, dat kan ik niet ontkennen. Altijd drie stappen voor de anderen uit. Ongrijpbaar voor vriend en vijand. En na alle malheur nu ook voor zichzelf op de vlucht. Maar o wee als hij halt houdt, als hij op zijn strepen gaat staan en zich op zijn naam beroept. Een besluit moet dan op staande voet worden uitgevoerd. Het is een ongeduldig ventje.

Zijn moeder was nog niet koud of hij begon erover dat ik oud werd. Het huis was te groot, zijn vader werd hulpbehoevend. Alsof ik niet tot mijn laatste snik voor Augustijn zou zorgen!

Ze wilden altijd van me af, maar ze konden me niet missen, of ze hadden het hart niet om me aan de deur te zetten. Ik had ook meteen besloten om te blijven toen uitkwam dat Augustijn met

Madame was getrouwd. Het was nodig, het dametje had van haar leven geen aardappel geschild. Een kindbruidje met linten in het haar, een vlammend rode krullenbos, ik had nog nooit zulk haar gezien. Gekrulde haren, gekrulde zinnen, zegt de volksmond. Met het ouder worden werd de krullenbos zo dun dat je erdoorheen kon kijken.

Bertje is een moederskind, al lijkt hij niet op haar. Hij heeft de blauwe ogen en het scherpe profiel van zijn vader, die hij probeert te overtroeven, maar voor wie hij een maatje te klein is.

Met de dood van Madame kreeg hij eindelijk het bouwbedrijf in handen, en in plaats van opgelucht te zijn, werd hij wrokkig. Zijn leven was hem aangedaan, hij moest de wereld zijn ongeluk betaald zetten. Om zich vrij te pleiten zette hij alles op zijn kop en maakte zich kwaad op allen aan wie hij zich verschuldigd wist. De vrouwen bleven zijn zwakke plek; zijn almachtige moeder, zijn aanbiddelijke zuster, zijn redeloze vrouw, en ik, Celestien: de rechterhand van zijn moeder. Haar schaduw, getuige en medeplichtige. Ik, die hem heb verzorgd van ziel tot onderbroek. Diegene die zich onmisbaar wist. Dat kon hij niet langer verdragen.

Hetzelfde geldt voor alle Van Puynbroeckxen: ik ken ze te goed, ik ben ze te na gekomen. Als het niet zo overdreven klonk, zou ik zeggen dat ze me het zwijgen willen opleggen. Madame heeft me aan de heidenen overgeleverd. Als zij hun zin krijgen, ben ik niets meer, maar ze krijgen hun zin niet. Dat zouden ze langzamerhand moeten hebben begrepen. Het is niet aan hen, maar aan mij om af te rekenen.

Wie zegt dat ik in Welverdiend wil blijven? Ik kan gaan en staan waar ik wil. Best mogelijk dat Augustijn me terug laat halen. Waarom zouden we niet samen verder gaan? Hij hoeft me niet de plaats van Madame te geven en zijn kinderen zijn de mijne niet. Maar met het grut ben ik wat er van Madame overblijft. En ben ik niet zijn zwak? Heeft hij mij niet altijd de hand boven het hoofd gehouden?

Terwijl ik de dagen aftel, wacht ik op Bertje. Hij kan me niet in de steek laten, net zomin als de anderen me aan de vergetelheid kunnen prijsgeven. Ik laat me hier niet levend begraven, maar ik heb mijn lesje geleerd. In plaats van hen achterna te lopen, zal ik wachten tot zij naar mij komen. Van dit huis, dat eens mijn droomhuis was, zijn alleen de contouren overgebleven. Maar het staat er nog en ook ik ben er nog. Oud en opzij gezet, maar bij mijn volle verstand. Ik heb alles opgepot en de tijd is gekomen om mijn hart uit te storten.

■■■

Ik was veertien toen mijn moeder mij bij Augustijns ouders op Mon Repos afleverde, op klompen, met een bundeltje schoon ondergoed en de opdracht: werken, mond dicht en benen bij elkaar.

De familie Van Puynbroeckx fokte paarden voor de draverij, een lucratieve handel, maar ook riskant. Hoe hoger de stamboom, des te delicater het bloed, om niet te spreken van de rug en de benen. Voor een paard van de hand ging, was er een kapitaal in geïnvesteerd.

Het mondaine bedrijf van de renbaan was eveneens kostbaar: weddenschappen, haute-couturetoiletten. De oude mevrouw gaf een fortuin uit aan hoeden – hoe gekker hoe liever. Gedurende de Groote Oorlog maakte ze goede sier in Holland, terwijl wij aan de andere kant van het water verkommerden. Heel het land stond onder water, de kale kruinen van de bomen staken als geweien uit boven de rimpelende vlakte. Op het eerste gezicht was het niet uit te maken waar de zee eindigde en het land begon. Je moest op je neus afgaan: de zee ruikt naar flamoes, het land naar modder. 'Let op je woorden,' mopperde de oude mevrouw, maar ik had geen woorden, of het waren andere woorden.

Toen de Groote Oorlog voorbij was, hadden de Van Puynbroeckxen geen nagel meer om aan hun gat te krabben, ik kan het niet schoner zeggen. De paarden waren naar Engeland verscheept of door het leger in beslag genomen, de stallen lagen in puin, de weiden waren te zompig. De oude mijnheer heeft nog geprobeerd de stoeterij weer op te zetten, maar met paarden gaat dat over generaties. Het krediet volstond niet om de tijd te overbruggen. Vandaar dat hij zich aan het bouwen van noodwoningen begaf, twee vensters aan weerszijden van de deur, pannendak erop – klaar. Er werd veel geld mee verdiend, maar de oude mijnheer vond het bouwen van 'hondenhokken' algauw te min. De metselaars waren van een ander slag dan de stalknechten, die zijn passie voor paarden deelden, en hij had een hekel aan de Chinezen van het Labour Corps die het terrein bouwrijp moesten maken: spleetogen met rattenstaarten, die in de modder obussen ontmantelden en geregeld de lucht in vlogen. Het mopje deed de ronde dat het dikke zwarte haar van hun vlechten daarna in het cement werd verwerkt om de brij te binden.

'Er zit een haar in de boter!' placht Rosa, de andere meid, vaak veelbetekenend te zeggen. Dan was er onmin. Handenvol haar heb ik met Madame door de boter gedaan, we hebben elkaar zowat kaal geplukt. En ik moest steeds maar aan de vlechten van de dode Chinezen denken.

De oude mijnheer liet het bouwen over aan Augustijn, die er ook niets van terechtbracht. Hij trakteerde de metselaars geregeld op bier, en bij regen hoefden ze niet te werken. Volstond het niet dat de meesten onder hen vier jaar in de modder hadden geploeterd? Er vielen harde woorden tussen vader en zoon, maar beiden lieten de zaak op hun beloop.

Toen een reeks noodwoningen niet op tijd kon worden afgeleverd, hield de oude mijnheer de eer aan zichzelf en schoot zich door het hoofd. Voor zijn galgenmaal bestelde hij port en stilton op een zilveren blad. Zijn sigaar bleef na een laatste trek smeulend achter op het Perzische tapijt.

Het huis was van onder tot boven belegd met oosterse tapijten, elke vrijdag deden de meiden het parcours om ze te borstelen, kruipend op handen en voeten, tegen de vleug in, met de vleug mee. Het bloed van de oude mijnheer had het bordeaux-rood van het Perzische tapijt nog donkerder gekleurd, en de sigaar had een bruin gaatje achtergelaten. De pers was zompig als een moeras, maar de haartjes om het brandgaatje stonden stug overeind. De oude werd in zijn verduisterde kantoor opgebaard, ik durfde haast niet te kijken, maar ik zag toch dat zijn snorharen ook overeind stonden.

Het Perzische tapijt werd, zoals het erbij lag, met bloedvlekken en al, naar de zolder gebracht. Toen in het ontmantelde huis ook de zolder werd geruimd, ontsnapte uit het opgerolde tapijt een vette rat. Ik moest ervan overgeven en de oude mevrouw vroeg scherp of er wat mis met me was. Zij vertrok naar een kasteeltje, een buitengoed dat een vriend van de familie – een van haar gewezen minnaars – ter beschikking stelde. Herward, de oudste zoon, vergezelde zijn moeder: hij kon aan de slag als rentmeester. Zo leek het toch nog wat. Het geslacht zat aan de grond, maar ze deden er alles voor om hun staat te blijven voeren.

Het was een andere tijd. In de keuken zongen de meiden van 'timelou, timelo, tim, tim, timela'. Dat was Chinees in het Frans. Het liedje was uit Parijs overgewaaid. De lichtstad was te werelds, maar wij droomden er wel van. Van champagne, van parfum, van hartstocht. Van alles wat ons werd onthouden of wat verboden was. Wij, de meisjes voor alle werk. Die van de liefde niet wisten of er alleen de last van kenden. We schortten onze rokken op, duwden met de wijsvingers onze oogleden omhoog tot spleetjes en huppelden door de keuken alsof die de Moulin Rouge was. Er was aan alles gebrek, maar het hart wil zich vermaken.

Er werd niet meer geschoten en toch was de oorlogsellende niet voorbij. Het verdronken land werd drooggelegd, de modder plofte. Het was alsof de doden probeerden hun schedels door de lillende moederkoek te duwen om weer adem te halen. Het malen ruiste als een zware regenbui. En wij aten haring alsof we ons op de volgende oorlog voorbereidden.

Nu denk ik dat ik toen niet dacht. Dat ik door anderen bestond. Dat buiten mij om werd bedisseld. Dat ik niemand was. Daar word ik me toch zo kwaad van! Ik droom van moord en doodslag. Als ik maar wist wie ik die verbruikte jaren betaald kon zetten! Als ik maar niet zo moe was. Geen oude vrouw was. Daarvoor zit ik hier, maar zo voel ik me niet, al is het alsof ik op de valreep levenslang heb gekregen. Eerst was ik te jong en nu ben ik alweer te oud. En zoals ik vroeger mezelf niet zag, zo zie ik ook nu mezelf niet. Of ben ik mezelf niet. Ik kan nergens heen en ik kan niet terug. Ik wil ook niets overdoen, behalve die kinderen dan. Het kromme rechtzetten, of hen naar mijn hand zetten. Er andere mensen van maken. Nu zou ik weten hoe het moet, maar nu is het te laat.

Bertje is weg voor je hem bij zijn staart kan grijpen, maar hij kan nog zo hard weglopen, hij raakt niet van me af. Hij behoort tot mijn nalatenschap. Een erfenis die hij niet kan weigeren omdat ze in hem is opgeslagen.

Kinderen binden je terwijl zij zich vrijvechten, jij mag je hart opvreten, bidden en smeken, zij hebben hun eigen belang. Dat kan ik billijken, maar niet dat ik in een vergeetput word gegooid, niet dat ik word ontkend. Ik weet hoe mensen sterven wanneer de weerstand is gebroken en alles kleurloos wordt. Zover ben ik nog niet, mijn hart hunkert nog, mijn tijd is nog niet om. Ik zal me een paar laarzen aanschaffen, of schoenen met ijzerbeslag. Desnoods ga ik terug op klompen. Stampen zal ik! Tegen het deksel van mijn kist schoppen! Als ik moet gaan, dan zal ik gaan, maar niet in stilte!

Ik zit hier niet op mijn plaats tussen die oudjes die hun dagen aftellen. Ik heb nog niet afgedaan, al voel ik me als Huize Welverdiend, met zijn verlaagde plafonds en zijn opgedeelde kamers, afgetakeld en bewoond door fantomen.

Na een halve eeuw bouwbedrijf begrijp ik huizen en dit huis deugt niet. Het hoort niet meer bij het verleden en het biedt geen toekomst. Wie hier binnentreedt, moet alle hoop laten varen.

Ze hadden Mon Repos beter 'Salle des Pas Perdus' genoemd,

want wat is het anders dan een wachtzaal voor de dood? Laat de Van Puynbroeckxen maar wachten, laat de hele wereld maar wachten! Voor één keer heb ik tijd. Hier zal ik mij laten bedienen, veeleisend en lastig zijn, en als een vrek op mijn geld zitten!

Ik heb nog met niemand kennisgemaakt, maar ik hoor het schuifelen van de voeten dwars door de muren. Sloffende stappen op de versleten loper van de trap. Wankelende stappen op het gladde parket. Aarzelende voetstappen op de witte en zwarte marmeren tegels van de hal. Voetstappen die nergens heen gaan. Verloren stappen.

■■■

De oude mijnheer was uit zijn tijd gestoten. Die was al voorbij voor hij het pistool aan de slaap zette. Nooit heb ik gemerkt dat er om de oude werd getreurd. Hij had gefaald, maar hij hield de eer aan zichzelf. Meer viel daarover niet te zeggen. Alle zorg ging naar zijn hond, een Deense dog, want die treurde wel. Als een dronken kalf wankelde hij door het huis, en het duurde niet lang of hij volgde zijn baas in het graf.

Er waren altijd honden in huis, ook als er feitelijk geen eten voor ze was, zoals in de Tweede Oorlog. De kat moest voor zichzelf zorgen, maar de hond had recht op zijn rantsoen. Hij bewaakte het huis en verdedigde zijn baasjes. Waar het om ging, was dat de hond even aanhankelijk als afhankelijk was. Een viervoetige makker die uit je hand at.

'Blaffen, kakken en tegen je benen op rijden,' morde Rosa, die een hekel aan honden had. Ik kon haar geen ongelijk geven, maar de familie hield vast aan haar gebruiken, al konden de honden de paarden niet vervangen. Met een paard kun je praten, een hond luistert alleen maar. Een paard kan dansen en heuse tranen wenen, een hond jankt en is belachelijk als hij op zijn achterste poten een pirouette draait. Trouwens, een paard heeft benen. En niet te vergeten: het paard verheft zijn ruiter!

Zelfs als er in velden of wegen geen paard te bekennen viel, liepen de jongens met rijlaarzen aan. Ook Bertje kan het paraderen niet laten; en maar opscheppen over de paardenkrachten van zijn nieuwste vehikel! De jongens deden niets liever dan in de auto van hun vader aan het stuurwiel zitten en het geluid van de motor nabootsen. 'Vroem, vroem!'

Bertje was nauwelijks negen toen hij het contactsleuteltje pikte en erin slaagde de motor aan de gang te krijgen. Verzaligd liet hij hem loeien en razen. Toen Madame op sterven lag, weerklonk uit de garage ook het loeien van een ontkoppelde motor. De garagepoort was afgesloten, maar ik ging naar binnen door het zijdeurtje. Daar zat Bertje in de glimmende Amerikaan, die hij vertederd 'mijn benzinevreter' noemde, en drukte het gaspedaal in. Met dezelfde uitdrukking op zijn gezicht als toen ik hem, nog een puber, op de wc betrapte, waar hij met zichzelf zat te spelen. 'Vroem, vroem!'

Bertje haalt zijn schouders op als er over vroeger wordt gesproken. Alles vergeten of niet de moeite waard om te onthouden. Zijn hele leven ook zichzelf voorbijgelopen. Altijd druk, geen moment rust. Je wordt moe als je hem bezig ziet. En ondanks al zijn gedram altijd de zoon gebleven. Nooit zijn moeder de baas, nooit zijn vader eronder gekregen. Met veel vertoon speelt hij de seigneur, maar mij maak je niets wijs. Hij wil ook van me af omdat ik beter weet. Omdat hij niet wil weten wie of wat hij is, waarom hij fataal in zijn ongeluk loopt.

Hij keek niet om toen hij van Welverdiend wegreed in zijn witte bolide. Hij kijkt nooit om als hij wat heeft uitgevreten. Vroeger is voorbij en wat de toekomst betreft: na mij de zondvloed! Een gevaarlijke optimist. Hij verbeeldt zich dat hij de eeuwige jeugd heeft, maar de tijd heeft hem getekend. Je hoeft maar naar die scherp gesneden kop te kijken, naar die wijkende haarlijn en dat vergelende kunstgebit. Toen hij, vanwege zijn bevroren achillespees, zijdelings de trappen van het bordes af hupte, zag ik geen vlotte knaap, maar een kwieke kreupele. Een stalen willetje, dat wel. Als moed betekent: je angst verbijten, dan is hij een moedige man. En toegegeven, als het om lijfelijke pijn gaat, kan hij een en ander verdragen. Een leven vol trieste heldendaden, van nooit spijt betuigen en altijd dapper doorgaan. Een leven als een voorwaartse vlucht.

Bertje speculeert met de tijd. Hij zou met het heden willen doen wat hij met het verleden doet: een paar stadia overslaan. Dat hij aldus zijn bestaan op losse schroeven zet, heeft hij niet door. Zo is het gesteld met zijn dwaze trots dat hij zich beroept op een geschiedenis die hij ontkent. Hij vindt dat ik mijn tijd heb gehad, maar het was mijn tijd niet, nooit. En als ik geen tijd had, hoe kan ik hem dan verbeuzeld hebben?

Ik sta in de hal van Welverdiend en staar naar de gemarmerde muren en de afgesleten loper op de trappen. Het licht spiegelt als water door de hoge ramen. Toen ik nog een kind was, wenste ik vurig in dit decor thuis te zijn, en ook later bleef ik ervan dromen, maar oud verklaard betreed ik het opnieuw als een vreemde.

Ik wenste Bertje een trage dood, het was niet gemeend, maar hij antwoordde gevat: 'Jij gaat me voor!' In tegenstelling tot Marius zit hij nooit om een weerwoord verlegen. Jantje verdriet. Niets dan brokken maken, op een holletje getrouwd – dat had hij van niemand vreemd en het was ook van moeten –, het eerst de oorlog in.

Madame heeft om die jongen water en bloed gezweet, behalve bij het bevallen: hij ontglipte haar zowaar, ik kon hem nog net opvangen. Bertje spartelde tegen en zette een keel op. Ik wist meteen dat het een blijvertje was. Zoals hij zijn naam uitspreekt: alsof het een verdienste is! Alsof hij niet toevallig ergens is geboren, maar op de uitverkoren plaats is terechtgekomen. Alsof hij, de keutel, de stamhouder is!

Keer op keer vroeg ik de kinderen wat hun eerste herinnering was, een spelletje, maar ik hoopte dat er iets van mij, iets onvergetelijks, zou overblijven. De jongens deden hun best, al wisten ze het niet meer zo goed. Angelique fantaseerde erop los, het ene verhaal nog mooier dan het andere.

Voor mijzelf was het alsof ik, voor ik in dienst ging, niet bestond. Alsof ik pas werd geboren toen mijn moeder mij bij het witgepleisterde landhuis afleverde. Verwonderd liep ik door de kamers, de trappen op, met elke deur ging de wereld verder open. Ik leerde de ruimte en de stilte kennen, de voornaamheid van voorwerpen die alleen voor de pronk bestonden. Ik sloot alle deuren weer zorgvuldig, ik wilde niet meer weten wat er achter mij lag.

Nu ik in Welverdiend ben gedeponeerd, uitgeleverd, aan mijn lot overgelaten – zeg niet dat het niet waar is, ik heb ook boeken gelezen –, nu zie ik weer het water over het overstroomde land. Koud en vuil, tegendraads stromend en rimpelend op de wind, een bodemloze vlakte. Als een pijl uit een boog schiet een driehoekige kop op me af, van slangen heb ik nog geen weet, maar ik gil als vermoord. De stem van mijn moeder zegt dat het een rat is, en we zullen die beesten nog eten ook. Omdat je alles eet als het water je tot aan de lippen staat, dat hoor ik mijn moeder ook nog zeggen. Ik mis haar, nu het voor altijd te laat is. Haar gezicht ben ik kwijt, maar haar stem zit in mijn hoofd. Zij spreekt door mij heen, of ik spreek haar na, moederloos en kinderloos.

Ik met mijn grote mond, altijd de tweede viool, ook nu Madame wijlen is. Alles meebeleefd, maar zelf niet geleefd. Toen ik haar laatste toilet maakte, heb ik haar beklaagd. Hoe vaak had ik mij niet voorgenomen haar eens flink de waarheid te zeggen, maar toen het uur had geslagen, kon ik het niet. Zo mager was Madame geworden, haar borsten geslonken, haar heupen afgeplat. Het vel van een olifant, als door een grote droogte getroffen, dat mollige lijf dat ooit bloeide en overvloeide. Haar benen hield ze stijf tegen elkaar, daar kon geen waslap meer tussenkomen. Alsof ze mij een laatste keer de les wilde lezen, met haar gezicht in dodelijke ernst. Verbeten zwijgend, haar laatste woord zonder mijn weerwoord, er viel niet meer te lachen.

Daar maak ik mij zorgen over, hier tussen al die vreemden: wie zal mij zien, in mijn schamelheid die nooit iemand te zien heeft gekregen? Ook Augustijn niet. Wat in mijn jeugd een gemis was, werd later een troost; dat hij niet zag wat ik tussen kraag en zoom verborgen hield. Madame liep zonder gêne bloot, ze werd pas preuts in de dood. Augustijn was een charmeur, maar zij moest hem de pap in de mond geven. Dat heb je wel meer met gretige mannen, hun ogen zijn altijd groter dan hun buik, zoals zij placht te zeggen. Madame sleet uren in de badkamer, als ze zich kleedde was het alsof ze een delicatesse inpakte.

Augustijn verstopte zich na haar dood in de kleerkast en huilde met zijn gezicht in haar jassen, jurken en mantelpakken. Hij ging met haar lingerie naar bed. Ik vond tussen de lakens de flinterdunne lokkertjes in zijde en voile die haar geur uitwasemden. Ik heb ze weggedaan om te voorkomen dat ze in de handen van Angelique zouden vallen. Het is iets van Madame en Augustijn, van ons, al tel ik officieel niet mee.

Toen ik voor het eerst de nachtjaponnen, broekjes en brassières van Madame schikte, was ik verrukt en ontdaan. Zo delicaat, zo geraffineerd, zo teder – ik weet niet hoe ik het moet zeggen. En dat je dat ook kon dragen en tonen, de haartjes op mijn armen gingen ervan overeind staan. Ik heb haar dingetjes wel voorgehouden, voor de spiegel, maar nooit heb ik een hemdje of een broekje aangetrokken. Niet dat ze me niet hadden gepast, maar omdat het niet passend was.

Madame wilde in het zwart de kist in, zwart en doorschijnend welteverstaan, maar daar heb ik een stokje voor gestoken. Ze zullen achter mijn rug niet om haar lachen.

■■■

Ze hebben er bij de Van Puynbroeckxen een handje van om roemruchtig dood te gaan. De oude mevrouw, eens een bewonderde amazone, kreeg na het verscheiden van haar man last van versleten heupen. Ze liep krom van de pijn, eerst met een stok, vervolgens met krukken. Omdat ze niet als een invalide in een rolstoel wilde, liet ze zich in een rieten fauteuil ronddragen. Een plaag voor wie haar moest helpen: het chocoladedrankje was niet bitter genoeg, de kussens waren te hard of te bobbelig. Ofschoon ze hardhorend was, stond ze erop zacht te worden aangesproken. Van de weeromstuit begon ze zelf te schreeuwen, maar dat was een privilege. Ze bezat twee Groenendaelers, twee zwarte hellehonden, die haar kwijlend aanbaden, maar verder iedereen schrik aanjoegen. Ze hoefden niet eens te bijten, het was voldoende dat ze hun gevaarlijke tanden ontblootten.

Wekenlang hield de oude mevrouw het huis in de ban van haar sterven. Of ze niet kon of niet wilde, dat was niet uit te maken. Ze lag in bed als een vertoornde koningin, de honden zwart en dreigend aan het voeteneinde. Zelfs de dood durfde haar niet te na komen. Toen het toch zover kwam, op een zondagochtend, leek het een vergissing. Herward vond zijn moeder met geloken ogen, grijnzend, met de honden op haar lamme benen. Hij riep haar aan van in het deurgat, maar zij bleef ongenaakbaar. De honden hielden grommend de familie, de dokter en de pastoor op afstand.

'Aan mijn lijf geen polonaise!' Dat had de oude mevrouw gezworen. Zij maakte zich op voor het grote afscheid zonder de zalving van het Heilig Oliesel. Alsof ze geen afstand wilde doen van haar zinnen, noch van haar zondige ledematen. Ook zij hield de eer aan zichzelf.

Drie dagen na haar verscheiden lagen die honden daar nog, hijgend van de dorst, maar onvermurwbaar als de dame die ze bewaakten. Na de pastoor kwamen de burgemeester en de veldwachter op bezoek, het werd een defilé van verontruste en verontwaardigde lieden. In de sterfkamer hing een zoete bederflucht, de trekken van de oude mevrouw werden met de dag scherper. Ten einde raad schoot Herward de honden dood, twee droge knallen, meer niet. Hij was een geoefende schutter, jager en soldaat. Toch zat de afloop hem niet lekker. Hij ging de honden op het kerkhof bij zijn moeder begraven, wat hem op grafschennis kwam te staan. Een vonnis dat zonder gevolg bleef omdat hij een held van de IJzer was. Het was dan maar, zoals met zoveel, de schuld van de oorlog. Alsof de oorlog een monsterlijk fenomeen was, en niet een toestand die door mensen werd veroorzaakt.

Dat Herward op een dag in augustus, als vrijwilliger, met Augustijn in zijn kielzog, naar het front was vertrokken, deed de goegemeente af als een uiting van jeugdige overmoed. Voor wat de broers daar, in de mollenpijpen van de dood, was overkomen, nam niemand de verantwoordelijkheid. Men deed het voorkomen dat Herward de kolder in de kop had, maar het was een beheerste man. Nooit een woord te veel, nooit een woord te hard. Hij ging zijn gang en deed wat er moest worden gedaan. Ook toen hij in de Tweede Oorlog een paar hardnekkig huiszoekende Duitsers in de aalput van de stallen deed verdwijnen, en ze kalm in de drek liet verteren, omdat het geen honden waren, maar mensen die beter hadden moeten weten. Na de bevrijding gebruikte hij een soldatenhelm als schep om haver aan de paarden te voeren.

Over de oorlog wijdde Herward niet uit. Na de eerste wees hij met zijn wijsvinger naar zijn voorhoofd en zei: 'Het zit hier.' Na de tweede legde hij zijn hand op zijn hart en zei: 'Het zit daar.'

In een opwelling noemde Augustijn zijn broer 'mijn betere ik'. 'Dan had ik hem moeten trouwen,' lachte Madame. 'Hij heeft mij het leven gered,' mompelde Augustijn. Hij paste op voor een weemoedige dronk, maar als Herward ter sprake kwam, sloeg hij een whisky achterover. Ik herkende de geur van zijn verloren dagen, als hij zich opsloot en treurde om zijn gesneuvelde kameraden. Terwijl hij langzaam dronken werd, vulden zijn ogen zich met tranen, tot ze van zijn wangen lekten.

Madame sloeg met de deuren en verweet hem zelfbeklag. 'Herward zou zichzelf nooit zo laten gaan.' 'Elkeen treurt op zijn eigen wijze,' snoerde Augustijn haar de mond. Voor die ene keer dan. Normaal werd er wijn en cognac gedronken, dat was verfijnder dan whisky, maar voor de nieuwjaarsvisite aan zijn broer nam Augustijn een fles whisky mee. Hij kwam dan onveranderlijk aangeschoten thuis, met een blok stilton onder de arm: het nieuwjaarsgeschenk van Herward. De volgende dag laboreerde Augustijn aan een kater en wij kregen de brokkelige kaas voorgezet.

Herward was de peetvader van kleine Herward. Toen het joch groot genoeg was om zijn vader te vergezellen op de nieuwjaarsvisite, ging ik mee als oppas. Madame was zwanger, of ze had wat anders; ze meed het kasteeltje omdat haar onverbiddelijke schoonmoeder daar resideerde. Het was een spannende tocht, ook al omdat ik nauwelijks uitging; we woonden toen al in de stad en daar kende ik niemand.

Als de rivier was bevroren en de veerboot niet uitvoer, liepen we door de voetgangerstunnel – een ronde pijp met gele badkamertegels – naar de andere oever. Kleine Herward kon er niet over uit dat we onder water liepen en de vissen boven ons hoofd zwommen, hij verviel in een sprakeloze verrukking. Ik speurde ongerust naar lekken en trok Herwardje haastig mee aan het handje. Onze voetstappen echoden alsof er een onzichtbaar legertje achter ons aan marcheerde. Augustijn, met zijn lange benen, had nergens last van en liet ons lachend voorgaan.

Als we opdoken uit de onderwereld, stonden we lichtschuw met onze ogen te knipperen in de harde winterzon. Het versteven land strekte zich voor ons uit en ik voelde een steek in mijn hart. In het weerzien openbaarde zich het gemis. Zonder dat ik er erg in had, was er een waterscheiding in mijn leven gekomen, en daarmee de weemoed, en het verlangen naar de overkant. Een hopeloos verlangen, waar ik ook was, altijd zat het water ertussen, en ik bevond me aan de verkeerde kant.

Het eerste wat ik deed in Welverdiend was mijn stoel in de richting van de rivieren draaien. Zo houd ik van ver een oogje op Augustijn, en als hij toevallig mijn kant op kijkt, scheren onze gedachten als vogels over het water. Witte en grijze vogels die zweef- en duikvluchten uitvoeren alsof ze op de wind spelevaren.

Dat heb ik altijd graag gezien en hij hield er ook van. Het zijn de dingen die niet werden uitgesproken, die ons blijvend verbinden. Verzonken herinneringen die nu naar boven komen en de botten verwarmen. Ik hoop dat het hem ook zo vergaat, het zou pijnlijk zijn als met het verscheiden van Madame zijn vuur was geblust.

■■■

Ik verkoos de veerboot boven de tunnel, en op de voorplecht zong ik van de twee koningskinderen die niet bij elkaar konden komen omdat het water veel te diep was. Alras vloeiden de waterlanders. Ik mompelde tegen Herwardje dat mijn ogen traanden van de wind, maar ik schaamde me niet. Madame mocht ook graag een potje huilen bij een treurig lied. Ik had een goede zangstem en als zij zich minnetjes voelde, vroeg ze om een levenslied. Ik trok alle registers open en zij 'tjilpte' dan een beetje, zoals ze dat sniffend huilen noemde. Toen ze ouder werd, tjilpte ze zelfs voor het volkslied en de bruidsmars, maar ze huilde nooit als het erop aankwam. Ze verdroeg geen bittere tranen of hoonde ze weg. Als ik huilde, klonk het al vlug: 'Spaar je tranen, je zult ze nog nodig hebben.' Van Augustijn kon ze het al helemaal niet hebben, en van huilende kinderen werd ze kregel. 'Tjilpkesmuiltje!' zei ze dan smalend.

De jongens leerden al jong hun pijntjes te verbijten en hun ontroering weg te slikken. Beter werden ze er niet van; het kwaad sloeg naar binnen of uitte zich in driftbuien. Het is gek, maar ik was soms bang van die kinderen. De wereld mocht vergaan, ze zouden er geen traan om laten, integendeel, de ellende bezorgde hun een grimmige genoegdoening. Ze waren voor of tegen, en je wist nooit naar welke kant de balans zou doorslaan.

Achter de beleefde façade waren het woestelingen. Ik zong wiegeliedjes, liefdesliedjes, alles om de zeden te verzachten, en die deugnieten lachten mij onderduims uit. Toen ik dat lied zong van 'Ik weet niet wat het betekent dat ik zo treurig ben' – ook een van de favoriete liedjes van Madame –, zag ik met mistige ogen in de spiegel hoe Angelique mij achter mijn rug na-aapte, tot groot jolijt van haar broers. Met een brok in de keel liep ik de kamer uit, in koor nageroepen: 'Tjilpkesmuiltje!'

Wie het laatst lacht, lacht het best, dacht ik, maar ik werd er nog treuriger van. Lachen om hun ongeluk kon ik niet, daarvoor waren het al te zeer ook mijn kinderen. Het schaapachtige van het moedertje spelen is dat je altijd het kind blijft zien in de volwassene. En aan dat kind verknocht blijft, of aan de innigheid, verondersteld of niet. De geur van hun lijfjes, de gebrabbelde woordjes, door niemand anders te verstaan. Zij mogen dat vergeten, jij kunt het niet.

Nu ik in Welverdiend zit, is het afgelopen met zingen, ik tjilp ook niet meer, mijn ogen staan droog. Blijkbaar heb ik meer van Madame overgenomen dan ik wil toegeven. Dat met haar dood ook de uitdrukkingen van de familie dreigen te verdwijnen, woorden die alleen door ingewijden worden begrepen, is als een aankondiging van mijn eigen dood. Ik hoor in Welverdiend de stilte suizelen. Dat komt door het verstilde leven in dit witgekalkte graf, maar ook door het ritme van het land. Al bestaat dit land niet meer, het landelijke is nog niet helemaal verdwenen. Ik herken het ook in de stemmen, luider en trager, alsof ze niet alleen de afstand, maar ook de tijd moeten overbruggen.

Ik had geen heimwee toen we in de stad gingen wonen, maar nu mis ik het land. Toen bleef alles bestaan wat we achter hadden gelaten, je kon er in gedachten altijd heen. Nu word ik geconfronteerd met wat weg is, en erger, met wat is overgebleven. Dat brengt de mallemolen in mijn hoofd op gang, niets is nog wat het was, al lijkt het erop. Bovendien zie ik het dan zus, dan zo, en raak ik er niet uit wijs. Ik zou mijn leven helemaal over en uit willen denken, maar ik ben de draad kwijt. Mijn tijd is op, ik blijf over als last. Ja, dat zie ik helder in, al wil dat niet zeggen dat ik me daarbij neerleg. Dat ik geen aanspraak maak op mijn bestaan. Gestrand ben ik, maar het lijkt wel alsof ik op drift ben geraakt.

Als ik neerslachtig ben, benijd ik de engeltjes die eeuwig jong blijven en aan het verval zijn ontsnapt. Zij hebben nauwelijks een verhaal, zijn vrij en onbelast ten hemel gevaren. Ik zoek troost in de gedachte dat het nu vlug, en liefst onverhoeds, ook met mij afgelopen zal zijn. Hete tranen worden er na mijn verscheiden gestort, Bertje & Co moeten zich schuldig voelen. Kinderachtig, en helpen doet het niet, maar wie probeert niet over de dood heen te kijken? Wie probeert niet zich de leegte voor te stellen die hij zal achterlaten?

Soms verbeeld ik mij de gezichten te zien van mijn ouders, hun lachjes en grimassen, als van oude apen. Dat heet verwantschap, maar ik kan mijn oorsprong niet achterhalen, noch er zin aan geven. Mijn vader ken ik van horen zeggen, mijn moeder heeft me de schaamte aangedaan. Als ik over mezelf praat, is het alsof ik het over een ander heb. Uit het niets naar het niets? En de tussentijd dan? Mijn ik heeft toch niet alleen toegekeken? Ik heb toch niet alles zonder slag of stoot aangenomen of ondergaan? Was het Herwardje die me uitlegde dat een bij maar één keer kan steken, en sterft na het verlies van haar angel?

Ik moet dringend orde op zaken stellen, maar ik word hier zo moe van. Ach, weer op de voorplecht van de veerboot staan, met Herwardje aan het handje, en tjilpen van spleen. Vóór ons de rivier die uitwaaiert naar zee. Vogels hoog en laag. Op de wind de geur van de pijp van Augustijn. Zo volmaakt als ik het mij voorstel kan het niet worden overgedaan, en dat is maar goed ook, want in de ledigheid van mijn hart vertrouw ik de veerman niet en vrees ik voor een eenmalige vaart naar de overkant. Plotseling kan het water niet diep genoeg zijn. Mijn verlangen naar de andere oever is als een heimwee waaraan ik geen uitdrukking kan geven.

Ook dat inzicht komt te laat.

■■■

Ik hield van de tocht door het bevroren land, vooral als er sneeuw lag. Met het kind tussen ons in leken Augustijn en ik Jozef en Maria, een plaat van de heilige familie.

Kleine Herward dacht dat hij de glinsterende kristallen van de sneeuw kon plukken. Een presentje voor zijn moeder, die bezeten was van diamanten. Toen hij een keer dringend moest plassen, leerde Augustijn hem hoe hij zijn naam in de sneeuw kon schrijven. Ik zie het joch nog met zijn wollen broek op zijn laarsjes ingespannen zijn piemeltje op de sneeuw richten. Hij bracht het niet verder dan druppels die gele putjes in de sneeuw smolten. 'En zo verder, enzovoort...' monkelde Augustijn. Herwardje was apetrots op zijn sporen in de sneeuw en vergeleek ze met de afdrukken van vogelpootjes.

Zo vrolijk we de tocht naar het kasteeltje altijd aanvatten, zo somber gingen we weer op huis aan. Madame had ongelijk als ze dacht dat Augustijn zichzelf in de hand zou houden omdat het kind en ik op hem waren aangewezen. Zonder haar was hij zichzelf niet.

In het kasteeltje moesten we eerst met Herwardje de wenteltrap op om de oude mevrouw ons respect te betuigen. Augustijn klom steeds langzamer, soms bleef hij in een bocht staan, zodat wij tegen hem op drongen. De oude mevrouw lag langoureus op een bordeauxrode divan, opgestoken haren, parels om haar kippennek. Het leek of ze poseerde voor een portret van zichzelf als oude dame. *'Bonjour, mon fils.'* Tegen Herwardje zei ze krek hetzelfde, het was alsof ze in zonen grossierde.

Ik was als de dood voor de honden, die vals lachend hun bovenlip optrokken en zachtjes gromden. Als de eenzijdige conversatie was stilgevallen, gaf de oude mevrouw te kennen dat ze me van nabij wilde bekijken. Zodra ik een stap in de richting van de divan zette, kwamen de honden stijf overeind. Geamuseerd beval de oude dame dat ik me omdraaide, een rechte rug was belangrijk voor de houding. Het zweet brak me uit, ik verwachtte niet anders dan dat de honden mij zouden aanvliegen. Augustijn maakte een einde aan de kwelling door in zijn moerstaal te vragen of ik ook nog mijn tong moest uitsteken. Dat was een van de hebbelijkheden van de oude mevrouw geweest: de tong van haar meiden op aanslag controleren. Kwaad noemde ze Augustijn *un mufle*, maar de voorstelling was afgelopen.

Joelend tolden Herwardje en ik daarna de trappen af, Augustijn volgde aarzelend. Hij daalde net zo langzaam de trappen af als hij ze was opgeklommen. Ik had hem bruusk de lippen van meer dan één paard zien opentrekken om de tanden te controleren. Mogelijk had hij het gebaar van zijn vader overgenomen, maar mij stond de geste tegen. Hoezeer Augustijn ook op paarden was gesteld, een paard met een slecht gebit, of een oud paard, werd onverbiddelijk afgekeurd. En ik kon het niet helpen dat ik daaraan dacht als Augustijn zijn moeder vroeg of ze de aanslag op mijn tong wilde controleren. Heimelijk blies ik in de kom van mijn handen om mij ervan te vergewissen dat mijn adem geen kwalijke geur had.

In de grote kamer van de kasteelhoeve was een haardvuur aangelegd. Augustijn zette de fles whisky op tafel, Herward legde er het blok stilton naast. Er werden heerlijkheden geserveerd waar wij in de stad alleen van konden dromen: gevogelte, gebraad, gefarceerde kool, maar ik kreeg haast niets naar binnen.

Herward en Augustijn zaten zwijgend tegenover elkaar te drinken. Terwijl de broers langzaam dronken werden, liepen hun ogen rood aan, maar ze bleven stom voor zich uit staren. Niemand waagde het hen te storen. Ten slotte stommelde Augustijn met de stilton onder de arm naar de deur. Hij keek op noch om. Ik moest er met Herwardje op een drafje achteraan.

Ik weet niet meer welk jaar het was toen we laat in de namiddag het kasteeltje verlieten. De loden lucht hing laag, de velden leken grauw, het pad met de platgetreden sneeuw was spekglad. Het begon te sneeuwen, een fijne sneeuwjacht die als met naalden in het gezicht prikte.

Herwardje kon het tempo van zijn vader niet bijhouden. Toen ik twijfelde of de schaduw ver voor ons die van Augustijn was, begon ik te roepen. De schaduw leek naar links uit te wijken, maar daar liepen we vast in de sneeuwduinen die de wind had opgeworpen. Herwardje huilde niet – dat zou mij pas later bevreemden –, hij liet zich stomweg in de sneeuw zakken en weigerde op te staan. Er zat niets anders op dan hem op mijn rug te hijsen.

Ik wist niet waar de rivier stroomde en het pad raakte toegedekt door de sneeuw. Waar moest ik heen met mijn vrachtje? Mijn stem begaf het en ik begon te snotteren. Toen, onverwacht, trapte Herwardje met zijn laarsjes in mijn flanken en riep: 'Ju! Ju!' Terwijl hij mij de sporen gaf, had hij zijn armen stijf om mijn hals geslagen. Ik boog mijn hoofd en probeerde me uit zijn greep te bevrijden.

De stille worsteling werd onderbroken door een doffe knal, een schot, dat met regelmatige tussenpozen werd herhaald. Strompelend begon ik op het knallen van het geweer af te gaan. Ik kon geen hand voor ogen zien en gilde toen we tegen Augustijn op botsten. 'Houd je fatsoen!' bromde hij. Hij nam Herwardje van me over, ik klampte me vast aan zijn jaspand, en zo sukkelden we verder, terug naar het kasteeltje.

De honden die Herward had uitgestuurd kwamen aangestoven door de sneeuw. Ik verstijfde, maar Augustijn moedigde de horde aan: 'Waar is het baasje?' Herwardje bauwde zijn vader na. Ze hadden samen pret omdat ik zo bang was. Wat de honden feilloos aanvoelden: ze hapten naar mijn enkels en dreven mij verder alsof ik een stuk vee was. Ik was kwaad op mezelf, maar ik heb het later wel meer gezien, mensen die ondanks zichzelf willoos gehoorzamen.

De broer van Augustijn stond ons met het geweer voor de borst op te wachten. Het avontuur was van korte duur en toch leek het alsof we voor de eeuwigheid onderweg waren geweest. Herwardje werd geprezen omdat hij zich zo kranig had getoond, ik voelde me ongemakkelijk als ik naar zijn witte snuitje keek. De fles whisky, die nog op tafel stond, moest er helemaal aan geloven. Ik kreeg ook een glas, om weer warm te worden. De drank rook naar eikenvat en brandde in mijn maag, lekker vond ik het niet, maar mijn wangen begonnen wel te gloeien.

De stilton van dat jaar ging verloren, en voortaan vergezelde Madame haar man met nieuwjaar. Geen van de kinderen mocht ooit nog mee naar het kasteeltje.

Na elk overlijden wimpelde de dokter ons af met: 'De tijd moet zijn werk doen.' Dat waren de woorden van een verslagen man. De tijd is geen maat voor wat er wordt uitgericht. Hij verzacht niet, hij verslijt. Hij herinnert ons eraan dat wij voorbijgaan, maar hij verlost ons niet van wat voorbij is. En o wee als hij stilstaat.

Het was nog een waarlijk strenge winter toen het bericht kwam dat Herward dood was. Ik vroeg Augustijn de telefoon over te nemen, maar hij deinsde achteruit alsof hij het slechte nieuws voorvoelde. Madame nam de hoorn van mij over. 'Wat? Hoezo? Wanneer?' Ze riep altijd aan de telefoon, de kinderen maakten zich er vrolijk over, maar dit keer klonken de vragen zo onheilspellend dat alle geginnegap verstomde.

Het hart van Herward had het begeven, maar dat had aanvankelijk niemand begrepen. In een vlaag van jeugdsentiment had Herward een sneeuwman gemaakt en die gekroond met een soldatenhelm. 'Zo word je toch nog herdacht, sloeber,' had hij gemompeld. Zijn vrouw had bevreemd gevraagd tegen wie hij het had. Herward had niet geantwoord. Hij had zijn armen in een kramp om de kille hals van de sneeuwman geslagen. Samen waren ze omgekieperd, maar langzaam, alsof de sneeuwman als contragewicht had gewerkt. Er was Herward geen smartelijke kreet ontsnapt, geen laatste woord, niets.

Toen hij werd begraven lag het land achter de dijken bedolven onder de sneeuw. In de bevroren rivier trok de vaargeul een donkere voor in het water, kinderstemmen weerklonken in de ijle vrieslucht. Herward werd bijgezet naast zijn moeder, de grafdelvers hadden de grafkelder moeten openhakken.

Van de groep die samen met hem door het juichende volk was uitgewuifd, op een gedenkwaardige dag in augustus, was die ochtend in januari maar een handjevol kleumende oud-strijders present. Een magere man met een klaroen blies de *Last Post.* Augustijn salueerde, maar gaf geen krimp. Bij leven had hij zijn broer gemeden, niet uit onwil, maar uit schroom, of zoals Madame het samenvatte: 'De oorlog zat ertussen.'

Na de dood van Herward was het alsof Augustijn smolt of ontdooide. Hij huilde bittere tranen om zijn broer, hij haalde hem te pas en te onpas aan en kreeg verhevigd last van zijn piepende ademhaling; een oorlogskwaal. Voor Herward liet hij een grafkapel oprichten, en op wapenstilstand – 11 november – werd daar in zijn naam een rouwkrans neergelegd. Dat hij het familiegraf alleen bij formele herdenkingen bezocht, kwam doordat onder hetzelfde arduin zijn onverbiddelijke moeder wachtte.

■■■

Het gezin Van Puynbroeckx telde twee zonen. Augustijn was de jongste. De mooiste man die er ooit heeft bestaan: twee meter lang, blond, blauwe ogen, een forse maar rechte neus, een gewelfde mond. En altijd schoon en lekker ruiken. Hij noemde mij meteen Celestieneke, maar hij is nooit komen aankloppen, ook niet aan de deur van Rosa. Hij ging ervandoor naar Engeland om met Madame te trouwen. Klein, maar goed voorzien van voor- en achtersteven, een vrouwtje dat als een duveltje uit een doosje kwam gesprongen. Haar ogen kleurden zwart als ze kwaad was. Door en door verwend door haar stiefouders, die haar voor het klooster hadden bestemd, maar er zat geen nonnenvlees aan het kind. Ze was net achttien geworden toen ze met Augustijn getrouwd op de stoep stond, en al drie maanden zwanger.

Laden en lossen, het was me de liefde wel! Het waren allemaal jongetjes, behalve het eerste kind, Angelique, die er ongeschonden vanaf kwam, al was zij met het uiterlijk van haar vader en het karakter van haar moeder een moorddadig wicht. Ze werd bij de voeten uit de moederschoot getrokken, en Augustijn zoende de rimpelige voetzooltjes voor hij de rest goed en wel had gezien.

Madame was jaloers, zij wilde altijd het beste voor haar dochter, als het maar ver van huis was. Zoals ze mij geregeld naar de maan wenste en tegelijk niet zonder me kon. Met al die zwangerschappen en de zaak en nog een keer een oorlog erbovenop.

Ik hoefde niet zoveel te verdienen, het was mij niet om het geld te doen. Ik werkte en hield mijn benen bij elkaar, zoals mijn moeder had bevolen, maar mijn mond houden, dat was te veel gevraagd.

'Spreken is zilver, zwijgen is goud!' orakelde Rosa. Een dooddoener voor dienstboden. Van zwijgen word je niet wijzer. Mijn tong was mijn grootste fout, maar ook mijn enige verweer. Helaas, Madame was evenmin op haar mondje gevallen, en ze wist hoe ze me kon raken. Wat haar betreft was ik een oude vrijster, met borsten die verdorden, de tepels als krenten – haar woorden –, en ik kon me niet afdoende verweren. Niet omwille van die dienstbetrekking, ach nee, een meid verdient altijd wel kost en inwoning. Ook niet omwille van Augustijn, hoewel ik hem stelselmatig heb ontzien. Nee, het was om de kinderen, dode en levende, en om wat ze haar aandeden. Zoals ze door het huis dwaalde met haar lekkende borsten en de blik van een schijnzwangere teef nadat er weer een engeltje was opgestegen. En de levende kinderen overtroffen op den duur zelfs de dode als het erom ging hun moeder te verdrieten.

De baby's werden geboren met oranje kopjes alsof ze van een sinaasappelboom waren geplukt, maar al vlug verloren ze hun kleur. Het werden asgrauwe oude mannetjes. 'Vuil bloed,' meende de baker. Iets onverenigbaars tussen de vader en de moeder, het volk noemde het 'de oude man'.

Ik heb de kleintjes allemaal gewassen en in batisten jurkjes in hun witte kistje gelegd. Madame kon er na de eerste twee niet meer tegen; op mij werkte het kalmerend. Ik moet iets om handen hebben. Madame liet het huishouden op zijn beloop, at niet meer, sliep niet meer, huilde na verloop van tijd niet meer. Zij staarde in het niets, afwezig en leeg, het was niet te harden.

Misschien was het wel om die leegte te vullen, om haar weer tot leven te brengen, dat Augustijn haar vertroetelde en haar al vertroetelend beminde. Liet zij het zich welgevallen, kon zij hem niets weigeren, of kreeg zij er al doende weer zin in?

Die twee waren voor geen kleintje vervaard. Ik heb meer dan zestig jaar met ze geleefd, al was het dan als het vijfde wiel aan de wagen, en ik kan getuigen dat ze het altijd weer deden. Zondag of weekdag, gelukkig of ongelukkig.

Toen Madame na haar tweede beroerte aan sterven toe was, kroop Augustijn bij haar in bed. De pleegzuster was ontroerd, maar ik hield mijn hart vast. En hoe noemde hij haar, mijn Augustijn, na een leven lang de liefde bedrijven? Hij noemde haar moeder! Niet bieke, chouke, schatteke, of wat al meer, nee: moeder! Toen heb ik het ook te kwaad gekregen, al leek mijn uur van triomf dan gekomen. Ik wist dat ik niet alleen Madame, maar ook Augustijn had verloren. Madame had voor altijd de plaats van de enige en onvervangbare ingenomen.

■■■

'God gaf het ons, God nam het ons, Gods name zij geprezen,' stond er op de doodsprentjes. Ik vond Madame voor haar toilettafel terwijl zij keer op keer die riedel aframmelde. Ze had de doodsprentjes van haar verloren zonen uitgelegd als kaarten voor het patience. Een spel waaraan ze verslaafd raakte. Wit en blauw waren die prentjes. IJsblauw, met de afbeelding van een engel die boven een grafje treurde. Of een engel die een kindje op vleugels naar de hemel voerde. Of vanaf een wolk neerkeek op het aardse bedrijf. Ik werd er naar van. Zonder dat Madame het in de gaten had, heb ik een pak doodsprentjes opgestookt in de keukenkachel. Je hebt er altijd te veel van, vooral met kinderen.

Of Madame bijgelovig van aard was, of dat zij het werd door wat haar toeviel of werd aangedaan – wie zal het zeggen? Van zwarte katten tot de stand van de sterren, het had allemaal een dubbele betekenis. Op den duur had ze meer vertrouwen in de waarzegster dan in de almachtige God. Ik heb ook niet zoveel vertrouwen in God, en zeker niet in zijn vertegenwoordigers, maar een beetje orde geeft houvast.

Madame had het gevoel dat het ongeluk door haar obscure afkomst kwam. Dat ze was behekst, dat ze voor haar allesverterende liefde werd gestraft, dat haar nakomelingen waren vervloekt. Zij was op een grimmige wijze wanhopig. Maar ze volhardde. Met Augustijn was ze begonnen en met Augustijn ging ze door! Mij nam ze erbij, en ik, dat kan niemand ontkennen, ik heb het niet laten afweten.

Bertje kan de boom in!

Ik heb een foto van de vier die het er levend hebben afgebracht. Op een aflopend rijtje: Angelique en de drie broers Marius, Reinout, Albert, alias Bertje. Deftig, de jongedame met hoed en handtas, de jongeheren met geruite petten en kragen van beverbont. Vroegwijze kinderen, behalve Bertje, met zijn ponyzweep, een brutaaltje. Zonder die zweep wilde hij niet poseren.

Madame verzette zich tegen het maken van de foto, alsof ze vreesde dat de afdruk van het vieve viertal onheil over hen zou afroepen en de afbeelding van haar uitgedunde nest ook een soort doodsprentje was. Maar Augustijn stond erop dat zijn kroost gefotografeerd werd. Het was alsof hij met die foto zijn vaderschap wilde bewijzen, al kon hij er niet naar kijken zonder de zonen te gedenken die ertussenuit waren gevallen. Frontsoldaatjes, verwant aan zijn gesneuvelde makkers, die in het niemandsland zwierven en geen rust konden vinden. Hoe druk dat gedwarsboomde ouderpaar ook de liefde bedreef, zij slaagden er niet in de gaten in hun leven te vullen.

Ook ik had er moeite mee als ik het ongelijke rijtje zag, je vroeg je onwillekeurig af waar de anderen waren gebleven. Ik werd er evenwel niet week van, zoals Augustijn en Madame, die toegaven aan de grillen van hun broed en dat achteraf betreurden. Ik had die kinderen niet het leven in geschopt, ik hoefde niets goed te maken of me schuldig te voelen. Ik gaf die ondeugden ervan langs, niet om ze klein te krijgen, maar om ze te wapenen. Het stond in de sterren geschreven dat hen geen makkelijk bestaan wachtte. Te veel temperament en te weinig gezond verstand. Het oude liedje.

■■■

Kinderen lijden onder het slechte huwelijk van hun ouders, zegt men, maar ze verdragen ook niet dat hun ouders een liefdespaar zijn. Op zondagochtend zaten ze als wezen op de mat voor de ouderlijke slaapkamer. Angelique mokte, Reinout zeurde om zijn moeder, Bertje trapte tegen de deur. Alleen Marius, de eenzelvige, deed niet mee. Die zwierf door de beemden en leek zich nergens iets van aan te trekken.

Ondertussen bleef de deur dicht. Het huis had in brand kunnen staan, de deur bleef dicht! Die twee lieten zich op dat van de goden gegeven moment niet dwingen. Ook niet door hun lieve kindertjes.

Ik lokte mijn clubje met een zoet lijntje naar de keuken en serveerde met gespitste oren warme chocolademelk en krentenbollen. We waren in de ban van de kreten van Madame. Het was moeilijk lust van pijn te onderscheiden; wat de een als genot in de oren klonk, had voor de ander de jammerklank van barensweeën. Reinout vroeg of mama pijn had, of papa haar zeer deed. Angelique grinnikte. Dat was mijn geluk, ik gaf haar een standje, want ik had bij God niet geweten wat te antwoorden.

Een bedgeheim kan maar door twee geliefden worden gedeeld. Al die jaren heb ik ernaar gehunkerd om deel uit te maken van wat Augustijn en Madame verbond. Wat hen bij alle misverstanden, tegenslagen, verlies, over de tijd heen met elkaar bleef verbinden. Ik leefde met hen mee, ik deed de slaapkamers en de keuken, ik wist beter dan zijzelf hoe ze ervoor stonden. Toch bleef er altijd een zekere afstand, als een onzichtbare grens waar ik niet overheen raakte. Ik hoefde maar even te dralen of Madame vroeg: ‘Heb je niets om handen?’ En Augustijn, schijnbaar verstrooid: 'Is er nog iets?' Of ze keken elkaar aan, en dan samen naar mij.

Ik trok mij terug in de keuken; welzeker dat er nog iets was. Ik heb gewerkt tot mijn vingers krom stonden van het reuma. Augustijn en Madame waren niet onwelwillend en ze hadden mij nodig, maar in hun intimiteit was ik zo welkom als een hond in een kegelspel. Zij bestonden voor elkaar, al het andere was daarvan afgeleid of eraan toegevoegd. Als echtpaar waren zij door dik en dun medeplichtigen.

Toen Marius naar zondagse gewoonte doorweekt en onder de modder de keuken kwam binnenvallen, grommend van: 'Is het weer zover?', gaf ik hem voor alle zekerheid een draai om de oren. Hij keek hijgend als een afgejakkerde jachthond naar me op en grijnsde. Daar waren ze allen in bedreven: grijnzen, gnuiven, ginnegappen, alsof ze de gek met je staken en zich heimelijk beter wisten. Of boven de wet stonden. En als dusdanig een vrijbrief hadden om alles te doen wat in hun hoofd opkwam.

'De bende van drie'. Onder die noemer werden de broers berucht in de dorpen. Het ging van eieren roven tot hooioppers in brand steken, zelfs ik was beducht voor hun streken. Angelique verborg haar voornemens achter haar maniertjes, maar dat lachje kon ze niet van haar gezicht wissen. Drie keer raden wie van deze schattige kinderen de bendeleider was. 'Angelique, rikketik!' riepen de broertjes plagend.

Over het koppige hart van Angelique valt veel te zeggen, maar ze is geen angsthaas. De eerste en de taaiste. Diegene die ons allemaal zal overleven, ik zie het aankomen. Het verwondert mij niet dat zij, die zich bij het naderende einde van haar moeder naar huis spoedde, ook mijn spullen heeft gepakt. Haar paarsblauwe ogen verschillen als dag en nacht van die van Madame, maar de blik waarmee ze mij buiten keek, was dezelfde. Misschien had ik haar ervan kunnen overtuigen om me niet in Welverdiend te stallen als Madame niet als eerste de geest had gegeven, maar dat ik alleen met Augustijn zou overblijven, dat was te veel gevraagd. 'Oude liefde roest niet,' zei ze met een vals lachje. Alsof ik ooit aanstoot heb gegeven! Ik begreep te laat dat niet ik, maar Augustijn, de hoofdverdachte was.

Angelique weet ondertussen alles over onvervulde liefde en tweedehands troost. Maar trotse juffer die ze altijd is gebleven, zal ze dat nooit toegeven. Ze heeft Welverdiend nog als Mon Repos gekend, en ze verdraagt geen ontluistering. Ook voor oud worden haalt ze haar neus op. Maar ze zal me zeker komen opzoeken, fruitmand in de hand, even minzaam als waakzaam.

'*Ça va,* Celestien?' En ik: '*Ça va, ça va!*' Het gaat zoals het gaat. Want ik pas er wel voor op het achterste van mijn tong te laten zien. Angelique is de enige van het stel die haar wraak koud bereidt, en wat fratsen betreft doet ze niet onder voor haar broers. Ze werd van de wieg af bewonderd, maar ze had te veel buitenkant om waarachtig te worden bemind. Ook wat karakter betreft verkeek iedereen zich op de verpakking: de beminnelijkheid is een harnas, in wezen is ze onbuigzaam. Het temperament van haar moeder, maar omgekeerd, met Madame was het vuur en vlam, met Angelique kun je je aan ijs branden. Ze wil alles zonder voorbehoud, succes en liefde, rijkdom en geluk, waarbij succes en rijkdom garant staan voor liefde en geluk. Vanzelf dat het behelpen blijft en dat ze altijd tekort is gedaan.

Ze was nog geen zeven of er tekende zich al een teleurgesteld trekje af rond haar fraaie lippen. Zij keek naar zichzelf zoals de anderen naar haar keken, en ze begreep niet dat ze die blikken niet kon verzilveren. Schoonheid is een paradijsappel, Angelique werd evenzeer bewonderd als benijd.

Augustijn had zijn dochter wel wat beter kunnen beschermen, maar hij ging al zijn hele leven gebukt onder sterke vrouwen; mogelijk vond hij dat het met Madame volstond. Zijn zonen kwamen allemaal met een bruid beneden niveau aanzetten, met een vrouw die vooral niet op hun moeder leek, eentje die ze dachten de baas te blijven. Daar hebben ze zich mooi op verkeken, maar ze deden het in hun broek als ze tegenover een vrouw met allure stonden.

'Als ik een mooie vrouw was, zou ik de mannen naar mijn pijpen laten dansen!' merkte Augustijn eens lachend op. Dacht hij echt dat schoonheid een wapen was? En dat er geen verstand aan te pas kwam? Voelde hij zich bedreigd of hield hij vast aan wat hem in het hoofd was geprent? Mannen zijn zeer bijgelovig als het om de lust van vrouwen gaat. En al te vaak gaan hun privileges vóór geluk. Ik heb mijn mannetjes leren kennen!

Augustijn was levenslang de zoon van zijn moeder, de man van Madame, de heer van zijn dienstmaagd – maar de vader voor zijn dochter? Dat weet ik nog zo niet. Haar nietsontziende drift bevreemdde hem, en hij vond ook dat zij haar kansen verspeelde. Angelique aanbad haar vader en achtte zich als dochter uniek, alles op haar eigen dwarse wijze. Hij de enige voor haar, zij de enige voor hem. De oude ruilhandel van vrouwen: mijn hart voor het jouwe! Je kunt er gif op nemen dat het uitdraait op bedrog of verlies, maar zij houden stug vol dat geluk het volle pond vereist.

Angelique was ontgoocheld dat haar aanspraken door haar vader met complimenten werden afgewimpeld. Ze schoof de schuld op haar moeder of op mij, want toegeven dat ze het aan zichzelf had te danken kon ze niet. Net zomin als ze zich tevredenstelde met het warme plekje dat haar vader in zijn hart voor haar reserveerde.

Zolang Augustijn zeggenschap over haar had, was Angelique een rebelse dochter, maar misschien dat hij nu, in zijn afhankelijkheid, moederlijke gevoelens bij haar kan opwekken. Misschien zal zij verhinderen dat Augustijn op zijn beurt naar een of ander bejaardenoord wordt afgevoerd. Misschien, want zoals kinderen worden geboren, zo zijn ze, daar ben ik heilig van overtuigd. En Angelique lag dwars en liet om zich bidden. Madame liep door het huis als een kip die haar ei niet kwijt kon, de weeën namen drie dagen en drie nachten in beslag. Er kwam maar geen schot in de zaak. Het zweet breekt me uit als ik eraan terugdenk. Ik had nog nooit een bevalling meegemaakt, had niet eens mezelf tussen de benen gekeken. En wat ik er bij Madame in haar gezegende toestand van zag, joeg me voldoende schrik aan om voorgoed kuis te blijven.

Madame wist in moeilijke situaties haar ponteneur te bewaren, maar bij het baren smolt het laagje vernis dat haar stiefouders zo secuur hadden aangebracht. Ze ging tekeer als een furie, schold en beet, en trapte bij elke pijngolf zo hard ze kon. De baker had het ene been te pakken, ik moest het andere omhoog en opzij houden. De baker was bedacht op trappen en zette zich schrap, maar mij ontsnapte het been keer op keer. En ik had de grootste moeite om het weer in mijn greep te krijgen.

Het hielp wel dat ik tegenwerk moest leveren, want ik was het liefst hard weggelopen. Een toegesnelde dokter zat met zijn hoofd tussen de dijen van Madame en mompelde wat over complicaties. Toen hij erover begon dat het aan de vader was om te kiezen tussen het leven van het kind of dat van de moeder, trok Augustijn hem bij zijn kraag omhoog en dook op zijn beurt tussen de benen van zijn vrouw. Hij was weer helemaal aan het front en commandeerde haar op een toon die geen tegenspraak duldde. Madame haalde grommend uit, maar in uiterste nood deed ze wat Augustijn haar beval. Hijgen, ontspannen, alle kracht samenballen en persen!

Toen ik weer durfde te kijken had Augustijn twee voetjes te pakken. Hij drukte er zijn snor op, en het volgende moment hield hij zijn dochter ondersteboven, de enige keer dat Angelique geen schoonheid was, maar op een geslacht konijn leek.

Het eerste geschrei ontstelde me, het leek op een zacht gekerm. De dokter herpakte zich en knipte de navelstreng door. De baker stond klaar met een wollen doek om de baby in ontvangst te nemen, maar Augustijn legde het schepseltje in mijn armen. 'Celestieneke, houd het jongske warm!' Dat maakte veel goed, en ook dat Augustijn het niet liet afweten; hij heeft Madame om zo te zeggen leren baren. Hij ontwikkelde zelfs een systeem om haar weeën te regelen met het fluitje waarmee hij aan het front de aanval had geblazen. Zodra hij een pijngolf zag aankomen begon hij schril te fluiten, en in een reflex hijgde zij als een teef. Als het hijgen stokte en Madame begon te jammeren of te vloeken, haalde Augustijn diep adem en gaf een paar felle fluitstoten. Vervolgens werd de arbeid voortgezet in een gestaag maar hels ritme. Het ging er nooit zachtzinnig aan toe, maar Madame wist tenminste wat ze moest doen of laten.

De gelukkige ouders hadden met recht op de geboorteaankondiging kunnen laten zetten: 'Samen gemaakt, samen gekregen.' In tegenstelling tot de doodsprentjes, waarop 'Samen verloren, samen begraven' niet had gepast, want in het verlies vielen zij terug op zichzelf. Het scheelde niet veel, zoals met Herwardje, of zij raakten verdeeld. Maar van elkaar af raken, nee, zover kwam het nooit, het bed hield hen bij elkaar. En ook de schaamte en de schuld die ze voor de buitenwereld verborgen.

■■■

Ik was helemaal van mijn melk bij de eerste geboorte, maar ook na meerdere geboortes bleef het een voorstelling die diepe indruk maakte. Mannen kunnen zo gewichtig doen over hun sekse alsof die hun eigen uitvinding is, maar het echte wereldwonder blijft, wat mij betreft, een vrouw die leven geeft. Al kreeg ik er wel genoeg van dat ik – als Madame en Augustijn zich na de geleverde prestatie terugtrokken in hun zalige twee-eenheid – telkens met de boreling werd opgescheept.

Ik heb in mijn meisjestijd altijd naar pap, talk en de luierwas geroken. Er tekenden zich blauwe kringen af onder mijn ogen door het gebrek aan slaap. Zo raken je kansen wel verkeken. Enfin, dat kan ik de jongens en ook Angelique vergeven. Zij was mijn eerste, gaaf en gezond, een baby om op te eten. Ik hoefde nog niet met angst en beven de wieg te bespieden. Ik kon me ongeremd uitleven, met het kindje in de kinderkoets flaneren, het neuriënd in slaap wiegen, het met een badje vertroetelen. *Pouponner* was een van mijn eerste Franse woordjes en ik was er dol op. Het enige probleem was dat Madame op geregelde tijden de baby opeiste. Omdat we allebei zo jong waren, leken we meisjes die met dezelfde pop wilden spelen. Ik viel de baker bij die beweerde dat Madame haar figuur zou bederven als ze het kind zelf zou voeden. Het was ook niet in de mode of *en vogue*, voor haar soort.

Madame liet zich uiteraard het genoegen niet ontnemen en haar figuur werd alleen wat voller. Augustijn draaide als een hunkerende kater om haar heen, je zou gezworen hebben dat hij zelf aan de borst wilde. Ik zag met lede ogen dat het moederschap geen afbreuk deed aan de aantrekkingskracht van Madame. Als ze me na het diner vroeg de baby te halen – zij had meteen het gebruik afgeschaft dat de heren zich na het eten in de biljartkamer terugtrokken – en het kant van haar decolleté opzijschoof, zaten de mannelijke gasten met rode koppen te gluren naar haar melkbastion. Zij verkeken zich op Madame omdat zij zo klein was, zo kinderlijk koket, een begeerlijk moedertje. Zij speelde het spelletje mee, maar het vrouwelijk appèl was ernst. Ze verwachtte liefde van de minnaar, bescherming van de man, een vader voor de kinderen, en zo mogelijk een vennoot voor de zaak. Alles wat de heren voorgeven, maar zelden vervullen. Angelique had haar verwachtingen niet van een vreemde; ook Madame zocht soelaas bij Augustijn, de enige man die ze het vergaf dat hij een hoge borst opzette en ondertussen aan haar rokken hing.

'*Das macht die Liebe, die dumme Liebe,*' zoals een rondborstige operettezanger in die dagen luchthartig zong. Madame mocht met recht en reden tjilpen, want liefde die alles moet goedmaken, dat is veel gevraagd. Ze was een vrouw die op mannen was gericht, maar die door de heren danig werd teleurgesteld. Ook door haar lieve Augustijn, en door de veelbelovende zonen, haar roedel. Of ze lieten het afweten, of ze brachten haar in moeilijkheden. 'Die willen de baas spelen en kunnen het niet,' concludeerde zij bitter.

Zij had zich kunnen troosten met haar mooie dochter die het volmaakte nastreefde, maar helaas, liefde moet van twee kanten komen en Angelique bedankte voor de moederlijke attenties. Het was een modelkind, maar altijd tekortgedaan, een pruilende baby, ze was als het ware beledigd als je haar luiers verschoonde. Haar kak stonk niet en het beviel haar allerminst dat ik beter wist. Zij was nog geen scheut hoog of ze noemde mij al 'gouvernante', 'meid' was de jongedame te min, al was ze er nog zo op uit mij op mijn plaats te zetten. Ze moest altijd de eerste zijn en ze kon niet delen. Niet met Madame, en zeker niet met mij. Toen Augustijn een slaapliedje zong van 'Celestieneke, zoete minneke,' beet ze haar vader zo gemeen in zijn hand dat haar eerste melktand losliet. En in plaats van hem over haar rug te gooien en een wens te doen – zoals het gebruik wil – slikte zij die melktand in. Ik voerde haar lepels wonderolie – daarmee had ze zichzelf gestraft. Maar twee dagen lang was haar stoelgang het onderwerp van alle gesprekken en ik, die niets misdaan had, moest haar productie op de melktand inspecteren!

De oude mevrouw had gegniffeld toen ze het voorval vernam, Angelique was haar lieveling. Een kleindochter naar haar beeld en gelijkenis, aan wie ze haar erfenis vermaakte. Aldus wist ze zich verzekerd dat het geld goed was besteed, zei ze, met een schuine blik naar Madame. Die liep rood aan en keek verontwaardigd naar Augustijn, maar hij was druk bezig de punt van zijn sigaar te knippen.

Het begrip en de bewondering waren wederzijds, Angelique noemde haar grootmoeder nooit anders dan *grand-maman.* Ze leerde zelfs een revérence voor haar maken.

Na de dood van haar grootmoeder was Angelique ontroostbaar, ze zeurde ons de oren van de kop om een Groenendaeler. Een hond die alleen van haar zou zijn, die haar overal zou volgen en aan haar voeten liggen.

'Verbeeld je maar niet dat je zo groots bent als grand-maman,' sarde Reinout. Meteen zat het spel op de wagen, Angelique en Reinout konden elkaar niet luchten. Dat ging zo ver dat Angelique na de afschuwelijke dood van haar broer koeltjes opmerkte dat hij was gestorven zoals hij had geleefd. Eigen schuld, dikke bult! Daar is nog een aardig woordje over gevallen, en ik heb het haar kwalijk genomen. De enige die Angelique bijviel, was nota bene Bertje, die Reinout in de oorlog achterna is gelopen. Maar hij voelde zich bedonderd, en zijn zus was de enige vrouw die hij adoreerde.

De hond moest en zou er komen, maar Augustijn kwam niet met één, maar met twee Groenendaelers aanzetten. Twee teefjes uit hetzelfde nest, die ons vertederden met hun plompe lijfjes. Alleen Angelique keek zuinig. Welke van de twee was de hare? Het werd er niet beter op toen Augustijn de hondjes hun baasje liet kiezen. Terwijl de jongens de pups aanhaalden, hield Angelique zich afzijdig. Augustijn trachtte haar uit te leggen dat trouw niet kan worden opgelegd of afgedwongen, maar het hoefde al niet meer; vechtend tegen haar tranen duwde Angelique haar vader van zich af. Madame noemde haar een verwend nest, maar Angelique snikte dat ze ook nooit kreeg wat ze vroeg. En altijd met haar broers zat opgescheept.

'Je krijgt heus nog een zusje,' trachtte ik te bemiddelen. Waarop ze pas goed begon te huilen, ze wilde helemaal geen zusje, en ze wilde ook geen hondje meer! Augustijn stak zijn handen op als teken dat hij het opgaf, maar hij had de jongedame beter een draai om de oren gegeven. De hondjes zochten trillend beschutting bij elkaar, ze waren helemaal ontdaan door de opera waarin ze waren terechtgekomen. Toen Marius er eentje optilde, gaf het een piep en plaste. Hij drukte het hondje tegen zich aan en schold zijn zus uit voor onnozele trien. Angelique repliceerde met zeurpiet, maar het maakte geen indruk. Voor Madame was de maat vol: de kinderen naar hun kamer en de honden in hun mand! Marius gaf zijn hondje een zoen, en het was alsof hij het afstempelde. Het andere hondje waggelde op Bertje af, en daarmee was de zaak geregeld.

Naar de hond van Marius keek Angelique niet om, maar aan Bertje gaf ze raad hoe hij zijn hondje moest verzorgen. Ook dat was een gelukkige ontwikkeling. Zoals Angelique haar kinderliefde richtte op de oude mevrouw, zo ging haar moederliefde naar Bertje. Voor het overige vond ze haar broers druk en dwaas.

De engeltjes joegen haar de stuipen op het lijf, ze wilde er niet van weten. Toen Bertje werd geboren, weigerde ze aanvankelijk een blik in de wieg te werpen. De broers gingen weddenschappen aan over de kansen van de kleine, maar Angelique snoof minachtend: 'Alsjeblief, niet weer in de rouw!' Ze had zich geen zorgen hoeven te maken; Bertje kwam voortijdig, een prematuurtje, dat zat in zijn natuur, maar het was een overlever. Hij balde zijn vuisten en zette een keel op. De wereld zou nog van hem horen! Madame stond erop het wurm Albert te dopen, naar de 'ridderkoning' die vier jaar achter de waterlinie had standgehouden. Dat werd als vanzelf Bertje, alleen Angelique hield het deftig op Albert, en maakte broerlief aldus groter dan hij was.

De ridderkoning was ook de held van Augustijn, maar hij had Bertje liever Herward genoemd, naar zijn broer, en zonder het hardop te vermelden, ook naar zijn zoon Herwardje, die net geen negen was geworden. Een schande, want Herwardje had de bloedziekte niet, al was hij zo traag alsof hij tegen de tijd in bestond. Hij was laat met lopen en praten, aankleden was een werk van barmhartigheid en eten deed hij mondjesmaat. In plaats van te rennen of te vechten verdiepte hij zich urenlang in allerhande gespuis: mieren, sprinkhanen en kevers. 'Beestjes,' glunderde hij. Weldra was het huis ervan vergeven, maar het joch was zo zachtmoedig dat je het hem niet kwalijk kon nemen.

Herwardje had het blonde haar van Augustijn en de bruine ogen van Madame. De gelijkenis met zijn broers was onmiskenbaar, al gedroeg hij zich niet als dat stelletje druktemakers. Hij herinnerde Augustijn aan zijn heldhaftige broer, die ook zwijgzaam was en schijnbaar gedwee. De oude mevrouw vroeg zich verwonderd af van wie deze zoon mocht afstammen.

Herwardje zoende zijn grootmoeder gewillig op haar bepoederde wang en kroop nog bij zijn moeder op schoot toen hij daar allang te groot voor was. Ook ik was zacht voor hem, het was een wijs ventje.

Een enkele keer raakte hij buiten zinnen. Toen Marius een twijndraad door het achterlijf van een meikever had gehaald, om het insect als een snorrende vlieger op te laten, was Herwardje ontzet. Hij smeekte Marius de meikever vrij te laten, en toen zijn broer botweg weigerde, sloeg Herwardje hem met een schop buiten westen. Angelique krijste, godzijdank, want Herwardje hield niet op; als ik niet buiten adem was komen aanzetten, had hij zijn broer zowaar doodgeslagen. Madame had niets gehoord, maar ik wantrouwde haar schattebouten, mijn oren stonden altijd op scherp.

Na het debacle met de meikever ruimde Herwardje zijn collectie spinnen en kevers op. Hij gooide de schaaltjes en potjes op de kruiwagen, reed ermee naar de mestvaalt en schudde ze hardhandig leeg. Marius was lucht voor hem op zulke kille wijze, dat de onverstoorbare er door van streek raakte. Omdat hij het niet gezegd kreeg, ging hij met gespreide armen voor Herwardje staan, maar die liep stomweg om hem heen. Het eindigde met een worstelpartij, tot Herwardje zijn broer van zich afschudde. Marius had voor het eerst die blik van een geslagen hond waarmee hij zich terugtrok in zijn eigen wereld.

Vetes moet je in de kiem smoren, dus ik beval Herwardje het weer goed te maken. 'Elkaar een hand geven en alles is vergeven en vergeten,' zei ik. Schutterig deden de broertjes wat hen werd opgedragen, maar ze vermeden het elkaar daarbij aan te kijken.

Herwardje vergaf genadig, maar vergeten – dat zie je van hier! Bij de geringste onmin werd de meikever erbij gehaald. Hij kon niet vergeten en zon op wraak. Ik was voortaan op mijn hoede met Herwardje, maar ook ik kon niet voorzien dat hij voor een weddenschap om het langst onder water zou blijven.

De andere jongens waren een voor een om adem happend opgedoken, maar Herwardje hield zijn adem in tot hij bewusteloos raakte. Twee dagen later spoelde hij stroomafwaarts aan land. Paars, met opgetrokken bovenlip. Moeizaam werd hij door een palingvisser de dijk op gedragen, het water had hem zwaar en onhandelbaar gemaakt. Ik stond klappertandend op de dijk, verloren in een landschap van schuin gewaaide populieren en boterbloemen. Ergens blaatte een schaap, dat zou mij nooit meer uit de kop gaan.

Herwardje staarde me aan met vissenogen terwijl ik hem trachtte te fatsoeneren voor zijn moeder hem onder ogen zou krijgen. Ik hield zijn handen in de mijne alsof ik ze wilde opwarmen. Had ik er niet altijd voor opgepast dat hij het niet koud kreeg in bad? 'Je mag poedelen tot je vingertoppen gaan rimpelen,' placht ik te zeggen. En hij, rillend: 'Kijk, ik word al oud!' De enige van de jongens die niet moest worden gemaand een bad te nemen, de enige die zich zonder tegenstribbelen schoon liet schrobben.

De dood van Herwardje brak mijn hart, het hart van Madame was al in duizend stukken gebroken, maar met Augustijn was het erger gesteld. Hij huilde niet, hij jankte! Hij klemde het jongenslijf in zijn armen en drukte zijn lippen op de willoze mond alsof hij zijn zoon weer leven wilde inblazen. Bij de dood van de engeltjes had hij zich om de bedrogen moeder bekommerd, maar nu voelde hij zich als vader verraden. Herwardje was de gevaarlijke tijd in de wieg ontgroeid en leek kans te maken op een rustig bestaan. Een zoon die misschien niet zo buitengewoon was, maar die voldoening beloofde.

Na de begrafenis sloot Augustijn zich op in het kantoor. Zelfs Madame kon haar man niet helpen. Ik bracht hem zijn koffie, maar hij schoof de kop van zich af, en eten deed hij al helemaal niet. Toen hij ook nog dreigde te vervuilen, voer ik tegen hem uit. Hij mocht zijn andere kinderen niet verwaarlozen, en wat zijn vrouw betrof had hij ook wat meer man dan minnaar mogen zijn. Augustijn zat me versuft aan te staren, dus spelde ik het voor hem uit. Een vader zorgt, een man laat het niet afweten. Moest ik hem aan die vier jaar in de loopgraven herinneren? Hoe hij met zijn fluitje tussen de tanden de stormloop had geleid?

Augustijn snakte naar adem en begon weer te huilen, maar geluidloos, zonder drama. Ik had het visioen van zijn Apocalyps opgeroepen, van die modderige knekelvelden waarin zijn kameraden lagen te rotten. 'Waarom ben ik gespaard gebleven?' vroeg hij wanhopig. Ik vergat mezelf, nam hem in mijn armen, zoende zijn betraande wangen en zijn stijf gesloten lippen.

Al had hij gewild, Augustijn kon Madame niet bedriegen, en het was ook niet mijn bedoeling. Ofschoon ik hem al eerder had gesust, toen ik nog een kind was, en helemaal in de ban van die knappe officier. Dat was in het ouderlijk huis van Augustijn, waar alles mij verwonderde en bekoorde, van de Perzische tapijten tot de schilderijen met jachttaferelen. Van het zilver tot de art-decovazen met pauwenveren. In het huis van mijn moeder stonden op de schoorsteen koperen granaathulzen naast een Lieve Vrouw onder een stolp. De enige luxe waren judaspenningen in een blauwe pot die uit de modder was opgedolven. Mijn moeder dreef een handeltje in frontvondsten, in het ouderlijk huis van Augustijn werden de medailles in gesloten cassettes bewaard. Men deed alsof er geen oorlog was geweest, alsof het lustige leven kon worden hervat. Maar de knappe jongeman die zingend naar het front was vertrokken, kwam naar huis als een gebroken man. Uiterlijk ongeschonden en ook nog beladen met glorie, maar innerlijk verscheurd en gekweld door vreselijke visioenen. Als een Razende Roeland scheurde hij met zijn motorfiets over de landwegen. Hij dronk zich laveloos en gokte tot hij meer dan platzak was. Ook aan galant gezelschap ontbrak het hem niet. Vanwege zijn staat van dienst, zijn naam en zijn charme kreeg hij overal krediet.

De oude mevrouw maakte Augustijn uit voor liederlijke vlerk, maar zij had niets meer te zeggen over de man die door de dood op de hielen werd gezeten. Of ermee flirtte. Je hebt soldaten die niet in het uniform passen of het, zo gauw het kan, van zich af gooien. Augustijn was er zo een die door het uniform overeind werd gehouden.

Ik poetste zijn rijlaarzen en plukte de frivole kousenbanden – de buit van zijn amoureuze avonturen – van het hertengewei dat hij als kapstok gebruikte. Ik voelde dat Augustijn ongelukkig was, al begreep ik niet goed waarom. Als hij zich na een dolle week terugtrok in de kleine salon, rokend en drinkend, sloop ik de verduisterde kamer in. De witte hoezen over de meubels lichtten spookachtig op en Augustijn verschool zich als een schim in een voltaire. Ik benaderde hem behoedzaam en probeerde zijn laarzen uit te trekken zonder achterover te tuimelen. Augustijn lachte of vloekte niet om mijn onhandigheid, maar hij stuurde mij ook niet weg. Terwijl hij gedurende die dagen nauwelijks zijn hond kon verdragen.

Ik wist dat ik niet mocht spreken, maar ik zong. Ik zong de liedjes die mijn moeder zong toen zij nog mijn moeder was en niet die geslagen vrouw die mij had weggebracht. Ik zat op het zacht verend tapijt en leunde tegen de knieën van Augustijn. Zo voelde ik hem verstillen, en als hij insliep, waakte ik over hem. En al wakend droomde ik van de liefde, of wat ik mij daar in mijn onnozelheid van voorstelde. Een lange omhelzing waar Augustijn, althans wat mij betreft, nooit last van heeft gehad. Ik heb in die tijd mijn plaats leren kennen en ook ingenomen.

Augustijn is de enige die mij ooit Celestieneke heeft genoemd. De kinderen hadden mij nodig en Madame ook, haars ondanks, maar Augustijn was degene die mij werkelijk niet kon missen. Hij deelde zijn bed met Madame, ik huilde tranen met tuiten, maar ik protesteerde niet toen de oude mevrouw me aan het jonge paar overdeed. Ik ging de ongelijke strijd aan met Madame omdat ik Augustijn niet kon verlaten. Hij had me nodig om zijn demonen te bezweren. Hoe ouder hij werd, des te meer hij werd geplaagd door het verleden, en hoe angstiger hij werd voor het einde.

Zijn borstkas piept en zwoegt. Weer wil hij zijn broer Herward achterna, nu niet om de vijand te verslaan, maar voor een snelle en onvoorwaardelijke overgave. Waarna alle oorlogen over zijn en de barmhartige vergetelheid verlossing brengt.

'Doodgaan is niets, maar hoe, en wat daarna?' Dat er een overkant is, een licht- en een schaduwzijde, daarvan is hij overtuigd, maar hoe dat is of waar, daarover verkeert hij in het ongewisse. Madame zoekt hij overal, behalve bij het graf, net als de engeltjes die hem om de oren fladderen, maar die hij nergens kan plaatsen.

Nadat een oude ijzervreter bij een herdenkingsplechtigheid een rede had gehouden over de gevallen kameraden 'die ons over het graf heen de hand reiken', kwam hij stomdronken thuis. En hij ging door met drinken alsof hij hoopte nooit meer nuchter te worden. Madame vroeg mij ongerust de whisky te verstoppen.

Of Augustijn verwacht dat zijn broer hem in het hiernamaals staat op te wachten met een compagnie geesten, of vreest dat er geen appèl meer wordt gehouden, is niet uit te maken, maar hij beeft bij het vooruitzicht. Hoe moet dat als ik hem niet kan bijstaan in zijn laatste momenten? Wie zal hem verzekeren dat hij niet bang hoeft te zijn? Ik voor mij geloof dat met de herinnering en de verbeelding alles is afgelopen. Daarom zou ik ook fatsoenlijk afscheid willen nemen.

Madame bad om vóór Augustijn te mogen sterven, zij wilde hem niet zien gaan en ze wilde niet alleen achterblijven. Eens te meer heeft zij haar zin gekregen. En ik zit met de nasleep, ook dat kon niet missen.

■■■

Na Herwardjes dood was ik alle dagen bij Augustijn. Madame liet het gebeuren, zij had geen keus en leek zelf niet meer van deze wereld. Marius kwam met een tekening aanzetten waarop hij zichzelf als duivel had afgebeeld. Een grijnzende duivel met getande vleugels. 'Voor mijn gestorven broeder,' had hij eronder geschreven. Zijn keuze stond vast, hij zou geen engel maar een duivel worden.

Ik verscheurde de tekening en hij maakte een lange neus. 'Mensen kunnen duivels niets aandoen!' Hij had beter zijn mond gehouden, hij die zo goed zijn mond kon houden. Ik heb nooit geweten wat er in die jongen omging: je kon op hem inpraten of hem straffen, het leek hem niet te raken. Later kwam het eruit dat hij zich na de dood van Herwardje had voorgenomen nooit meer bang te zijn. Dat is hem in het verzet goed van pas gekomen.

Augustijn en Madame bedaarden. Ze gingen zo omzichtig met elkaar om dat het leek of ze beducht waren om elkaar aan te raken. Die hoofse droefheid werkte niet alleen op mijn gemoed, de kinderen werden er onhandelbaar van. Reinout reed met de motorfiets van zijn vader tegen een blinde muur en brak zijn neus. Marius spijbelde van school en werd door de veldwachter naar huis gebracht. Het huis was vol gewonden en gestraften, maar Augustijn sloot zich op in het kantoor en Madame had doorlopend migraine.

Op een zondagochtend, toen de familie met lange tanden aan het ontbijt zat, zette Angelique de schaar in haar pijpenkrullen. Ik rukte haar de schaar uit handen en staarde verbijsterd naar de scheve hap in haar voorbeeldige kapsel. Augustijn sloeg zo hard op tafel dat de kopjes rinkelden. 'Celestien, kun je niet beter oppassen?' Geschrokken van de toon barstte ik in tranen uit. Madame verslikte zich in de warme chocolademelk en liep paars aan. Reinout sprong zo wild op dat zijn stoel achterover kieperde; ontsteld begon hij zijn moeder tussen de schouderbladen te kloppen. Onderwijl gooide Marius zijn bord op de grond aan diggelen. Het was je reinste anarchie.

Zodra Madame op adem was gekomen, begon ze Augustijn uit te schelden. Wat had je aan een man als hij niet op de zaak kon passen en de kinderen onder de duim houden? Ik viel haar bij: hoe stelde hij zich het voor? Dat wij alles zouden beredderen? Augustijn zweeg verbluft, de jongens raakten door het dolle heen. Ik dacht voor het eerst: dat heb ik niet verdiend – een gedachte die niet opluchtte maar verbitterde.

Angelique had zich afzijdig gehouden in het tumult, maar wel kans gezien om andermaal de schaar te pakken te krijgen. Haar blonde lokken lagen als schaafkrullen aan haar voeten. Wij staarden beduusd naar haar krielkopje. De prinses leek op een schooier wiens haar door ongedierte was aangevreten. Augustijn hervond zichzelf en ontstak in woede; Angelique werd naar haar kamer verbannen, de jongens incasseerden een paar rake klappen. Ik kreeg de opdracht het puin te ruimen en Madame werd bij de arm naar de slaapkamer geleid. Deur dicht en dat was dat. In de stilte van het huis weerklonk weldra het vertrouwde gejammer.

Over Herwardje werd na dat voorval niet meer gesproken. Zijn foto verdween uit de albums en van de bijzettafeltjes. Zijn kleren en speeltjes werden aan een liefdadigheidsinstelling gegeven. Men rekende hem niet eens tot de engeltjes. Als Augustijn of Madame werden ondervraagd over hun staat van dienst, gaven ze het aantal kinderen op plus de engeltjes, op den duur vijf in getal, maar Herwardje werd er niet bijgeteld. Het was alsof hij, die zichzelf de dood had aangedaan, nooit had bestaan. Dat trof me, omdat ikzelf officieel evenmin meetelde, maar ook omdat ik Herwardje niet wilde vergeten. De stijfkop was de dieperik in gegaan, maar wat kan een mens tegen een ingebakken trek beginnen? Moest het liefste joch van allen voorgoed verdoemd wezen? Het was voor mij nooit de kinderen min één, maar alle kinderen, engeltjes incluis, plus één.

Herwardje werd het kind dat mij niet was gegeven, de zoon die ik ontbeerde. Ik kon niet verdragen dat hij werd doodgezwegen. Op zijn verjaardag telde ik er een jaar bij, ik herkende hem in zijn schoolmakkers en zag hem als jongeman naar het leger vertrekken. Ik koesterde geen verdriet maar een gemis en vond troost in de verbeelding. Herwardje werd met mij ouder en begon in de schaduw van de werkelijkheid een eigen leven te leiden. Het kwam voor dat ik hardop naar hem verwees: hij hield zo van chocoladepudding, of dat boek over insecten zou hij graag als verjaardagsgeschenk hebben gekregen. Ik sprak over het verleden of in de voorwaardelijke wijs, maar ik bedoelde nu en voor altijd.

Augustijn en Madame negeerden dat soort opmerkingen, het kwam mij voor dat zij zich geneerden. Er was ook een onderdrukte wrevel alsof ik mij iets had toegeëigend en er een verhaal bij verzon. Dat gold voor alles, ik had het mis, het was niet zo gebeurd of het betekende iets anders. Er was geen behoefte aan getuigen en ik mocht mij niet als dusdanig aanstellen. De kinderen gingen nog een stapje verder: 'Dat zijn familiezaken,' of: 'Dat hoef jij je niet aan te trekken.' Bertje zei kortweg: 'Dat gaat jou niet aan!'

Bertje was de kleinste maar hij had wel de grootste mond. Hij had beter Bertus Kletsmajoor geheten.

Van de Chinezen heb ik horen zeggen dat ze een kind pas een naam geven als het een jaar oud is, dan weten ze wat voor vlees ze in de kuip hebben. Slim, maar een naam heeft ook een reputatie, of een faam. De Van Puynbroeckxjes hadden met hun naam een geschiedenis geërfd, en ze gingen er zich naar gedragen. Wat zij al niet allemaal verplicht waren aan hun naam! Het zotste en hoogmoedigste eerst. Veel geluk heeft die naam hun niet gebracht. Maar het was als een waarmerk, dat hen echt en enig verklaarde.

Toen Herwardje naar de bodem zonk, deed hij helaas ook zijn naam eer aan, en als Bertje zich groter voordoet dan hij is, is hij eveneens zijn naam indachtig. Marius en Reinout, *la même chose*, voor het volle pond geboren, en als ze het niet kregen zoals ze wilden, hoefde het niet meer. Waardige afstammelingen van de oude mijnheer; afbrekend wat ze opbouwden. En het werd allemaal aan de naam opgehangen, glorie en doem, en wel zo dat de doem ook een deel van de glorie uitmaakte.

Vanzelf dat Madame er haar neus voor ophaalde, al die poeha voor een naam die niet eens solvabel bleek. 'Als het kind maar een naam heeft,' zei ze welgemoed als ze een naam voor een bouwcomplex verzon. Residentie 'De Nachtegalen', 'De Paddock' of 'Les Rosiers', al was er geen nachtegaal, geen paard of geen roos te bekennen. Als het maar duur klonk, als de gegadigden zich maar kon verbeelden op stand te wonen.

Madame zou er nooit zijn opgekomen Mon Repos tot Welverdiend om te dopen, de neergang was te groot. Angelique deed alsof haar neus bloedde en bleef het huis ook Mon Repos noemen. Zo werd mij geen onrecht aangedaan. Ik ging niet naar af, maar weer naar vroeger. 'Het is het betere soort onderkomen,' zei ze. Maar waarom ging ze er dan zelf niet zitten?

Ze bleef ook haar eigen naam voeren, ofschoon zij als dochter geen Van Puynbroeckxjes voortbracht en naar een zijtak werd afgevoerd. Om haar een en ander betaald te zetten kondigde ik haar te pas en te onpas aan als mevrouw Rozenstajn. Zij gebruikte de naam van haar man alleen om iemand aan de oorlog te herinneren, en eventueel in verlegenheid te brengen. Maar ook die naam gaf haar nageslacht geen etiket van echtheid, want wat voor moeder ze ook was, een joodse was ze niet. Haar zoon moest zichzelf maar zien uit te vinden. 'Die heeft haar naam niet gestolen,' zei een zakenrelatie over Angelique. De man bedoelde echter dat zij op haar moeder leek. Het was alsof Angelique dubbel was belast, zonder daarvoor recht te kunnen laten gelden. 'Elk zijn eigen naam en zijn eigen leven,' zei ze verbitterd. Meer dan haar broers stond ze op haar strepen. Meer nog moest ze zich bewijzen. Meer en meer begon zij zich die vervloekte naam toe te eigenen. Kon ze niet de eerste onder de Van Puynbroeckxen zijn, dan maar de laatste.

Toen Bertje me afleverde in Welverdiend hoorde ik hem – tot mijn verbazing – mijn volledige naam uitspreken. Ik was nooit wat anders geweest dan Celestien, zonder iets ervoor of iets erna. Dat heb ik betreurd en het heeft me ook gekwetst. Maar nu ik de ontluisterde salon rondkijk, besef ik dat niemand me kleiner kan maken dan ik ben, en dat ik me ook niet groter hoef voor te doen. De naam hing de Van Puynbroeckxen als een halster om hun nek, zij hadden ernaar te leven. Mijn naam was een bijkomstigheid, en ik heb me naar hen moeten schikken, maar meer dan zij heb ik mezelf gemaakt. En het valt niet te betwisten dat zij mij als Celestien hebben benoemd, en aldus hebben erkend.

Angelique moest met een kapje over haar pieken naar school. Van Augustijn mocht ze niet aanzitten aan de gezamenlijke dis vooraleer haar krullen weer tot haar schouders reikten. Hij had een hekel aan vrouwen die hun schoonheid tekortdeden en zijn dochter was, *après tout*, zijn oogappel.

Angelique protesteerde niet, ze vlocht van haar gesneuvelde pijpenkrullen een hartje om een medaillon met een foto van haarzelf als communicantje. Augustijn keek geroerd naar het kindbruidje met het gekortwiekte haar onder de kanten sluier, die haar wonderogen prachtig deed uitkomen.

Angelique wist hoe ze mannen moest aanpakken; met vrouwen lag het moeilijker. Met haar moeder was het gewapende vrede, mij mocht ze dan met gevoel voor decorum 'de gouvernante' noemen, dat betekende niet dat ze iets van me wilde leren. En ze vond het belachelijk als ik wat aan mijn ontwikkeling deed; een mondje Frans volstond. Een nieuwe jurk of een ander kapsel waren overdreven, en als Augustijn mij een complimentje gaf, was de dag verpest.

Toen ze voor school een gedicht uit het hoofd moest leren over diertjes wier kopjes 'al schrijvend over 't waterke gaan', kon ik haar niet overhoren zonder te tjilpen. Koeltjes merkte ze op dat Herwardje niet eens familie was, hij was feitelijk niets van me. Ik antwoordde dat haar broer kennelijk meer voor mij betekende dan voor zijn zus, die om zijn dood geen traan had gelaten. Prompt ging Angelique zich bij Madame beklagen: 'Celestien werkt op mijn zenuwen.' Daar zat Madame nu net op te wachten, op dochters die het op hun zenuwen kregen. Angelique werd zonder eten naar bed gestuurd, en toen ze in de badkamer kabaal maakte, kreeg ze van haar moeder een draai om de oren. 'Dat zal je kalmeren!'

Madame maakte geen complimenten. Ook niet aan mijn adres. Maar: samen sterk als het erop aankwam het nest te bestieren!

■■■

Zoals de Van Puynbroeckxen de ziekte in hun bloed hadden, zo smeulde onderhuids ook het vuur. Het was alsof het legioen engeltjes vier duiveltjes had afgevaardigd.

Als een verzegelde maagd ga ik het graf in, blij dat ik voor kinderen gespaard ben gebleven, maar wat moederliefde betreft hoeft niemand mij de les te lezen. Ik heb te veel verdragen. Gezeurd, gesmeekt en gedreigd. Vergeefse moeite. Soms probeerde ik die stijfkoppen op hun gemoed te werken met verhalen. Zoals dat van die moeder die een hondse zoon had. Zij werkte zich krom voor hem, spaarde het brood uit haar mond. Hij sloeg haar en stal het weinige dat zij bezat. Op een keer ontstak hij in razernij en vermoordde haar. Hij rukte haar het hart uit het lijf en gooide het bloedend op de grond. De schobbejak schrok er zelf van en probeerde zich uit de voeten te maken. Hij struikelde echter en viel. Toen vroeg het bloedende moederhart: 'Heb je je pijn gedaan, mijn jongen?' Een succesnummer, de kinderen lachten zich kapot. 'Dat zullen we onthouden!' snoof Reinout.

Toen Marius zich in timmerdrift met een hamer een blauwe duimnagel sloeg, vroeg Reinout zeemzoet: 'Heb je je pijn gedaan, mijn jongen?' Het pesterijtje ging tot het vaste bestand van familiegezegdes behoren. Zelfs Angelique, die zich gewoonlijk ver boven dat soort flauwigheden verheven voelde, kon het niet laten haar broers ermee te plagen.

De koning der spotters was Reinout, en het is lelijk, maar toen hij jaren later, na de ontploffing, zwartgeblakerd op het einde wachtte, brandde dat zinnetje op mijn tong. Ik sprak het niet uit, omdat de leeftijd mij misschien niet wijzer, maar wel vermoeider had gemaakt. En ook omdat Reinout de oogappel van Madame was en mijn hartendief.

Ach, de heimelijke voorkeur voor het verkeerde kind! De liefde die zwak maakt. Die het onvergeeflijke pardonneert. Het waren alle vier gouden kindertjes, al was het maar omdat ze beliefden te leven, maar zoals Augustijn een zwak had voor Angelique, zo kon Madame Reinout niets weigeren. Mij hoefde hij maar aan te kijken, met die bruine karbonkelogen, zingend van: 'Stientje, Stientje, appelsientje', en ik werd week in de knieën. De knapste en de slimste en hij wist het. Wat hij ook had uitgespookt, je kon niet kwaad op hem blijven.

'Nagel aan mijn doodskist!' zuchtte Madame bij elke streek die

Reinout uithaalde, maar ze lachte vergevensgezind. Meer aanmoediging had de durfal niet nodig. Hij verklaarde dat hij kon vliegen, sprong van het balkon en brak schouder en been. Op een zelfgemaakt vlot zeilde hij uit naar het andere eind van de wereld. En hij kapseisde en zonk als een steen naar de bodem van de rivier. Hij kwam wel boven, maar het was altijd kantje boord. Schijnbaar onverschillig daagde hij uit en trok hij aan, en wee wie aan hem gehecht raakte!

Bertje liep Reinout als een hondje achterna, een en al bewondering voor de grote broer die nergens voor terugschrok. Die zich niet liet doen. Door niemand niet. En de anderen voor zijn streken liet opdraaien.

Bertje was niet de enige die zich op zijn broer verkeek. Reinout werd van school gestuurd en uit het leger gezet. Een schande voor Augustijn, die ontdaan was, maar evenmin tegen de jongen op kon. Ik zag dat het fout ging, maar wat kon ik eraan doen?

Madame beweerde dat ze oud werd omdat ze te veel wist. Ik droom de laatste tijd weer van het water dat als een laken over het land wordt geworpen. Wat eronder zit is onzichtbaar en bovenop is het een oneindig rimpelende vlakte. Ik voel mezelf wegzinken. En ik spartel niet tegen, zoals ik vroeger deed, ik laat me gaan. Geluidloos als vissen drijven bekende en onbekende gezichten om me heen. Huizen ook, en torens, hele dorpen, een stad, alles gaat naar de kelder. Ik meen het gezicht van mijn moeder te zien, wit en papperig, aangevreten door het water. Vervolgens schrik ik wakker, maar het malen in mijn hoofd gaat door. Ik vrees de nacht, zowel voor het dromen als voor het waken.

■■■

Reinout werd na zijn zwarte tijd, de Tweede Oorlog, doodgezwegen, net als Herwardje. Bij bruiloften en begrafenissen keken de partijen langs elkaar heen. De verzoeningspogingen die Bertje ondernam, waren gedoemd te mislukken, omdat Reinout het niet kon laten zich aan te stellen en Madame excuses verwachtte. Het was kop tegen kei. Toen Reinout een ontwerper van meubels werd en internationaal faam verwierf, kon Augustijn niet verbergen dat hij trots was. En Madame vertoonde een pijnlijk glimlachje als ze de kinderen van Reinout zag: een meisje en een jongen, niet minder dan een koningswens. En het zoontje had bruine karbonkelogen.

Toen Madame door een beroerte werd getroffen en op haar einde lag – zo zag het er tenminste naar uit –, ging de bel. Twee keer kort, één keer lang, mijn hart sloeg een tel over. Reinout holde me voorbij, de trappen op naar de ouderlijke slaapkamer, waar Marius hem vergeefs trachtte tegen te houden. Madame was aan de linkerkant verlamd en haar mond stond scheef, ze kreeg er geen gaaf woord meer uit. Afgezien van Augustijn leek ze niemand te herkennen. Reinout greep haar bij de schouders en kuste haar woest op de lippen. Toen hij haar losliet, zuchtte ze diep; een lachje, of wat daarvoor moest doorgaan, verscheen op haar gezicht. Zij kreeg het niet gezegd, maar met haar rechterhand hield ze de verloren zoon vast. Een moederlijke houdgreep.

Augustijn verliet snikkend de slaapkamer. We waren allen aangedaan. Behalve Marius, die scherp vroeg of Reinout dacht dat er wat te halen viel. Zij stonden tegenover elkaar, aan weerszijden van het bed, de goede en de foute broer. Madame keek smekend van de een naar de ander. Ik vreesde dat de jongens met elkaar op de vuist zouden gaan. Toen haalde Marius de schouders op, en even later viel de voordeur in het slot.

Van dan af verscheen hij alleen op zondagochtend, om elf uur, je kon er de klok op gelijkzetten. Hij woog de toestand af, sprak geen gebenedijd woord en stond vijf minuten later alweer op straat. Madame volgde alles met de ogen, en er viel niet naast te kijken: voor Reinout lichtte haar blik op, van Marius keek ze weg. Het was bar. Want Reinout was ook naar huis gekomen om ultiem gelijk te krijgen. De kus waarmee hij Madame weer leven inblies, was een demonstratie. Hij, het zwarte schaap, was de geliefde zoon. De uitverkorene.

Maar al dat vuur, die drift en driestheid, hadden niets met liefde te maken. Reinout gebruikte zijn charme om macht over zijn slachtoffers te verwerven. Vrouwen waren voor dat streven proefkonijnen, zijn moeder en ik voorop. Hoewel Madame ook de vrouw was die hem de deur had gewezen.

Ik herinner me die avond aan het einde van de Tweede Oorlog. Augustijn en Madame luisterden naar Radio Londen. De Mayers kwamen op hun sokken uit de achterkamer en gluurden door een kier in de verduisteringsgordijnen naar de wegtrekkende Duitsers. Er werd in het wilde weg geschoten. Verzetslui van het laatste uur openden de jacht op collaborateurs, of wie daarvoor doorgingen.

Ik luisterde in de gang, met één oor naar binnen voor de radio en met één oor naar buiten voor de straat. Ik had echter geen voetstappen horen naderen en verstijfde toen de bel ging. Twee keer kort, één keer lang. Eén tel viel alles stil. De radio verstomde, de Mayers schoven gejaagd terug naar de geheime kamer. Augustijn en Madame overlegden heftig fluisterend. De hond, een Duitse herder nota bene, kroop jankend naar de voordeur, maar ik vermoedde al wie daar aanbelde. Dus haalde ik de ketting van het slot, en Reinout stak een hand in een glacéhandschoen door de kier. 'Koekoek, daar ben ik weer!' Dwars door de frontlinies, in burgerkleren, zich overal doorheen gebluft, geen haartje gekrenkt. Hij legde zijn hoed, een slappe deukhoed, ondersteboven op het wandtafeltje en trok vinger voor vinger zijn glacéhandschoenen uit. Hij was altijd piekfijn gekleed, maar die avond was het overdreven.

De herdershond, een teef, plaste van vreugde op de vloer. Reinout mikte zijn handschoenen in zijn hoed, wreef zijn handen en grinnikte: 'Fris, voor de tijd van het jaar.' Daar had hij ons weer eens een poets gebakken! Hij, die erin geslaagd was de familie te verdelen. Die ons voor de voeten had geworpen dat wij de nieuwe tijd niet verstonden. Dat wij oud werden.

Augustijn stamelde: 'Wat nu?' Over mij heen keek Reinout

naar Madame. Zijn goddelijke moeder. 'Mamaatje!' Hij spreidde zijn armen om haar op te vangen. Madame verroerde zich niet. Reinout zakte een beetje door de knieën en lachte zijn blitztanden bloot. Tegenstribbelende vrouwtjes, daar wist hij alles van. Toen ging de rechterhand van Madame omhoog en de wijsvinger wees naar de deur. Omdat Reinout het gebaar niet leek te begrijpen sprak zij: 'Buiten!' Traag en gedecideerd, elke letter beproevend, zoals zij weer zou leren spreken na de eerste beroerte. Reinout ging staan en liet zijn armen zakken. Het lachje was niet langer zegezeker.

Augustijn wendde zich smekend tot Madame: 'Toe nou.' Zij bleef naar de deur wijzen. Augustijn jammerde: 'We kunnen hem toch niet wegsturen?' Reinout keek mij aan alsof hij me plotseling ontwaarde. 'Stientje?' Ik stond perplex, moest iets doen of wat zeggen, maar er wilde mij niets te binnen schieten. Niets wat had kunnen helpen of afdoende zou zijn. Ik was druk bezig mijn handen aan mijn schort af te vegen.

Hoe lang Reinout daar stond met dat bevroren lachje op zijn gezicht, weet ik niet, maar veel te lang, dat is zeker. 'Bon!' zei hij ten slotte, alsof alles daarmee was samengevat. De herdershond sprong jankend tegen hem op. 'Braaf beest.' Reinout klopte de hond kalmerend op de flanken. Toen dat niet hielp, klonk het commando: 'Liggen!' Kortaf en eenduidig. En de hond ging onderdanig liggen. Zonder ons nog een blik waardig te keuren, grabbelde Reinout zijn hoed en handschoenen van het wandtafeltje en verdween in de nacht. Madame liet haar rechterhand zakken en sloot de deur, met de ketting over het slot. Al wat we hoorden, was het geklop van de staart van de hond op de marmeren tegels. Toen het kloppen pletsen werd, omdat Mira al kruipend in de natte plek van haar plas was terechtgekomen, beval Madame: 'Dweil dat op!' Ik stond daar als van de hand Gods geslagen. 'Celestien, hoor je me niet?' Augustijn huilde zachtjes: 'Wat nu, wat nu?' Ik draaide me om en liep naar het bezemhok. Daar barstte ik op mijn beurt in tranen uit. Vervolgens deed ik wat mij was opgedragen.

Een eiken deur met smeedijzeren beslag, zwarte en witte tegels, muren met panelen van *faux marbre.* Ik ken die gang uit het hoofd. Toen ik klaar was met dweilen, stapte ik op de losliggende tegel en het water spoot tegen mijn benen alsof een moerasgeest naar me spuugde.

Zoals alles wat onherroepelijk is, leek wat zich in die gang heeft afgespeeld niet echt, maar het werd wel toegevoegd aan de ballast die ik vergeefs probeer af te werpen. Je zou met de jaren lichter moeten worden, bevrijd, tot je als een engel kunt opstijgen. Helaas, ik zink hoe langer hoe dieper. Om er niet aan ten onder te gaan, zit er niets anders op dan me van die last te ontdoen, maar van mijn lastposten wil ik niet af. Zo blijf ik maar malen.

De wind zoeft door de kruinen van de bomen die met hun rug naar zee staan. In de beschutting van het bordes zit een rode kat soezend in het bleke zonnetje. Helemaal zichzelf, helemaal content. Ze hoort bij Welverdiend zonder er zich iets aan gelegen te laten. Ze komt en gaat zoals het haar behaagt. Negen levens en allemaal de hare. Toch zijn katten de meest toegewijde moeders: zogen, likken en spinnen. Tot de tandjes en klauwtjes van de poesjes te scherp worden, dan geeft de moederpoes met een vinnige tik aan dat het tijd is om op te stappen. Madame en ik bleven maar redderen, tot we verweesd achterbleven. En nog konden we die jongen niet loslaten. Niet zij, maar wij zaten vast aan een denkbeeldige navelstreng.

De poes speurt langs de bomen, geeuwt terwijl ze zich uitrekt, en loopt weg. Ik sta voor het hoge raam alsof ik bezig ben wortel te schieten, maar nooit heb ik mij zo ontheemd gevoeld.

■■■

Mon Repos was een van de landhuizen die aan de Groote Oorlog waren ontsnapt, maar die nooit in hun oude glorie zouden worden hersteld. Augustijn had het voor een prikje van zijn moeder gekocht, met de bedoeling het te renoveren, maar Madame was ertegen. Het huis was te groot en te duur in het onderhoud – opdat de tuin niet zou verwilderen had je een tuinman nodig.

Om het enigszins leefbaar te houden moest het landgoed zomer en winter worden bewoond. Madame verklaarde dat ze zich niet op het land wilde begraven, maar Augustijn stond op zijn *train de vie*, en hij hield ook van oude dingen. Die hadden een geschiedenis. Zijn oude jas – maatwerk, dat spreekt – zou hij niet makkelijk voor een nieuwe ruilen. Hij was bij voorkeur gestorven in het huis waarin hij was geboren. Madame vond het onzin, 'Voorbij is voorbij,' sprak ze ferm. Het zou een geschilpunt worden in de zaak: hij wilde oude huizen opknappen, zij zette de beuk erin en koos resoluut voor nieuwbouw.

Madame had geen verleden om te restaureren. Met elk kind begon het leven opnieuw. Zij vulde zelf haar wereld in en keek niet om als het moment was aangebroken om afscheid te nemen. Naar de streek waar ze haar kinderjaren had doorgebracht, zou ze maar node weerkeren. De sleutels van Mon Repos stopte ze in een envelop voor de notaris en dat was dat. Geen bloemen of kransen. Ze was nog lang niet aan rust toe. Ik dacht nog dat ze zich groot hield voor Augustijn, maar toen het besluit was genomen om te vertrekken, kon ze niet vlug genoeg weg. Het was alsof de grond onder haar voeten brandde.

De eerste beslissing van Madame was de zaak naar de stad over te brengen. Er werd een inventarislijst gemaakt van de inboedel. Wat niet mee kon, of niet noodzakelijk was, werd openbaar verkocht, nog voor het huis onder de hamer ging. De stoelen, consoles, serviezen en bestek werden van labels voorzien en uitgestald op het gazon; het leek wel een uitdragerij.

Lui die van ver kwamen, opkopers en liefhebbers, maar ook nieuwsgierigen uit het dorp, keurden onze spullen. Ze wogen het zilver op de hand, hielden het kristal tegen het licht en vroegen garanties voor de merktekens. Hoe oud? Echt? Waardevol of prul?

Glimmende koppen, begerige blikken, grijpgrage handen, het

was een dag als die van het Laatste Oordeel. En het duurde niet lang of de meute probeerde het huis in te nemen, de jongens posteerden zich met rackets en hockeysticks voor de deuren. Angelique had zich in haar kamer gebarricadeerd en Augustijn was in alle vroegte op Bogo II, zijn rijpaard, de velden in gereden. Het klap-klap-klap van de hoefslag had me gewekt, het klonk mistroostig, heel anders dan de lichtvoetige tred waarmee het paard op andere dagen van het erf draafde.

Madame nam de honneurs waar, ze liep als een marktkraamster rond tussen haar inboedel en prees de waar aan. Met gloeiende wangen presenteerde ik jenever en limonade op een dienblad. Hier werd ik in de wang geknepen, daar in de bil. De notaris riep lot zoveel of zoveel, en herhaalde met luide stem het bod, voor hij driemaal de hamer deed neerkomen en er weer een stuk van ons leven in vreemde handen verdween. Ik zag een blauwe vaas die op een bijzettafeltje had gestaan, en telde in gedachten mijn geld, te weinig, vanzelf, en niet dat die vaas zo belangrijk was of dat ik haar bijzonder mooi vond, maar ik moest iets redden. In mijn verwarring hield ik het dienblad boven mijn hoofd en riep: 'Eén frank!' Algemeen gelach en geroep. De notaris speelde het spelletje mee: 'Eén dienblad in goede staat, één frank, wie biedt meer?' Het was alsof de hamer op mijn hoofd dreigde neer te komen. Madame kwam ziedend op me af, ik hield het dienblad voor mijn borst als een schild, bij het publiek kon de pret niet op, en het scheelde niet veel of Madame had mij ook echt geslagen. 'Naar binnen, jij!'

's Avonds, toen ze aangeschoten was, kon ze niet uit haar woorden komen van de slappe lach. Die meid met haar dienblad, wahaha, een geëmailleerd dienblad, haha, een dienblad, God sta me bij, dat wahaha, niets waard was! De tranen liepen over haar wangen en haar buik schudde obsceen. Ik ging naar mijn kamer en pakte mijn boeltje. Dat was vlug genoeg gebeurd, en dat kamertje was niet langer het mijne.

Augustijn had zijn rijlaarzen nog aan toen ik de trap af kwam met het kartonnen koffertje van mijn moeder. 'Waar moet dat heen, Celestien?' Goede vraag. Achter hem zag ik vaag de gezichten van de kinderen, uit de badkamer kwamen braakgeluiden. Madame kotste haar hart uit. Alle kwaadheid vloeide uit me weg en ik begon te huilen. Augustijn pakte het koffertje van me over en droeg het weer de trappen op. Als een geslagen hond liep ik achter hem aan. Hij legde het koffertje op het bed en stond me hoofdschuddend aan te kijken. Ik huilde als een kind, Augustijn haalde een sneeuwwitte zakdoek tevoorschijn, schudde hem open en wiste mijn tranen af. 'Celestieneke, dom trieneke,' zei hij zachtjes. Ik gooide me huilend tegen zijn borst, hij liet me begaan en klopte kalmerend op mijn rug. Allengs nam de huilkramp af, ik snufte alleen nog wat na toen Augustijn mij voorzichtig naast het koffertje op het bed duwde. 'Kalmpjes aan, rustig maar.' Hij zette het koffertje naast het bed en dekte me toe met de sprei. Die sprei had ik zelf gehaakt, tijdens lange winteravonden. Ik vond de kantmotieven mooi. Madame had het bedlinnen buiten de verkoop gehouden; gehaakte spreien waren toen ook niet in de mode, maar nu zou die sprei een aardig centje opbrengen.

De openbare verkoop was vervat in een concordaat. Ik vermoedde dat een concordaat iets Vaticaans was, maar het bleek een gerechtelijk akkoord, dat inhield dat Madame voortaan de zaakvoerder zou zijn, omdat Augustijn het bouwbedrijf van zijn vader aan de rand van de afgrond had gebracht. Met de verhuizing naar de stad gingen we een nieuw tijdperk in. Vooral de verkoop van het huis zat me dwars, ik liep nog een laatste keer door de kamers. Mijn stappen klonken hol op het kale parket, op de muren hadden de schilderijen lichte plekken nagelaten. Ik liet alle deuren wijd openstaan. Er was al zoveel voorbij en ik had het gevoel dat alles nog moest beginnen. Mijn leven was mij uit handen genomen en ik had niet de moed of het vertrouwen om het weer in eigen hand te nemen. Een slavenziel, zal men zeggen, maar bij gebrek aan beter had ik mij geënt op een gegeven familie. Het kwam heus wel bij me op de benen te nemen, maar ik kon niet, toen niet, en nu nog niet. Wie ben ik als ik alleen voor mezelf besta? Ik behoor tot het soort dat ergens bij wil horen, tot het soort dat zich nodig, en zelfs onmisbaar, wil weten. Al werd me de vrijheid in de schoot geworpen, ik had niet geweten wat ik ermee aan moest.

Het lege huis deed me pijn. Het was alsof ik het in de steek liet. Ik herinnerde me hoe ik de trappen van Mon Repos was afgedaald, mezelf koelte toewuivend met een denkbeeldige waaier en minzaam knikkend: '*Bonjour madame, bonsoir monsieur.*' De taal van de salon en de slaapkamer. Maar ik keek wel uit dat niemand me kon horen en me zou uitlachen, omdat ik 'Frans met haar op sprak'. Het was een kinderspel, maar daarom niet minder ernstig. In het huis had een droom gestalte gekregen.

■■■

Toen Augustijn mijn loon niet langer kon betalen, liet hij het aan Madame over mij het slechte nieuws te brengen. Het was maar tijdelijk, mompelde ze, maar als ik niet op krediet wenste te werken, was ik vrij om te gaan. Ik twijfelde geen moment, al draalde ik met mijn antwoord. Ik wilde haar laten voelen dat ik aan zet was. Voor die ene keer dan.

Madame was zwanger, dat kon niet missen, ze legde vermoeid een hand op de welving van haar buik. Ik moest ervan slikken, maar ik was ook kwaad. Dus vroeg ik bedenktijd. Dat was ongehoord, een maand eerder had zij mij zonder meer ontslagen. Het bankroet had ook de verhoudingen herschikt, maar Madame smeekte niet. Zij knikte om aan te duiden dat ze me begreep, en verdiepte zich weer in de paperassen die voor haar op tafel lagen.

Een week voor het vertrek naar de stad bleek ze zoek. Ze was niet in de slaapkamer, niet in het kantoor; en in de keuken had ik haar al dagen niet gezien. Augustijn inspecteerde de apotheekkast en de wapenkist. Hij doorzocht kelder en zolder. Het huis was in rep en roer, en ten einde raad stond Augustijn op het bordes in de lucht te schieten.

Van Madame taal noch teken. De kinderen schuilden bij elkaar, maar Bertje ontsnapte uit de armen van Angelique en rende met zijn ponyzweep naar buiten. Terwijl hij de zweep op Augustijn richtte, bootste hij het knallen van het jachtgeweer na. Bang! Bang! Het klonk als een bespotting van zijn vader, maar het was ook geen hommage aan zijn moeder. Een schande, zoals hij daar doldriest stond te roepen!

Ik sloeg een sjaal om en liep op een drafje naar het kerkhof, naar het kleine graf met de nog onbedekte grafheuvel. Daar stapte Madame getergd heen en weer over het modderige pad. Ik ving haar op, drapeerde mijn sjaal om haar schouders en voerde haar zachtjes weg van die vervloekte akker. Zij verzette zich niet, maar bleef stom en trilde zodanig dat ik voor een miskraam vreesde. Ik sprak haar aan op het ongeboren kind. Dat had het niet verdiend voortijdig op de wereld te worden gezet. Of als engeltje te eindigen. Later zou ik mij het krassen van de raven in de treurberken herinneren – dat spottend had geklonken.

De dokter, die door Augustijn gealarmeerd was, gaf me de opdracht de gespannen buik van Madame in te wrijven met warme olie. Terwijl zij wegdoezelde, voelde ik onder mijn hand een sprongetje. Een beweging als van nog levende tongscharren op het keukenblok. Zeevers, met uitpuilende ogen en gapende monden. *Plets,* deed het als ik de vissen met de platte kant van het mes de genadeklap gaf. En zo voelde het sprongetje ook. Uitbundig of wanhopig, wie zal het zeggen, maar het leefde, of het leefde nóg. Ik nam de hand van de gedegouteerde moeder en legde die op haar buik.

Warempel, zij zuchtte diep en glimlachte. Een lome glimlach als van de Mona Lisa, die Angelique op haar kamer had hangen. De glimlach was een mysterie, beweerde onze schoonheid, maar volgens mij had de Mona Lisa de uitdrukking van een kat die de kanarie heeft opgegeten.

Toen Madame weer op de been was, riep ze mij in het kantoor. Zij zat achter het bureau in de stoel van Augustijn en legde afwezig een hand op haar buik. Ze sloot even haar ogen, alsof ze naar binnen luisterde. Ik stotterde dat ik zou blijven, waarop zij beloofde mij later dubbel te vergoeden. Verlegen veegde ik mijn handen af aan mijn schort, een gewoontegebaar dat me ergerde.

Het was me opgevallen dat die Mona Lisa kloeke armen had en grove handen. Half deerne, half dame. Zoals ik, op een ander vlak, vis noch vlees was. En ik stelde vast dat Madame, ondanks alles, de glimlach was toebedeeld, en ik het met de handen moest stellen.

Als ik al een keer durfde klagen, riposteerde Madame dat ik het mezelf had aangedaan. Dat haal je de koekoek! Eertijds viel er niet te kiezen en nu is het te laat. Het is gegaan zoals met de kleintjes die ik leerde lopen, stapje voor stapje: welke kant het uitgaat, kun je niet voorzien.

Ten slotte was het ook voor mij een opluchting dat we de streek verlieten. Het faillissement was weliswaar opgeschort, maar de schuldenlast bleef, en we werden er in het dorp op aangekeken. 'Boter bij de vis!' zeiden de slager en de kolenboer. Ze pasten er wel voor op bestellingen op krediet te leveren.

Gespeeld meewarig vroegen de wasvrouwen of ik al een andere dienstbetrekking had. En hoe het Madame verging. En die arme bloedjes van kinderen. Ze veroorloofden zich spottende opmerkingen over Augustijn, die losbol, die grand seigneur met een gat in zijn hand. De appel was niet ver van de boom gevallen! Het was alsof ze gif spuiden, die lelijke wijven. Ik hield vol dat Augustijn het niet kon helpen, maar als ik hem tegen het lijf liep, sloeg ik mijn ogen neer. Ik kon niet zeggen wat ik voelde, en er was ook niemand tot wie ik me kon richten.

Mijn vader was na de Groote Oorlog bezweken aan de Spaanse griep, van mijn moeder was ik vervreemd. Mijn zussen gingen in dienst of huwden, een broer emigreerde naar Amerika. We hingen niet aan elkaar. Voor de boerenzoon die me schutterig het hof maakte, hoefde ik evenmin te blijven. Ik wilde geen boerin worden. Maar ik wist niet wat ik dan wel wilde. Of misschien durfde ik dat ook voor mezelf niet toe te geven.

Nu zou ik willen weten hoe ik in de wereld ben gekomen: bij toeval of gewenst? Hebben mijn ouders van elkaar gehouden? En van mij? Destijds kon ik mijn afkomst echter niet vlug genoeg vergeten. Madame beliefde er evenmin aan te worden herinnerd dat ze nergens vandaan was gekomen. Of van heel ver was gekomen, zo ver dat niemand wist waar dat was, of van wie zij afstamde. Het verhaal wilde dat zij als boreling in een wasmand werd afgeleverd door de man die zijn kinderloze vrouw wilde verrassen. Dan had zelfs ik meer pedigree.

De stiefvader van Madame – maar mijn hoofd eraf als het niet haar vader was – handelde in veren. Hij reisde veel en was soms maandenlang afwezig. Zijn vrouw speelde piano voor dovemansoren en liet de noten klinken als druppels water. Of als tranen die vergeefs werden vergoten. Mijn moeder werd er beroerd van. Zij was in die huishouding het meisje voor alle werk, maar al getrouwd en zwanger. Op de achtergrond van 'Für Elise' kon je haar horen braken. Zij sliep op een beddenzak die met kapok was gevuld, een bobbelig pluksel dat een zure zweetgeur uitwasemde.

De vrouw des huizes dekte zich toe met het dons van Hongaarse ganzen, maar het was alsof er lood op haar woog. Ze werd astmatisch van het ragfijne stof, en hijgde en piepte alsof ze versmachtte. Na elke miskraam leek ze dieper te verzinken in de veren.

Mijn moeder had onder meer als taak de donsdekken en kussens op te schudden. Als ze bij die klus niesde, wist ze dat het weer raak was. Van mij vermoedde ze meteen dat het een meisje was, omdat ze van een meisje minder hoefde te niezen. Haar mevrouw was voor dat niezen, hoe gedempt ook, even allergisch als voor de veren, maar beide had ze te verdragen. Ook de welgestelden lijden, maar ze lijden wel in comfortabeler omstandigheden.

Mijn moeder probeerde haar niezen zo goed mogelijk te bedwingen. En ik leerde van haar dat alle uitbundige lichaamsgeluiden – winden, boeren of niezen – uit den boze waren. Alles moest worden in- of opgehouden. Men mocht je niet horen of ruiken, en je werd ook geacht niets van dien aard op te merken. Ik sukkelde jarenlang met verstopping, en nog altijd buig ik voorover als ik moet niezen.

Het zal in een van de eerste jaren van mijn dienst zijn geweest dat Augustijn een wind ontsnapte. Madame schoot in de lach, en tot mijn ontsteltenis overtroefde ze dadelijk haar man met een kort knalletje. Waarop hij terugkaatste met een langgerekte wind alsof hij op een fluitje floot. Ik had een hoofd als een boei, wat hen aanmoedigde het indecente duet in alle toonaarden voort te zetten. Het waren net twee stoute kinderen.

Zulke stoutigheid kon ik me niet veroorloven. Ik moest op de winkel passen. Ik was ook nooit een kind geweest. En hun kinderen waren de mijne niet. Ik mocht ze verzorgen en me zorgen maken, maar ik had niets over hen te zeggen. Dat werd me geregeld ingepeperd. Ik had me te gedragen, alles in te houden of weg te slikken.

Jandorie, ik heb mijn hele leven opgespaard, maar nu zal ik een flinke scheet laten! Madame is me te vlug af geweest, Augustijn kan ik het niet aandoen, maar hun nakomelingen zal ik mijn oudewijvenadem in het gezicht blazen, ik zal mijn ingewanden luchten, ik zal ze laten kennismaken met mijn binnenste. Het zal er stinken!

Ik heb zo lang de schijn van gedienstigheid opgehouden, dat ik die schijn voor werkelijkheid nam. Ik kreeg ook niet de tijd om me te bezinnen, mijn leven is voorbijgegaan zonder dat ik er erg in had. Ondertussen heb ik wel een kapitaal aan spijt en wrok vergaard, een vermogen zonder vrucht. Als ik nu niets onderneem, mezelf niet vooropstel, hoeft het niet meer.

Zie me hier zitten. Ik, die geen ledigheid heb gekend, die altijd tijd tekortkwam, ik weet niet wat te beginnen. Voor mij strekt zich een niemandsland uit. En wat ligt achter mij? Een bestaan zo vol dat het niet te overzien valt, een bestaan dat door de Van Puynbroeckxen werd gevuld. Aan mezelf ben ik nooit toegekomen, er ging te veel om, er was altijd iets wat dringend moest of voorrang kreeg. Ik werkte de klok rond om het huishouden draaiende te houden. Ik pleitte voor billijkheid tot mijn tong op mijn tenen hing, maar die bezeten bende was voor geen rede vatbaar. Ze wisten het altijd beter. Voor zichzelf, voor de ander, voor de wereld.

De pretentie was aangeboren, maar na alle malheur zouden ze een toontje lager mogen zingen. En mij recht doen. Of is dat soms te veel gevraagd? En à propos, waar haalt Bertje de euvele moed vandaan mij in Welverdiend te stallen? Van huizen die verbeurd werden verklaard, van verbeelde renpaarden, van honden die elke kleinburger zich kan veroorloven? Of van geld waar een reukje aan zit? Op alle mogelijke wijzen heb ik te horen gekregen dat men zijn plaats moet kennen, maar geldt dat niet van hoog tot laag? Hadden zij zich tegenover mij niet fatsoenlijk te gedragen? Ik ben niet als gedienstige geboren of daartoe voorbestemd! Ik ben al doende geworden wie ik ben, dat heeft weinig met onderdanigheid, maar alles met zorg te maken. Commandeer je hond en blaf zelf, dacht ik, als het te bar werd. Ik deed wat mij werd opgedragen, maar ik deed het wel op mijn manier. Dat zit dat stuk chagrijn dwars. Dat hij mij er nooit onder heeft gekregen.

Het was te veel gevraagd dat hij zich in mij zou verdiepen, of dat hij zich mijn lot zou aantrekken. Hij kon zelfs niet wachten tot ik het hoofd erbij zou neerleggen, ik moest zo vlug mogelijk weer naar af. Naar de onmondigheid van het veertienjarig schaap. Zijn vader dement en ik kinds. En hij eindelijk een heer van stand. Dat zou hij wel willen! Maar ik ken zijn geschiedenis, ik kan zijn armzalig bestaan voor hem uitspellen, en dus blijf ik hem de baas. Bovendien ben ik het aan zijn moeder verplicht de nagedachtenis in ere te houden. En getuigenis af te leggen. Als het erop aankomt, zijn Madame en ik twee handen op één buik. Als vanouds en voor altijd. Zolang ik haar niet vergeet, laat zij mij niet los.

■■■

Of Madame nu van de poesta kwam of van de Donaudelta, zij gedroeg zich niet als een ondergeschoven, maar als een uitverkoren kind. Als een prinses liet zij zich in de watten leggen, haar willetje was wet. Een koket nest dat ook Augustijn om haar vinger wond.

Het leek erop dat zij alles voor gegeven nam, schoonheid, geluk, en welstand toe. Tot het eerste kind dat ze verloor. Een onrecht dat ze niet kon verwerken. De dode baby moest haar letterlijk worden ontrukt. Toen ze was uitgeraasd zat ze met een bleek gezicht en ontblote borsten in bed. Ik werd er bang van. Ook toen Madame haar hongerstaking opgaf en weer in bedrijf kwam, bleef ze een zekere ongenaakbaarheid houden. Geen sterveling kon haar nog angst aanjagen. Zij had haar ultieme tegenstander ontmoet – Magere Hein, alias Pietje de Dood –, met wie zij een uitputtingsslag aanging. En die ze bij gelegenheid een loer zou draaien.

We gingen net in de rouw voor een engeltje toen de stiefmoeder van Madame begon te malen. Zij beliefde niemand meer te herkennen, of herkende alleen diegenen die haar welgevallig waren. Een linke boel, want het huis en de zaak waren haar eigendom; de verenkoopman was aangetrouwd. De status van Madame als erfgename was onzeker, en het was al gebleken dat Augustijn niet voor zaken in de wieg was gelegd.

Madame klemde haar lippen op elkaar en draaide haar haren in een knoet. Zij gaf mij instructies en trok naar haar zogenaamde ouderlijk huis om orde op zaken te stellen. De pastoor vloog aan de deur en de aangewaaide neef ging erachteraan. Er viel geen ziel te redden en er was geen geld te halen. De stiefmoeder lag verzonken in de donskussens, zij zag geel en verspreidde een pestlucht. Haar buik was buiten proporties gezwollen. Als ze bij zinnen was, schold ze haar man uit tot hij niet wist waar zich te bergen. Zij verbeeldde zich dat Angelique haar dochter was, het kind moest onmiddellijk bij haar worden gebracht. Toen Angelique die citroengele grootmoeder ontwaarde, begon ze te krijsen als een varken dat wordt gekeeld. Ik moest haar letterlijk tot bij het ziekbed slepen.

De dokter durfde niet te voorspellen hoe lang die kwalijke toestand zou duren, want het hing van de sterkte van het hart af. En de zieke bleek taai, het was een ongenadig sterven. Madame werd bleker en magerder met de dag. Augustijn riep dat er wat aan moest worden gedaan, maar niemand wist hoe of wat.

Alle dagen bracht ik schoon linnen voor de stervende; ik ging het huis in aan de achterkant, ik kende de weg. Zo betrad ik die ellendige dag de ziekenkamer voor Madame erop was bedacht. Zij stond over het bed gebogen en drukte een hoofdkussen op het gele gezicht. Ze zag mij in de spiegel van de kleerkast, maar ze volhardde in haar houding, net zoals ik stokstijf bleef staan. Het was alsof de eeuwigheid in dat moment werd samengedrukt.

Eindelijk, en naar mijn gevoel ook eindeloos langzaam, haalde Madame het hoofdkussen weg en legde haar oor op de gapende mond. 'Moeder slaapt,' zuchtte ze, en ze richtte zich moeizaam op. Haar gezicht was zo wit dat het rode haar in brand leek te staan. Terwijl ze een krul vastpinde, bleef ze mij in de spiegel aanstaren. Ik kon niet anders dan terugkijken, maar ik wilde het tafereel niet hebben gezien. Madame wendde zich af van de dode, die met weggedraaide ogen naar het plafond leek te kijken, en gooide het raam open. Een bries verluchtte de kamer.

'Druk haar ogen dicht,' mompelde Madame. Ik deed alsof ik haar niet had verstaan, maar ze liet zich niet in de luren leggen. 'Celestien?' Ik probeerde nog te zeggen dat ik niet durfde, maar helaas, haar wil was sterker dan de mijne. Dus sloot ik de ogen van het gele masker. Het linkeroog schoof in een reflex weer half open, maar daar stond Madame al met twee gouden napoleons. Ze legde de munten op de oogleden en bond de kin van de overledene op met een roze sjaal. Ik had de napoleons en de sjaal in de la van de commode zien liggen, maar er geen bijzondere aandacht aan geschonken.

Terwijl Madame het toilet van haar stiefmoeder maakte,

schudde ik het hoofdkussen op. Het was afgezet met *broderie anglaise.* Dat zal ik nooit vergeten.

De begrafenisgasten herhaalden gedempt, en naar gelang er glaasjes werden geledigd, ongegeneerder, dat het een goed ding was dat de stiefmoeder uit haar lijden was verlost. Dat het voor iedereen het beste was. De verenkoopman zat erbij alsof hij niet goed begreep wat er omging. Mijn moeder, die voor de gelegenheid was opgetrommeld om in de keuken te helpen, huilde alsof ze een dierbare verwante had verloren. Ik moest met haar praten, maar ik bracht de moed niet op. Wat had ik ook kunnen zeggen? Ik had met die arme oude weinig te maken, en ik schaamde mij voor haar sentimentele gedrag. Zij kneep mij in de bovenarm en lachte door haar tranen heen dat ik goed in het vlees zat.

Toen Madame mij liet roepen, tekende zij met haar duim een kruisje op mijn voorhoofd, en fluisterde: 'Braaf zijn.' Ik kan wel janken als ik daaraan terugdenk, indertijd repte ik mij met blozende wangen naar Madame. Ik voelde de misprijzende blik van Rosa in mijn rug branden, maar ik kon het niet opbrengen mijn moeder te omhelzen.

Madame zat voor de toilettafel, ze zag mij in de spiegel op haar toe lopen. Onze blikken hadden elkaar niet meer gekruist sinds de dood van de stiefmoeder. Nu draaide zij zich naar me om en monsterde mij van kop tot teen. 'Je bent uit je jurk gegroeid, we moeten je een nieuwe kopen.' Het was een vaststelling, meer niet. Ik voelde plotseling mijn borsten spannen in het keursje en sloeg mijn ogen neer. Madame begon over de ontruiming van het huis van haar stiefouders, waar ik op moest toezien. Ik mocht ook een aandenken uitkiezen. Ik verroerde me niet en toen Madame was uitgepraat bleef het stil.

'Celestien?' klonk het onverwacht zacht. Ik keek haar aan. Het rode haar was alweer uit de band gesprongen, de filigraankrulletjes stonden wild om haar hoofd. Haar gezicht was krijtwit, de ogen gloeiden als kooltjes. Ze droeg een lange zwarte jurk, maar zwart was haar kleur niet. Het maakte haar ouder en somberder dan ze was. 'Mevrouw is verlost uit haar lijden,' mompelde ik. Uit de borst van Madame ontsnapte een vogelkreet. Ze snakte om adem en sloeg met haar vuist op de toilettafel. 'Ik wil niet oud worden.' Ik bleef stom. 'Celestien, beloof mij dat ik niet oud word.' Ik wist niet goed wat te antwoorden. Oud waren de oude mensen, en ik was zo jong dat ik voor dit soort dingen ook te jong was. 'Wij worden allemaal oud,' zei ik ten slotte. Ik kon mijn tong wel afbijten, zo onnozel klonk dat. Zo van horen zeggen. Madame kreeg een aanval van razernij, ze trok een pluk haren uit haar hoofd en scheurde haar jurk open. Met het hoofd bonkend op de toilettafel huilde ze: 'Ik wil niet! Ik wil niet! Ik wil niet!'

Het huilen werd almaar erger, ik haastte mij Augustijn erbij te roepen. Toen hij zijn vrouw in die ontredderde staat vond, sloeg hij zijn armen om haar heen en droeg haar naar bed. Hij verspilde geen tijd met de zwarte jurk, maar scheurde het lijfje helemaal middendoor. Hij bette het gezicht, de armen en de hals van Madame met lavendelwater en sprak haar sussend toe. Ik stond daar als een wassen beeld, ik kon mijn ogen niet afwenden van die volronde borsten. Augustijn zoende Madame waar hij haar kon raken, zij bedaarde, en ziedaar, voor de eerste en de laatste keer was ik getuige van hun liefdesspel.

Augustijn beet in de oorlelletjes van Madame, die door haar verstikte tranen heen kirde, hij veegde met zijn snor over haar borsten alsof hij ze afstofte, en zij zuchtte verzaligd. Toen zijn hand onder haar rokken schoof, kuste zij hem in de hals alsof ze zich vastzoog. Augustijn knoopte linkshandig zijn vest los en Madame sjorde ongeduldig aan zijn rouwkleding. Onvoorstelbaar hoeveel lagen kleren ze toen droegen, en hoe ingewikkeld die waren. Korsetten, keursjes, onderjurken, alles voorzien van haakjes en knoopjes, hemden met losse boorden en manchetten, bretellen en sokophouders.

Augustijn en Madame raakten verwikkeld in een worsteling die hen hevig opwond. Toen Augustijn halverwege de ontkleedpartij zijn geduld verloor en zijn broek openknoopte, greep Madame hem beet, met de hand stevig om wat zich daar ontwikkelde. Het kwam mij voor dat zij erin kneep. Augustijn verstijfde een ogenblik en draaide zich een kwartslag naar me toe. Hij keek niet echt om, maar maakte een zwaaiende beweging met zijn vrije arm: wegwezen! Dat had ik al begrepen, jawel, maar mijn voeten wogen als lood; zodra ik een stap verzette, zou het tapijt splijten. Een verlammend gevoel. Madame lag uitgestald in het bed, met haar gescheurde jurk, haar flodders en kant, waar haar lijf zich uit bevrijdde. De tranen waren nog niet opgedroogd, maar om haar halfgeopende mond speelde een glimlach en ze wierp me een luie blik toe. Een blik die geen schaamte uitdrukte, maar ook geen triomf. Wat haar betreft kon ik gaan of blijven. Ik bestond eenvoudig niet. En zij was een ander, of op een angstwekkende wijze zichzelf, een wijfje, aan God noch gebod gebonden.

Ik strompelde achterwaarts, als op de tast, de kamer uit, sloot de deur en hield me nog een moment overeind aan de kruk. Toen schoof ik onderuit en bleef verdwaasd op de drempel zitten. In de traphal resoneerden de stemmen van de rouwenden, ik was bang dat een van hen de trap zou bestijgen. Achter mijn rug weerklonk een concert van zuchten en kreten, en ik zat daar als een tempelwachter voor het slaapvertrek van losgeslagen goden.

Zeker is dat ook deze dag voorbijging, het ene uur het andere opvolgde, tot bij valavond de laatste rouwenden waren vertrokken en de stilte over het huis viel. Augustijn kwam uit de slaapkamer en stootte mij aan met zijn voet. Ik krabbelde opzij en hij daalde in vol ornaat de trap af. Ik begreep niet hoe hij zich in al zijn kleren had kunnen hijsen en zo onberoerd leek.

Madame sliep, iedereen had er begrip voor dat zij uitgeput was na dat nachtenlang waken. In haar toestand nog wel. De dochter, die in een wasmand was afgeleverd, was geveld door het verlies van haar voorbeeldige stiefmoeder. Augustijn beaamde alles, en alles leek zoals het was, maar ik heb mijn ogen neergeslagen toen hij met zijn vinger liefkozend langs zijn snor streek. Ik ruimde glazen weg en leegde asbakken.

Alleen in de donkere salon, verscholen in een leunstoel, zat de verenkoopman een kussen uit elkaar te plukken. Zijn bleke vingers gooiden de veertjes op, die neerdwarrelden als sneeuwvlokjes. Het witte schijnsel trok mijn aandacht. Toen zag ik die handen, als zelfstandige voorwerpen in hun pantomime, en ik begon te gillen. De verenkoopman dook op uit de bergère, Augustijn deed het licht aan in de salon, maar ik bleef gillen. Waar ik de adem vandaan haalde, is een raadsel. Het leek wel of ik een sirene had ingeslikt, zei Rosa achteraf. Zij stuurde mij naar bed, met een glas warme melk met honing.

De dag zat al in de lucht toen tussen slapen en waken mijn hand tussen mijn benen schoof en ik mezelf betastte. Vage beelden van ontblote lichamen gleden door mijn hoofd. Ik zuchtte, en met die zucht ontdekte ik een trillend genot. Als in een draaikolk werd ik almaar dieper meegezogen, al vlug bereikte ik een punt waarop ik niet meer kon ophouden. Mijn vingers deden zelfstandig en aldoor vlugger hun werk. Met de kreet die mij ontsnapte, was ik klaarwakker en dacht ik niet meer aan Augustijn, maar aan Madame.

De kamer had een behang dat bedrukt was met groene varens die als een rimboe over de muren woekerden. Zelfs het eerste licht dat door de gordijnen viel, leek groenig. Ik wreef mijn ogen uit, mijn vingers gaven een geur af waaraan ik mezelf herkende, voor de eerste keer, maar voor altijd. Mijzelf, ik, in die zilte, vluchtige, maar toch indringende geur. Warme tranen liepen over mijn wangen en getroost likte ik ze op.

■■■

De lucht van Welverdiend staat me tegen, een bloemige geur, als van goedkope zeep, met een fond van bleekwater. Meidenparfum. Net iets te proper. Een geur die wil ontgeuren. Dat was vroeger wel anders; het huis was doordesemd van geuren; gebraad, parfum, sigaren… En bloemen, rozen en anjers. De lucht was ermee bezwangerd.

Ik had vanmorgen moeite met wakker worden, wist eerst niet waar ik me bevond, en zocht op de tast de deur van de wc. Ik heb mijn leven binnenshuis gesleten zonder het gevoel te hebben dat ik was opgesloten, maar nu vliegen de muren mij aan. Ik kan weg, niemand kan me verplichten in Welverdiend te blijven, maar waar moet ik heen? Wie hier terechtkomt, heeft geen huis meer, en de pensionaires wachten zich er wel voor bij hun kinderen genadebrood te eten. Wat dat betreft maakt het niets meer uit of het eigen of opgedrongen broed is. Je weet: die zijn me liever kwijt dan rijk. Hebben duizend en één reden om je niet te moeten. Voor alles ben je te oud, behalve om te sterven. Nog even geduld, denk ik, en als ik niet oppas, denk ik het hardop.

Ik droomde dat ik mijn gezicht kon afpellen, laag na laag. Ik kwam helaas niet uit bij een jongere versie van mezelf, ik kwam uit bij niets. Ik vergeet gemakkelijk dromen, maar deze is me bijgebleven als een schrikbeeld. Mijn neus was verstopt en ik keek langer in de spiegel dan me lief was. Een schildpaddenkop waarin de ogen schuilgaan onder de hangende oogleden. Ik herkende mezelf niet, en ik vraag me af waar ik het aan verdiend heb. Want zegt men niet dat je de kop krijgt die je verdient?

Ik keek niet achterom toen ik mijn gevoeg had gedaan, ik nam mijn eigen geur niet waar. Toen dat tot me doordrong inspecteerde ik geschrokken de wc-pot, maar ik had al doorgespoeld, in het porselein blonk een lege waterplas.

Bertje heeft ons eens het verhaal verteld van de Russen, die toen ze Berlijn innamen, dat was in '45, alles tot poeier schoten wat ze niet kenden. Ze scheten de boel onder, maar dat hadden de Fransen ook gedaan toen ze ons in '40 zogenaamd te hulp snelden. Ik zal nooit vergeten hoe een Franse soldaat op de Eierboer was geklommen. De Eierboer is een bescheiden beeld, en na wat balanceren zette de Fransman zich in postuur en scheet de Eierboer onder. Dat deed hij volgens Augustijn omdat hij de nakende nederlaag niet kon verkroppen, maar in Berlijn behoorden de Russen tot de overwinnaars en evengoed scheten ze de boel onder.

Behalve de Russische soldaat die zich – uit netheid of uit nieuwsgierigheid – op een watercloset had neergelaten, en per abuis aan de trekker van de spoeling had getrokken. Zich doodschrikkend van de waterval was hij op de pot beginnen te schieten, en struikelend, met de broek op de hielen, had hij de hulp ingeroepen van zijn kameraden. Beduveld was hij, beduveld, door een kapitalistisch mechanisme!

Bertje noemde de Russen proleten, en van alles wat er wordt gezegd, blijft wel wat hangen. Ik heb de Russen horen zingen in het koor van de Donkozakken. Dat was na de oorlog in het Sportpaleis. Ze zongen van Kalinka, en dat ze voor de vrede waren. 'Eerst zien en dan geloven,' zei Bertje. Hij kon het weten, hij kende de Russen. Hij zei ook dat Rusland zo groot was dat er geen einde aan kwam. En dat hij er nog een keer heen wilde – reizen is zijn lust en zijn leven – maar in de oorlog was hij beter thuis gebleven.

Wij gingen nergens heen gedurende de oorlog, maar we leerden toch een flink stuk van de wereld kennen. We kregen Engelsen over de vloer, en Fransen, en dan weer eens Duitsers.

In een oorlog is het zoals het is, de fraaie kantjes zijn eraf, de mens toont zich als soort. De Eierboer was eerder het mikpunt geweest van de meeuwen, als die in de winter landinwaarts trokken, en de eieren in de stenen mand als gespikkelde kievietseieren achterlieten. Maar vogelpoep op een beeld is heel wat anders dan de schijterij van een bezopen soldaat. Ik heb nog aangeboden de Eierboer schoon te poetsen, maar Madame zei bokkig: 'Laat het zoals het is.'

De Eierboer is nog een hele tijd besmeurd blijven staan, en niemand die het kon helpen. Zo leek het wel. En al die soldaten die passeerden, ik zou er geen naam op kunnen plakken, ze waren allemaal even grauw. En met z'n allen op zoek naar iets eetbaars, en naar een plaats waar ze hun broek konden laten zakken. Het was alsof de oorlog zich eerst en vooral in de ingewanden afspeelde.

'Dat is soort,' zei Madame als ze schorem bedoelde, en even misprijzend klonk het: 'Soort zoekt soort!' Ze wist altijd haarfijn wie bij wie of wie bij wat hoorde. Zichzelf verklaarde ze buiten categorie, zij beliefde nergens bij te horen. Zelfs als vrouw presenteerde ze zich als anders, of enig. Augustijn was de eerste om dat te bevestigen, maar begreep hij ook dat Madame de mensheid had afgeschreven? Daar zat de oorlog voor het nodige tussen, maar ook haar kinderen maakten het haar tegen. Er gaapte een afgrond tussen de jonge moeder die met de jongens het spelletje van de reus deed, en happend de achtervolging inzette met: 'Ik ruik mensenvlees!' en de vrouw van middelbare leeftijd die een geparfumeerd zakdoekje tegen haar neus drukte als er weer een held met een ellendig verhaal kwam aanzetten.

Vitriool zou Bertje pas veel later zowel de geur als de smaak ontnemen, maar het was alsof het bijtende spul al in zijn woorden was gedrongen en hij er eerst en vooral zijn scherpe tong aan had overgehouden: daarvoor, toen de dader nog geen slachtoffer was, toen kon hij nog smakelijk vertellen. En zo preuts hij was als het over vrijen ging, zo plat kon hij uitpakken met strontverhalen. Augustijn lachte dan altijd gegeneerd, maar Madame genoot. 'Dat zal daar in Berlijn nogal hebben gestonken!'

Madame had een vlezige neus, een ware snuifdoos, die ze graag prikkelde. Ze stak haar neus ook overal in, hoezeer ze het mij ook verbood. Als ik boodschappen had gedaan, snoof ze wantrouwend de vreemde luchtjes op. Waar had ik uitgehangen? Wie had ik gesproken?

Voor Augustijn was de neus van Madame een tiran, ze rook zijn gesteldheid dwars door de sigaren en de whisky heen, en wee hem als ze een vrouwelijk odeur meende waar te nemen. Welnee, ze was niet jaloers, ze was gewoon allergisch voor goedkope geurtjes. Maar in haar gloriejaren stonk ze zelf een uur in de wind! Zoals ze zich met juwelen overlaadde, zo bestoof en besprenkelde ze zich met alle mogelijke parfums. Op haar toilettafel prijkte een hele batterij sierlijke flacons, het was alsof ze de hele wereld wilde verleiden. Voor mij was het makkelijk haar te ontlopen, want waar ze ging of stond liet ze een geurspoor na. Zelfs de lakens van het echtelijk bed besprenkelde ze, voor en na, en dat laatste om mij om de tuin te leiden. Zo ongegeneerd als ze was, verdroeg ze het toch niet dat iemand de geur van hun intimiteit zou opsnuiven.

Uiteindelijk kwam ze uit bij Violette, dat was het parfum van de oude mevrouw, en ze bediende zich ervan tot ze viel voor Arpège, van Lanvin. Toen was de oude mevrouw al wijlen en Madame zelf veelvoudig moeder. Met het volwassen worden gebruikte ze haar geur meer strategisch, ze ging niet alleen op haar neus af, ze zette hem ook in. Ze kon geld ruiken, zoals ze kon ruiken dat er iets niet pluis was: 'Dat zaakje stinkt!' Zelf zorgde ze ervoor dat ze altijd lekker rook, al was het dan wat overdreven.

Ik hield meer van Violette dan van Arpège, dat te veel van Madame had. Violette gaf me een gevoel van verwachting, ook al viel ik buiten de prijzen. De venters met hun manden vol paarse bloemetjes keken langs me heen; de juffer had geen cavalier om haar een bosje viooltjes als corsage aan te bieden. Ik had me een boeketje kunnen veroorloven, maar voor jezelf kocht je dat soort opsmuk niet.

Als Augustijn om de rokken van Madame draaide, noemde hij haar vleiend zijn 'Roos van Jericho'. Ik stelde me het schallen van ramshorens voor, en het instorten van stadsmuren – dat had ik uit de zondagspreek, maar Madame rook niet naar rozen als ze gewillig was. Een man is makkelijk bij de neus te nemen, en van alle mannen Augustijn nog het makkelijkst – als het op Madame aankwam – met zijn neus als een windkliever. Een neus die hij van zijn moeder heeft geërfd, en die hij net zoals de oude mevrouw voor alles en nog wat ophaalt, al is hij het zich niet bewust. Angelique op haar beurt doet het hem na, met haar trillende neusvleugels, als een nerveuze merrie. 'Een raspaardje,' monkelde haar vader. Dat wil ik best geloven, maar dan wel met alle fouten van het bloed.

Eens kon ik de verleiding niet weerstaan om ook een paar

druppels Arpège achter mijn oren te doen. Ik bleef uit de buurt van Madame, maar toen ik me over het bed van Angelique boog, lang nadat ik het parfum had opgedaan, weerde ze me af: 'Je ruikt naar mijn moeder!' Dat kon niet en dat mocht niet. De een ruikt naar de salon, de ander naar de keuken. De ene geur is intiem, de andere is aangewaaid.

Een neus is ook een kwestie van smaak: dat is half gegeven, half verkregen. Toen ik jong was, probeerde ik mijn neus in model te krijgen door er een wasknijper op te zetten. Dat deed pijn en ik was gedwongen met open mond te ademen, waardoor ik er dom uitzag. Nu kan het me niet meer schelen, ofschoon ik, toen ik laatst weer in de spiegel keek, de indruk kreeg dat mijn neus groter was geworden, en mijn oren ook. Maar mijn ogen lijken kleiner en mijn mond is ingevallen, als met kleine steken dichtgenaaid. Mooier ben ik er niet op geworden, wijzer wel, maar daar word ik ook niet vrolijk van.

■■■

Als er zich grote moeilijkheden voordeden, bij pijn of verlies, zei Madame ferm: 'Daar moeten we doorheen.' Een besluit dat op de toekomst was gericht, zo begreep ik het tenminste, en ik zag een vlakte voor me: daar moesten we doorheen, om ergens aan te komen of om iets te bereiken.

Nu moet ik ook ergens doorheen. Het is echter geen vlakte, maar een groot en donker woud, waar ik me al worstelend dieper in werk. Ik zal niet uitkomen in de toekomst, maar in het verleden. Dat lijkt de wereld op zijn kop, maar het is de enige uitweg. Het mag erop lijken dat ik in mijn hulpeloosheid milder word, niets is minder waar. Ik zal mezelf dwingen alles te overdenken. Zodat er niets wordt vergeten en ik de rekening kan presenteren. Maar geen geraas of gesnik, ik moet het hoofd koel houden. Voor je het weet, word je kinds verklaard.

Madame was nog bij haar volle verstand, alleen de taal ontbrak, maar het volstond om haar het zakelijk recht te ontfutselen. Ik zag haar blik door de kamer dwalen, de pijnlijke twijfel, of ze misschien toch malende was, en ze het zelf niet meer wist. Augustijn trachtte haar te troosten, het was voor het bedrijf, voor de contracten die moesten worden ondertekend. Bertje zou de last van haar schouders nemen. Het had niet met de beroerte te maken, noch met de ouderdom. 'Zolang je mij niet vergeet is alles in orde,' grapte hij. Hij vermeed het Bertje aan te kijken.

In het kantoor hadden vader en zoon tegenover elkaar gestaan. Bertje was naar de notaris gestapt zonder Augustijn te raadplegen. Hij was bereid de zaak over te dragen, maar hij nam het niet dat hij al op voorhand terzijde werd geschoven. En er waren meer belanghebbenden, zoals hij terecht opmerkte. 'Er kan er maar één de baas zijn,' zei Bertje.

Augustijn stemde ermee in dat Bertje de zaakvoerder zou worden, maar meer niet. 'In het bedrijf heb ik ook een woordje mee te spreken,' besloot hij. Bertje koos eieren voor zijn geld, maar hij kon het niet laten te pochen. 'Nu zullen we er eens vaart achter zetten,' zei hij tegen Madame. Ze greep naar haar borst alsof ze in ademnood verkeerde, ik schoot toe met een flesje eau de cologne, maar ze weerde me af. Het moest wat anders zijn, maar ze kreeg het niet gezegd. Angelique toonde haar de flacon met Arpège en Madame sloot opgelucht haar ogen. Misverstanden en gekissebis verhinderden niet dat moeder en dochter elkaar na waren. Als het erop aankwam, was ik niet meer dan hun naaste vreemde.

Alsof de vertrouwde geur haar deed herleven greep Madame haar wandelstok. Ondersteund door Angelique en leunend op de stok stapte ze langzaam naar de deur. Het leek erop dat ze zich helemaal op het lopen concentreerde, maar toen ze Bertje voorbij schuifelde, hield ze even in en sloeg met onvermoede kracht de wandelstok tegen zijn been. Hij had de klap niet zien aankomen en greep verrast naar de pijnlijke plek. 'Waarom doet ze dat?' riep hij.

Zodra ik alleen in de kamer was, greep ik de flacon en verstoof het parfum. Ik durfde me het einde van Madame niet voor te stellen. Haar geur leek me te beschermen.

Ik loop, besef ik plotseling, al een dag te snuffelen. Maar ik kan de geur niet thuisbrengen, Welverdiend blijft vreemd ruiken. En die schoongespoelde wc staat me tegen.

Ik herinner me in een vlaag van heimwee de geur van de mest die in dampende hopen over de velden werd verspreid, een geur die ik altijd met genoegen opsnoof. De warme geur van de stal, van volle buiken, van spetterend ontladen. Nu zul je ver moeten gaan om die geur nog een keer onbelemmerd te kunnen opsnuiven. Hetzelfde geldt voor de geur van walmend aardappellof, als uit kleine grafheuvels, uitgestald over het winterbereide land. Een donkere geur was het, maar geen smook van verrotting, eerder van een goedgunstig offer. Als in de natuur iets tenietging, was het om te vernieuwen of om het over te doen. Zo kon je er vrede mee hebben. Maar we stinken niet meer, angstvallig bestuiven we ons van oksel tot kruis. Bang op een verraderlijk luchtje te worden betrapt, doen we er alles aan om de neus te bedriegen.

Het parfum van Madame was ook een vorm van bedrog, maar van welbewust gekozen, zoet bedrog. Maar of ze nu wilde afhouden of aantrekken, zoals zij naar Arpège rook, kon niemand ernaar ruiken, zelfs de oude mevrouw niet, toegegeven. En zoals Augustijn naar Madame rook, zo heeft hij nooit naar mij geroken, ook dat geef ik toe. Het is mijn stil verdriet dat ik nooit naar hem heb geroken, en voor de derde maal geef ik het toe.

■■■

Van het allereerste begin herinner ik me vaag de geur van regenwater, maar van mijn moeder herinner ik mij niets. Een geurloos tijdperk lijkt het wel, tot ik de geur van het witgepleisterde landhuis opsnoof, een geur van welstand, van welbehagen, van het kabinet tot de slaapkamer, als was de lucht bestoven met goudpoeder. Ik weet nog altijd niet hoe ik die geur moet noemen, maar het was alsof ik hem proefde.

Mijn neus was tot leven gewekt en ik heb hem ontwikkeld met

alles wat Augustijn aanging. Het leer van zijn laarzen, het tweed van zijn pakken, het linnen van zijn ondergoed. In al zijn spullen had zich zijn lichaamsgeur genesteld; het zurige van zijn zweet, het bronstige van zijn oksels en liezen. Toen ik de kat in de wasmand met vuil goed betrapte, trappelend en sappelend in de mouwuitsnijding van zijn hemd, joeg ik haar het huis uit, maar ik snoof zijn intieme geur op tot het water mij in de mond welde. Niet dat die geur mij blind maakte voor zijn fouten, verre van, maar ik kon er niet aan weerstaan, het was de geur die mij vervulde, dat is alles.

De kinderen had ik zelfs met een blinddoek om herkend, op de neus, en hun geur was ook de barometer van hun gesteldheid. Van de luier tot het potje en van het potje naar de wc – ik heb hun darmen gelezen! De gedistingeerde keuteltjes van Angelique, de ferme drollen van de jongens, de zwarte kak van de engeltjes. Ik wist wat er in mijn boefjes omging.

Angelique deed er lang over, met haar rokje over haar knieën, een bloot voetje over het andere, de handjes voor de mond geslagen, als het aapje van 'horen, zien en zwijgen', maar een piskous is het nooit geweest, ze was van nature zindelijk.

Marius kneep zijn ogen en mond dicht en balde zijn vuisten terwijl hij rood aanliep, dan ging het van plop en hop, doe wel en zie niet om. Behalve als hij zich mokkend barricadeerde op de plee, urenlang als je er niet tegen inging. En als je de deur opentrok, had hij al doorgespoeld en zijn broek dichtgeknoopt. Met alles, en ook daarmee, een gesloten boek.

Het tegenbeeld van Reinout, die wat trots was op zijn gevoeg en erom geprezen wilde worden: 'Grote jongen, mooi gedaan en alles in het potje!' Dat laatste moest je er wel bij zeggen, want hij kliederde erop los. Een keer was ik te laat na het middagdutje en had hij kans gezien om de inhoud van zijn luier over het bedje uit te smeren; ook de muren, zover hij kon reiken, waren beschilderd met poep. Hij straalde: 'Kaka!' Zijn eerste woordje, ik zweer het.

Bertje had gedurig verstopping omdat hij er de tijd niet voor nam of omdat hij met zichzelf in de knoop lag. Ik voerde hem geweekte pruimen, dat luchtte op.

Op een keer was ik hem kwijt, ik dacht dat hij zich verstopt had, maar hij zat bleek en kreunend op de wc. Tergend traag daalde er een witte sliert uit zijn kontje. Het was een lintworm. Angelique bleek de enige van het stel die niet was aangetast, maar om zeker te zijn dat we van de parasiet af waren, moest ook zij worden ontwormd. Ze was diep beledigd en ze keek er Bertje op aan. De zusterliefde bekoelde voor een tijdje.

Ik kneep de neuzen van het grut dicht om ze het medicijn te laten slikken. Ik schrobde hun nagels schoon, en stopte ze met handschoenen aan in bed. Dagelijks berichtte ik Madame hoe we ervoor stonden, maar toen ik bij het diner trots kon melden dat we de lintworm hadden uitgedreven, keek ze me verstoord aan: 'Over zulke dingen wordt aan tafel niet gesproken.'

Madame keek de andere kant op en hulde zich in een wolk parfum als het om de viezigheid van haar volkje ging. Maar ik kende die kinderen door en door, ik had kunnen voorspellen dat ons een en ander te wachten stond. Niet dat het veel zou hebben geholpen, ze wilde geen kwaad woord over haar bengels horen. En ik was niet veel beter, want toen ik zweeg, was het niet omdat zij mij verbood te spreken, maar omdat ik zelf niet wilde weten wat er gaande was. Dat is, om een groot woord te gebruiken, de schuld van de moeders, vermomd als liefde, dat ze niet willen weten wat ze eigenlijk wel weten. Of dat ze niet onder ogen kunnen zien wie hun kinderen zijn en wat ze zoal uitvreten. Mijn kind schoon kind; zo worden ze bedrogen terwijl ze zichzelf bedriegen.

De buik is de kelder, zoals het hoofd de zolder is, oorden waar dingen worden opgeborgen. Tot de herinnering is vervaagd en het onnut van al dat oud verdriet is bewezen. Dan wordt er geruimd en gaat de ballast overboord. Engeltjes of duiveltjes, het is al gelijk. Tranen die vergeefs worden gestort.

'Bespaar me de details,' zei Madame als een van de zonen een dwaasheid kwam opbiechten. Wat ze niet kon vergeten, wilde ze niet horen. Als een vrouwelijke kennis zich kwam beklagen, raakte ze al vlug geïrriteerd: 'Dat hoef ik toch allemaal niet te weten.' In haar laatste jaren verzuchtte ze: 'Ik weet te veel.' Dat was vermoeiend en ze was ervan overtuigd dat te veel weten oud maakte.

Het ruist en rommelt in de leidingen van Welverdiend, al lijkt het erop dat er geen vuil wordt geloosd. Alsof de kamers zijn bezet door mummies en niet door mensen met luchtjes. Ik kan begrijpen dat men in een sterfhuis de geur van de dood wil verdoezelen, maar met permissie, ook het leven stinkt. Je kunt je neus wel dichtknijpen en doen alsof je te goed bent voor deze wereld, maar tussen pis en kak word je geboren. Dat laatste heb ik niet van mezelf, dat is nu net het probleem: wat heb ik van mezelf? Wat is mij ingepompt en aangepraat, wat is mij onthouden of verzwegen? Ik word er tegelijk warm en koud van als ik daarover doordenk.

Voor Augustijn is het belangrijk zijn eigen meester te zijn, maar was hij baas over zichzelf? Lag hij niet onder de pantoffel van Madame? En de jongens, die hun vader na-aapten, hun eigen meester? Het zal wel, tot er een rok aan te pas kwam. En is het niet angstwekkend hoe ze bereid waren alles te geloven wat in hun kraam paste? Angelique dan, de *belle* die niet kan toegeven, die zelfstandig vrouw wilde zijn, wat is daarvan terechtgekomen? Toen ze eenmaal de wieg liet schommelen?

Madame mag haar handen kussen dat ze mij had, zodat ze niet dag en nacht aan de kinderen was gebonden. Het is waar dat ze zich niet op de kop liet zitten en dat ze op haar hoede was, zowel voor vrome als voor geleerde praatjes. 'Allemaal fabeltjes!' grommelde ze. Ze vertrouwde op wat ze beproefde, maar niets was blijvend. Van de ene dag op de andere kon de wereld een ander aanzien hebben. De spottende lach werd met de jaren een grimas van wantrouwen. Wat wilde men haar wijsmaken? Wat zat daarachter? Werd er weer iets bekokstoofd?

Met een grijns van ongeloof is ze vertrokken, niemand, zelfs

Augustijn niet, kon haar ervan overtuigen dat het leven geen doorgestoken kaart was. Ze hield zich groot, ze kon niet aan zichzelf toegeven, dat begrijp ik maar al te best, want ook ik hield me groot, ook ik kon niet aan mezelf toegeven.

Madame was onthand geweest, Augustijn teleurgesteld, en de kinderen waren nog vlugger in hun ongeluk gelopen. Madame stond voor de zaak en ik voor het huishouden. Iemand moest de kluit draaiende houden.

Nu ik ben vrijgesteld weet ik niet wat te beginnen. Mijn keel is dichtgesnoerd, ik slik en slik wat ik niet krijg doorgeslikt. Het was makkelijker mij met de Van Puynbroeckxen bezig te houden dan me om mezelf te bekommeren. Dat zie ik eindelijk in, en als ik niet helemaal verloren wil zijn, moet ik mij als vanouds met hen bezighouden en alles nog eens herkauwen. Ik ben als een niet gemolken koe met een uier van drie dagen, barstend van de melk, beroofd van het kalf, en loeiend om dan in hemelsnaam maar te worden gemolken. Ik heb compassie met die beesten. Van de stal naar de wei, schommelen en herkauwen, gedekt uit de spuit, van voren niet wetend wat er van achteren omgaat, elkaar in dwaze nood bespringend, een kalf en nog een kalf, en dan met de riek in de schoft de beestenwagen in gedreven. Stom, dat is hun enig gebrek, maar wat als de koeien de spraak was gegeven? Ze zouden ons aanklagen, zoveel is zeker, maar zouden ze er ook niet achter komen dat ze ongelukkig zijn? En dat ze in hun diepste wezen koe zijn en koe blijven?

Ik krijg niet gezegd wat ik wil zeggen, en ik ben er nog bang voor ook. Als ik het over de Van Puynbroeckxen heb, kom ik onvermijdelijk uit bij mezelf en is de cirkel gesloten.

■■■

Ledigheid is het oorkussen van de duivel, dat was erin gebakken: bezig zijn, geen tijd verbeuzelen. Madame was de koningin en ik een werkbij, we waren immer aan de slag. Het was van moeten, ook van innerlijk moeten.

Augustijn was zowat de enige die wist wanneer het tijd was om op te houden. Die het zichzelf gunde tot rust te komen en het ook anderen niet misgunde. Integendeel, hij drong er geregeld bij Madame op aan vijf minuten te pauzeren: 'Moet je nog veel? Kan ik je helpen?' Twee linkerhanden, maar vol goede wil, ook tegenover mij: 'Is dat niet te zwaar? Of te heet?' Soms gaf ik hem zijn zin, kon hij ook eens voelen hoe zwaar of hoe heet het was, maar meestal volstond ook ik met een nukkig 'Laat maar'. Een mens heeft er veel voor over om zich onmisbaar te weten, maar er was meer aan de hand.

Als Madame haar buik ondersteunde en ik naar mijn rug greep, was dat terecht beklag. Augustijn was niet onnozel, hij had moeten begrijpen dat de gesteldheid het ons lastig maakte, en dat het bestel tegen ons was gericht. Het ritme van ons lijf, ellendige kalenderdagen, de last van het onderhoud, duizend en één zorgen. Het was onmogelijk aan alle eisen te voldoen, en van moeder op dochter voelden we ons schuldig als we er niet aan voldeden. Kribbig of zeurderig werden we, kwaad of zot. Schoon is anders.

Madame was als een kat, altijd goed gewassen, altijd fraai in de pels, en het duurde even voor ik doorhad dat haar voorkomen niet puur natuur was. Dat er een arsenaal van schoonheidsmiddeltjes aan te pas kwam, en een ijzeren discipline om onder alle omstandigheden gezien te mogen worden.

Angelique sleet uren voor de spiegel, maar nooit heeft ze zichzelf een tien gegeven, altijd malcontent, al was ze nog zo mooi en zag ze eruit om door een ringetje te halen.

Ik heb zelf nooit gedacht dat ik zou voldoen, al was ik verre van lelijk. Bij het optuigen voelde ik me al vlug opgelaten, en ik beschikte bovendien niet over het arsenaal van Madame. Koud water werd mij aanbevolen, om wakker te worden, in vorm te blijven of misselijkheid tegen te gaan. Ik haat koud water, maar ik raakte er zo op ingesteld dat ik geen warm water meer verdraag.

Kunnen ze je zo ver drijven dat je jezelf ongelukkig maakt? En volhoudt dat je best tevreden bent? Als een hond te lang aan de ketting ligt, wordt hij vals of hij krijgt kuren. Dan draait hij om zijn as en hapt naar zijn eigen staart, tot hij verdwaasd blijft zitten na het barse: 'Af!' Het is mij niet veel anders vergaan. Madame kon zich flink uitleven, Angelique mocht met de deuren slaan, maar ik had me te gedragen.

Van de weeromstuit zat ik de jongens achter de vodden; een pleziertje, zoals een extra partijtje voetballen, of een uurtje langer opblijven, verbood ik kribbig. 'Zuurpruim!' schold Marius. Hij was nog geen twaalf, dat bezwaarde me, vooral omdat ikzelf nog zo jong was. In zijn verliefd gebazel noemde Augustijn Madame ook weleens pruimpje, dat klonk sappig, maar zuurpruim sloot aan bij kween; een stuk chagrijn, een die de zon niet in het water kan zien schijnen. Ik heb toen op de wc mijn tranen zitten verbijten, het was toch voor hun bestwil, alles wat ik deed, en als ik iets verbood, was het omdat ik niet wilde dat hun kwaad zou geschieden. Toch vermeed ik het mezelf te spiegelen in het kristal dat ik opwreef, die gezwollen ogen en die dichtgeknepen mond hoefde ik niet te zien. Het kristal zou zonder mij ook wel schitteren.

Marius probeerde het goed te maken, op zijn eigen wijze, emmers water pompen, hout aanslepen. Ik hield me stug, omdat ik zijn schuwe blik niet kon verdragen. Ondertussen vreesde ik dat ik echt aan het verzuren was, dat ik die bittere plooien niet meer uit mijn gezicht zou kunnen strijken. Die vrees zette mij echter niet aan tot lachen, integendeel, ik begon hoe langer hoe zuurder te kijken. Dat mag met recht vreemd worden genoemd, dat je beseft dat iets niet klopt, of dat je weet dat je iets niet wilt, en dat het toch gebeurt, of dat je het toch doet. Alsof je het zelf niet kunt helpen.

'Lach eens, Celestieneke,' zo minzaam kon hij dat vragen, Augustijn. Ik lachte als een boer met kiespijn. Hij was meteen tevredengesteld, vroeg niet verder of drong niet aan.

Madame had een grammofoon gekocht, om de zinnen te verzetten, zoals ze zei, en alle dagen kregen we 'Het land van de glimlach' te horen, een operette die zich in China afspeelde. Augustijn stond erop dat de plaat met de zachte naald werd gedraaid; in tegenstelling tot Madame hield hij meer van opera dan van operette, maar zodra hij zijn rug had gekeerd, werd de harde naald op de plaat gezet. Dan schalde het leidmotief door het huis, en Rosa zong al zemend en zwabberend mee: 'Wat er ook gebeurt en hoe het er vanbinnen ook uitziet ... altijd lachen, immer tevree.' Dat verdomde ik mee te zingen.

Voor die hemelse glimlach had ook Madame bij de Chinezen in de leer moeten gaan, want ze was zelden of nooit tevree. Grimmig stelde ze vast dat het huishouden vierkant draaide: de soep was te heet of te koud, de vis te zout, het vlees te gaar. Als haar neus haar niet bedroog, dan brandde er wat aan of kookte er wat over, en wees maar zeker, haar neus bedroog haar niet. Net zomin als haar ogen, die strepen op de spiegel zagen, of stof onder het bed ontwaarden. Het was onbegonnen werk het haar naar de zin te maken, ze leek zelfs een boze voldoening te putten uit mijn onvermogen. Celestien had er weer een potje van gemaakt, goed dat Madame tijdig kon ingrijpen of bijspringen. Het huis was in vlammen opgegaan als zij de frituurketel niet met een natte handdoek had afgedekt, of we waren met zijn allen vergast als zij de kraan van het gas niet tijdig had dichtgedraaid.

Augustijn hoorde mijn tekortkomingen aan zonder er de glimlach bij te laten. Het stelde hem gerust dat Madame zich wilde bewijzen, maar ik was kwaad omdat het op mijn kosten gebeurde: Celestien deed haar best, maar ze wist niet beter, of ze kon het niet helpen. Halfhartig nam hij het voor me op, de geit en de kool sparend, met een plaagstoot onder de gordel als hij onze verdiensten tegen elkaar afwoog. Haar *canard sauvage* was onovertrefbaar, maar mijn erwtensoep was evenmin te versmaden.

Op een keer noemde Madame Augustijn een mandarijn; dat was geen eend, maar een Chinees die de lakens uitdeelde. Ik kon het onmogelijk met haar eens zijn, al deed het deugd dat zij hem op zijn plaats zette. Niet dat het wat uithaalde, want Augustijn lachte vergenoegd en paste er wel voor op zijn handen vuil te maken. Mooie handen, sterk, met slanke vingers. Handen waar je dromerig van werd. Als je er de tijd voor had. Hij droeg een zegelring, nog van zijn vader, in rouw en trouw, maar geen trouwring.

Toen Augustijn en Madame in Engeland voor de ambtenaar stonden, bleek dat ze in hun haast niet aan trouwringen hadden gedacht. Augustijn gebruikte ter vervanging de zegelring, die Madame prompt van de vinger gleed. De registratie leek een grapje, getrouwd waren ze onder de blote hemel, maar zonder papier geen erkenning, zo slim waren ze wel, die twee.

Terug op het vasteland verlangde Madame een ring die bij haar staat paste, waarop Augustijn voorstelde de zegelring te laten verkleinen. 'Ik ben niet met je stam getrouwd,' zei Madame boos. 'Toet, toet,' antwoordde Augustijn. Wat zoveel als 'welzeker', en 'geheel en al' betekende. Goed, als hij geen trouwring droeg, dan droeg zij er ook geen! Maar al de ringen met kostbare stenen die ze kocht, leken compensatie, en ten slotte liet ze zich een gladde gouden ring aan de vinger schuiven. 'Vogeltje, gij zijd' gevangen,' zong Augustijn triomfantelijk.

Waarom kijken vrouwen altijd naar de handen van een man? Want ik zag het wel, die vluchtige inspectie van Augustijns vingers, die half willekeurige speculatie. Geen trouwring? Lag hier een kans voor het grijpen? Wat was dit voor man? Knap, niet arm, maar opgepast, daar had je mevrouw, en hoeveel kinderen had hij eigenlijk wel? En dat aanhangsel, die vrouw met haar franke blik, was dat de meid? Die welverzorgde handen waren het visitekaartje van een man die kwaliteit naar waarde wist te schatten, of het nu goud, zijde of een vrouwenhuid betrof. Een kenner, dat zag je zo. Eentje waar je je vingers aan kon branden. Verongelijkt vroegen ze zich af of Madame de hoofdvogel had afgeschoten en zowel het bed als de schapraai had gevuld. Wij hadden de dames uit de droom kunnen helpen, maar dat konden we

Augustijn niet aandoen, hoewel Madame Augustijn zijn pralen met de zegelring kwalijk nam. Was hij soms beschaamd over zijn huwelijkse staat? Of hield hij de achterdeur op een kier? Ik vond het ook maar niks, maar ik zag toch liever die zegelring dan een trouwring aan zijn vinger.

De handen van Augustijn toonden aan dat hij er geen grof werk mee verrichtte, dat er geen cement of zeepsop aan te pas kwam. Hij gebruikte zijn hoofd, maar wel zo dat hij het zakendoen opvatte als een sport. Een concurrent te vlug af zijn, een grote opdracht binnenhalen, dat lag hem wel. Hij kon ook goed opschieten met de metselaars en de bouw kreeg zijn belangstelling. Daar hield het op, de zaak werd nooit een passie, zoals voor Madame, die er haar hart en ziel in stak.

Augustijn vond geld tellende vrouwen geen gezicht, maar Madame trok het zich niet aan. Ze pakte alles aan, niets was te min, dat moet ik toegeven, van het op orde brengen van het kantoor tot de grote schoonmaak. Dat ging ten koste van de dameshanden waarmee ze zo graag had gepronkt, en waarmee ze ook Augustijn had willen behagen. Goud en diamant moesten het goedmaken, ze droeg zowat aan elke vinger een ring, en als het had gekund, twee.

Toen ze zich op een avond opmaakten voor de opera, en Madame met uitwaaierende rokken om haar as draaide om zich te laten bewonderen, trok Augustijn zachtjes de ringen van haar vingers. 'Eén volstaat,' zei hij en hij kuste haar hand. Over de wangen van Madame trok een rode gloed. Ze rukte aan haar trouwring: 'Hier, neem deze dan ook maar!' Haar poging om de trouwring voor zijn voeten te gooien mislukte jammerlijk: de ring, die ze nooit aflegde, had zich in haar gezwollen vinger gegroefd. 'Van die ring raak je nooit meer af,' zei Augustijn plagend. Madame had zowaar tranen in de ogen, ze pakte haar rokken bij elkaar en rende de trappen op. Naar de opera zijn ze die avond niet geweest.

Mijn handen waren vaak zo ruw dat fijne stoffen eraan bleven haken en in de winter had ik last van kloven. Madame gaf me een pot ganzenvet, maar dat rook naar vogelstront en het trok niet in de huid. Ik protesteerde, maar zij hield vol dat er niets beters tegen kloven bestond dan ganzenvet. Waarom ze het dan zelf niet gebruikte? Ze haalde haar schouders op en snoof. Werd ik brutaal, zoals ze mij voor de voeten wierp? Mag zijn, maar was mijn huid niet gelijk aan de hare? Waren mijn handen geen pot van haar crème waard?

'Vier handen op één buik!' verzuchtte Augustijn als hij tegenover onze overmacht stond. Maar het was niet mijn buik, en het waren geen eenparige handen. Je zou van een noodzakelijk verbond kunnen spreken, of van een opgelegde wedijver. Ik viel 's avonds om van vermoeidheid en begreep niet waar Madame de energie vandaan haalde om nog de beddendans uit te voeren. Had Augustijn haar niet moeten sparen? Dat denk ik nu, toen kwam dat niet bij me op. Ik was moe, zo moe dat ik niet kon denken of me afvragen wie van ons twee, Madame of ik, de belasting het langste zou volhouden. Ondertussen is die ongestelde vraag beantwoord, maar voldoening beleef ik er niet aan. Ik was het gewoon dat Madame me achter de vodden zat, en erop ingesteld haar tegen te werken.

Wat doet het ertoe of ik nu vijf minuten of een uur op de wc zit? Zonder haar 'Celestien, waar zit je?' valt er weinig plezier aan te beleven.

Mijn vingers strekken, mijn tenen bewegen, onder mijn oksel ruiken, controleren of alles er nog is. De dagen zijn niet langer te kort, ze strekken zich eindeloos uit. Bij de les blijven. Jezelf niet laten gaan. Heb ik dat hardop gezegd? Het hoort er wellicht bij dat je zinnen afstompen, en dat kan een zegen zijn als het te veel wordt. Maar wat bij anderen tussen de benen zit, zit bij mij tussen de oren. Ik wil ook geen afstand doen, maar zoveel mogelijk terug gewinnen. Het is alsof ik mijn leven op mezelf moet verhalen. Dat is wel het toppunt, dat ik ten einde raad bij het hoofd uitkom! Een hoofd dat van een paar handen afhing, want zo functioneerde ik, als een paar handen. Aanpakken, daar ging het om, denken was niet vereist. Je hoorde ook niet met je eigen gedachten bezig te zijn. Het was altijd Madame dit, Augustijn dat, de kinderen: van alles en nog wat. Het werk hield nooit op en je kreeg geen overzicht.

Het laatste wat ik heb gedaan voor ik naar Welverdiend werd afgevoerd, was zes hemden voor Augustijn strijken. Terwijl ik stond te strijken, zag ik mezelf bezig. Augustijn mocht terecht verklaren dat niemand het beter kon, een glad front, de kraag mooi rond, de gesteven manchetten smetteloos, geen enkele valse plooi. Dat wordt, als alles wat de perfectie benadert, doodgewoon gevonden, maar het is: oefening baart kunst! Kunst met een kleine k, denkt de leek lichtvaardig. Zoiets als Madame met een grote en een kleine m, maar ook dat is niet vanzelfsprekend. Ik had een hekel aan strijken, en dan kun je het met de Franse slag doen of je kunt er je tijd voor nemen. Ik wilde het vooral goed doen, en dat was zenuwslopend omdat er altijd tijd te kort was. Ik was voortdurend bezig de achterstand in te halen.

Nu heb ik tijd zat en niets om handen, maar het hoofd op orde krijgen lijkt onbegonnen werk. En ik sta er helemaal alleen voor, er is niemand bij wie ik te rade kan gaan. Veel te laat heb ik begrepen dat wie zichzelf wegcijfert heel makkelijk door de anderen opzij wordt gezet. Het is mijn eigen schuld, ik wilde bij de Van Puynbroeckxen horen, deel uitmaken van hun menage, een stuk van hun leven zijn. Daar heb ik me danig op verkeken. Want waren ze niet hun eigen meester, dan waren ze wel de mijne. Allemaal grote en overgevoelige neuzen, terwijl ik mij stom en dom moest houden.

■■■

Augustijn stelde snuivend vast dat de mens de enige soort is die op zoek is naar een ketting om zich vast te leggen. Madame keek hem eens schuin aan, maar hij hield vol; al dat gepoch over de eigen weg, dat gemopper over onvrijheid, het was allemaal vlagvertoon. Waar men zich al niet toe verbindt, wie men al niet gehoorzaamt!

Al betogend ijsbeerde hij door de kamer met de handen op de rug, bij de haard keek hij, kin vooruit, in de spiegel en streek zijn snor glad. 'Het is alsof de mensen zichzelf niet vertrouwen,' besloot hij. Madame sprak hem niet tegen, en tegen mijn zin moest ook ik hem gelijk geven. Want wat deed ik meer dan met mijn kettingen rammelen? Ik was malcontent, maar ik schrok terug voor elke verandering. Ik dreigde ermee om op te stappen, maar ik hoopte dat ze me zouden tegenhouden. Voor de open deur aarzelde ik, het onbekende kwam me even onbegrijpelijk als gevaarlijk voor.

'Om te durven moet je willen,' zei Augustijn tegen de jongens. Van mezelf wist ik niet of ik durfde, maar je maakt mij niet wijs dat zijn durfals van zonen wisten wat ze wilden. Die waren gewoon op zoek naar een doel waar ze op konden afstormen. Daarbij waren ze bereid om over hun schaduw te springen. Dat heet moed, maar was het geen overmoed?

De jongens waren nog niet droog achter hun oren of ze eisten hun vrijheid op. Ik voelde wel dat ze op me neerkeken omdat ik dat niet deed, of geen besef van vrijheid leek te hebben. Maar wat stelden zij zich daar eigenlijk bij voor? De vrijheid om hun zin te doen? Om achter een leider aan te lopen, of zich met de verkeerde te verbinden? Al dat verstand voor zoveel verloren kansen! Maar liever doodvallen dan toegeven. Voor alles moest hun haan koning kraaien. Hadden ze Madame kunnen commanderen zoals ze mij commandeerden, dan waren ze het heertje geweest. Dat geldt ook voor Angelique, die altijd de prima donna moest zijn, en een meid voor niks een meid van niks noemde.

Wat moet je met kinderen? Voldoening kun je ze niet schenken. Bij de jongens stond op den duur de hele wereld in het krijt. En omdat niemand zich dat bijzonder leek aan te trekken, moesten wij, ik om te beginnen, het uitzweten. 'Celestien, zijn mijn schoenen gepoetst?' 'Celestien, heb je mijn sokken gewassen?' 'Celestien, is mijn pak gestoomd?' Celestien woont op zolder, dacht ik. Maar ik deed, al was het tegendraads, wat me werd opgedragen. Zo ernstig als die blagen zichzelf namen, er kon geen lachje af! Ze hielden hun wensen voor bevelen. En die moesten op stel en sprong worden opgevolgd. Zelfs als je hun gedachten kon lezen, kwam je al te laat. Ze kenden maar één dwang, die van de tijd, die ze tot alle prijs voor moesten blijven. Het was altijd hollen en vliegen. Wie hen liet wachten, stal hun tijd, dat was onvergeeflijk. Traag werd voor lui versleten of voor dom gehouden. Ook onder elkaar deden ze alles om het eerst, en in gespreide slagorde rukten ze op naar de glorie. Ze zouden de wereld versteld laten staan en ons een lesje leren. Vader was een man van een andere tijd, vooroorlogs in zijn smaak. En hij liet zich door moeder op zijn kop zitten. Dat zou hen niet gebeuren! 'Waar zijn mijn laarzen?' 'Is mijn paard gezadeld?' 'Open de poort!' In één stormloop erop en erover. Geen obstakel zou hen tegenhouden.

Zo is het niet gegaan, maar het was wel wat hun voorstond. De mensheid zat echter niet op hen te wachten, ze moesten zich eerst bewijzen, hoe knap en flink ze ook waren. Het was geen kwestie van willen maar van kunnen. Ze ondervonden al vlug dat ze hun wil niet konden opleggen of hun gelijk afdwingen. Ze probeerden dan maar hun gezicht te redden door plaatsvervangend op te treden. Marius in het verzet, Reinout onder de Fritzen, Bertje voor zijn moeder. Maar hoe hoog ze ook van de toren bliezen, ze hadden zich ten dienste gesteld. Alleen Angelique is soeverein haar gang gegaan. Ze is ook nooit naar huis gekomen om haar wonden te likken of haar nederlagen op ons te verhalen.

Na de oorlog hadden we onze vrijheid teruggekregen, zo heette het, maar het waren bittere jaren, jaren van tweedracht en van moedwillig misverstand. Het was alsof de jongens de vrede niet konden verteren, alsof ze de oorlog binnenshuis voort moesten zetten. Als ik ergens spijt van heb, dan is het dat ik daartegen niet ben opgetreden. Dat ik doorging met wat ik altijd had gedaan, slaven en zwoegen, zelfs met verdubbelde inzet, hopend dat de sloebers een enkele keer tevreden zouden zijn. Dat ze zich met zichzelf konden verzoenen. Dat het op een miraculeuze wijze toch nog goed zou komen. Zij gelukkig, ik gelukkig. Al moet ik erover nadenken wat dat veronderstelt, gelukkig zijn. Je gang gaan? Doen wat je moet doen? Jezelf niet in de weg staan?

'Vrijheid, blijheid,' zei Augustijn monter. Wat hem betreft mocht elkeen zalig worden zoals het hem uitkwam. Hij hoefde niet op te scheppen, hij kende zijn grenzen. Hij kwam pas in het geweer als hij binnen die grenzen werd bedreigd. Voor het overige zochten ze het maar uit, hij voelde niet de minste aandrift de wereld te verbeteren. Het fanatieke in zijn kinderen bevreemdde hem. Dat zijn vrouw onverzoenlijk kon zijn, vond hij pijnlijk. Als hij wat vroeg, verwachtte hij dat aan zijn verzoek werd voldaan, maar hij vroeg geen onmogelijke dingen. Hij genoot van wat hij kon krijgen, en als hij iets niet kon krijgen, haalde hij zijn schouders op: 'Daarom niet getreurd!'

Augustijn was zichzelf; al had je hem binnenstebuiten gekeerd, dan was hij nog zichzelf gebleven. Hij speelde niemand wat voor, daarom werd hij ook bemind, met al zijn fouten en zwakheden. Je wist wat je aan hem had. Het was te nemen of te laten. Zo ook bij Madame, maar dat was opgelegd pandoer: ze had zich een karakter aangemeten en handelde daarnaar. Als ze onverbiddelijk was, zette ze in de eerste plaats zichzelf voor het blok. En er was altijd een deel van haar dat afwezig was, dat onvoldaan bleef, omdat het zich niet kon tonen. Een ondergeschoven kind tenslotte. Augustijn vroeg nog op haar sterfbed of ze van hem hield, terwijl ze dat duizendvoudig had beleden en bewezen. Maar zijn onrust bleef, vanwege dat onbenoembare deel, waarmee ze zich ook aan hem onttrok. Zij had heel zijn hart, waarom kon ze het hare niet aan hem geven? Omdat ze beter wist, of omdat ze zo in elkaar zat?

Ik heb me geforceerd, omdat ik aannam dat niemand van me kon houden om wat ik ben, of zoals ik ben. Ik vreesde dat ik niet zou voldoen of tekort zou schieten. Ik ben kwaad op mezelf omdat ik zo mijn best heb gedaan. En waarom was ik tevreden met minder dan me toekwam? Durfde ik niet of wilde ik niet? Nu ik mezelf niet meer kan ontlopen, verkeer ik in het ongewisse en word ik gekweld door onaangename vragen. Waarom mocht ik mijn leven niet ten einde leven zoals het was? Ik stond achter het fornuis als een schipper op de brug, bereid om als laatste het zinkende schip te verlaten of ermee naar de kelder te gaan. Het was me niet gegeven. Maar waarom heb ik me goedschiks aan de deur laten zetten? Durfde ik Augustijn niet voor de keuze te plaatsen?

Men beweert dat je hele leven aan je voorbijtrekt als je sterft. Laat het dan alsjeblieft in een flits zijn, het lijkt me geen pretje mezelf nog een keer alle fouten te zien maken. En op de koop toe te weten hoe het afloopt.

■■■

De spiegel in de wc zit onder de vliegenpoepjes. Dat was in Mon Repos nooit voorgekomen. Ik heb al een prop wc-papier klaar om hem schoon te vegen – het is sterker dan mezelf – maar het is niet langer mijn werk. En dit is Welverdiend. Ik laat de prop in de wc vallen; dat de afvoer verstopt raakt, ik mag het lijden.

Die vliegenpoepjes hebben iets geruststellends, al lijkt mijn gezicht in de spiegel ontsierd door ouderdomsvlekken. Een blanke huid, dat was vroeger goud waard. De oude mevrouw ging op zonnige dagen nooit uit zonder parasol. En het was een drama toen Angelique na een strandwandeling vaststelde dat haar neus was bezaaid met sproeten. Het deed haar geen kwaad, het stond zelfs ondeugend, maar zij smeerde een laag blekende crème op de sproeten en meed voortaan de zon. Gaaf moest ze zijn, ongeschonden en onaangetast. Geen vlekje op haar blazoen.

Luchtjes vervulden haar met schaamte, ze at haast niet, omdat alles wat erin ging er ook weer uit moest komen. Met op elkaar geklemde lippen keek ze toe hoe haar broers zaten te schrokken.

Toen Reinout haar voorlichtte over de feiten van het leven – en ze zich niet langer van de domme kon houden – stopte ze haar oren dicht. Daar stond zij boven, wat haar ouders in de slaapkamer bedreven ging haar niet aan, zij was alvast niet op die wijze gefabriekt.

Reinout greep haar handen en hield ze op haar rug, terwijl hij in haar oor toeterde dat ook zij, als ze eenmaal memmen had, de benen zou spreiden, jaja, zij, en nog graag ook. Angelique rukte zich los en spuwde Reinout in zijn gezicht. Van haar leven niet, ze ging nog liever in het klooster!

'Welzeker, daar hoef je je handen niet vuil te maken!' Met een beate glimlach sloeg Reinout zijn ogen op en hield een bord achter zijn hoofd als een stralenkrans. Een man die spuwde had hij koud gemaakt, maar van een vrouw kon hij het verdragen. Vrouwen scholden en spuwden en krabden omdat ze de zwakkeren waren. Maar hij kon het niet laten zijn zus te treiteren. Onder het spuug genoot hij ervan dat zij haar zelfbeheersing verloor. Wat beeldde ze zich in, dat liefde een altijddurende aanbidding was? En Madame onbevlekt ontvangen? Om Angelique te pesten ging hij haar 'de Onbevlekte Ontvangenis' noemen. Als ze in zijn buurt kwam, boerde hij luidruchtig, liet winden en at uit zijn neus tot zij verblekend wegvluchtte.

Toen de eerste schuchtere aanbidders aanklopten, stak hij de wijsvinger van zijn rechterhand in het holletje van zijn linkerhand en bewoog hem grijnzend heen en weer. Een niet mis te verstaan gebarenspel dat Angelique het schaamrood op de wangen joeg. In plaats van de kwelduivel uit te lachen, verstrakte ze en beet op haar lippen tot ze brak, en snikkend uitviel. Dan had hij zijn zin.

Als ik toen had geweten wat ik nu weet, of had begrepen wat het inhield dat Reinout ervan genoot te pesten, vrouwen om te beginnen, maar ook in het algemeen, dat hij zijn voldoening vond in het breken van weerstand, en zich almachtig waande als zijn slachtoffer door de knieën ging en raasde of smeekte, als ik had kunnen voorzien waartoe dat zou leiden, dan had ik het plagen serieus genomen en er wat aan gedaan. Ik was ziende blind, zoals

Madame, die Reinout weliswaar berispte, maar Angelique een zeurkous noemde.

Reinout kreeg een jachtvergunning van zijn moeder, en ook ik nam zijn streken niet ernstig als het om zijn zuster ging, of later om meisjes. Die juffers moesten maar beter op zichzelf passen. Het was alsof wij onze eigen soort minachtten.

Angelique was me gaan mijden, ik maakte de toiletten schoon en ruimde de vuilnis op. Ik was onrein, zoals de onaanraakbaren in India. Mooie mensen in de film, daar valt niets op af te dingen, al weet je niet hoe ze ruiken. Ze aten met hun handen, en doopten hun rijst in een groentebrij.

Ik probeerde Angelique uit te leggen dat de lijfgeur komt door wat je eet. 'Jij eet wat wij eten,' zei ze preuts. En toch had ik een andere – of eigen – geur. Het had dus niet alleen te maken met het verschil tussen worst en spek en spruitjes enerzijds, en rosbief, tarbot en asperges anderzijds. Het had ook niet met het poetsen te maken, want dat ik schoon was, wist ze best. Nee, het waren mijn vel, mijn ziel, die slaafsheid uitwasemden. Ik was een gedienstige en hoorde dienstbaar te blijven. Van het werk dat ik verrichtte, wilde ze niets weten, net zomin als ze wilde weten waar haar biefstukje vandaan kwam.

Maar als ze werd getergd door haar broers zocht Angelique toch haar toevlucht in de keuken. Stijfjes zat ze op een stoel en hoorde me aan terwijl haar ogen over de potten dwaalden. Wat brouwde ik daar al niet? Een *pot-au-feu* met varkenspoten en oren? Haar ogen puilden uit en ze kokhalsde. Om haar af te leiden vertelde ik over de Gurkha's, krijgshaftige ruiters met imposante tulbanden, die de roep hadden neuzen en oren af te snijden. Onversaagd galoppeerden ze de dood in, om een trapje hoger te worden herboren. Ik vertelde Angelique wat Augustijn mij had verteld, maar ik onthield haar zijn conclusie, dat er niet veel verschil was tussen de Gurkha's en Jan Soldaat. De een doodt voor de lol, de ander op bevel. Hoe men daarbij te werk gaat is een kwestie van gewoonte en van de beschikbare middelen. Desnoods hadden ze elkanders strot doorgebeten. Vóór het gevecht waren de strijders bang, en daarna, Augustijn zuchtte diep, daarna... leeg, en zo moe dat ze de doden hun eeuwige slaap benijdden. Maar Augustijn was toch niet bang geweest? Ik had vol verwachting naar hem opgekeken. 'Toch wel, ik was de grootste broekschijter.'

Terwijl ik de haren van de varkensoren schroeide, vroeg Angelique wat de Gurkha's aanvingen met die afgesneden neuzen en oren. 'Aan hun zadel hangen, als een trofee,' antwoordde ik, en intussen moffelde ik de varkensstaarten, die ook in de pot-au-feu moesten, weg onder een krant. Je hoorde van soldaten die hun pis dronken, die ratten aten en tot kannibalisme vervielen. Augustijn sprak het niet tegen: 'In nood doet een mens alles.'

Angelique keek met afschuw toe als ik vlees in de vleesmolen propte en kneep haar neus dicht als ik niertjes stoofde. Voor pens sloeg ze op de vlucht. Een raadsel van wie ze dat had. Madame noch Augustijn haalde de neus op voor *tripes à la mode de Caen.* Je at wat de markt bood en was blij dat je het kon krijgen. Het moest wel lekker zijn, maar lekker is een kwestie van smaak. Als het erop aankomt, is veel lekker.

'Gurkha's zijn heidenen.' De dunne stem van Angelique had een koppige ondertoon. Ik wist er weinig tegenin te brengen. Angelique ging haar vader om uitleg vragen, en Augustijn vertelde dat Gurkha's weliswaar vele goden aanbaden, maar net als wij geloofden wat hun werd voorgehouden. 'Dat bestaat niet,' mokte Angelique. En ze ging zich op het geloof toeleggen.

Ze deed aan versterving en vastte tot ze eruitzag als een waskaars. De geur van een dampende pot maakte haar misselijk en ze sloop naar de wc alsof ze vreesde op een onoorbare praktijk te worden betrapt. Ze nam het op zich om mij te bekeren en bestookte me met verhalen over martelaren die de tong werd uitgerukt, of over maagden die aan het vuur werden prijsgegeven. Daar kon ik een voorbeeld aan nemen. Bij haar ouders moest ze niet aankomen met die onzin, maar Angelique beschouwde haar bekommernis als missiewerk. De meerderen waren aan de minderen verplicht. Als Angelique werd gestraft, verklaarde ze parmantig dat ze haar lijden opdroeg aan het zielenheil van haar broers, en ze verdubbelde uit eigen wil haar penitentie.

Een stout kind is lastig, maar een zoet kind is onuitstaanbaar. Het ging zo ver dat ze ook haar moeder kapittelde: een flesje parfum, een kaartspelletje of een danspartijtje, het waren evenzoveel bewijzen van een verderfelijke levenswandel. 'Dat heeft ze van Octavie,' zei Madame. Octavie was de tante non, een zuster van de oude mevrouw. Ooit was Octavie met de handschoen getrouwd, maar haar bruidegom, een koloniaal, was aan een tropische ziekte bezweken voor zijn bruid scheep kon gaan. De familie had al een andere verloofde op het oog toen Octavie verklaarde dat ze in het klooster wilde intreden. Het werd haar van bovenaf ingegeven dat ze de zielen van de zwartjes moest redden. Ze offerde haar lange gouden haren en nam afscheid van haar geschokte ouders. Octavie werd echter geen missiezuster, ze verkoos een contemplatieve orde.

Na de dood van de oude mevrouw was het aan Augustijn om één keer per jaar tante non te bezoeken. Hij raakte dan danig uit zijn humeur. Maar toen Angelique al te zeer met haar vroomheid geurde, besloot hij zijn dochter te laten kennismaken met het kloosterleven. Madame vond het geen goed idee, Augustijn echter was ervan overtuigd dat het paardenmiddel zou werken.

Angelique vertrok taterend, in haar blauwe pelerientje en haar pijpenkrullen in het gelid onder haar eerste pothoedje. Stilletjes kwam ze terug, het pelerientje en het hoedje werden afgelegd zonder ernaar om te kijken. Toen ik voor het slapengaan de pijpenkrullen uitborstelde, begon ze zachtjes te huilen, niet omdat ik haar pijn deed, maar waarom dan wel wilde ze niet zeggen.

Augustijn bracht verslag uit in de slaapkamer, en Madame riep van achter de gesloten deur: 'Celestien, sta je weer te luistervinken?' Maar ze kwam de slaapkamer niet uit en hoe kon ik anders te weten komen wat er aan de hand was?

Uren heb ik op de gang gesleten, voor de deur van de slaapkamer of die van het kantoor, krimpend van de plas, stijf van de kou! Madame verjoeg me geregeld en ook Augustijn berispte me, maar wat moest ik anders, uit zichzelf hadden ze me niets verteld. Af en toe lieten ze wel toe dat ik mijn oor te luisteren legde, opdat ik zou weten wat ze me niet rechtstreeks konden toevertrouwen. Dan verhieven ze hun stem, of beklemtoonden ze bepaalde woorden. Wat niet bestemd was voor derden werd als een ongeschreven recht aan mij doorgegeven. En ze verwachtten dat ik zou handelen naar wat ik had gehoord.

Het was dus voor het welzijn van Angelique dat Augustijn klaar en duidelijk rapport uitbracht. Tante non had zich volgens Augustijn levend begraven. En Angelique wist ondertussen ook beter dan voortijds de heilige uit te hangen. Zo monter kleppend ze door de kloosterpoort was gestapt, zo was ze verstild toen het luikje openklapte en achter het houten rooster een schim verscheen. Augustijn had het woord moeten voeren, tante non had weinig te melden, ofwel was ze het gebruik van woorden verleerd, maar Angelique was haar kennelijk bevallen.

'Is dat je dochter, Stijntje?' had ze gevraagd. Augustijn verwachtte dat Angelique zou giechelen om dat koosnaampje, maar ze had zich stilletjes verborgen achter zijn rug. Tante non vroeg fezelend of Angelique ook de sluier zou aannemen en Augustijn had luid beaamd dat zijn dochter een mooi nonnetje zou maken. De witte huif achter het houten rooster neigde, Angelique slikte, de stilte woog. Augustijn had het er maar op gehouden dat Angelique te jong was voor zulke zwaarwichtige beslissingen. Hij had aan zuster portier de gift voor het klooster overhandigd, en dan was het: poppetje gezien, kastje dicht! Tante non werd weer voor een jaartje opgeborgen.

Door een doolhof van gangen ging het naar de kloosterpoort, en daar werd Augustijn overvallen door een *besoin naturel.* De aandrang kwam ongelegen, maar Augustijn had toch aan zuster portier gevraagd of hij gebruik kon maken van het toilet. Angelique, die zich had laten wijsmaken dat nonnen niet naar de wc hoefden, wist van verlegenheid niet waar te kijken.

'O, jij schelm!' lachte Madame.

Met een schuw gebaar had zuster portier de juiste deur gewezen. Augustijn had er zijn tijd voor genomen, aarzelend om zijn broek open te knopen – je kon niet weten of er ook in dat poephokje geen luikje zou openklappen, de nonnen waren immers niet al te zeer verwend.

'Stijntje, waar is je Tierelantijntje?' giechelde Madame. Ik drukte mijn oor tegen de slaapkamerdeur, daarbinnen werd gekird als in een duiventil. Ik had tegen de slaapkamerdeur willen trappen, maar ik was verplicht me koest te houden. Eindelijk vroeg Madame droogjes: 'En verder?'

Toen Augustijn zijn handen had gewassen en zijn das rechtgetrokken, en geen enkele bezigheid meer kon verzinnen om nog langer op de wc te vertoeven, bleek Angelique verdwenen. In de gangen stonden de heiligenbeelden en de kamerplanten roerloos naast de vele gesloten deuren. Augustijn had het gevoel dat hij door zijn eigen voetstappen werd achtervolgd, hij was er na aan toe om te roepen toen zuster portier hem met rinkelende sleutelbos tegemoet kwam. Angelique wachtte kleintjes voor de portiersloge; toen ze haar vader zag, gooide ze zich op hem. Zuster portier sprak in stil verwijt: 'Ga met God', en ontsloot de poort.

Om te bekomen van de emotie had Augustijn zijn dochter getrakteerd op een dame blanche, en ze had de ijscoupe zonder tegenstribbelen opgelepeld. In de trein had ze nog gevraagd of tante non echt geen haar meer had. Augustijn bevestigde dat nonnen kaalgeschoren knikkers hadden, en voegde eraan toe dat ze ook allemaal bruiden waren van een en dezelfde hemelse bruidegom. Waarna Angelique weer in diep zwijgen was verzonken.

'Stijntje, slim konijntje,' lachte Madame.

Ik hoefde niet langer te luisteren, want ik kende al te goed het vervolg, zowel in het Nederlands als in het Frans, maar ik deed het, zachtjes tandenknarsend, en mijns ondanks, toch.

De twee samenzweerders in de slaapkamer hadden het naar hun zin, maar het was de vraag of ze ook hun zin hadden gekregen.

Angelique is altijd een moeizame eter gebleven. En als je haar uitgestreken gezicht mag geloven, heeft ze haar kostelijke zoontje in de papiermand gevonden. De schim van tante non had haar weliswaar afgeschrikt, maar mij vroeg ze nog lang na het bezoek aan het klooster of ik me niet geroepen voelde. Haar voorkeur ging uit naar de ongeschoeide karmelietessen: armoede, gehoorzaamheid en kuisheid, dat waren de drie geloftes die haar van mij moesten verlossen. Ik dacht zuur aan de twee geloftes waar ik al aan voldeed, alleen armoede bleef me bespaard. Als Angelique maar even haar zin niet kreeg, riep ze: 'Ga in het klooster!'

Ik deed alsof ik het me niet aantrok, maar ik beklaagde me over haar tafelcaprices tot Madame er wat aan deed. Met de lepel in de aanslag kneep ze de neus van dochterlief dicht, tot de balsturige in ademnood gaapte. 'Hap!' De schep ging erin, en Madame duwde de kin van Angelique omhoog tot ze de hap had doorgeslikt. Waarna de hele operatie werd overgedaan. 'Hap!' Angelique slikte tot ze paars aanliep. Augustijn kon het niet langer aanzien, maar Madame kende geen genade. Was dit scharminkel haar dochter? Een Treezebees, te mager om dood te slaan? 'Hap!'

Angelique won aan gewicht, weliswaar met mondjesmaat, gram na gram, en naargelang ze aankwam, werd ze meer gezeglijk. Ze werd ook meer vrouw. Ik vond in mijn misboek nog wel prentjes met aan de ene kant de afbeelding van Theresia van Avila, en aan de andere kant een schietgebed, maar daar bleef het bij.

Het leven nam het van mij over. De aanvallige leeftijd, de aanbidders, het eerste kind. In de oorlog verhongerde Angelique haast, ze was te groots om te smeken, maar als Bertje aardappelen en spek aanzeulde, kon ze zich nauwelijks beheersen om erop aan te vallen.

Het heet dat nood doet bidden, maar Angelique leerde vloeken. Haast net zo gedecideerd als Madame na haar eerste beroerte. Die schijt-Duitsers, die kloteoorlog, die vervloekte kou, die verdomde honger! Het was uit met de vrome praatjes en met de valse pretenties. Ze schudde het hoofd toen het klooster van tante non als mogelijk schuiloord ter sprake kwam. Of ik nog wist dat ze mij als slotzuster bij Octavie had willen onderbrengen? Horribele kinderen waren ze geweest, maar ik was ook niet van de makkelijkste. We kwamen als volwassenen tot een vergelijk, zo leek het. Onderhuids bleef het zoals het in de kindertijd was bepaald. Onze rollen leken vastgelegd.

Toen Bertje begon te zeveren – terwijl zijn aflijvige moeder nog boven aarde lag – over wat ze nu met mij moesten beginnen, schoof Angelique haar leesbril omlaag, keek me aan en sprak: 'Was je maar in het klooster gegaan!' Ik beet van me af: 'Wat was er zonder mij van jullie geworden?' Angelique schoof haar leesbril weer naar boven: 'Zo ben je toch ook niets.' Het klonk alsof het mijn schuld was, of dat ik maar wijzer had moeten wezen. Ik bekeek haar eens goed, gevangen in haar schoonheid, maar voller, al zou je gezworen hebben dat haar neus langer was geworden. Verveeld wendde ze zich af, ik bleef over als ballast en de ballast moest overboord. Met een knikje werd ik aan Bertje uitgeleverd en in Welverdiend gestationeerd. Had ze me eindelijk waar ze me hebben wilde.

■■■

Ik zat op de wc alsof ik met mijn billen aan de bril was vastgevroren, toen ik de paardenbelletjes hoorde en een visioen kreeg van een arreslede die door een vurige draver werd getrokken, zo hard dat de vonken uit de ijzers sloegen. Ik voorzag geen wedergeboorte in een volgend leven, ik viel terug in een vorig bestaan. Toen het land was dichtgedekt met sneeuw en de rivieren waren bevroren. En de paarden dampten en wolkjes ontsnapten uit lachende monden. Toen ik een jonge meid was, en alles mogelijk leek. Verdorie! Ik ben uit mijn wereld gestoten om in de hunne te treden en ben daar zonder kwaad vermoeden in opgegaan. Maar ik crepeer nog liever in Welverdiend dan weer naar hun pijpen te dansen. Dat hebben we gehad! Hun moeder is dood, hun vader verlaten en ik verstoten. Dat ze nu maar voor zichzelf instaan!

Wat me kwelt, is hoe het nu met Augustijn moet. Er is niemand meer over die hem beter kent dan ik. Ik durf zelfs te beweren dat ik hem beter ken dan hij zichzelf kent. En hij, dat staat vast, hij kan niet voor zichzelf zorgen. Hij is aangewezen op een vrouw, en hij heeft er altijd minstens twee ter beschikking gehad. Overdreven, maar het is te laat om het te veranderen of om het recht te zetten. Daarbij was ik dienstbaar uit vrije wil, voor hem, de rest heb ik erbij genomen. Was het te veel gevraagd dat zij mij, om zijnentwille, er nog even bij zouden nemen?

Het zal Angelique nog zuur opbreken, Augustijn is gesteld op zijn gewoontes, en hij laat zich niet commanderen. Dat was het privilege van Madame, en die wist heel goed hoe ver ze te ver mocht gaan.

Het ontbrak er maar aan dat Bertje zijn vader onder curatele wilde stellen. Wat heeft Augustijn hem ooit misdaan? 'We moeten vader tegen zichzelf beschermen.' Zo deftig dat klonk! Zo volwassen hij zich voordeed, een man op wie je kon bouwen.

Toen Madame begon te reutelen, en de dokter hoofdschuddend de slaapkamer verliet, vroeg hij gejaagd: 'Is het zover?' De dokter antwoordde niet, en Marius moest zijn broertje afremmen. '*Patience*.'

'Moeder?' riep Bertje. Madame trok één oog open, maar er kwam geen noot muziek meer uit haar mond.

Het nageslacht trok zich terug in de eetkamer voor overleg. Ik aarzelde bij het bed van Madame tot ik het niet meer uithield en naar de eetkamer sloop. De dubbele deur was niet helemaal dicht, ik kon de stemmen duidelijk horen. Maar in het bovenste deel van de deuren waren glazen sierpanelen ingezet; om niet gezien te worden liet ik me op de knieën zakken. Marius was aan het woord, hij vroeg of het niet het beste was dat ik – na afloop – voor Augustijn zou blijven zorgen. Ik was het gewoon, hij was het gewoon. En ik kende de *train de vie* van Madame.

'Besef je wat dat gaat kosten?' vroeg Bertje. Om te blèren, was het soms zijn geld? Het had hem alvast geen cent hoeven te kosten, Augustijn en ik hadden ons best gered. Ja, daar heeft Mijnheertje Ongeduld zich in de vinger gesneden. Goedkoper zal hij niet vinden. Maar Bertje heeft nooit de gevolgen van zijn daden voorzien. Hij stormde erop los of hij ging ervandoor. Een nakomer die een voorloper wil zijn. Geen bevroren voet, geen vitriool, geen malle vrouw, niets wat hem tot bezinning kon brengen. Waren Augustijn en Madame maar tijdig in bedstaking gegaan, dat had ons heel wat last bespaard.

'Moeten we er vader niet in kennen?' vroeg Angelique. Ze deed kennelijk haar best om neutraal te klinken. 'Die is helemaal van slag,' zei Marius misnoegd. En Bertje weer: 'Heeft hij ooit een beslissing genomen als het Celestien betrof?'

Het werd mij te machtig, ik probeerde op te staan, maar viel tegen de deuren, die Marius vervolgens met een ruk openschoof. Met z'n allen stonden ze toe te kijken hoe ik moeizaam overeind krabbelde met mijn stijve knieën. De schande was voor hen, de schaamte voor mij. Maar een uitgestoken hand had ik geweigerd.

Weer die belletjes, hoe heette dat paard? Tocht strijkt kil langs mijn benen, ik wil opstaan van de wc, maar ik blijf zitten. Een oude knar die met haar tijd geen raad weet. Ik kijk tussen mijn benen, tja, daar is ook geen heerlijkheid meer aan. Belletjes die op en neer dansen aan een paardentuig, zo vrolijk klinken ze, maar waar is het paard? Beeld ik mij wat in, hoor en zie ik dingen die niet langer bestaan?

De wc is betegeld met botergele tegels, ik vrees dat ik ze op een dag zal tellen, dwangmatig, van boven naar onder, van links naar rechts. Stel je voor dat je op de wc aan je einde komt, zoals Aloys, de vrek, die de gewoonte had zijn geld op de plee te tellen. De oude knecht telde en hertelde en raakte hoe langer hoe meer de tel kwijt. Vanzelf verbleef hij ook langer en langer in het kleinste kamertje, en daar hebben ze hem gevonden, met zijn handen vol geld en zijn broek op zijn enkels.

Rosa vroeg of ik wilde helpen Aloys op te baren, maar ik was al bang voor hem toen hij nog leefde. Hij had kind noch kraai en liep altijd te gluren. Als hij een karwei kwam opknappen, liet hij geen kans voorbijgaan om je in de billen te knijpen. 'Goed spek,' zei hij tegen Rosa. 'Maar niet voor uwen bek!' en prompt zwiepte ze een natte dweil in zijn gezicht. Toen begon hij mij in de billen te knijpen, een keer zo hard dat ik het uitschreeuwde. Daar had hij zijn voldoening aan.

Ik was opgelucht dat Aloys dood was, maar ik durfde niet naar zijn lijk te kijken en ik vreesde dat het daar op die plee wel erg zou stinken.

Augustijn beweerde dat je veel kunt aanschouwen als je het niet hoeft te ruiken. Hij kreeg het benauwd toen in de keuken het gas werd aangesloten. Daarmee haalden we een geniepige dood in huis. Hij legde me uit dat ik mijn zakdoek nat moest maken en voor mijn gezicht houden zodra ik maar iets verdachts rook. En hij ging niet slapen voor hij de kraantjes van het fornuis had gecontroleerd. Hij sprak over niets anders meer dan over het gas dat als een gifwolk over de loopgraven was getrokken, vriend en vijand verblindend en verstikkend. Soldaten hoestten hun longen uit of strompelden met een blinddoek door de modder, met de hand op de schouder van hun voorganger. Een processie van miserie.

'Het is al goed,' suste Madame altijd. De oorlog had haar kinderjaren afgebroken, ze wilde er niet meer van horen.

Augustijn voelde zich afgewezen, hij trok zich terug in het kantoor. Gretig installeerde ik me dan aan zijn voeten, ik was gehecht aan zijn oorlogsverhalen, en jarenlang heb ik me ermee in slaap gewiegd. Dan zag ik mezelf in de rol van frontverpleegster; gewonde soldaten hielden mijn hand vast alsof ik tegelijk hun moeder en hun lief was.

Augustijn werd op een brancard de tent in gedragen, met een bebloed verband om zijn hoofd, en ik waakte bij hem en zoende hem zonder dat hij het besefte. Ik werd ook nog ontvoerd door een Gurkha, die me voor zich in het zadel tilde. Augustijn snelde te hulp op een bruine klepper, maar ik hield de redding nog even af, om te genieten van de jagende rit. Het gezicht van de Gurkha was als uit ebbenhout gebeeldhouwd en zijn adem rook naar gebrande amandelen. Zoals hij zijn paard mende, zo hield hij mij in bedwang. Het hoefgeklepper van de paarden klonk als een hels geroffel; Augustijn kwam naderbij, maar de Gurkha was nog even vlugger. Ik probeerde het tempo bij te houden met mijn vingers, want zodra het hoogtepunt was bereikt, was ook de hele voorstelling over.

De oorlog als zoethoudertje, schandelijk, maar het is niet anders. Ik miste het wegdromen toen de Tweede Oorlog de eerste verdrong; zoeklichten aan de hemel, gebrom van vliegtuigmotoren, het doffe knallen van het afweergeschut. Geen nacht zonder verschrikking. Dat was de werkelijkheid. Ik kroop als een piepende muis onder de trap, terwijl Augustijn zijn vrouw vergeefs smeekte in de kelder te komen schuilen.

De kelder was gestut, tussen de bewaarappelen en de gedroogde bonen hadden we bedden geïmproviseerd. Daar werd wat afgebeden, daar was gejammer en tandengeknars. Aan slapen viel niet te denken. Madame bleef bij luchtalarm koppig bovengronds, ze verdroeg de kelderlucht niet, en ze wilde niet onder het puin worden begraven. Dat kon je haar niet kwalijk nemen, onder het keldergewelf rook het naar schimmel en rot: angst stinkt als ontbinding. Die geur is nooit meer uit mijn neus gegaan, terwijl het gevecht dat zich boven onze hoofden afspeelde, het huis dat op zijn grondvesten schudde, en de bleke gezichten bij het bevende kaaslicht, onwezenlijk leken.

Van het kind dat ik was in de Groote Oorlog is me weinig bijgebleven, Augustijn heeft zijn verhalen op mij overgedragen. In de Tweede Oorlog was ik volwassen, en ik weet nog al te goed hoe verschrikkelijk het was; maar toen het gebeurde was het alsof ik er niet echt bij was. Het was te erg om waar te zijn. Al die grijze jaren van bang afwachten. Angst om de jongens, angst om Angelique. Bang dat de Mayers zouden worden gevonden en voor wat ons dan te wachten stond. Daar durfde je niet aan te denken, je ging door met het dagelijks werk en alles wat erbovenop kwam. Je slikte de angst weg. Een stompzinnig overleven, met pieken van dodelijke opwinding. Zodra die tijd ter sprake komt, is het alsof een ijzeren hand zich om mijn keel schroeft. Madame heeft ons erdoorheen gebluft, en Augustijn was haar trouwe vazal. Zij sterk, hij slim. Ik verkeerde tussen beiden als in een niemandsland.

Vanwege de schaarste aan kolen zaten we 's avonds samen in de eetkamer. Er werd niet veel gesproken, er werd gelezen, genaaid en gebreid, maar met de oren op scherp. Als we iets ongewoons meenden te horen, keken we op. Madame en Augustijn hielden elkanders blik vast en ik hield mijn adem in. Gingen de voetstappen op straat voorbij, of bleef het stil nadat ergens een deur was dichtgeklapt, dan bogen Madame en Augustijn zich weer over hun boek. Mijn adem was als een flikkerende kaarsvlam, ik legde het verstelwerk neer en keek gejaagd van haar naar hem. Maar ik durfde geen kik te geven, en als een van beiden mijn blik voelde en opkeek, sloeg ik vlug mijn ogen neer.

Ik zit op de wc als een sukkel die niets kan vasthouden en niets durft los te laten. Welverdiend is ook een niemandsland. Ik had nooit meer aan Aloys willen denken. Misschien was het tellen van zijn geld het enige waar hij nog plezier aan beleefde toen de meisjes zich niet langer in de billen lieten knijpen.

Wachten zal nog een keer mijn dood worden. Bertje kan er helemaal niet tegen. Hij gaat tekeer, wil van vroeger noch later weten. Maar nu ik hier op hem zit te wachten, neemt hij er zijn tijd voor. Hoopt hij te laat te komen?

Het tuimelraampje is te hoog om het land te zien. En ik durf niet op de bril van de wc te gaan staan. Tingelen die paardenbelletjes in mijn hoofd? Of hoor ik ze echt?

■■■

De verhuiskaravaan kwam hobbelend op gang toen we Mon Repos verlieten. De gesloten luiken, het hangslot aan de poort en het bordje met 'verkocht', alles droeg ertoe bij om van ons verdrevenen te maken. Het was vroeg in de ochtend, de stemming zakte, zelfs de kinderen waren stil. Het bankroet was afgewend door dat raadselachtige concordaat, maar het over de kop gaan leek wel een slechte gewoonte. Augustijn schoot zich echter geen kogel door het hoofd, hij aanvaardde het verdict dat Madame voortaan de zaakvoerder zou zijn. Allicht hoopte hij dat het maar voor de vorm was, maar zijn speelse eega ontpopte zich tot een geduchte zakenvrouw. In geen tijd was ze de *patronne*, en met de portemonnee had ze ook de familie in de hand.

Mon Repos, met de witgepleisterde façade, de vele ramen en het verhoogde bordes, was het ouderlijk huis van Augustijn. Net als mensen hebben huizen het aanzicht van een tijdperk. Als ik door het fotoalbum blader, ben ik verrast hoe jong we waren. Augustijn zo rijzig en flink, Madame, klein maar welgevormd, en ik, met aan elke hand een kind, ik moet twee keer kijken of ik herken mezelf niet. Zo rank, en vol verwachting, een meisje als een onbeschreven blad. Ook het huis poseert in volle glorie, met niet minder dan zeven traveeën, hardstenen raamomlijstingen, en in het driehoeksfronton een ovaal oculus. Dat raam gaf mij het onbehaaglijke gevoel dat ik vanuit het fronton werd bespied. Het deed me denken aan de plaat die in de herbergen hing. Een goddelijk oog in een driehoek met een stralenkrans eromheen, en het opschrift: 'God ziet u! Hier vloekt men niet!'

In een boek van Marius las ik over een cycloop die met een gloeiende staak het oog werd uitgestoken. Aan de toegesnelde medecyclopen verklaarde hij dat Niemand het had gedaan, waarna hij aan zijn lot werd overgelaten. Dat hield mij bezig. Marius bleef bij het verhaal van de cycloop schijnbaar onbewogen. Hij was een Van Puynbroeckx en dus vanzelfsprekend iemand. Ik was niemand die graag iemand wilde zijn, maar ervoor terugschrok. Als je iemand was, kon je daar ook op worden aangesproken. Marius was het aan zijn naam verplicht dapper te zijn. Waar dat toe zou leiden kon ik niet voorzien, maar ik speurde onraad. Dat de kinderen zich zo ongeliefd konden maken, en tegen alles en iedereen in hun zin doordrijven, maakte me bang. Ik had wel weg willen lopen, maar ik bestond in de ogen van de Van Puynbroeckxen. In hun huis was ik iemand.

Ik had me voorgesteld dat ik op een dag de trappen zou beklimmen tot onder het dak van Mon Repos, om daar in het driehoeksfronton door de oculus de wereld te bespieden. Niemand zou me zien, maar ik zou alles zien. Nu Mon Repos zijn allure is kwijtgeraakt en tot Welverdiend is herdoopt, vergaat me de lust het alsnog te proberen. Ik vrees dat ik door het ovale raam de wereld zal zien zoals hij is geworden, en mijzelf zoals ik was, met opgetrokken schouders en uitstekende schouderbladen, als geknotte vleugels.

Zoals die ochtend van de verhuizing, roepend naar een kind dat het mijne niet was, bezeten van de man van een ander, ondergeschikt aan een vrouw die altijd haar zin doorzette, in blijde verwachting van een huis dat nooit een echt thuis zou zijn. En mij verbeeldend dat ik beter af was dan mijns gelijken! Met ontstellend gemak vergat ik waar ik vandaan kwam, om me te spiegelen aan mijn uitverkoren familie.

Het was een schok toen de zaak niet solide bleek en wij moesten vertrekken. Maar Augustijn en Madame bleven uiterlijk zichzelf, de tafel werd zoals altijd met wit linnen gedekt. Ik vertrouwde op wat ik zag en op wat me werd opgedragen. Of ik kon me niets anders voorstellen.

Voor mijn boerse aanbidder herhaalde ik de verklaring van Madame 'dat de zetel van de zaak naar de stad werd overgebracht'. Hij antwoordde dat het belachelijk was met zetels te pronken als je blij mocht zijn dat je nog een stoel onder je kont had. Zijn toon verried de afgewezene. Ik haalde mijn schouders op en genoot ervan een man ongelukkig te kunnen maken. Uit kattigheid, en omdat ik me voor één keer de meerdere voelde.

Madame spotte met mijn onhandige vrijer, Augustijn vond dat ik te goed voor hem was. Zijn naam was Karel, maar hij werd Sjarel genoemd, dat luisterde nauw. Niemand zou op de gedachte zijn gekomen Augustijn Gust te noemen.

Rosa sloeg Sjarel aan de haak, tweede keus, maar beter dat dan niets. 'Ik zit tenminste op mijn eigen,' verklaarde ze parmantig toen ze na het huwelijk met Karel naar diens hoeve trok. Ik benijdde haar niet, ik was alleen in mijn ijdelheid gekwetst. Rosa en ik bleven goed met elkaar, maar voortaan noemde ik Karel ook Sjarel.

In de Tweede Oorlog kocht Augustijn op de hoeve van Sjarel onderhands aardappelen, spek en boter. En Rosa deed er altijd een extra pondje van dit of van dat bij. Ik heb haar daarna maar één keer weergezien, toen ze aan Madame een baantje voor haar jongste zoon kwam vragen. Een schonkig figuur, getaande huid, verzonken ogen; zo oud was ze geworden dat ik ervan schrok. Bevreemd keek ik in de spiegel. Wat had de tijd ons aangedaan? Rosa zei dat ik er goed uitzag, een heuse steedse mevrouw was ik geworden. En zij, een taaie boerin, hard werken, nou ja, maar verder geen klagen. Dapper loog ik met haar mee, ons ging het goed, al hadden we niet gekregen wat we verlangden. Ik moest de groeten van Sjarel hebben. Rosa lachte, linksboven ontbrak een kies, midden onder twee tanden, het was een lach met gaten.

Mijn Karel, haar Sjarel! Ik slikte mijn gêne weg, maar ik was ontsteld dat ik me mijn oude aanbidder niet voor de geest kon halen. Had ik hem ooit echt aangekeken? Hem gezien voor wat hij was? Of had ik hem door de bril van Madame bekeken?

Wat aanvankelijk een eigenzinnig trekje was, een drang om me te onderscheiden of te laten kennen, was met de jaren een hoogmoedige frustratie geworden. Ik was altijd anders, beter, niet begrepen. Niemand kon voldoen aan mijn verwachtingen, net zomin als ik er zelf aan voldeed. Al vroeg ging mijn mond hangen. Voor de spiegel duwde ik mijn mondhoeken omhoog, maar dan leek ik op een clown. Ik kon het misprijzen niet van mijn gezicht wissen en verleerde het in de spiegel te kijken. Ik vreesde dat ik als een hond op mijn meester zou gaan lijken.

Toen Rosa afscheid nam, was het alsof zij naar een andere planeet vertrok. De tranen zaten hoog, het was tegelijk een uitgesteld en een definitief adieu. Een afscheid van elkaar en een afscheid van onszelf. Het verontrust me dat ik me vandaag Rosa alleen in onderdelen herinner: haar neus, haar mond, haar ogen, of beter de blik van die ogen, maar wat voor kleur ze hadden? Dat weet ik niet meer. Wel hoor ik haar stem alsof het gisteren was, en de wijze waarop ze mij uitlegde dat ik mijn 'regels' had gekregen, en dat ik voortaan alle maanden ongesteld zou worden, als ik tenminste geen stommiteit beging. Met Karel bijvoorbeeld, want Rosa had haar ogen niet in haar zakken!

Ik was laat met ongesteld worden, een gevolg van de honger in de laatste jaren van de Groote Oorlog, maar ook in gedachten was ik kinderlijk gebleven. Het was een opluchting dat ik niet bezig was dood te bloeden, en geen vreselijke ziekte had opgelopen. Ik was Rosa dankbaar voor het stapeltje damesverband, want tot wie had ik mij kunnen wenden in mijn nood? Toch niet tot de oude mevrouw, die me zeker had uitgelachen of de stuipen op het lijf gejaagd.

Ook in de duistere toelichting van Rosa op de 'regels' ging een dreiging schuil. Beschikte ik al niet over mezelf, dan beschikte ik ook niet langer over mijn lijf. Die buikkrampen en dat bloed waren allesbehalve geruststellend.

Onhandig ondervroeg ik Rosa: hadden alle vrouwen dat? En waarom werd het stilgehouden? Rosa hield het erop dat ik voortaan 'mijn portemonnee moest dichthouden', zoniet zou ik met 'de gebakken peren' zitten. Was het bloeden gênant, een kind kon een schande zijn, zoveel was duidelijk. Ongesteld zijn was geen ziekte, maar je moest je grondig wassen. Van de inmaak moest je afblijven en de mayonaise zou schiften. Ik probeerde de mayonaise te bereiden en die mislukte inderdaad. Door onhandigheid, ik goot te veel olie op de eierdooier, maar ik voelde me toch lichtelijk misselijk toen ik het troebele mengsel als slasaus verwerkte.

Ik zette de emmer met het te weken damesverband onder de gootsteen in de bijkeuken. Ik vertelde aan niemand, tenzij aan Rosa, hoe het met me gesteld was. Maar achter mijn rug werd mijn intieme kalender zorgvuldig bijgehouden. Zodra ik maar even uit mijn humeur was, maakte Madame een toespeling 'op de rode vlag' die uithing. Dat had ik me bij haar niet hoeven te permitteren, hoewel ik ook heel goed wist wanneer zij ongesteld was. Dan was ze tegelijk nors en opgelucht, maar ze deed alsof er niets aan de hand was, en zette haar eigen emmer onder de gootsteen van de bijkeuken. Daar stonden er soms wel drie tegelijk, netjes afgedekt met een doek. Het leek wel of we onderhuids op elkaar waren afgestemd.

Toen we een keer een dame te logeren kregen die haar verbandje in een rolletje op de badkamervloer had laten liggen, werd het me opeens te veel. Ik trapte het ding de trappen af en de eetkamer in, tot voor de voeten van Madame.

'Dat ruim ik niet op, en zeker niet van vreemden!' barstte ik uit. Madame keek naar het verband alsof ze voor het eerst in haar leven zoiets zag. Ze taxeerde me met een vaag glimlachje. 'Worden we lastig, Celestien?' Ik stond met de handen in de zijde en verroerde me niet. Het lachje van Madame verhelderde, ze riep de hond: 'Casper!' Het beest kwam loom overeind en keek met afhangende tong naar haar op. Madame gaf het verbandje een trap: 'Pak de beestjes!' De hond schoot toe, maar verstarde voor de bloedrollade. Hij keek schuin achterom naar Madame, die haar lach niet kon verbergen, en liep met stijve poten weer naar zijn ligplaats.

Bij het diner lag dat verbandje daar nog, Augustijn had er bijna op getrapt. 'Wat is dat?' vroeg hij verbouwereerd. Madame verschikte een kam in haar uit de band springende kapsel. 'Dat is in ieder geval niet van mij.' Augustijn liep om het verbandje heen alsof hij een landmijn ontweek: 'Celestien!' Ik zette de soepterrine op het buffet. 'Het is ook niet van mij.' 'Ruim dat op, potverdikke!' Augustijn was rood aangelopen. Casper piepte en stopte zijn neus onder een poot. Madame pakte hem bij zijn kraag en schudde hem zachtjes: 'Moet jij niet gehoorzamen, stouterd?'

Op dat moment maakte de logee haar entree. Ze slikte haar

openingszin in en staarde naar het verbandje. 'We vroegen ons af van wie dat was,' zei Madame. De logee slaakte een gesmoorde kreet en roffelde de trappen op. 'Waar blijft de soep?' vroeg Madame. Ik schepte uit en ze begonnen te lepelen, tot de schouders van Madame schudden. Ze veegde haar mond af, legde haar servet neer en barstte in lachen uit. Augustijn volgde en van de weeromstuit deed ook ik mee. 'Dat verbeeldt zich een dame te zijn,' snoof Madame. 'We hadden haar tomatensoep moeten voorschotelen.'

Het voorval is me bijgebleven omdat het mij met veel verzoende. Ik hoorde erbij en ik had meer achting gekregen.

Toen mijn moeder beval dat ik mijn benen bij elkaar moest houden, was ik me er niet eens van bewust dat ik een geslacht had. En aldus tot een geslacht behoorde. Ondanks het aanschouwelijk onderwijs van Madame bleef de sekse nog lang een blinde vlek. Het was pas nadat een pater met stijgende opwinding over de kuisheid preekte dat ik voelde dat ik werd voorgelogen, of dat mij wat werd onthouden. 'Die man is bang van zichzelf,' concludeerde Madame. De pater mocht met hel en verdoemenis dreigen, zij liet zich de zonde niet aanpraten. Toen er eens te meer een pastoor aan de deur stond om 'een bijdrage' te vragen, gaf ze niet thuis. 'Ik ga niet voor mijn eigen ongeluk betalen!' bromde ze. Augustijn streek met de top van zijn wijsvinger onder haar kin: 'Wat weet die magere snoeshaan van vrouwen?' De echtelieden begrepen elkaar, ik wist niet eens welke vragen ik moest stellen.

Ook Rosa sprak in raadsels, en ik voelde me afgewezen. Later begreep ik dat ze geen andere uitdrukkingen kende, dat ze me probeerde te beschermen, en haar Sjarel doorhad nog voor hij avances maakte. Toen ik in het koetshuis eens een paar zag vrijen, ging ik toch weer naar Rosa, maar in plaats van verontwaardigd te zijn, moest ze erom lachen. Van die meid had ze niet anders verwacht, ze was alleen nieuwsgierig wie de man was. Ik hield vol dat ik hem niet had herkend en vroeg hoe van dat gehops een kind kwam. Verder dan dat het ene met het andere werd vermengd, raakte Rosa niet. Ik drong ook niet aan. Een treurige verwondering overviel mij, maar zelfs toen ik beter wist, en ook op de televisie had gezien hoe het zaadje in het eitje dringt, en leven zich door deling vermenigvuldigt, begreep ik het nog niet helemaal. Er moet toch een vonk zijn die overslaat, iets als een explosie of een ontlading waaruit leven ontstaat.

Ik heb weleens gedacht dat die vonk het geheim was van Augustijn en Madame. Dat die vonk zo vaak uitdoofde, alsof het leven vergeefs was verwekt, moet hen tot de dood hebben bedroefd. Wat mijzelf betreft; het is naast mijn liefde voor Augustijn wellicht de reden van mijn kinderloosheid. Dat de dood de eerste regel van het leven is, dat was met al de regels die mij werden opgelegd net iets te veel van het goede.

Ik weet niet hoe het Rosa verder is vergaan, ik weet niet eens of zij nog leeft. Ze nam het bestaan zoals het zich voordeed, zonder zich te kwellen met vragen over hoe het had kunnen zijn. Waar tekort was, deed ze er een schepje bovenop, indien nodig lapte ze de regels aan haar laars. Ik heb van haar, als van zoveel, veel te laat iets begrepen. Ik heb ook veel te veel voorbij laten gaan. Dat is niet in te halen of goed te maken. Ik had die pasgeboren wichtjes moeten influisteren: leef of sterf, wees engel of duivel, maar aarzel niet, blijf niet tussen hemel en aarde hangen.

Hoe moet het nu verder? Ik heb niets misdaan en toch voel ik me schuldig. Leeg en onthand, terwijl ik nog zoveel werk had kunnen verzetten. Hoe zal ik betekenis aan mijn dagen geven? Het is nooit bij me opgekomen dat Madame mij in de steek zou laten, dat wil zeggen dat ik aannam dat Augustijn als eerste het loodje zou leggen. Is het niet erg? Dat je waarachtig van iemand houdt, en ondertussen een boekje bijhoudt van alles waarin hij tekortschiet, of waarmee hij je pijn doet.

De achteloosheid van Augustijn: dat zit me nog het meeste dwars. Op de hond pochte hij, dat beest begreep meer dan menig mens, maar van mij nam hij aan dat ik stom was. Nee, het was erger: hij ging ervan uit dat ik me doof moest houden, en me dommer voordoen dan ik was. Zo leek het beschikt. Mijn gedienstigheid werd gemakshalve voor toewijding genomen. Augustijn was mij genegen, maar hij gaf zich geen moeite me te ontzien. Hij veroorloofde zich zelfs grapjes te maken op mijn kosten.

Toen een achternicht, een oude vrijster, was gestorven, deed Augustijn met de oudsten het spelletje van de grafschriften. Ze waren daar bedreven in door de veelvuldige kerkhofbezoeken. De achternicht werd door Marius bedacht met: 'Hier ligt de gierige pin, de liefde was haar te min!' Augustijn lachte terwijl hij de brief van de notaris taxeerde. Met de briefopener in de hand bedacht hij: 'Ongeopend retour naar afzender.' 'Wat wil dat zeggen?' vroeg Angelique. Augustijn tikte haar met de briefopener op het hoofd en zei schalks: 'Vraag dat maar aan Celestien.' Ik voelde hoe mijn wangen begonnen te gloeien. Alsof het een kunst was de benen te spreiden! Ik hoefde me daar toch niet verlegen om te voelen. Maar het was alsof Augustijn me met die briefopener in de rug had gestoken. Of de bedrijvigheid van Madame zoveel vreugde had gebracht, vroeg ik. Dat ging te ver, de engeltjes waren onbespreekbaar, maar ik wist niet hoe ik me moest verweren. De tranen stonden in mijn ogen. 'Aan het werk, en vlug!' De lach was op zijn gezicht bestorven.

■■■

De achternicht had Augustijn haar kapitaal nagelaten, op voorwaarde dat hij voor haar papegaai zou zorgen. Madame protesteerde, maar we konden het geld goed gebruiken.

Het was een mooie papegaai, groen van borst en vleugels, met rode staartveren en een blauwe kuif. Hij krijste echter oorverdovend en stoof het vuil van zijn kooi in de kamer. Hij vertikte het wat te zeggen als je het hem vroeg, maar hij schold en vloekte als de beste. Wel honderd jaar kon hij worden, deelde Marius ons wijsneuzig mee.

Nog eerder zou ik hem de nek omdraaien en ook Madame zon

op een middel om van hem af te geraken. Augustijn zei dat de papegaai een ereschuld was, maar de vogel werd algauw van de salon naar de keuken verbannen. 'Dat kun je Celestien niet aandoen,' mopperde Madame. 'Waarom niet, dan heeft ze ook wat aanspraak,' antwoordde hij argeloos.

Ik besloot de kater los te laten op de papegaai. Mefisto was het evenbeeld van een zwarte panter en de enige kat die te superieur was om te spinnen. Het was een jager die zijn aanhankelijkheid toonde door zijn prooien op de keukendrempel te deponeren. Als je 's ochtends de deur opentrok, lagen daar, slap en met glazige ogen, merels, lijsters en zelfs konijnen aan je voeten. Mefisto was nergens te bekennen, maar je voelde zijn gouden ogen op je gericht. Ik had een zeker respect voor die kat.

Ik zette de deur van de kooi open en wachtte tot de papegaai boven op de koepel was geklommen. Vervolgens lokte ik de kater naar binnen. Mefisto bleef even verrast staan toen hij de papegaai in vrijheid zag. Vervolgens dook hij in elkaar en sloop naar de kooi. De papegaai schommelde op zijn poten met afhangende vleugels heen en weer, zette zijn kuif op en kraste: 'Klootzak!' Mefisto verstijfde met een hoge rug en al zijn haren overeind. Weer kraste de papegaai: 'Klootzak!'

De kater holde naar de kast, waaronder hij zich twee dagen schuilhield. Als ik hem probeerde te lokken met een bakje melk liet hij alleen zijn verstarde slangenogen zien. Het was hekserij, die vogel kon geen vogel zijn, een geest verschool zich in zijn gevederde pak en bediende zich van zijn zwarte tong. Daar bleef hij af. De papegaai riep gegarandeerd 'klootzak' als de kat binnen zijn gezichtsveld kwam, maar bij wijze van kameraadschappelijke begroeting. De lastpak redde zijn hachje doordat hij te pas en te onpas zijn snavel roerde. Er ontstond een discussie of wat de papegaai zei terecht of ongerijmd was, maar eigenlijk deed het er niet toe, hij beschikte over het woord. Daarmee was hij niet alleen Mefisto de baas, al ontkenden we het lacherig.

De papegaai zou mee verhuizen, terwijl Mefisto naar de eeuwige jachtvelden werd gestuurd. Augustijn bracht me een jutezak, maar de kater liet zich niet zomaar pakken. Hij sprong op het aanrecht en vluchtte onder de kast. De papegaai krijste en ik hijgde van aandoening. Toen Mefisto eindelijk in de zak zat, schreeuwde hij niet meer, hij bolde zich op en begon diep en vibrerend te spinnen. 'Kunnen we hem niet laten lopen?' vroeg ik. Augustijn zei dat het barmhartiger was de kat af te maken dan hem te laten verwilderen. 'Hij kan toch een ander onderkomen vinden?' mompelde ik, want een kat kan woordeloos wonderen doen. Augustijn antwoordde niet, hij nam de jutezak met de spinnende kater van me over.

In de oorlog zou ook de papegaai eraan gaan, maar dat kon ik niet helpen. Voorlopig bleef hij 'klootzak' roepen als hij een kat ontwaarde, niemand kon er echter nog om lachen. En al die jaren heb ik die jutezak als een onzichtbare last meegesleept. Nooit kon ik nog onbekommerd een kat aaien. Ze spinnen als ze in een warm holletje liggen, als ze jongen krijgen, en blijkbaar ook als de dood nabij is. Waar dat spinnen vandaan komt, weet men niet, hoe kan men er dan zeker van zijn wat het betekent?

Toen de kinderen weer een keer het spelletje van de grafschriften deden, kon ik me niet langer inhouden. 'Hier ligt de zwarte keizer, triest, maar oneindig veel wijzer.' 'Hou daarmee op,' zei Augustijn. 'Wat heeft ze toch met die kat?' hoorde ik hem aan Madame vragen. 'Geen kinderen, wat wil je,' antwoordde Madame. 'Ik hoop maar dat ze niet gaat overdrijven,' bromde Augustijn.

Ik moedigde de kinderen niet aan om grafschriften te maken, maar ik liet het wel toe. Taalspelletjes waren een geliefd tijdverdrijf van de Van Puynbroeckxen. 'Hier ligt het lieve bloedje, het was om de duvel geen doetje,' verzon Marius, en Reinout repliceerde: 'Ons engeltje was een zoet bengeltje.' Het deed geen pijn, zolang Madame het maar niet hoorde. De engeltjes waren taboe, maar het verlies woog, alsook de versluierde rouw van de ouders. De kinderen beseften dat ze de dans waren ontsprongen, maar hun aardse staat was geen simpel voorrecht, ver boven hen verheven zweefden de gevleugelde kopjes die geen kwaad konden doen. En die zij nooit of te nimmer konden vervangen. De kruisjes op de kalender verwezen naar verjaardagen die nooit werden gevierd, en naar sterfdagen die niet werden herdacht. De engeltjes deden *hors concours* mee, en voor altijd en eeuwig.

Ik kon het weerwerk van de levenden wel begrijpen, hun rebellie, en het opeisen van hun recht. Maar ik had een zwak voor de engeltjes, ze waren zo lief. Toen ik Bertje nog op de arm droeg, wees ik hem in de kerk de gevleugelde kopjes boven het altaar, en leerde hem ze een kushandje toe te werpen. 'Zeg je broertje maar gedag.' Angelique ging het overbrieven, en niet aan Augustijn maar direct aan Madame. Of ik zot geworden was, vroeg ze. En ze dreigde me met klikken en klakken aan de deur te zetten. Vervolgens begon ze onbeheerst te huilen. Ik repte me om een glas water te halen.

'Celestien, wat richt je toch aan,' zuchtte Augustijn. Hij trachtte Madame te kalmeren. Ze leek te berusten, maar zodra ik me bewoog, viel ze uit. 'Weg, dat ik je niet meer zie!' Ik veegde mijn handen af aan mijn schort en keek naar Augustijn. Achter de rug van Madame maakte hij een gebaar van wegwezen, maar met een geruststellende knik. Ik wachtte net even te lang, Madame was opgesprongen en versperde de doorgang. 'Verloren, alvorens geboren,' mompelde ik. Dat had ook goed bij de engeltjes gepast, maar het was de duivel die het me influisterde. 'Wat zeg je daar?' siste Madame. Voor ik mijn hoofd kon buigen had ik een klap te pakken.

Met mijn hand tegen mijn gloeiende wang rende ik naar de keuken. 'Dag schat,' riep de papegaai. Dat had Augustijn hem geleerd. Ik greep de tralies van de kooi en schudde haar heen en weer. Het water van de drinkbakjes gulpte over de rand en de zonnepitten vlogen in het rond. 'Ooo!' krijste de papegaai, maar hij klemde zich vast met zijn lange tenen en viel niet van zijn stok.

■■■

Ik heb de grote salon vooraan op de bel-etage toegewezen gekregen. Ze willen zich voorzeker niet laten kennen, die verschrikkelijke kinderen. Of de pil moest worden verguld. Goed verzorgd kan ik het graf in, maar even geduld, dat regel ik zelf.

Een deel van de kamer is afgesloten met een bordkartonnen muur, daarachter bevinden zich het badhokje en de wc. De salon is geamputeerd, maar de ruimte is nog altijd vijf keer zo groot als het hokje onder het dak dat ik vroeger bewoonde. Een bed, een stoel, een tafel met een waskom en een nachtemmer achter de deur. In plaats van een kast moest ik me tevreden stellen met planken met een gordijn ervoor. Toch zou ik nog een keer langs de achtertrap naar mijn kamertje willen sluipen. Kijken wat er van over is. Nooit zo goed geslapen als daarboven. Als het waaide, stelde ik me voor dat ik in mijn kooi over het water zeilde. Tijdens winternachten kroop Rosa bij me in bed en dan maakten we het ons genoeglijk.

Wat ik eng vond was het luik in het plafond in de gang tussen onze kamers. Dat luik gaf toegang tot de zolder en het fronton. Er stond een smal toelopende ladder onder, maar ik zou het niet gewaagd hebben naar boven te klimmen. Als ik tocht meende te voelen in mijn nek, of dacht dat ik wat hoorde, drukte ik me tegen de muur. Bewoog het luik, werd het voorzichtig opgebeurd? Met een sprong stak ik het gangetje over en vluchtte mijn kamertje in. Daar was ik veilig.

Van de zolderkamer naar de salon; ik ben erop vooruitgegaan, al kan hier elk moment iemand binnenvallen. De hulp klopt wel aan, maar voor je ja of nee kunt zeggen, staat ze al in de kamer. Dat moet voor Madame ook niet prettig zijn geweest, dat ik overal in en uit liep. Augustijn liet zich er niet door storen, de hulp in de huishouding maakte deel uit van het decor. En ik had een wit voetje bij hem. Mon Repos was niet mijn huis, maar ik had er mijn plaats. In Welverdiend ben ik een vreemde onder vreemden.

Van de luister van de grote salon zijn alleen het parket en de kroonlijsten overgebleven. Het smalle bed, niet eens een twijfelaar, staat als ontheemd midden in de kale ruimte. Ik zal de hulp vragen het tegen de muur te schuiven, zodat ik er maar aan één kant uit kan vallen. Je zou voor minder compassie met jezelf krijgen.

Het is de pensionaires toegestaan een deel van hun meubilair mee te brengen, maar toen werd beslist dat ik hierheen zou worden gebracht, kon het Bertje niet vlug genoeg gaan. Hij was zeker bang dat de anderen zouden terugkrabbelen, of dat Augustijn zich alsnog zou verzetten. Het was Marius die voorstelde dat ik een paar stukken uit de inboedel zou kiezen. Ik aarzelde niet en legde mijn kaarten op tafel; het gebeeldhouwde bed van de oude mevrouw, de ronde eetkamertafel en de stoelen in mahonie, de commode met het roodmarmeren blad, en mijn troef: de toilettafel van Madame. 'Dat komt je niet toe,' zei Angelique. Dat wist ik, maar het was de toilettafel of niets. 'Het is Louis Quinze,' pruttelde Bertje. 'En naar wie gaat het dan later?' vroeg Angelique. Marius was het beu: 'De toilettafel gaat naar Celestien, en later zien we het wel.'

'Ik ga het vader voorleggen,' mokte Angelique. Marius haalde zijn schouders op. Alleen Augustijn had me van de toilettafel kunnen afhouden, en niet dat hij er niet om gaf, maar Angelique ergerde hem. Ze had de touwtjes in handen genomen en ze zat hem achter de broek. Hij mocht niet in sjamberloek rondlopen, de krant moest netjes worden opgevouwen. Een glas whisky voor het slapengaan kon nog net. Als hij – of ik – tegen haar beslissingen inging, was ze beledigd; we mochten dankbaar zijn dat ze het huishouden had overgenomen. Dat verdiende Madame niet, en ook voor mij was het onaangenaam. Als ik mokkend het stof afnam vóór de vloeren waren gedaan – 'kan me niet schelen dat je het altijd anders hebt gedaan, je doet het nu zoals ik het zeg' – hoorde ik haar aan de telefoon kakkineus bestellingen doorgeven. Honderd gram *de ceci*, honderd gram *de cela*. De slager stond verontwaardigd met het pakje vleeswaren voor de deur: 'Moet ik me daarvoor verplaatsen?' Toen ik zijn woorden overbracht, zei Angelique koel: 'Volstaat het niet dat moeder zich het graf in heeft gegeten?' Klagen hielp niet, Augustijn durfde zijn dochter niet te bedanken voor haar diensten. Met de toilettafel van Madame had hij ook wat goed te maken. 'Zou je dat plezier doen, Celestieneke?' Ik knikte stom.

De toilettafel zal hier goed staan, voor de hoge ramen, met het tegenlicht over de drievoudige spiegel. Ik zal er een paar potjes en flesjes op uitstallen, maar het moet niet te veel worden. Bij Madame was het een rommeltje, ze overlaadde de toilettafel en propte de laden vol met dessous. Het was aan mij om de troep op te ruimen, maar zij klaagde dat ze niets kon terugvinden. Ik moest van de toilettafel afblijven.

Van haar bureau moest ik ook afblijven, maar daar heerste tenminste orde. De dossiers op stapels, de pennen en potloden in het gelid. Terwijl de pootjes van de toilettafel leken door te buigen onder de overtolligheden.

Maar al die crèmes en geuren en flodders waren wel verleidelijk. Als je met het trillende pluis van de poederdons over je gezicht wuifde, was het alsof er een vlindertje over je wangen streek. Gelukzalig deed ik rouge op mijn lippen, en bekeek mezelf aan alle kanten. Ik gooide mijn hoofd achterover, lachte, boog voorover, met geloken oogleden, en zoende de spiegel.

Op een nieuwjaarsnacht, toen beneden het feest in volle gang was, heb ik de grote middenspiegel van de toilettafel helemaal met zoenen afgestempeld. Het was prachtig, maar ik moest me haasten om het glas weer schoon te krijgen. En ik probeerde uit het gezichtsveld van Madame te blijven; rouge drong in de fijne lijntjes van je lippen, met opeengeklemde lippen liep ik door het huis.

Toen ze me op een dag betrapte bij mijn schilderwerk schoot ze in de lach, maar ze sleepte me wel naar Augustijn. 'Moet je deze clown zien!' Hij keek verbluft en ook een tikje verlegen. 'Wat moet dat voorstellen, Celestien?' Mooi vond hij het kennelijk niet. Wat zou ik mijn natuur bederven, nee, dat was niets voor mij. Ik mocht niet aan de opschik van Madame zitten, dat begreep ik toch zelf ook wel? Als een stout kind werd ik naar mijn kamer gestuurd. Nog goed dat er niets van het loon werd afgetrokken.

Ik huilde een potje. Toen ik weer in de spiegel keek, schrok ik me een aap, het poeder was gevlekt en de rouge uitgelopen; ik leek wel tien jaar ouder. Bokkig boende ik mijn gezicht schoon. Ik wilde ook weleens mooier lijken dan ik was. Ik wilde me ook weleens *à volonté* poederen en met parfum bestuiven. En met mijn aanblik een man het hoofd op hol brengen.

Als Madame zich opmaakte, werd het menens; met opengesperde ogen en getuite lippen keurde ze zich aan alle kanten. Als ze goed gezind was, lonkte ze neuriënd naar haar spiegelbeeld, maar kwam de wind uit de verkeerde hoek, dan keek ze grimmig en grommelde: 'Waar is de rouge?'

Met schijn en werkelijkheid is het alsof je in de spiegel kijkt: je ziet het één en je bent het ander, maar de voorstelling is niet zonder betekenis. Met haar gepoederde neus en rode mond vertoonde Madame zich, maar wat er achter de opschik schuilging, dat hield ze voor zich.

Voor besprekingen met bouwheren deed ze er, in een halo van poeder, nog een schepje bovenop. Wenkbrauwen werden aangezet, wimpers gekruld, juwelen bovengehaald. Gniffelend: 'Ik zal ze eens wat laten zien!'

Toen Augustijn door de Duitsers was opgepakt, penseelde ze haar lippen, borstelde een blos op haar konen en besproeide zich rijkelijk met Arpège. 'Celestien, mijn vos!' Afgemeten, en in één adem door, maar met buikstem: 'Ik zal die klootho mmels een poepje laten ruiken!' Waarna ze kordaat vertrok voor de voorstelling van haar leven.

Je zou erom kunnen lachen, maar het was niet om te lachen. Wilde ze behagen of deed ze haar oorlogskleuren op? Ik ben geneigd voor het laatste te kiezen, maar hoe zat het dan als ze neuriënd met gespreide vingers haar rode krullenbos losstreek, haar decolleté met het zwanendons poederde en haar halsputje aanstipte met parfum? Ze maakte verder geen avances, maar Augustijn herkende feilloos de signalen. Ze hoefde nooit lang te wachten.

Hij meed het kantoor als Madame er aan het werk was, maar hij hield ervan haar gade te slaan als zij zich voor de toilettafel optutte. Glaasje erbij, met losse halsboord op de rand van het bed, of met een smoes; of ze hem kon helpen met de manchetknopen?

Het is voorgekomen dat ze te laat waren voor het theater, dat ze hun plaatsen na de pauze moesten innemen, omdat kleden op ontkleden was uitgelopen, en na de vrijpartij alles weer over moest. Ik had kunnen helpen, bijvoorbeeld met de manchetknopen, koud kunstje, maar ze hadden er mij niet bij nodig. 'Ga maar eens vroeg naar bed, Celestien.'

Angelique pakte het spelenderwijs op, zetelde voor de toilettafel van haar moeder, probeerde kapsels uit, keurde zich aan alle kanten. Om door een ringetje te halen, altijd en onder alle omstandigheden, en wat haar betreft niet voor dit of voor dat, ook niet voor de ware Adam, maar voor haarzelf, een eerbetoon aan het schrijn waarin ze was gevat.

Het ging met de liefde net zo moeizaam als met het eten. Ze zat zichzelf in de weg. En het was niet dat ze niet wilde, het was dat ze te veel verwachtte. Als je het mij vraagt, heeft Angelique vergeefs gewacht op de man die haar haren in de war zou maken, haar jurk kreukelen, haar kousen ladderen, en haar buiten zichzelf brengen. Arme meid, als ze niet zo hoog te paard had gezeten, hadden we het goed met elkaar kunnen vinden.

Een schoonheid was ik niet, maar ik mocht worden gezien, stevig op mijn pootjes, goed gedraaide kont, hoog ingeplante borsten, donkerblond, een rond gezicht met grijze ogen en een brede mond. 'Een guitje', dat heb ik van mijn Hollander, en goedlachs was ik wel, aanvankelijk, toen ik nog vol verwachting was, en nog niet op voorhand mijn bekomst had.

Mijn Hollander heette Jan, maar de metselaars noemden hem 'de Hollander' of Jantje; omdat hij met gemak de twee meter haalde. 'Te lang met zijn voeten in het water gestaan,' grapte Madame. Augustijn, die nochtans niet veel kleiner was, keek nors. 'Wat komt die kwibus hier zoeken?'

Alles aan Jantje was hoekig, zelfs zijn taal, en je kon zijn ribben tellen, maar hij had een lach van oor tot oor. Madame stuurde hem naar de keuken voor een boterham en hij schrokte een half brood naar binnen. 'Hollebolle Gijs!' Hij klopte veelbetekenend op zijn maag. Wat hij daarmee wilde zeggen begreep ik niet, maar ik zag wel dat de man uitgehongerd was.

Terwijl ik koffie maalde, plukte hij een blad van de geraniums, gooide zijn hoofd achterover en liet het neer in zijn mond. Madame had ons een keer voorgedaan hoe Hollanders haring happen, maar dat ze ook geraniums aten was te zot om waar te zijn. Jan plukte nog een blad en toen ik daar bezwaar tegen maakte – was hij van plan de geraniums kaal te plukken? – verklaarde hij in de Tweede Oorlog tulpenbollen te hebben gegeten. Op zijn graf zouden met Pasen altijd bloemen bloeien.

Ik haastte me nog een boterham af te snijden. 'Je bent een fijne meid,' zei hij. Dat was niet echt een compliment, maar zijn dochters noemde hij ook 'de meiden'. Ik heb die dochters nooit te zien gekregen, net zomin als zijn vrouw. Jan had Madame trachten wijs te maken dat hij geen vrouw had, maar hij kon het niet laten op te scheppen over zijn dochters. Hoe was hij daar dan aangekomen?

Zo brutaal als een mus was hij om werk komen vragen: 'Ik dacht, ik ga die Belgen een handje helpen, alleen brengen ze er niets van terecht.' Zo viel hij ook de keuken binnen: 'Ik dacht, ik ga eens een keer op die lekkere meid af.' Hij bracht de vrouwen aan het lachen, maar de mannen keken zuur. Jan trok het zich niet aan, hij had er genoeg van als een zwerfhond zijn kostje bij elkaar te scharrelen. Hij had zijn lesje geleerd; kwaad worden hielp niet, met stelen kwam je in de gevangenis: voortaan gebruikte hij zijn charmes.

Ik vond hem met zijn schonkig lijf en zijn gekke kop niet bepaald een Adonis, maar ik heb hem nooit Jantje genoemd. Ik wilde hem niet kwetsen. Hij vermaakte me met zijn gebabbel, en zonder er erg in te hebben begon ik naar hem uit te kijken. Ik knapte me 's avonds op en zette een pot verse koffie. Als Jan niet kwam opdagen, zat ik aan de keukentafel voor me uit te staren, terwijl de klok afgemeten tikte. Kwam hij toch, dan was ik geschokt, dat kon toch niet, dat ik voor hem viel. Na de eerste lach was mijn verlegenheid echter over, en ik raakte zo opgewonden dat ik er onhandig van werd. Struikelend over mijn eigen voeten repte ik me alles op tafel te zetten wat ik opzij had gehouden. Gerookte ham, forel in gelei en mijn gemarmerde chocoladecake. Jan slokte de lekkernijen naar binnen terwijl ik op de punt van mijn schort beet.

De eerste keer dat hij mij kuste, was ik volkomen verrast, hij wist van aanpakken, het was een kus die mijn hele mond vulde. Het was een beetje vies, maar ik moest er de hele nacht aan denken. Ik zag het nooit aankomen wanneer hij me zou zoenen; midden in een lach of een lied greep hij me beet. Ik zat altijd in spanning.

Toen ik in mijn dromen Augustijn verving door Jan, raakte ik helemaal van slag. Ik ontweek Augustijn, en als ik hem toch tegen het lijf liep, sloegen de vlammen me uit. Maar had ik niet het recht hem te bedriegen? Hij altijd met Madame. Ik wist al van mijn veertiende dat het nooit wat kon worden. Moest ik voorgoed alleen blijven? Ik was uitgeput van het werken en het wachten. Ik wilde ook weleens weten hoe het was met een man, of hoe het voelde als je werd bemind. Ik wilde ook een keer voor het te laat was.

'Waar zijn je gedachten, Celestien?' vroeg Madame toen ik haar eens te meer niet had gehoord. Ik bekeek haar zo aandachtig alsof ik haar rimpels wilde tellen. Hitsig dacht ik: ze kan het me niet verbieden. 'Heb ik soms twee hoofden?' informeerde Madame. Ik sloeg mijn ogen neer, maar ik zag het blauw van haar aders door de dunner wordende huid van haar handen schemeren. Zouden wij voor de rest van ons leven naar elkaar kijken tot we helemaal uitgekeken waren? En niet meer opmerkten hoe oud we waren geworden?

Het vlassige haar van Jan werd dun, zijn gezicht was gegroefd, het waren heus niet alleen lachrimpels die hem hadden getekend, maar hij leek onbezorgd. Het kon hem niet schelen dat ik al grijze haren kreeg en wat breder in de heupen werd. 'Doe niet zo moeilijk, meidje!' Hij wilde vrijen, maar ik voelde me onzeker en keek meer in de spiegel dan goed voor me was. Zo is het ook uitgekomen. Toen ik voor de toilettafel van Madame zat met de poederdons in mijn hand. Ik wuifde hem heen en weer en het pluis trilde als een zeeanemoon, maar het fijne weefsel haakte aan mijn verruwde vingers.

Ik wilde me juist van haar handcrème bedienen, toen ik haar in de spiegel achter me zag opduiken. Ze keek naar me met lacherige verbazing, kwam nader, en draaide mijn hoofd naar haar toe. Het sjaaltje dat ik droeg omdat ik zogenaamd keelpijn had, viel open en onthulde de liefdesbeet in mijn hals. 'Zozo,' zei Madame. En nadat ze de purperen vlek wat nauwkeuriger had bekeken: 'Het is de Hollander, niet?'

Ik onderdrukte het beeld van Jan die me van achteren vastpakte, terwijl ik trilde als een espenblad. Het huilen stond me nader dan het lachen. 'Een getrouwde man, gebruik toch je verstand!' zei Madame. Toen ik verslagen bleef zitten, vroeg ze hoe lang het nog zou duren voor de slaapkamer aan kant was. Ik stond op, maar veegde met één armbeweging de potjes en flesjes van de toilettafel. Madame vertrok geen spier. 'Dat volstaat,' sprak ze koel, en verliet de slaapkamer.

Bevend van woede begon ik alles op te rapen. In een opwelling stopte ik de poederdons in mijn schortzak. Die avond hield ik me schuil in mijn kamer, ik hoefde Jan niet te zien. Ik beet op mijn nagels en spuwde de schilfers op de vloer.

'Hoe krijgt hij Celestien zo gek?' hoorde ik Madame de volgende ochtend vragen. 'Op zijn janboerenfluitjes,' antwoordde

Augustijn. Ze zaten zich daar in de salon een beetje vrolijk over me te maken. Voor één keer was ik nog kwader op Augustijn dan op Madame. Ik nam me voor om, als Jan het vroeg, geen nee te zeggen.

Hij kwam recht van de bouwplaats, hij trok zijn schoenen uit en hield zijn hoofd onder de pomp. Hij proestte en schudde de waterdruppels in het rond als een hond. Terwijl ik hem een handdoek aanreikte, voelde ik me plotseling treurig.

Aan de keukentafel zat Dora, het halve trouwboekje van Bertje. Ze lepelde de soep op met haar elleboog om het bord, en likte op het laatst haar lepel af. 'Die meid heeft honger,' lachte Jan. 'Ga zitten,' zei ik kortaf. Ik voelde me in het nauw gedreven. Het liefst had ik Dora uit mijn keuken geschopt, maar Augustijn wilde haar niet aan zijn tafel voor ze deftig kon eten. Ik dekte voor de boerenbruid met een hele batterij messen en vorken, maar ik was zuinig met de wijn, want ze had de neiging te veel te drinken. Ze at ook te veel en moest dan overgeven.

Dora dacht dat ze met Bertje haar slag had geslagen: weg achter de koeien en over de rode loper de salon in. Ze wist nog niet de helft van wat haar te wachten stond. Ik had met haar te doen, maar het was een onbeheerst geval. Ze kwam ook in de keuken als ze er niets had te zoeken. En bij voorkeur als Jan er was.

Ze begon hem giechelend uit te dagen; hoe zeg je dat in het Hollands? Zeg het nog een keer? In plaats van haar af te houden speelde hij het spelletje mee. Zou hij haar eens voordoen hoe ze in Holland…? Toen ze zich lachend op zijn schoot liet vallen – 'wat heb jij knokige knieën, zeg', en hij: 'Dat voel jij toch niet met die lekkere kont' –, toen hield ik het niet meer. Ik sloeg met de vuist op tafel: 'Uit mijn keuken, allebei!' Dora gierde: 'Oei, ik doe het in mijn broek!' Jan grijnsde van oor tot oor. Dat vond hij helemaal niet erg, een natte broek was blijkbaar ook lekker. En een meid was een meid was een meid. Er waren gewoon te veel meiden.

Ik rende verblind de keuken uit, maar in plaats van naar mijn kamer te gaan, zocht ik mijn toevlucht in de slaapkamer van Augustijn en Madame. Daar viel ik in het donker neer voor de toilettafel. Ik had het gevoel dat ik van de wereld zou vallen.

Toen het licht werd aangeknipt, klampte ik me krampachtig vast aan de toilettafel. Madame kwam voorzichtig naderbij. Ik begon zachtjes te wenen. Ze legde haar handen op mijn schouders: 'Is het zo erg?' Ik knikte heftig. Ze zei niet dat mannen niet deugen en dat geen enkele man het waard is om tranen voor te storten. Ze zei: 'Kop op, wij zijn er ook nog.' Ze bette mijn ogen met viooltjeswater, vond na wat rommelen een andere poederdons tussen de potjes, wuifde het poeder over mijn gloeiende wangen, en bestoof me ten slotte met haar moederlijke Arpège. 'Zo, nu kun je er weer tegen,' besloot ze.

■■■

Ik zit te luisteren, ondanks mezelf, met mijn kop scheef, als wijlen de papegaai, maar er wordt in Welverdiend niet gezongen: de poetsdames – want werksters mag je het niet meer noemen – hebben de radio hard staan. Ze begeleiden hun bezigheden niet met gezang, maar laten hun tempo bepalen door het gedreun. Niks geen 'altijd lachen, immer tevree', de dames zijn zo ingesteld op het lawaai dat ze, zonder erbij te denken, ook de verplichte toehoorders de last aandoen.

Het huishouden heeft me altijd tegengestaan, nooit gedacht dat ik nog een keer zou bidden om een bezigheid, en zou snakken naar werk dat geen einde kent. Ik mis Rosa, haar heldere lach, en de goedmoedige onzin die ze verkocht.

Tot in mijn knoken resoneert het dreunen, en gedurig slaat de boem een tel naast de hartslag. Reinout vertelde over 'de moor', een gigantische neger met een bolle buik en een lendendoek die op de grote trom van het slavenschip sloeg, met de gelijkmatigheid van een helse machine. Dat zal voor de roeiers ook wel van 'altijd lachen, immer tevree' zijn geweest, en Reinout had er als slavenmeester voorzeker de zweep over gelegd. Wat denk ik toch, zo kwaad was hij niet, hij had te veel verbeelding, hij zag zich al als chef, meer was het niet.

Na de oorlog hadden de helden van het laatste uur hem in de leeuwenkooi opgesloten. Daar zat hij mooi op zijn plaats, in de Antwerpse Zoo, terwijl het losgeslagen volk dat voor de kooien joelend tekeerging, hem met alle mogelijke vuil mocht bekogelen. Hij sprak geen woord, keek met oneindig misprijzen, zijn moeder waardig, op zijn belagers neer. Zijn vader stond bij de muziekkiosk te huilen, ik schopte machteloos in het grind. Een oorlog die goed afloopt, dat bestaat niet. En dat Reinout zich in zijn ongelijk een Van Puynbroeckx toonde, maakte het alleen maar erger.

Madame had, zodra we ons in de stad hadden geïnstalleerd, een abonnement genomen op de Zoo. Niet zozeer omdat ze geregeld uitheemse beesten wilde bekijken, maar voor het concert. In de kiosk bracht op zondagmiddag een orkest Weense walsen en stukken uit operettes ten gehore. Muziek uit een verloren tijd. Madame ging dan ook niet voor het muzikale genot, ze ging om 'haar gezicht te tonen' en relaties te onderhouden.

Ik was niet gesteld op de Zoo, het stonk er en je kreeg kiezel in je schoenen. Ik voelde me ook lichtelijk gegeneerd om het gedrag van het publiek. Vooral bij de apenverblijven, waar werd gelachen en gegild als in een spiegelpaleis. Ik herinner me een rosse aap met een kale buik, die zich in een hoek had teruggetrokken. Terwijl zijn soortgenoten elkaar vlooiden of aan hun dingen prutsten, leek de rosse onnoemelijk triest. Toen een uitgelaten meute nootjes naar hem gooide, keek hij op vanonder zijn schedeldak, met grote donkere ogen, en krabde traag over zijn wang. Die blik, daar werd ik niet goed van, het was alsof die rosse tegelijk alles en niets zag.

Ik ging op een klapstoeltje bij de kiosk zitten, wegkijkend van de dames en heren die elkaar al groetend keurden, en mijn blik fixerend op een van de leden van het orkest. Wat nog niet zo simpel was, de muzikanten leken op vreemdsoortige insecten die met mechanische poten over schilden en koppen wreven, en die allemaal eender in jacquet waren gestoken. De muziek schoot er helemaal bij in.

Voor het monumentale hek van de Zoo had een ballonnenverkoper postgevat, een zwarte man, die ook zwarte ballonnen aanbood, versierd met een vaderlandsvlaggetje. Het schorem probeerde de ballonnen te doen klappen door er een brandende sigaret tegenaan te drukken. Daar werd ik ook niet vrolijk van.

In de oorlog was de ballonnenverkoper verdwenen, en niemand vroeg waar hij was gebleven. Lag het aan de slapte in zijn handel of omdat hij zo verrekte zwart was? Ik ben er niet uit of we niet wisten wat we moesten vragen of vreesden voor het antwoord. Of dat we, stomweg, te druk waren met overleven.

Dat 'altijd lachen, immer tevree' wil maar niet uit mijn hoofd. De melodie vecht met het dreunen, ik raak er helemaal door ontregeld. Ik probeer me op mijn ademhaling te concentreren, rustig in en uit, maar ik houd het niet vol.

Een bromvlieg draait als dol rondjes door de kamer en botst keer op keer tegen de ramen. Op een warme zomermiddag klonk het snorren van een bromvlieg vredig, het werd niet overstemd door gedreun, maar de zomer is voorbij of moet nog komen. Het hangt ervan af of je optelt of aftelt. Nooit krijg je het helemaal rond, nooit raakt het helemaal af. Wat je het leven noemt. Altijd blijven er losse eindjes, dingen die je bezwaren.

Ik pak een krant om de bromvlieg dood te slaan. De kans is klein dat ik erin zal slagen, maar ik sukkel erachteraan en zie mezelf verdwaasd een gat in de lucht slaan. Vliegen zijn een pest. Het is gerechtvaardigd ze dood te slaan. Het blauwzwarte monstertje ontsnapt wel keer op keer. Niet toegeven, denk ik, volhouden, desnoods doen alsof. Denk ik dat, of zeg ik het hardop? Gelukkig kan niemand me horen. Je verstand verliezen is het ergste wat je kan overkomen, maar het zou een opluchting zijn als je het af en toe kon uitzetten.

Wachten op Bertje; dat zit me hoog. Maar hij heeft beloofd dat hij de meubels zal afleveren. 'Een man een man, een woord een woord!' Daar zal ik hem aan houden. Misschien komt Marius mee om te helpen. Angelique moet bij Augustijn blijven; dat kan ik billijken. Het is – de verhoudingen in acht genomen – allicht te veel gevraagd dat hij me zou komen opzoeken. Hij zou ook te zeer van streek raken als hij zag hoe het met Mon Repos, enfin, Welverdiend, is gesteld. Het huis waar hij geboren werd, het huis van verwachting, van de eerste huwelijksjaren, het huis waarin hij hoopte zijn oorlog te begraven. In wezen meer zijn huis dan dat van Madame.

Maar nu dat allemaal voorbij is, hadden we toch samen hierheen gekund. Plaats genoeg, en hij zou ook niemand meer tot last zijn. We hadden de eerste verdieping kunnen bemeubelen. Stonden die mooie spullen weer op hun plaats. Ik zou ze wel in de was zetten. Niemand die er meer mee vertrouwd is dan ik. Niemand die je er meer kan over vertellen. Wat je niet aanraakt kun je niet kennen, de meubels in deze kamer zijn anoniem als meubels in een hotelkamer. Huizen zijn niet anders dan mensen, je moet ze onderhouden, ze aankleden. Alles blijft vervuilen en vervallen, het is een hopeloze strijd, maar je kunt niet anders dan je te weer stellen.

Ik zal gaan als mijn tijd is gekomen, en al weet ik niet wanneer dat is, of juist daarom: de boel moet op orde worden gehouden. De grote salon was zo ruim, zo licht en zo schoon. Nu lijkt het een kamer als een ander, en die armzalige meubels zijn geen likje boenwas waard.

Mijn hoofd staat op barsten van het gedreun, misschien moet ik een doek over mijn kop hangen, of hem in een zak stoppen. Er zijn er die hun hoofd in een plastic zak doen en zo aan hun einde komen. Dan is het voorgoed stil. Maar een fraai gezicht zal het niet opleveren.

Ik had geen tijd om bang te zijn, toen, toen het gevaarlijk werd, maar de angst heeft me ingehaald. Ik loop heen en weer alsof ik de maat van de salon wil meten; van de kast naar de muur, van het raam naar de deur. Om het huis giert de wind, hij waait wat hij wil, de wereld is niet te bevatten. Ik heb het gevoel tussen de overbodige tafel en het wankele bed onzichtbaar te worden. Maar ook een spook heeft als verschijnsel zijn reden, en het heeft behoefte aan een decor. Het moet worden gehoord of gezien, zo niet bestaat het niet.

Ik zal blij zijn als de meubels worden gebracht en de kamer weer aanzien krijgt.

Vandaag de dag suggereert leegte luxe, vroeger werden de huizen volgepropt om welstand te tonen. Toen de inboedel van Mon Repos was verkocht, bleef er nog zoveel te pakken dat ik overstuur raakte. Madame had geen oren naar mijn klachten. 'Werk niet tegen,' sprak ze streng. Een porseleinen bord ontglipte mijn handen en viel aan diggelen. Madame haalde haar schouders op en schoof met haar voet de scherven terzijde. 'Daar hadden we toch geen volledig servies van.' Ik zag opeens waar de kinderen dat smalende lachje vandaan hadden. Madame was vol misprijzen en vastbesloten haar wil door te zetten. Ze erkende geen nederlaag.

Augustijn heeft vergeefs geprobeerd haar van het voornemen om naar de stad te verhuizen af te brengen. Zij verkoos het ongewisse boven gezichtsverlies en redde zich wel vaker uit een netelige situatie door ervandoor te gaan. Ze had, beweerde ze, 'geen zittend gat', en een deel van haar was voortdurend op weg, onbereikbaar, blind en doof voor argumenten. Als het de kinderen betrof, kon ze heel goed de andere kant op kijken, of slecht nieuws negeren. Na een engeltje kwam er wel weer een ander engeltje, en met een beetje geluk werd het een duiveltje. Dat deed niets af aan het verdriet om het engeltje, maar wat niet kon worden verholpen, moest je laten rusten. En: 'Een mens moet verder!'

Ze had gelijk, maar het was het soort gelijk dat niet makkelijk wordt vergeven. Niet door Augustijn, die aan het hoofd van de tafel zat en op zijn voorrecht stond. Hij wilde alles houden zoals het was, maar daar had de Groote Oorlog een streep door getrokken, en ook de afloop klopte niet. Het was de bedoeling dat de vijand zijn biezen pakte en zich van pure schaamte nooit meer liet zien. Maar goed en wel twintig jaar later stond hij daar weer.

Madame verspilde geen woorden aan zijn tegenzin; stad en stenen, dat ging samen, relaties en zaken al evenzeer. Voor het eerst werd de onmin niet afgezoend, de toon werd verbeten. Augustijn keek naar zijn vrouw alsof hij haar voor het eerst zag, maar aan mij vroeg hij geduld te hebben, vanwege haar toestand of omwille van de toestand in het algemeen, daar wil ik af wezen. Makkelijker gezegd dan gedaan!

Madame ging de hort op om geldschieters te zoeken, Augustijn had de verhuizing te regelen. De kinderen liepen er verloren bij. We hadden geen huiselijk leven meer.

Een van de honden, de fluweelzachte maar oervalse Merla, zag kans een kippenhok zo goed als leeg te roven. Ik wist zeker dat ik haar in de hondenren had opgesloten, en daar zat ze ook braaf te kwispelen. Geen spoor van een uitbraakpoging, geen spat bloed, geen veer te bekennen. De boer hield vol dat Merla de kippendief was, maar de kinderen trokken partij voor de vermoorde onschuld. Bij gebrek aan bewijs dropen de boer en de opgetrommelde veldwachter af.

Toen Angelique die avond haar tanden poetste en terloops naar buiten keek, begon ze gorgelend te gebaren. Verbluft zagen we Merla over de afspanning van de hondenren springen. De jongens wilden de achtervolging inzetten, maar Augustijn wees ze terug. Hij nam zijn jachtgeweer uit het wapenrek en stapte de deur uit. Van achter de ramen werd hij door witte gezichten nagekeken.

Merla rende zigzaggend naar het kippenhok, en daar ging het van hap en snap. Met een kip in de bek dribbelde ze naar de moestuin, waar ze haar buit begroef in een groentebed. Pas toen schoot Augustijn de hond dood.

We hadden de knallen verwacht, maar toch leken ze dwars door ons heen te gaan. Angelique stopte haar vingers in de oren, de jongens keken sip.

Augustijn verwisselde zijn geweer voor een schop, vijf kippen groef hij op tussen de bonen, de prei en de selderij. Vervolgens ontdeed hij Merla van haar halsband en begon een vers graf te delven. Wij, de kinderen en ik, stonden er verslagen omheen. Toen Augustijn de hond in het graf wilde leggen, vroeg Marius of hij wat stro in de kuil mocht spreiden. Hij verdween in de richting van de paardenstal en wij wachtten op dat omwoelde slachtveld, dat naar groentesoep rook. Merla lag roerloos aan onze voeten.

De veldwachter, die op de uitkijk had gelegen, stopte zijn geweer weer in het foedraal. 'Als een hond eenmaal bloed heeft geproefd is er geen tegenhouden meer aan.' Hij spuwde. Augustijn keek de man even laatdunkend aan. 'Er zijn er die niets liever doen dan schieten, op voorwaarde dat er niet wordt teruggeschoten.'

Ik droeg de kippen naar de keuken en begon ze kokhalzend te pluimen. De stank, die door het hete water nog pregnanter werd, drong in mijn kleren en mijn haren.

Er zijn erger dingen gebeurd, maar dit voorval was als een aankondiging.

Madame droeg me op twee geplukte kippen naar de boer te dragen, de harten en de levers apart verpakt in vetvrij papier. Het was een winderige dag, mijn rokken wapperden om mijn benen. Ik wist me even verlost van de kinderen, van Madame, van alle zorg, en vreemd genoeg ook van Augustijn. De verleiding besloop me om nooit meer terug te gaan, of altijd verder, tot voorbij de einder.

De boer bedankte voor de kippen, hij zou geen hap kippenbout door zijn keel kunnen krijgen. Het geld nam hij wel aan, mompelend: 'Niet dat het mijn verlies goedmaakt.' De boerin kwam me achternagelopen, kon zij de kippen krijgen voor de soep? Het overhandigen van het zoenoffer verliep zo haastig dat ik vergat er de harten en de levers bij te geven, maar ik liet het zo. Op mijn klompen strompelde ik door het dorp. Op de stoep van de pastorie zat de vadsige kater van de meid. Ik kreeg een dikke keel toen ik aan Mefisto dacht, en schudde het vetvrije papier leeg over de haag. De kater volgde met lome blik mijn handeling, maar bespaarde zich de moeite.

De school ging uit, de dorpsstraat liep vol met joelende kinderen. Plotseling schalde het uit de troep: 'Bohemers!' Scharenslijpers, leurders, landverhuizers, het waren aan elkaar verwante scheldwoorden. We werden uitgespuwd.

In een kluwen bakkeleiende kinderen ontdekte ik Marius en Reinout, die zich met hun vuisten teweerstelden, Bertje stond er huilend bij. 'Bohemers!' joelde het grut. Ik tilde Bertje over de haag van de pastorietuin, schopte mijn klompen uit en gebruikte er een om op de harde koppen te kloppen. Marius en Reinout vatten moed, we stonden tegen een overmacht, maar wij vochten voor menens, de meute droop af.

Mijn klomp was gebarsten, Marius had een bloedneus. De dorpsstraat was als verlaten, een deur klapte dicht, een gordijn werd haastig dichtgeschoven. Niemand was ons te hulp gesneld. De vaders van de scheldende kinderen hadden met de pet in de hand hun weekloon opgehaald, de moeders hadden met de inmaak en de was geholpen. Augustijn trakteerde de mannen geregeld op een borrel en ook de vrouwen waren nooit met lege handen naar huis gegaan.

Ik veegde Marius' gezicht schoon met mijn schort en riep Reinout tot de orde. Die wist van geen ophouden en gooide stenen naar alles wat hij raken kon. We waren al op weg naar huis toen ik me Bertje herinnerde, ik vond hem waar ik hem had achtergelaten: tussen de harten en de levers. De kater was verdwenen, achter de pastorie kraaide een haan. Ik boog over de haag, stak mijn armen uit, en Bertje sprong erin. Als een aapje hing hij om mijn hals.

'Vertel het niet aan Madame,' had Augustijn gezegd. Ze kwam het te weten, vanzelf, en ontstak in woede, ze wist al te goed waar

'Bohemers' op sloeg. Het geboorterecht van de dorpelingen ging vóór dat van vreemden. Toen Marius aankondigde niet meer naar school te willen, kregen ook zijn broers meteen verlof. 'Wat bezouden ze tussen die pachters zitten?' zei Madame. Augustijn beaamde het, maar hij keek even verwezen als Bertje in de tuin van de pastorie. Madame kon nog doen alsof ze zelf het besluit had genomen om weg te gaan; hij wist zich weggehoond en uitgeleverd.

In alle vroegte laadde hij zijn geweer en sloeg de deur met een klap achter zich dicht. Ik zag hem gaan met opgezette kraag, de hoed diep over het hoofd getrokken. Casper liep achter hem aan, niet opgewonden dansend, maar met de staart tussen de poten, alsof hij bang was een schop te krijgen. Madame wachtte, ik wachtte, en het was een onheilspellend wachten. Toen het schot viel, lieten wij alles uit onze handen vallen en keken elkaar tersluiks aan.

De jacht behoorde tot het gewoonterecht, maar Augustijn was nooit een hartstochtelijke jager geweest, het was hem meer om het gezelschap te doen. Om het oorlam, het tableau en het diner achteraf. In die tijd ging hij echter voor dag en dauw uit jagen, alleen, en schoot op alles wat bewoog. De uitgeputte Casper kroop piepend achter de sofa, maar Augustijn kende geen genade. Ook niet met Madame; nacht na nacht ging hij achter de slaapkamerdeur tekeer. Beducht sprak ze er de dokter over aan, met als gevolg dat Augustijn zich in de salon barricadeerde en zich aan de whisky te buiten ging. Het was de enige keer dat hij ook mij uitsloot. Hij wilde van niemand weten, en we mochten van geluk spreken dat de hazen de tol betaalden.

■■■

Het was een slecht voorteken dat de verhuiskaravaan voor Mon Repos in de modder bleef steken. De kolossale Brabantse paarden zetten zich schrap en spanden hun billen, maar hoe hard de brave borsten ook trokken, ze kregen de wagens niet vlot. De voermannen sprongen vloekend van de bok en gleden uit in de modder. Ze lieten de zwepen klappen, de paarden hinnikten met bloeddoorlopen ogen, maar we zonken nog dieper weg.

Augustijn baggerde naar de voermannen en riep zijn oudste zonen erbij. De paarden moesten worden gekalmeerd, en er moesten jutezakken voor de wielen worden gelegd. Toen een voerman het beter wilde weten, gaf hij hem het bevel in te rukken.

'We zijn hier niet aan het front!' verweerde de man zich. Augustijn greep de voerman bij zijn kraag, trok hem naar zich toe, keek hem diep in de ogen, en duwde hem van zich af. De man verloor zijn evenwicht en tuimelde wiekend met de armen in de modder.

Augustijn had zich al omgedraaid, maar de jongens lachten hartelijk om de onfortuinlijke. Toen de voerman ons voorbij sjokte, stak Angelique haar tong naar hem uit. Manieren, daar ging het om, dat was de grondregel van de opvoeding volgens Augustijn, maar de kinderen aarden ook naar Madame. Evengoed had ik van Angelique zulk gedrag niet verwacht. Ik riep haar tot de orde en haar ogen vernauwden zich. 'Durf,' dreigde ik. Prompt stak ze nog een keer haar tongpunt uit. Ik schudde haar door elkaar. Aanstellerig begon ze te jammeren, maar Madame hoorde haar niet. Ze had zich van de wagen laten tillen en ploeterde met opgetrokken rokken naar de kop van de colonne. 'We hebben een man of vier extra nodig!'

Zonder aarzelen had ze het commando overgenomen. Augustijn beet op zijn snor en tikte met de rijzweep tegen zijn laars. Madame zou altijd volhouden dat we haar bazigheid aan onszelf hadden te danken. Zij kon het niet helpen dat Augustijn te trots was, of te onhandig, en ik, bijvoorbeeld, traag van begrip. Geen sprake van dat ze iedereen voor haar kar spande. Mopperend liep ze langs de wagens: 'Slecht geladen, dat kan een kind zien.' Had ze het tegen zichzelf of sprak ze voor de galerij?

Het werd al vlug een onhebbelijke gewoonte. Waar ze zich ook bevond, in het kantoor, het theater of de kerk: er ging een aanzwellende woordenstroom van haar uit. Een soort grommend protest dat aan haar nauwelijks bewegende lippen ontsnapte. En waarmee ze te kennen gaf dat haar iets niet beviel, of dat ze een zaak tegen haar zin op zich nam. 'Wat nu weer?' 'Moet ik dan alles zelf doen?' 'Wat zegt die idioot?'

Het was gênant, en in de oorlog werd het zelfs gevaarlijk. Een Feldwebel vroeg bits: 'Wie bedoelt u?' Waarop zij liefjes: 'Heb ik u wat gevraagd?' Vervolgens, voor zich uit, met buikstem: 'Waarom is die kerel niet bij moeder thuis gebleven?' Lui die veronderstelden dat ze niet goed bij haar hoofd was, werden gezwind uit de droom geholpen. 'Wat staat u mij aan te staren?' 'Bent u soms niet goed wijs?' Tik tegen het voorhoofd, blik op scherp, mevrouwenstem.

Het werkte aanstekelijk, de papegaai deed het haar na – 'Wat zegt die idioot?' – en ook ik begon in stemmen te spreken. Als Madame mijn naam riep, mompelde ik voor me uit: 'Wat moet ze nu weer?' Maakte ze me een verwijt – hardop en rechtstreeks: 'Ik ben ook maar een mens!'

Madame haalde haar schouders op: 'Stel je niet aan.' En tegen Augustijn: 'Celestien krijgt praats.' Ik hield het commentaar binnensmonds, maar de buikstem liet zich niet onderdrukken. Die begon met de jaren luider te klinken. Als Madame me te zeer achter de vodden zat, of als ik een keer te veel moest horen: 'Wat weet jij daarvan?', gebeurde het dat ik uitviel: 'Laat me met rust!' Waarop ze verwonderd zweeg, en ik me haastte om het weer goed te maken. Maar het wrokken was daarmee niet over. In bed stopte ik mijn oren dicht, overdag beet ik op mijn tong. Ik was beducht voor mijn eigen gemor en probeerde de buikstem te smoren. Madame luchtte onbezwaard haar hart, het mijne leek een fluistergewelf. Hoe zachtjes ik ook vloekte, de verwensingen werden veelvoudig weerkaatst. 'Ik zal ze!' 'Ik krijg ze nog wel!' 'Wacht maar!'

Madame zei grinnikend: 'Celestien loopt weer te broeden!' De kinderen bootsten me na; opgetrokken schouders, gefronst voorhoofd, dichtgeknepen mond. 'Mijn wraak zal zoet zijn,' bromde

Reinout met een diepe bas. 'Wacht jij maar,' snauwde ik. En schrok alweer. Ik wilde beminnelijk zijn om te worden bemind, maar ik stikte van de drift. Er dreigde een uitbarsting, waarbij ik alles vernielend om me heen zou slaan. Het was de schuld van de liefde, van dwaze hoop en onvervuld verlangen. Maar in plaats van te slaan werd ik dieptreurig.

Marius, die kon zwijgen tot de stilte oorverdovend werd, verklaarde dat wie denkt, bestaat, en dat hij dacht was een feit. Hij kletste er nooit op los, al was veel van wat hij had bedacht hem voorgezegd door de paters, die wel wat in het pientere ventje zagen. En als er al een geestelijke tussen de jongens zat, dan was het Marius. In de oorlog geloofden de Duitsers zonder meer dat ze te maken hadden met een stotterende pastoor. Maar het was theater, met zijn uitgestreken gezicht was hij de grootste ketter.

Toen een pater Madame eens suggereerde dat Marius mogelijk 'een roeping' had, trok ze haar ogen tot spleetjes. Ze zou de jongen subiet zelf roepen; hij had zijn rommel op te ruimen. De pater mompelde dat alleen de besten waren geroepen, en dat de kerk het onderwijs van de postulant op zich zou nemen. Madame schudde haar vlammende haardos, ademde over de diamant van haar ring en wreef hem op aan haar rok. 'Wij hebben het niet nodig, we kunnen de kinderen godzijdank hun gedacht laten doen.' Wat niet verhinderde dat als ik aanving met: 'Ik dacht...', ik prompt te horen kreeg: 'Denk wat minder en doe wat meer!'

Toen Marius weer een keer onaanspreekbaar was, probeerde ik dat pestzinnetje op hem uit. Hij grinnikte: 'Heb je dat van mama?' 'Als ik spreek, besta ik ook.' Dat was ik aan mezelf verplicht. 'Ben je daar zo zeker van?' vroeg Marius. Ik haalde uit om de snotneus een draai om de oren te geven. Hij ontweek me handig. 'De papegaai spreekt ook, denk je dat hij weet dat hij bestaat?' 'Dat is een vogel, ik ben een mens,' zei ik verontwaardigd. Marius verschanste zich achter de tafel: 'Ben je daar zo zeker van?' Grommelend ging ik weer aan het werk. Voor wie hielden ze me wel? Dat hoefde ik toch niet te nemen! Marius had me niet de les te spellen. Die snotaap! Het werd tijd dat Augustijn er de zweep over legde.

Mijn ingehouden geprevel leek een echo van het hardop denken van Madame. Maar ik vrat mijn woorden op, terwijl zij zonder enige gêne haar gemoed luchtte. En wij waren zo gewend aan de stroom van boze opmerkingen dat we pas ongerust werden als ze haar mond hield. Wat hing ons boven het hoofd? Tot welk besluit was ze gekomen?

Zodra ze zich terugtrok met Augustijn legde ik mijn oor te luisteren. Wat werd daar bekokstoofd achter die gesloten deur? Stilte was in dit huis altijd een verdacht geluid.

Misschien moet ik dankbaar zijn voor het gedreun van de radio en het geklepper van de hulp, want als alles stilvalt, is er gegarandeerd weer eentje gaan hemelen. Engeltje of pensionair, de dood is betrekkelijk, maar lastig voor de overlevenden. Weg is niet weg, zolang de herinnering je overvalt.

Als een tandeloos oudje loop ik te mompelen, herhalend en vermalend wat me op het hart ligt. Altijd hetzelfde verhaal, nu eens zus, dan weer zo. Er is veel dat ik zou willen vergeten, maar ik kan niets aan de vergetelheid prijsgeven zonder een deel van mezelf te verliezen.

De beroerte sloeg Madame met lamheid en ze verloor ook haar controle over de spraak. Het rommelde in haar bovenkamer, de woorden kwamen moeizaam of averechts, de zinnen stonden op hun kop. Ze bedoelde het één en zei het ander, ze werd geplaagd door geheugenverlies of haalde de gebeurtenissen door elkaar. Ze stotterde of staarde voor zich uit. Het ergste was het lachje waarmee ze zich voor haar hulpeloosheid verontschuldigde. Augustijn en ik waren de enigen die haar begrepen, de kinderen brachten het geduld niet op.

In een nest waar taal een wapen was, verloor Madame haar zeggenschap, maar nooit was ze mij zo na geweest. Ik waste haar vermagerde lijf en borstelde haar kroezende haren, ik poederde haar neus en deed rouge op haar wangen. Ik maakte haar zo mooi ik kon. Zij hield me vast bij mijn schort of greep mijn hand alsof ze me nooit meer los wilde laten. Het huilen stond me nader dan het lachen. 'Cel...es...tien,' stamelde Madame. Ik had haar stilletjes verwenst, maar dit was niet de bedoeling. Ik had de tijd willen terugdraaien en er haar gegrom bij genomen, om haar weer te krijgen zoals ze was. Vastberaden en onoverwinnelijk, altijd bereid haar voet dwars te zetten. Zoals Madame zich uitdrukte, zo was ze. En ze wond er geen doekjes om.

Toen ze zichzelf dreigde te verliezen, raakte ook ik mijn houvast kwijt. Het kostte me moeite het dagelijks bedrijf gaande te houden, ik begon hardop tegen mezelf te praten: 'De bedden moeten worden opgemaakt, waar zijn mijn pantoffels, ha daar, en nu eerst maar eens het ontbijt klaarmaken.' 'Wat loop je te mompelen?' vroeg Angelique geërgerd. 'La haar rust!' bracht Madame uit. 'Wablief?' vroeg Angelique met opgetrokken wenkbrauwen. Madame en ik keken elkaar aan; dat wicht was geen haar veranderd, daar hadden wij geen woorden bij nodig. Maar ik voorvoelde dat als Madame voorgoed zou zwijgen, ik een gedeeld leven zou kwijtraken. Wie zou mij nog begrijpen, wie zou nog weten waarover ik het had? En wat zou er met Augustijn gebeuren, wat zou er van ons terechtkomen?

In die tijd werd ook de koningin-moeder begraven. We zagen op de televisie de paarden van het koninklijk escorte ingehouden trippelend voorbijtrekken. Augustijn drentelde door de kamer, hij had een hekel aan begrafenissen, en hij vroeg zich af of Madame geen bijgedachten zou krijgen. Net toen hij besloten had de televisie toch maar uit te zetten, richtte Madame zich op uit de kussens en zei glashelder: 'Bogo!' Augustijn verstijfde, en alsof Madame er zelf van was geschrokken, sloeg ze een hand voor haar mond.

In het avondnieuws trokken de paarden van het koninklijk escorte weer met rouw omfloerst over het scherm, maar Madame zei niets, ofschoon Augustijn het haar geduldig voorzei: 'Bogo?'

‘Toe dan, *chérie*, Bogo…’ Madame wreef over haar lamme hand en staarde in de verte. Het heldere moment was voorbij.

■■■

Ik zat in de verhuiswagen, met kinderen, hond en papegaai. Ik vermeed het naar het fronton te kijken, en bedekte Bertje met mijn sjaal alsof ik hem tegen het boze oog moest beschermen. Zwijgend begon hij zich los te wrikken. ‘Is er dat een van u, schoon kind?’ riep een voerman. Pardoes liet ik Bertje los. Hij tuimelde van de wagen en dribbelde naar zijn vader. ‘Geeft niet, ik maak je wel een ander,’ lachte de voerman. Niet wetende wat te doen ging ik bij de Brabanders staan. Ik legde mijn wang tegen een warme hals en het paard proestte. Ik was nog niet weg en ik voelde me al ontworteld.

Terwijl de jutezakken op de weg werden uitgespreid, kroop ik met Marius door het gat in de omheining van Mon Repos. We slopen over het pad als twee inbrekers. Marius rammelde vergeefs aan de deuren, en stelde voor dat wij ons in de stal zouden verbergen.

Ondertussen waren de paarden weer in het gelid gezet en met veel geschreeuw kwam de verhuiskaravaan op gang. Ik stak steels een stukje afgebrokkelde steen van het fronton in mijn zak en trok Marius mee. Bij het gat in de omheining ging hij met gekruiste armen op de grond zitten. Ik moest hem erdoorheen duwen. Hij gromde en ik kreunde, maar we spraken geen woord.

Bij de laatste verhuiswagen stond Madame ons toornig op te wachten. ‘Kip zonder kop!’ viel ze uit. Marius’ kostuum was besmeurd en ik had een winkelhaak in mijn rok. Met mijn laatste moed verdedigde ik me: ‘Dat laat ik mij niet zeggen.’

‘Meisjes!’ Het geduld van Augustijn was op. Hij gooide Marius op de wagen en ik werd er met een zwaai naast gezet. In mijn jaszak omklemde ik de steen. Het was weliswaar geen diamant, maar ik koesterde hem als een kleinood.

Toen Madame in de krant las over een rijke Chinees die met

een klompje jade onder zijn tong was begraven, stelde ik me voor dat ik mijn steen ook mee het graf in zou nemen. Ik ging in die tijd geregeld dood, dat was troostend. En met die steen zou er ook van mij wat overblijven.

Een deel van me was in de modder blijven steken. Het andere deel hobbelde in de wagen mee naar de stad, maar het splitste zich op in 'aanwezig' en 'afwezig'. Het afwezige deel verwachtte nog alles van het leven, het aanwezige had zich min of meer bij de toestand neergelegd, maar hield het slechts uit door het afwezige deel. Zelden had ik het gevoel dat ik heel was, dat de toestand waarin ik me bevond, of wat ik meemaakte, waarachtig was. Er ontbrak wat aan, en ik was ook nog iemand anders.

Nu ik buiten mijn wil de lange reis van Mon Repos naar Welverdiend heb gemaakt, is het alsof ik met een grote boog bij nul ben uitgekomen. Ik zal de dubbele balkondeuren opengooien en de steen over de balustrade werpen. Ik heb hem niet meer nodig, hij kan alvast in de modder verzinken.

Het grootste deel van mijn bestaan is bij de Van Puynbroeckxen achtergebleven, maar ik heb ook een flink stuk van hun bestaan meegenomen. Ze kunnen zich niet van me afmaken zonder hun eigen geschiedenis kwijt te raken.

Alles wat ik van mijn vader weet, heb ik van horen zeggen. Misschien had ik me niet zozeer aan Augustijn gehecht als ik mijn vader beter had gekend. Ik had me allicht ook niet laten commanderen als een veredeld huisdier. Mijn moeder heeft me van de hand gedaan, de Van Puynbroeckxen doen hetzelfde. Alsof mijn leven niets was. Als ik nog een keer ergens heen ga, is het uit vrije wil, dat zweer ik.

Er was een tijd dat ik al te graag wilde vergeten wie ik was of waar ik vandaan kwam. Tegelijk verzette ik mij daartegen, wilde ik mezelf niet helemaal prijsgeven. Ik was met al die weggestreepte engeltjes ook bang voor het grote vergeten. Ik vraag me af of anderen dat ook hebben; dat verlangen en vrees samenvallen.

De stemmen in mijn hoofd dreigen me gek te maken, en ook die paardenbelletjes, echt of verbeeld. Wat gebeurt er als het verleden het heden inhaalt? Is alles dan voorbij of begint het weer van voor af aan? Ik betrap er mezelf op dat ik met gesloten ogen en dichtgeknepen mond op een stoel zit, wie weet hoe lang al. Ik zou ook mijn oren kunnen dichtstoppen en mijn sluitspieren spannen, maar alles wat ik ermee zou bereiken is dat ik nog krampachtiger word. Het moet eruit, ik moet alles loslaten, de boel opengooien. En me opmaken voor… ik weet niet wat.

Twee weken voor ons vertrek was Bogo II weggevoerd. Het was een hengst, maar zadelmak; zelfs de kinderen mochten voor de foto op zijn rug poseren. Als Augustijn het te kwaad kreeg met de oorlog, de zaak of Madame, liet hij Bogo II opzadelen. Zo nerveus als hij uitreed, zo kalm kwam hij thuis. 'Hij zou voor dat paard zijn ziel verkopen,' gromde Madame. Maar Bogo II moest gaan, we konden hem niet in de stad stallen.

Het ophalen verliep gewelddadig, het was alsof de koopmannen zichzelf moesten overschreeuwen. Bogo II was beduusd door de brute aanpak. Hij liet zich aanvankelijk aan de toom leiden, maar toen een koopman aan de teugel rukte om hem naar de laadbak te voeren, sperde hij zijn neusgaten open en zette zich schrap. De compagnon van de koopman sprong bij, maar trekken of duwen hielp niet, de man legde de zweep over het paard: 'Vort!' Bogo II, die nooit klappen met de zweep had gehad, hinnikte en steigerde met zwiepende manen. Een indrukwekkend, maar ook een beangstigend gezicht. Madame scheurde met haar tanden haar zakdoekje aan flarden. Reinout rende tierend de binnenplaats op: 'Stalknechten!' Marius holde hem achterna: 'Ezeldrijvers!' Op de veranda maakte de papegaai kabaal, en ook ik moest de impuls onderdrukken om de jongens bij te vallen. Ondertussen had Angelique de honden losgelaten, blaffend omcirkelden ze de koopmannen.

Plotseling stond Augustijn levensgroot op de binnenplaats. 'Is het afgelopen?' De honden doken in elkaar en kropen jankend achteruit. Augustijn rukte de koopman, die het paard in bedwang trachtte te houden, de teugels uit de handen. 'Kalm jongen, rustig maar.' Snuivend en trillend liet Bogo II zijn afweer varen. Augustijn drukte zijn voorhoofd tegen de schoft van het paard, zijn schouders schokten. Bogo II hinnikte en Augustijn herpakte zich. Hij leidde zijn paard naar de wagen en ging als eerste het laadvlak op. Bogo II volgde hem gedwee. Wat zich binnen in de wagen afspeelde, laat zich gissen, maar ten slotte kwam Augustijn naar buiten en klapte het laadvlak naar boven. Hij vergrendelde het met nijdige rukken en liep weg zonder op of om te kijken. Uit de wagen klonk een dof gebons en het compartiment schommelde. De koopman en zijn compagnon tikten schutterig tegen hun petten. Even later hobbelde de wagen het erf af.

Augustijn was niet te spreken, de kinderen gingen in hongerstaking. Madame ontweek onze blikken. Bij het slapengaan draalde ze op de gang voor de echtelijke slaapkamer. Ze had haar hand geheven, alsof ze wilde aankloppen, en aarzelde. Ik glipte naar de trap, maar ze had me gezien en riep me bij zich. Of ik Augustijn een kop thee wilde brengen. Kamillethee, om rustig te worden. Ik weigerde, koppig nee schuddend. Ze mocht haar man – die vast aan de whisky zat – zelf kalmeren. Bovendien vreesde ik dat Augustijn mij weer eens het verhaal zou doen van Bogo I. Zijn frontpaard, dat bij een terugtocht ten val was gekomen, en dat hij het genadeschot had moeten geven. Bogo I had hem aangekeken toen hij de revolver tussen de ogen plaatste. In pijn, maar vol medeleven. Die blik had Augustijn behekst, en hij droeg de vloek op mij over. Het zieltogende paard, de dampende ingewanden, de geur van verbrand vlees – het voetvolk had zich op paardensteak getrakteerd – en Augustijn die in het niemandsland ronddwaalde. Madame vond dat ik te veel verbeelding had, maar daar stond ze dan, op de gang in haar zijden nachtgewaad, als een afgewezen bruid. Voor één keer wist ze niet wat te beginnen. En ik liet haar staan waar ze stond.

De kinderen zaten met mokkende gezichten aan het ontbijt, ze wisten zich verstoten uit hun kleine paradijs. Bogo II was naar de slachtbank geleid en dat werd de hele wereld aangerekend. Ik voelde me al schuldig vóór ik wat had gedaan, zij wierpen alle schuld ver van zich af.

De mokkende gezichten van de kinderen brachten me van streek. Het was alsof ze een vizier hadden neergelaten, er kon geen lachje meer af. Met de jaren koesterden ze een groeiende wrok, het leven was hen aangedaan, de geschiedenis keerde zich tegen hen, ze werden bedrogen in hun liefde, God zelf stond bij ze in het krijt. Een stelletje gevallen engelen, belust op wraak. Ik wist niet wat ik ertegen in kon brengen, ik pruttelde maar wat.

We aten van een verhuiskist en zaten op klapstoelen, alles was zo onwennig dat elke dag langer in Mon Repos er een te veel was. Over Bogo II werd niet meer gesproken, ook al omdat Augustijn in de schaduw van het ene paard het andere paard zag opduiken. We hebben het huis leeg achtergelaten, zelfs onze spoken verhuisden mee.

Toen Angelique in de korte bloeiperiode voor de Tweede Oorlog rijlessen kreeg om zich in de dressuur te bekwamen, vroeg Marius plompverloren: 'Wat zou er van Bogo II zijn geworden?' Marius werd toen al 'de zwijger' genoemd, maar als hij sprak, werd er naar hem geluisterd. Bertje trachtte de stilte te verbreken: 'Die is lang wijlen!' 'In de salami, zul je bedoelen,' grijnsde Reinout. 'Is het welletjes?' vroeg Madame. En ik voegde eraan toe: 'Zo dadelijk komt jullie vader thuis.' Daarmee viel alles weer stil.

Wat later, op een avond aan tafel, beliefde Angelique de witloof niet, al oreerde ik nog zo van: 'Bitter in de mond maakt het hart gezond!' Angelique draaide haar pupillen weg en toonde het wit van haar ogen. Ze was bedreven in scènes en wist hoe ze de aandacht op zich kon vestigen. De witloof was maar een aanleiding, het ging erom dat de rijlessen te duur uitvielen.

Madame kreeg de kriebels van haar precieuze dochter en stuurde haar zonder eten naar bed. Angelique verhief zich van haar stoel en stapte waardig naar de deur. 'Daar gaat de koningin van Sheba,' grinnikte Reinout. Angelique draaide zich langzaam om, en met een treurige blik, alsof ze het laatste avondmaal van de familie aanschouwde, sprak ze: 'Arme Bogo II.' Ze pauzeerde even, vervolgens met een diepe zucht: 'Arme Bogo I.'

Augustijn zat op zijn stoel als van de hand Gods geslagen. Madame kwam met bliksemende ogen overeind, maar ik had Angelique al bij de arm en leidde haar in een ijzeren greep naar haar kamer. Daar schudde ik haar eens flink door elkaar. Angelique wreef over haar arm, over de plek waar mijn vingers hun afdruk hadden nagelaten en herhaalde gelaten: 'Arme Bogo.' Ze was zo wijs II en I weg te laten. Maar ze keek me strak aan met haar blauwe poppenogen en voegde eraan toe: 'Arme Celestien.' Het trof me, want het klonk overtuigd. Ik verzette me inwendig. Wat had ik gemeen met een paard? Wat zou ik me die kinderpraat aantrekken? Toch stond het mij voor ogen hoe Bogo II steigerde toen hij werd afgevoerd. Hoe hij brieste en sidderde. En hoe niemand het kon helpen. Ook Augustijn niet. Het blinde vertrouwen waarmee Bogo II Augustijn in de laadwagen was gevolgd, deed me huiveren. Het lot van Bogo I was al even ellendig, door de hand van je meester worden afgemaakt! In de modder creperen. 'Stom beest,' mompelde ik. 'Arm paard. Wee mij!'

Het rijpaard, Bogo II, kon worden gemist, maar hoe zat het met Bogo I? En met mij? Ik was geen strijdros, en geen paradepaard, ik beriep mij op het nut, maar was ik geen luxe? En zou Augustijn als de nood aan de man kwam mij ook van de hand doen? Ik hoorde Madame al zeggen dat ze van haar hart een steen moest maken. Ik zag me al met mijn bundeltje onder de arm over de wegen dwalen. Niemand op weg naar niets.

■■■

De wind waait om Welverdiend, hij huilt en rammelt met de luiken. Het is de wind van de vlakte; alles wat zich verheft, wil hij neerhalen. Vroeger zou ik me klein hebben gemaakt, nu kan ook de wind me niet meer beangstigen. En juist dat maakt me bang. Je kunt het beter in je broek doen dan onverschillig te blijven voor gevaar. Of met de handen in de schoot te wachten tot het dak boven je hoofd wordt weggeblazen. Enfin, ik kan lang wachten, dit huis is een bastion, het stond er al voor ik werd geboren en het zal er nog staan als ik alweer ben vergaan. Geen storm kan het omver blazen.

Ik heb me er altijd over verwonderd wat overeind blijft: kerken en fabrieken, terwijl hele stadswijken tegen de vlakte gaan. Ik herinner me een vitrage die door een raam wapperde, daar zat geen glas meer in, en het kozijn stond in een muur die grotendeels was weggeslagen. Het huis waarvan de muur deel uitmaakte, was in puin gelegd, en die vitrage maar wapperen, alsof een vrouw per abuis het raam had laten openstaan.

Zoals de wind door de straten van de stad joeg, fluitend en gillend, rukkend en duwend, daar moest ik aan wennen. Om de torens tochtte het als in de hel. De wind, begreep ik, moet vrij spel hebben, ruimte om voluit en uit één gat te blazen, anders wordt hij vals, hij veegt niet schoon, hij maakt je dol. Geen sprake van dat je in de stad lekker kon uitwaaien, ik voelde me opgejaagd, achtervolgd, door de wind in het nauw gedreven. Madame daarentegen zette haar hoed dwars, als een zuidwester, en trok ten strijde, straat in straat uit, tegen de wind in, met de wind mee. Haar blik gleed taxerend langs de gevels terwijl ze mompelde over vierkante en kubieke meters. Het leek wel alsof ze liep te bidden.

Thuis orakelde ze: 'Als het niet uit de breedte kan, moet het uit de hoogte komen!' Augustijn beet op zijn pijpensteel – sigaren waren beperkt tot een zondags genoegen –, want hoogbouw leek hem riskant. Wie zou er als een konijn in een hok willen wonen? En boven op elkaar worden gestapeld? Dat was goed voor Amerika. Maar Madame weigerde in het klein te denken. Amerika was een uitdaging, veertig verdiepingen en meer, op bouwen stond geen plafond.

Ze stak ons, geld of geen geld, allemaal in de steedse kleren. De nieuwe schoenen knelden, met blaren op de voeten sjokten we door de straten, zogenaamd om een luchtje te scheppen. Als een van de kinderen, of ik, de schouders liet hangen, prikte ze ons met de paraplu in de kont.

Voor de Boerentoren plantte ze die paraplu tussen haar voeten en begon de verdiepingen te tellen tot ze kramp in haar nek kreeg. En op een dag dreef ze ons naar binnen. Toen het traliehek van de lift dichtschoof, kreeg ik het benauwd. Madame wees naar het verlichte plaatje dat de verdiepingen aangaf, en moedigde de kinderen aan hardop mee te tellen. Ik werd plotseling kwaad op Augustijn, waarom was hij thuis gebleven? Waarom liet hij dit toe? De angst sloeg op mijn darmen, maar de wind ontsnapte zo geniep dat ik het zelf pas gewaar werd toen de lucht zich verspreidde in de cabine. Het stonk alsof ik op kool bestond. De jongens grinnikten, Angelique deed alsof ze ons niet kende. Met gloeiende wangen staarde ik naar de punten van mijn schoenen.

Zodra de lift met een schokje tot stilstand kwam, werkte ik me er uit. 'Zou je mij niet laten voorgaan?' vroeg Madame gepikeerd, maar ik was al buiten bereik. Op het dakterras kreeg de wind mij te pakken, suizend om mijn oren, flapperend aan mijn rokken. Wijd en zijd geen houvast. Het was alsof de wind me de adem benam. Ik worstelde me naar de rand van het dakterras, één blik op de stad en op de rivier, die er als een slang omheen slingerde, volstond. Duizelig gaf ik me over. Vallen zou ik, niet als een steen, maar als een blad, zwevend en dwarrelend. Ik heb dat achteraf nog vele malen gedroomd, en het was niet eens onaangenaam. Toen voelde ik het handje van Bertje dat zich in mijn hand wilde verbergen, en beduusd kwam ik tot mezelf. Maar niets was nog hetzelfde. Ik was niet gevallen of gesprongen, en toch was de vaste grond onder mijn voeten weggeslagen. Ik wist niet meer waar we woonden en liep als een blèrend schaap achter Madame aan. De stad leek me in te sluiten, ik was omsingeld door stenen. Ik kon alleen uitbreken door me in de diepte te storten. Het was alsof de Boerentoren me aantrok, hoezeer ik ook de hoogte vreesde.

Een kinderhand hield me tegen, al heeft Bertje het nooit geweten. Want het is maar de vraag wie zich aan wie vastklampte.

Ik had het constant benauwd, het was alsof een reus een deken over mijn hoofd had gegooid. Lucht had ik nodig, een land als een watervlakte waarover de wind vrij spel heeft. Die behoefte was zo diep in mij verzonken dat ik niet wist hoe ik mijn heimwee moest noemen.

De wind laat niet af, het licht heeft zelfs even gebeefd, alsof de elektriciteit bovengronds wordt aangeleverd. Wie weet nog van de zingende telegraafpalen met hun porseleinen knoppen? Soms kwamen er mannen met klimijzers om de leidingen te herstellen, met korte rukken werkten ze zich omhoog. De jongens probeerden zonder ijzers langs de palen naar boven te klimmen. Angelique deed mee omdat ze niet voor haar broers wilde onderdoen. De tere huid aan de binnenkant van haar dijen was geschroeid. De hele nacht lag ze zachtjes te schreien.

Het heeft niet veel gescheeld of we waren naar Amerika vertrokken. Madame kreeg Augustijn zo ver dat hij haar begeleidde naar het boekingskantoor van de Red Star Line. En we gingen naar de kaaien waar de oceaanstomers aanmeerden. Huizenhoog rezen de scheepswanden uit het water. De landverhuizers klommen in lange rijen langs de valreep naar boven. Ik herinner me geen gezichten, alleen zwarte kleren. 'Armoe troef,' schamperde Augustijn. Hij wees naar de witte Congo-boot: 'Dan liever naar de kolonie.' De kinderen sprongen een gat in de lucht: apen, leeuwen, krokodillen! 'Naar die wildernis, nooit!' Madame zette zich schrap. Augustijn mocht beweren dat Amerika ook een wildernis was, daar werd tenminste gebouwd.

Toen Madame na de oorlog de kans kreeg om naar Amerika te reizen, bedankte ze. Wat vreemd was, omdat ze – toen de zaak rendeerde – elke kans aangreep om op reis te gaan. De muren vlogen haar aan, we waren haar te veel, ze moest weg. En als ze geen andere bestemming wist te verzinnen ging ze op bedevaart.

Van kuuroord tot spektakel en mirakel. Madame vertrok op reis alsof ze achterna werd gezeten. Eenmaal op haar bestemming aangekomen, was de pret eraf en ijlde ze weer verder. Wat ze ook zocht, ze kon het niet vinden. Uitgeput kwam ze naar huis, de reis was een verschrikking geweest. Eindeloze wachttijden, vieze wc's, gauwdieven. Om maar niet van de hitte en het slechte eten te gewagen. Maar na een paar weken begon ze weer plannen te maken voor de volgende reis. Augustijn protesteerde; hij was niet als zigeuner geboren. Madame was echter zo gedreven dat ze hem met mij achterliet. Niets kon haar tegenhouden, behalve de oceaan, want die is ze nooit overgestoken. De oneindigheid van het water schrikte haar af. Ze verklaarde dat ze bang was dat ze, eenmaal aan de overkant, nooit meer terug zou komen.

'Zou je me in de steek laten?' vroeg Augustijn. Dat was onvoorstelbaar, maar hij was toch ongerust. Madame maakte er zich met een zoen vanaf. De zaak draaide, de kinderen waren het huis uit, ze kon worden gemist. Maar ik moest me vooral niet verbeelden dat mijn uur was gekomen, Augustijn verviel in diepe treurnis. Hij sprak nauwelijks, bladerde verveeld door de krant, raakte het eten niet aan en rookte onophoudelijk. Ik hoefde hem niets te vragen. Hij wist het niet of hij verwees me naar Madame. Afwezig of niet, ze was alom present. 'Een sterke vrouw,' zei de dokter. En ik verwenste haar om haar ijzeren wil, maar was dat sterkte of krampachtigheid? Waarom moest ze voortdurend op reis toen ze het eenmaal rustiger aan kon doen? Waarom moest ze zich het graf in eten, terwijl ze nooit echt honger had gehad? Waarom?

'Daarom!' zei ze, als ik me verstoutte haar iets te vragen waar ze geen antwoord op wilde geven. Misschien wist ze het antwoord ook niet, maar dat 'daarom' was als een deur die dichtklapte. Ik begon wel te begrijpen dat Madame nergens thuis was, dat ze altijd op haar hoede bleef, en klaarstond om te vertrekken. Al die huizen die ze bouwde waren vergeefse pogingen om vaste grond onder de voeten te krijgen. Elke keer dat ze een engeltje verloor, was ze minder dan niets, en ze was er te veel verloren. Het was niet goed te maken. De liefde van Augustijn en haar plicht tegenover de kinderen hielden haar in bedrijf, maar toch moest ze zich geregeld losmaken. Waarom? Daarom! En ik moest vooral niet met mijn angsten en twijfels aan komen zetten. 'Werk,' zei ze. 'Doe wat, dan heb je geen tijd om te piekeren.' Maar zij wist zich voor een opdracht gesteld, zij moest haar tijd volmaken. Terwijl ik heb gewerkt zonder goed te weten waarom en schijnbaar zonder iets te hebben volbracht.

Lang geleden, toen we eens de trein namen, zag ik de elektriciteitspalen voorbijflitsen. Ik herinnerde me de warme zomers waarin ik mijn oor tegen een elektriciteitspaal drukte om het verre zoemen te horen. Ik schoof het coupéraampje naar beneden en stak mijn hoofd naar buiten. Mijn haren wapperden en mijn gezicht werd strak geblazen, het was adembenemend. Ik kneep mijn tranende ogen tot spleetjes om de elektriciteitsdraden te volgen die aan de einder samen leken te komen. Dat ging maar, dat ging maar, en altijd schoof de einder verder op.

■■■

Het eerste huis dat we in de stad betrokken was donker, hoog en smal, we leefden dicht bij elkaar, maar waren als vervreemd. Ik voelde me tegelijk bespied en alleen. De tuin achter leek een pijpenla, afgezet met witgekalkte muren; hij behelsde een onooglijk grasveld, een paar treurende rododendrons en helemaal achteraan: de obligate apenverdriet. De boom was naargeestig, zijn takken staken dreigend af tegen de grijze hemel, de aanliggende schubben leken een pantser. Ik keek uit het dakraam en zag Augustijn de tuin inlopen, zijn haar was naar één kant gekamd, het werd dunner, hij rookte een pijp, ook dat maakte hem ouder. Voor de apenverdriet bleef hij noodgedwongen staan en schudde zijn hoofd, toen keek hij speurend langs de daken, alsof hij voelde dat iemand hem begluurde. Ik trok me terug in de schaduw van het raamkozijn; toen ik weer keek, klopte hij zijn pijp uit en liep langzaam naar binnen.

De tuin was te klein voor de hond, maar ik moest me geweld aandoen om hem uit te laten. En hij deed gehurkt, met beschaamde kaken, zijn gevoeg terwijl ik krampachtig de andere kant opkeek. De kooi met de papegaai stond voor het raam aan de straatkant, de vogel leek te gedijen; als er een vrouw passeerde riep hij verrukt: 'Ooo!', want een vrouwengek was het wel. Als Angelique de kamer inkwam, zette hij zijn kuif op en kwebbelde erop los van *chouke* en schatje. Zij liet het zich welgevallen en genoot ervan dat hij van alle vrouwen Madame uitsloot en haar uitschold. Nadat ik een emmer water over zijn kop had gegooid, toonde hij respect. Hij hield zijn bek en beet niet meer. Maar wat kon mij die groene stinkerd schelen? Ik voelde me beangstigd en onbemind, en temeer zo omdat ik het niet kon uiten.

Het was een opluchting geweest als ik ook eens flink had kunnen schelden. Maar ik wist niet meer hoe ik me moest uitdrukken. Ik moest mijn boerse uitspraak afleren en beleefd de telefoon aannemen. 'In het beschaafd,' voegde Madame er ten overvloede aan toe. Het was alsof mijn tong dwars in mijn mond lag, voor het eerst zat ik verlegen om een weerwoord. 'Hallo?' riep een verre stem. Ik staarde stom naar het mondstuk van de telefoon. 'Hallo?' 'Hallo?' Zachtjes legde ik de hoorn op de haak.

Als de telefoon rinkelde tijdens het eten, veegde Augustijn zijn mond af, maar Madame zei bits: 'Laten bellen, ik ben de meid niet!' Ze had zich een schel aangeschaft, een bronzen klokje dat op haar bureau stond, maar ze gebruikte het niet; het was meer voor het gezicht. Toch zat haar herhaalde opmerking dat zij de meid niet was me dwars.

In de oorlog heb ik haar opgebeld vanuit het postkantoor, maar toen ik haar vieve 'Hallo?' hoorde, werd ik onverhoeds met stomheid geslagen. Ik stond met de hoorn in mijn hand en keek ernaar tot het ding alleen nog maar tuut tuut tuut deed. Wat had ik haar ook moeten zeggen? Dat je niet kunt uitleggen wat je dwarszit, dat je niet weet welke woorden je moet gebruiken: dat is alsof je met stomheid wordt geslagen. Je voelt wat er gaande is, maar je kunt het niet verklaren. Op den duur weet je niet zeker meer wat je voelt, of wat je wil zeggen. 'Het ligt op het puntje van mijn tong,' zei Rosa als ze niet op een woord kon komen. Maar dit was anders, ik werd anders. In de stad werd mij een nieuw vocabulaire aangemeten. Ik leerde frases te hanteren die bedoeld waren om afstand te houden. Kus mijn kont, dacht ik, maar ik zei beleefd: 'Dank u zeer.' Dat je kon denken wat je wilde was een machtig gevoel, maar het maakte ook eenzaam. Nietszeggende woorden dreigden me te vervreemden van wat ik bedoelde. Ik begon aan een brief voor mijn moeder en ik wist niet wat haar te schrijven. Dat het mij goed ging, dat ik hoopte dat het haar goed ging? Ik kende die vrouw niet, en wat wist zij van mij? Als ik daarvoor al eenzaam was geweest, was ik me er niet van bewust, al was het maar omdat eenzaamheid niet tot mijn woordenschat behoorde.

Ik moest de deur opendoen met een wit schortje voor, met een blauwe schort de stoep schrobben, en met een wit-blauw geruite de kamers doen. Ik vervulde tegelijk de rol van de eerste, de tweede en de derde meid. Ik was in de bloei van mijn jaren en kon heel wat werk verzetten, maar het was alsof ik met de dingen in onmin verkeerde, alsof het huis zich niet wilde voegen en de potten en pannen tegenwerkten.

Ook de kinderen waren tegendraads en deden alles om het me moeilijk te maken. Ze gingen een voor een naar de 'grote school', en leerden dingen waar ik geen benul van had. Angelique genoot ervan me met moeilijke woorden om de oren te slaan, en ook Reinout deed mee aan het spelletje: 'Ik weet, ik weet, wat jij niet weet!' Bertje was gelukkig nog te klein om alles beter te weten. En ten slotte was Marius bereid me zijn schoolboeken te lenen; hij had iets van een schoolmeester en deed zijn best om de wereld uit te leggen. Hij werd er bepaald welbespraakt van: 'Hoe meer een mens weet, hoe vrijer hij wordt,' maar hij wilde ook uitzoeken hoe 'een ongevormde geest' de materie kon bevatten. Best mogelijk dat hij vrijheid met zeggenschap verwarde, en hoe meer hij meende te weten, des te cynischer hij werd. Waaraan moest hij zijn leven wijden? De onvrede en de dadendrang gingen samen. Hij was niet de enige voor wie de oorlog een uitkomst betekende.

Ik was voor de kinderen, zoals voor hun ouders, het meisje van het land, de boerenmeid. Ik moest nog veel leren, maar ook weer niet te veel. Onmondigheid was mijn staat. Dat maakte me leergierig; ik stal met mijn ogen en oren, ik aapte alles na tot ik het me eigen had gemaakt. En tot ik wat ik wist ook met recht en reden het mijne mocht noemen. Zo werd ik slimmer naarmate de kinderen opgroeiden. Dat was voor Madame niet altijd een welkome verrassing, maar Augustijn vond het wel amusant als ik gevat uit de hoek kwam. 'Stientje is lang niet dom,' liet hij zich ontvallen.

Dat er over je wordt gesproken terwijl je erbij staat, degradeert je tot hond, maar ik slikte het omdat ik hun geheimen wilde doorgronden. Ik legde woordenlijsten aan, zocht de betekenis op en leerde elke dag zes woorden uit het hoofd.

Het duurde niet lang of ik begon Marius tegen te spreken, eerst inwendig, en ten slotte hardop. Dat vermaakte hem, maar algauw maakte het hem ook nijdig. Ik moest het niet beter willen weten, dat wil zeggen, ik mocht alles weten, maar ik hoefde het niet te begrijpen. En nog minder mocht ik wat ik wist op hem toepassen. Dat was te hoog gegrepen, en hij kon niet tegen zijn ongelijk. Maar koppig als hij was, ging hij door met zijn lessen en probeerde me de beginselen van de logica bij te brengen. 'Zonde van de tijd,' merkte Angelique op. 'Spuit elf geeft modder,' antwoordde Marius. En onverdroten ging hij verder: 'Elkeen heeft zijn plaats, en die wordt bepaald door de verhoudingen, of alles verhoudt zich in een bepaalde orde tot elkaar.' Het begon me te duizelen: 'Hoezo dan?' Marius nam voor het gemak ons verschil als voorbeeld. Hij had 'achtergrond' en ik, die hem in zijn niksje op de wereld had geholpen, moest het zonder 'afkomst' stellen. Ik zou voor altijd in mijn blootje staan.

Ik pruttelde tegen, ik was weliswaar de meid, maar hij was nog maar een kind. Jawel, maar hij zou opgroeien en ik zou een meid blijven. Bovendien was ik, net als Angelique, een vrouw. Marius was zich ervan bewust dat hij een man was, van de soort die de regels van de logica had opgesteld – dat was Angelique even vergeten. Wij hadden volgens de geleerde in de dop de vrouwelijke logica gemeen. Die was niet redelijk, maar werd bepaald door de stand van de maan en was afhankelijk van het humeur. Daaruit volgde dat vrouwen geen leiding konden geven. 'Wat doe je dan met je moeder?' vroeg ik. 'Dat is een noodgeval,' antwoordde Marius parmantig. Alsof dat noodgeval niet met achtergrond had te maken! Maar dat, en de verhouding van zijn ouders, kon ik niet met hem bespreken. De innerlijke logica verbood het. Marius, zoals veel stille mensen, kon echter niet ophouden als hij eenmaal begon te redeneren. Hij volgde het spoor van zijn gedachten en raakte begeesterd door zijn eigen slimheid. En hij wilde me op de proef stellen. 'Laten we aannemen dat alle meiden liegen, en een meid die beweert dat ze liegt, is dat de waarheid of een leugen?' 'Ik lieg alleen als het nodig is,' zei ik stug. En ik stelde voor dat hij in plaats van zijn tijd met mij te verliezen, de papegaai spraaklessen zou geven. Marius lachte al zijn gave tanden bloot: 'Als je iets wilt leren zul je naar mij moeten luisteren.' Dat liedje kende ik uit mijn hoofd: luisteren, gehoorzamen, toegeven. Ik klapte in mijn handen: 'Naar bed!' Dat was kinderachtig, maar ik kon het niet helpen.

■■■

Wat op het land standsgebonden maar ook doelmatig was, werd in de stad pretentie. Angelique droeg een rijkostuum, al viel er geen paard te bekennen, de jongens beliefden alleen in wit flanel te tennissen, of zeurden Augustijn aan zijn hoofd om schermlessen. Hij vond het overdreven, maar het appelleerde aan zijn verloren jeugd. Ofschoon hij wist hoe het hoorde, gaf hij de indruk niet op zijn gemak te zijn. Hij klaagde erover dat hij nauwelijks tijd vond om zijn gevoeg te doen. Af en toe probeerde hij te ontsnappen aan het toezicht van Madame. Hij hield van koffiehuizen, want daar werd hij onopvallend bediend, hij kon er ongestoord zijn sigaar roken, de kranten lezen en de dingen laten betijen. Ook Madame hield van koffiehuizen; ze was verzot op gebak en had wat graag mee aangeschoven aan de kaarttafel. Bovenal bestudeerde ze het publiek, haar toekomstig cliënteel, ze trachtte aan houding en kleding uit te vinden hoe 'zwaar ze wogen', want van hun geld hing haar welslagen af. Ze liet de villa's varen voor serie- en hoogbouw, dat was niet zo bewerkelijk, en je hoefde minder rekening te houden met de grillen van de opdrachtgevers. Voor Augustijn was het loslaten van het betere handwerk weer een stap verder in de vulgarisatie, maar: 'Zaken zijn zaken,' zei Madame.

De zaak was haar heilige koe, en het was verwonderlijk wat er al niet onder het zakelijke viel. Zelfs als ze ongesteld was, meldde ze kortaf dat ze haar zaken had. Ze maakte korte metten met pretenties, echte of vermeende, en hield zich doof voor het gejengel van haar kroost. Ook ik moest niet om meer comfort bidden, de betonmolen ging voor het fornuis. Als ze krap zat, werden de lonen van de metselaars uitbetaald, maar wij moesten geduld opbrengen. 'Ik zal het later goedmaken,' beloofde ze. Ze hield haar woord, ik mag niet klagen, maar er werden ook dingen naar later verschoven die niet meer konden worden goedgemaakt of die hun betekenis verloren. En er gebeurden dingen die ook zij niet kon negeren, en die op ons wogen.

Op een dag dat we ons bij Augustijn voegden in zijn uitverkoren koffiehuis, kwam daar ook een man, met zijn hoed nog op, aan een tafeltje zitten. De kelner permitteerde zich de man erop te wijzen dat hij de hoed moest afzetten. Wat de man antwoordde, konden we niet precies horen, maar het geroezemoes viel stil en alle ogen werden op hem gericht. De kelner voelde zich blijkbaar gesterkt door de aandacht, hij tikte tegen zijn hoofd en wees vervolgens naar de hoed van de man: 'Afzetten!' Toen de man niet reageerde, vroeg de kelner luid of joden meenden dat ze zich alles konden veroorloven.

Hij was nog niet uitgesproken of Augustijn viel tegen hem uit: 'Naar de keuken, hufter!' De kelner keek om hulp of bijval zoekend om zich heen, maar alle koffiedrinkers waren op slag verdiept in hun eigen bezigheid. De kelner repte zich naar de keuken, maar de man probeerde hem – met de hoed in de hand – te weerhouden. De heisa was overbodig, het was niet meer dan een klein misverstand. Ook tegen Augustijn hield hij niet op zich te verontschuldigen. Madame schikte haar vos om haar nek: 'Wij zijn hier weg!' En we marcheerden af, alweer in doodse stilte, en onder bokkig afgewende blikken. Het voorval stond niet op zichzelf. Er broeide wat, er werd geruzied en er waren opstootjes. Er hing ons een dreiging boven het hoofd, die we niet konden benoemen, maar waar we onrustig van werden.

Augustijn en Madame hadden zich aangepast; hij controleerde de bouwplaatsen, zij deed het kantoor. Over Mon Repos werd niet meer gesproken, en er ging meer dan een jaar overheen voor we – als bruiloftsgasten – de streek van herkomst bezochten. Met een grote boog reden we om het landhuis heen, hoezeer de kinderen ook aandrongen om het weer te zien. Ik kneep in mijn steen als wilde ik hem in mijn greep vermorzelen. Ik kon het huis uittekenen, ik kende elke hoek en elke kant, voor het slapengaan liep ik er in mijn verbeelding doorheen, van de kelder tot de zolder, ik wilde niets vergeten. Maar ik wilde het niet terugzien zoals wij het hadden verlaten, en niet zoals de nieuwe bewoners het hadden ingericht. Het moest blijven zoals het was geweest.

Ook ik had me aangepast, aan het nieuwe huis, aan het stadsleven van de Van Puynbroeckxen, maar er bleef een tekort dat me onzeker maakte. Zij waren zo vervuld van zichzelf, ze konden huizen verliezen zonder hun ponteneur te verliezen. Ik klampte me vast, ik moest nog uitvinden wie ik was, waar ik vandaan kwam, wat ik wilde. Dat was niet zo simpel, en ik ging op in mijn dagelijkse bezigheden om er niet aan te hoeven denken. 's Avonds concentreerde ik me op Mon Repos, daar was ik aangespoeld, daar had ik me geborgen gevoeld. In het landhuis was ik vanzelfsprekend wie ik was.

Met de tijd sleet het gevoel van verlies, van op de drift te geraken, weg. Maar een kleinigheid, een geur, een lichtinval, volstond om in mij een verlangen te wekken of een weemoed op te roepen, die ik met niets anders dan met Mon Repos kon verbinden. Het witte landhuis had als het ware mijn herkomst vervangen.

Des te pijnlijker is het hier weer te komen en alles te herkennen en te zien zoals het was, en niet meer is. Het is alsof ik tegen mijn eigen aftakeling aankijk. Mon Repos is als Welverdiend een diensthuis geworden. Het irriteert me dat de nieuwe bewoners het huis niet kennen, en het benauwt me als ik bedenk dat ze hier voor altijd zullen blijven.

Ik sta bij het raam te dubben over een uitweg, vast van plan me niet meer aan te passen. De zee kan ik niet zien, maar de oneindigheid van de hemel is binnen bereik. 'Vlieg, meikever, vlieg,' zing ik zacht.

■■■

Augustijn spelde de kranten, zonder er veel wijzer van te worden, zo leek het wel, en hij raakte verslaafd aan het nieuws. De maaltijden werden bedorven omdat de radio aanstond, Augustijn kauwde bedachtzaam terwijl Madame zich op haar bord concentreerde. Als een van de jongens, of Angelique, wijsneuzig een opmerking maakte, strafte Augustijn het af: 'Zwijg!' 'Stil!'

'Je hoeft niet zo te blaffen!' zei Madame.

De hond, die waakzaam was opgesprongen, ging weer voor de deur liggen. Er werd gelachen om het misverstand, maar zonder veel vreugde. Ik kwakte het eten op tafel: soep met mergpijp, puree met room, gevogelte en gebraad, en voor mijn part druipend van het vet, het plateau met minstens vijf soorten kaas, pudding en gebak, friandise bij de koffie. Bij elke gelegenheid wijn, wit en rood, als het kon cognac met drie sterren na. Het kon niet op. Vooral Madame at alsof ze moest hamsteren, en had je geen honger, dan ordonneerde ze te eten voor de honger die kwam.

Die vooroorlogse schranspartijen zijn me bijgebleven als hoogst onaangename aangelegenheden. De kinderen werden kriegel omdat ze het eindeloze diner moesten uitzitten, de gasten voelden zich al te zeer verplicht. Ik kreeg haast geen hap van de overvloed door mijn keel, en ik begreep niet dat er op alles, behalve op eten, moest worden bezuinigd. Madame had het constant over het 'appeltje voor de dorst' dat ze opzij wilde leggen, maar zodra het om eten ging, kon ze geen maat houden. Ook Augustijn, ofschoon beheerster, zou niet op eten beknibbelen. Het herinnerde hem aan de oude tijd, hij was, net als Madame, gewend aan een welvoorziene keuken, en hij genoot van een mooi gedekte tafel. Eten was niet enkel noodzaak, het was een genoegen, haast een lust. Er werd dan ook hardop de draak gestoken met gulzige pastoors, voor wie vrijen – althans formeel – de verboden vrucht was, maar die zich schaamteloos overgaven aan de geneugten van de tafel.

'Gunt die jongen zijn pleziertje,' zei Augustijn welgemoed als we de pastoor te eten hadden.

Madame pruttelde tegen, want hoe genereus ze ook was met eten, van de pastoor kon ze het buffelen niet velen. 'Dat zit zich maar op andermans kosten vol te vreten,' gromde ze. En al vlug herhaalde ze dat bij andere gelegenheden, en voor andere gasten. De aanzet tot het verzuren viel samen met haar eerste eetaanvallen. Er moest een bodemloze honger worden gestild. De radio stond aan om stekelige opmerkingen te voorkomen.

En toen was er 'de stem' – die alles zou smoren.

Ik had net de soepterrine uit de keuken gehaald en was nog in de gang toen ik de stem voor het eerst hoorde. Enfin, stem is overdreven, het was een laag uithalen, een aanzwellend geloei, een uitbarsten, een ketteren van alle duivels. Ik verstond er geen jota van, maar de haartjes op mijn armen rezen, en toen ik, met trillende handen, de soepterrine op het dressoir wilde zetten, viel het deksel in stukken. Ik snelde naar de keuken voor een veger om de scherven op te ruimen, maar het was alsof de stem me achterna zat. Het geloei drong overal doorheen, muren noch deuren konden het stoppen. Als in een vliegende storm worstelde ik me weer naar de eetkamer. Ik kon ze daar niet alleen laten zitten, met dat geraas en getier, want wat het ook mocht betekenen, één ding stond vast: ons werd geweld aangedaan.

Augustijn had zijn verfrommelde servet tegen zijn mond gedrukt, Madame was midden in een beet versteend. De kinderen, die eigenlijk geen kinderen meer waren – dat zag ik plotseling – reageerden verdeeld. Angelique had, met een uitdrukking van *foei*, haar oren dichtgestopt, Marius zat met gebalde vuisten, en Bertje, ach arme, keek naar zijn broers om uit te vinden wat gepast was. Het kwam niet bij hem op dat hij zou moeten kiezen, net zoals wij het begin van de tweespalt niet waarnamen.

Het was niet te bevatten dat de vertrouwde radio zulk gebrul kon voortbrengen; als die stem menselijk was, dan ontsnapte ze uit het gekkenhuis, en kwam ze voort uit de redeloosheid van de waanzin. Ik wist meteen: van dit geloei kun je het met wijsheid niet winnen. En het zou ook niet helpen te doen alsof je het beter wist. Maar Reinout grijnsde, hij kon die stem best verdragen, er zat vaart achter, en je hoefde niet alles letterlijk te nemen. Reinout was bij de tijd. Hij kon organiseren, hij wilde niet aan zijn moeders rokken blijven hangen. De wereld lag aan zijn voeten, hij was maar één keer jong, hij kon niet wachten tot na de oorlog. Want dat die eraan kwam, was zeker, en wie hem zou winnen stond ook al vast.

Was het hoogmoed of overmoed? Later zou Reinout volhouden dat hij niet door die stem was verleid, maar dat het was alsof hij door een hondsdolle vos was gebeten.

We waren zo blij geweest met de radio. Augustijn drukte zijn oor tegen de vibrerende kast terwijl hij tussen suizen en fluiten in een zendstation zocht. Ik las de verlichte namen van de steden op de zendschaal, Londen, Parijs, Berlijn, en als de muziek doorkwam of de stemmen die vele talen spraken, was het alsof de hele wereld in dat kastje zat. Maar deze stem maakte van onze muziekdoos een duivelstuig, en ze wist van geen ophouden, het was een schuimbekkend opwerken, almaar hoger en hoger, en dan onverwacht weer lager, een dreigend naar de bodem zinken. Eén woord sprong eruit, en werd ook aldoor herhaald: 'Krieg', dat klonk als kriegen, ons eronder krijgen.

Ik naderde de radio zoals je een gevaarlijk beest zou besluipen, tot ik met één draai aan de knop de loeistem het zwijgen kon opleggen. In de oorverdovende stilte die daarop viel, verhief Madame zich van haar stoel en liep stijfjes de kamer uit. Augustijn legde als vertraagd zijn servet naast het bord, maar verroerde zich verder niet. De kinderen staarden hem aan, onzeker, tot Bertje vroeg of ze nu van tafel mochten, alstublieft. Augustijn gaf een klap op het tafelblad, zo hard dat zijn bord een sprongetje maakte, en daarop weerklonken er braakgeluiden. Onwillekeurig keek ik eerst naar de radio en toen naar Augustijn, was het weer zover? Het kon niet, nee, het was niet mogelijk, maar dat braken van Madame was verdacht. Augustijn schudde mistroostig het hoofd, en ik moet zeggen, dat beviel me niet. Hij was er de man niet naar om zich terug te trekken, of zich bij zulk gebrul neer te leggen, dat mistroostig hoofdschudden was als het aanvaarden van een nederlaag.

Het gaf ook een omslag aan in zijn verhouding met Madame; in de eerste jaren van de oorlog werd er haast niet gevrijd. Ik vond het bed alsof het onbeslapen was, het nachtgoed netjes opgevouwen. Ze herpakten zich, vanzelf, en als bezeten gedurende de bombardementen, maar ze zaten elkaar niet langer achterna, giechelend, om de tafel en om het bed. Het speelse was eruit, en er kon niets meer van voortkomen, de vruchtbare jaren waren voorbij. Dat had een opluchting moeten zijn, maar het stemde mismoedig.

Ik ben toen begonnen oud te worden, al wilde ik dat niet toegeven. De tijd, die eindeloos had geleken, werd plotseling beperkt, en het kon hoe dan ook alle dagen afgelopen zijn. Dan houdt, als je niet oppast, ook het fatsoen op, want tijd is oppassen voor later, tijd is er om goed te maken. Het duizendjarige rijk was in de maak, maar we leefden op geleende tijd. En we klampten ons vast aan elk uitstel; het was een goed teken dat er weer wat minder werklozen waren, maar de grote bouworder om versneld betonnen bunkers te bouwen, ondanks het werk dat het opleverde, was een teken aan de wand.

Madame begon, in alle discretie, diamanten te kopen, en de kelder werd volgestouwd met aardappelen. Rijst en koffie werden ingeslagen, voor je kon nooit weten. Met mijn oor tegen de slaapkamerdeur hoorde ik Madame en Augustijn overleggen wat ze konden doen bij een inval. Met de auto naar Frankrijk vluchten, opperde Madame. Daar moest je volop benzine voor hebben en de wegen zouden worden versperd door troepen en vluchtelingen. Augustijn sprak als iemand die het kan weten. Hij piekerde er niet over om voor de Fritzen op de loop te gaan. Madame kon eventueel met Angelique naar Holland, daar had zijn moeder de vorige keer ook gezeten en haar voeten droog gehouden. Hij voorzag dat de Hollanders niet gemeend zouden vechten, en het was beter dat het vrouwvolk uit de weg was als het erom ging spannen.

De stilte waarmee Madame hem aanhoorde, was als een nerveuze kalmte.

'Naar Holland!' barstte ze eindelijk los. Of hij niet goed bij zijn hoofd was, bij die haringvreters, dan kon hij lang wachten. En waarom wilde hij haar uit de weg, om in zijn eentje de held uit te hangen, had hij daarbij aan de jongens gedacht? Kennelijk niet, of toch, maar dan nam hij al te makkelijk aan dat zij in de voetsporen van hun vader zouden treden. Voor Madame stond het ondertussen vast: als Augustijn niet ging, dan sloeg zij ook niet op de vlucht. Die brulaap in Berlijn kon zich een beroerte schreeuwen, van haar waren ze nog niet af! 'Nee, van jou zijn we nog niet af,' zei Augustijn teder. Madame begon waarlijk te snikken. Ze legden het weer bij. Augustijn wist wat hem te doen stond, en ik verliet op de toppen van mijn tenen mijn luisterpost. Ik had gehoord wat er te horen viel, maar we waren nog niet zover. En Madame zou blijven, ook al mocht het tot oorlog komen. Ik zette het van me af, want zolang er een bed was, zouden die twee wel een oplossing vinden.

■■■

Ik mis de geluiden van mijn oude woonst, stemmen en stappen, het slaan van de klokken, altijd eentje te vroeg of te laat, alsof ze het beter wilden weten, maar zo vertrouwd dat ik als vanzelf wist hoe laat het was. De geluiden in Welverdiend, het gedreun en het geneuzel, klinken vreemd en hebben niets gemeen met de levendige geluiden van Mon Repos. Een klok slaat met mokerslagen het uur, het resoneert in het trappenhuis, maar ik verzet me tegen de dwang om mee te tellen.

Na de dood van Madame sloot Augustijn de luiken van de slaapkamer, hij zette de klokken stil en droeg mij op de spiegels af te dekken. De stilte viel over het verduisterde huis, dat blind en stom leek. Ik schrok van mijn eigen voetstappen en moest uitkijken dat ik niet tegen een kast of een stoel aan liep. In de tijd van Madame werd het interieur weerspiegeld vanuit vaste gezichtspunten. Het slaan, klingelen en tikken had de uren bepaald. De klokken moesten worden opgewonden, gelijkgezet en afgestoft. De spiegels moesten worden gelapt met een zeem die in water met een scheut azijn was gedompeld. Er mochten geen strepen op zitten en ze moesten glimmen alsof er nooit een levende ziel een blik in had geworpen.

De dingen eisten me op zoals de familie beslag op me legde, er bleef geen tijd over om op adem te komen. Ik was er trots op en achtte me onmisbaar. Zonder mij zou de huishouding in het honderd lopen, zou alles in duigen vallen en tot stof vergaan.

Zonder mij zou Madame zich geen raad weten, zouden de kinderen verwilderen, zou Augustijn weerloos zijn. Zonder mij hield hun huis geen stand. Alle klokken gelijk, de spiegels opgeblonken, de neuzen in dezelfde richting. Zo hoorde het, zo wilde ik het hebben en zo heb ik het nooit helemaal gekregen. Die woelige troep lag met zichzelf of met de wereld overhoop, de dingen gingen stuk of raakten verloren. De huizen volgden elkaar op, het ene al bewerkelijker dan het andere. Ik zweette, smeekte en vloekte. Wat door mijn handen ging, moest zich voegen. Dat ik bij de inboedel werd ingedeeld, kon me niet zoveel schelen, zolang ik een familiestuk was. Maar de klokken werkten op den duur danig op mijn zenuwen en ik begon de spiegels te mijden.

Toen Madame heen was, moest ik ook de roze getinte spiegels van de toilettafel afdekken met haar blauwgroene omslagdoek. Haar geur zat nog in het mohair en ik had de sjaal om mijn schouders willen slaan. Voor de spiegels van de toilettafel aarzelde ik; ontelbare uren had Madame op het met rood fluweel overtrokken taboeretje gesleten, uren die ik haar benijdde, maar een bijgelovige vrees weerhield me ervan haar plaats in te nemen. Nu is het te laat, en al komt de toilettafel ook naar Welverdiend: die strijd heb ik verloren.

Ik verzorgde het uiterlijk van de klokken, maar hun werking was de bekommernis van Augustijn. Hij zette de wijzers gelijk, haalde de gewichten op en oliede de raderen. Bij het slaan of het klingelen zocht zijn hand automatisch het zakhorloge in zijn vestzak. Hij knipte het open en tuurde bijziend naar de wijzerplaat. Vervolgens stopte de hand op de tast het horloge weer in de vestzak. Hij spotte ermee dat hij de tijd aan de ketting had gelegd, maar hij was aan dat zakhorloge verknocht. Zijn kostuum was pas af als hij de zilveren ketting van het horloge in een knoopsgat had bevestigd. Hij vermaakte er de kinderen mee, hield het tegen hun oor of liet het als een pendel boven de wieg draaien.

Het zakhorloge was een erfstuk waarvan het bezit werd betwist. Herward meende dat het hem ooit zou toekomen, het ging immers van de vader over op de oudste zoon, maar Augustijn had het – toen de oude mijnheer ertussenuit was geknepen – meegenomen als aandenken.

Na het verscheiden van Madame verzeilde het zakhorloge op de nachttafel van Augustijn. Hij keek er niet meer naar om. Ik moest het hem aanreiken toen hij zich kleedde voor de begrafenis. Zonder een blik op de wijzerplaat te werpen wond hij het op. De tijd kon hem gestolen worden. Ook de andere klokken raakten ontregeld of waren niet meer aan de praat te krijgen. Augustijn deed er niets aan.

Als hij in de spiegel keek, leek hij te schrikken, hij draaide zich om alsof hij achter zijn rug een schim had gezien. Uiteindelijk trok hij zich terug in de slaapkamer en had niets meer nodig.

Voor het eerst liet ik de boel versloffen. De bedden, kasten, stoelen en sofa's werden me te veel. De schilderijen, beelden en bibelots vervulden me met weerzin. De potjes en flesjes stonden te verstoffen op de toilettafel. Waartoe hadden ze gediend, wat hadden ze verholpen? Al die zalven en geuren, al dat blanketsel? Waarom het mooier voorstellen dan het was? De aftakeling was niet tegen te houden. Madame was uitgeteld het graf in gegaan en ik zou haar afgebeuld volgen. De kinderen, die ons als een Siamese tweeling aan elkaar verplichtten, hadden ons bij de eerste de beste gelegenheid in de steek gelaten. Zij vorderden de vrijheid en wij mochten hen de liefde achterna dragen.

Madame was voorgoed afwezig, maar voor eeuwig present. Als verdwaasd zat ik met haar borstel in mijn schoot. De dasharen schuier was in een glimmend zilveren schild gevat, maar in de ornamenten school de zwarte aanslag. Tussen de stijve haren van de borstel zaten grijze krullen. Toen ik de borstel met een kam schoonmaakte, harkte ik er nog één eigenzinnig gekrulde rode haar uit. Met nijdige rukken haalde ik de borstel door mijn eigen dunner wordende kapsel. De tranen kwamen moeizaam en heet, het was alsof ze zich in mijn wangen etsten.

Toen Augustijn ophield met huilen, begon hij te knarsetanden. Een nare gewoonte. Overdag leek het op ingehouden vloeken, 's nachts op het knagen van een rat. Het beschadigde zijn gebit, maar hij kon er blijkbaar niet mee ophouden. Het geknars irriteerde me, maar als het stilviel, werd ik ongerust. Ik brak alles wat ik oppakte, borden en glazen, het was alsof ik twee linkerhanden had. Angelique, die na de begrafenis was blijven hangen, vroeg geërgerd: 'Kun je niet oppassen?'

Voor ik kon antwoorden, zei Bertje treiterig: 'Potje breken, potje betalen!' Ik zag hoe de knokkels van mijn vingers wit wegtrokken om het wijnglas dat ik omklemde. Een glas van scherp geslepen Val Saint Lambert, nog uit de collectie van de oude mevrouw. Alles het hunne, niets het mijne! Hoe kon ik het ook maar één seconde vergeten! Mijn hand verkrampte zodanig dat ik het glas, ook toen het kraakte en brak, niet los kon laten. De dokter moest de glassplinters met een pincet uit mijn handpalm vissen.

Eén splinter is blijven zitten, ingebed in de muis van mijn hand. Ik heb er geen last van, al blijf ik dat plekje dwangmatig betasten. Zo stel ik me voor dat die glassplinter onderhuids gaat zwerven door de bloedbanen, en als een doorn in mijn hart dringt. Dan neem ik mijn toevlucht tot een borrel – ik heb een fles whisky gegapt, en achter de verwarming verborgen – maar even later glijden mijn vingers weer over dat splinterplekje. Is het de oude dag? Het begin van het frunniken en het mummelen, van het zinloze herhalen, dag na dag, maar gaandeweg trager, en meer en meer wezenloos?

■■■

'Elke dag is meegenomen.' Dat is het laatste wat mijn moeder tegen me heeft gezegd. Ze zat op een kakstoel, met de rok over haar gespreide knieën gespannen. Een haast onbekend oud wijfje. Dat had ik graag zo gehouden, want de vislucht die ze afgaf, herinnerde me aan de tijd dat ik in mijn broek plaste – uit nood of uit angst – en de stem waarmee ze me voor 'piskous' uitschold. Een kijfstem, zo hard als haar handen. Het was niet zeker dat de oude me herkende of wist wie ik was. Toen ik haar 'piskous' noemde, lachte ze ondeugend.

Als ik te vondeling was gelegd, had ik me niet meer verweesd kunnen voelen. Van onder die rok was ik opgedoken, uit die vislucht, ongewild, en nooit was het goed gekomen. Mijn schuld of de hare? Ik voelde me als verlamd. Daar zat ze als een verzakte baarmoeder, uitgeleefd, elke dag een toemaatje.

Het was te laat voor tranen, ik heb haar achtergelaten. Wat ik voor Madame heb opgebracht, heb ik voor mijn moeder niet kunnen opbrengen. Zodra ik voor haar stond, werd ik een kind, hulpeloos en tekortgedaan. Vroeger, toen de tijd onbeperkt leek, deed het er niet zoveel toe, maar nu, ten einde geleefd, steekt het. Geen eigen huis, altijd onmondig gebleven, nooit mezelf geworden. Of toch? Zat er niet meer in? Was het voorbeschikt?

Toen ik ontdekte dat het graf van mijn moeder was geruimd – niemand had zich de moeite getroost mij te verwittigen – wist ik niet waar ik met mezelf moest blijven. Het was alsof ik tussen hemel en aarde hing. In de spiegel ontdekte ik gelaatstrekken die er voorheen niet waren, of die ik niet had opgemerkt, en ik herkende er mijn moeder in. Ik zag dat ze niet echt lelijk was geweest. Wat ik niet had willen zien, wat mij verlegen maakte, was het blote. De berusting waarmee ze toonde wat ze was, een sloof, kapot van het zwoegen. Daar wist ik me te goed voor, en ik heb het beter gekregen, al heb ik er eveneens hard voor moeten werken.

Mijn rug is kaduuk, mijn vingers staan krom, ik heb het gebit van een oude knol. De Van Puynbroeckxen waren geen slavendrijvers, maar met hun vele behoeften hadden ze een legertje bedienden kunnen verslijten. Mijn bestaan werd gevuld met lastige of onbenullige karweien, die aldoor moesten worden herhaald. Maar al sakkerde ik gedurig op het huishouden, ik kon niet stilzitten. Later, toen ik Bertje zag werken tot hij erbij neerviel, begreep ik dat hij al doende dingen van zich afzette. Bij hem ging het erom het verleden te vergeten, bij mij was het een kwestie van uitstellen van de toekomst. In de bloei van mijn leven was ik een overrijpe maagd, meer begaan met het ontplooien van de Van Puynbroeckxjes dan met mijn eigen kansen.

Wilde ik niet of durfde ik niet?

'*Immer beschäftigt*,' zei de Fritz die een oogje op me had. Ik hield me van de domme, maar ik heb opgezocht wat het betekent; altijd bezig, immer druk, ja ja, ik lachte in mijn vuistje. Maar hij had wel gelijk, mijn Fritz, ik gunde mezelf geen tijd, laat staan dat ik tijd voor hem over had. Hij betreurde het, maar het *immer beschäftigt* was ook bedoeld als compliment. Ik verdiende mijn brood niet met op mijn rug te liggen. Ik beheerde een huishouding, ik was vlijtig en netjes.

'Een paardentand en een vrouwenhand willen geen stilstand!' grapte Augustijn. 'Zou het?' vroeg Madame. Ze ergerde zich erover dat hij haar met een spreekwoord afscheepte, maar ze deed net hetzelfde. Alles werd in een categorie ondergebracht. Voor elk probleem had ze een kant-en-klaar antwoord. Klaagde ik over te veel werk en dat ik moe was? 'Luiheid is het hoofdkussen van de duivel!' Ze wist best dat ik mijn handen vol had, maar zelfs de schijn van ledigheid moest worden vermeden.

Een man is goed tot het tegendeel is bewezen, voor een vrouw geldt het omgekeerde. Wat haar niet noodzakelijk een voordeel oplevert; goed wordt al vlug voor dom gehouden. Ik heb alles gedaan om te bewijzen dat ik goed was, dat ik het beste voorhad zonder voor dom te worden versleten. Maar als ik een duit in het zakje deed, werd ik als wijsneus op mijn plaats gezet. Ik sprak, volgens Augustijn, over dingen waar ik geen verstand van had. En Madame viel hem bij, ofschoon zij verre van alwetend was. Maar zij zwaaide de scepter, zij had geld en zeggenschap, zij had Augustijn – die geregeld de tijd liet stilstaan – en zij kreeg de kinderen, die ondanks alles een belofte voor de toekomst inhielden. Haar leven was gevuld, het mijne werd gevuld.

Dat die Fritz me nu te binnen schiet; ik was hem, geloof ik, glad vergeten. Die soldaten leken ook allemaal op elkaar in dat bescheten uniform; vechtjassen met geschoren koppen. Het had wel wat, maar als je met één te doen had, leek het alsof je met de hele armee in de fout ging.

Mijn Fritz heette Franz, *avec* z, het schiet me weer te binnen. Hij stond me op te wachten als ik in de vroegte melk ging halen. Augustijn schuimbekte toen het uitkwam, maar hij had zich niet druk hoeven maken, ik heb Franz nooit diep in de ogen gekeken. Hij trakteerde op chocola, dat was zeldzaam in de oorlog, maar ik had betere geproefd.

Ze moesten zich met *ersatz* tevreden stellen, die Fritzen, diep geroerd als ze een kop koffie kregen. Echte bonenkoffie, het leek wel een godendrank. En een kop koffie heb ik Franz aangeboden, op een winterochtend toen het koud was en hij me had geholpen de melkstoop naar huis te dragen. Zo had ik geen last van de controleurs die eropuit waren het laatste beetje brood van hun eigen volk te stelen.

Het is bij die ene kop koffie gebleven, maar ik ben blij dat ik het heb gedaan. Veel kans dat Franz als een bevroren karkas in de Russische steppe is achtergebleven. Wat die Duitsers zich in hun hoofd hadden gehaald, dat begrijpt geen mens: de wereld naar de verdoemenis helpen, hele volksstammen uitroeien, en toch nog geliefd willen zijn! Toe maar!

Franz dronk zijn koffie zwart, maar hij beliefde er wel suiker in. *Bitte* voor en *danke* na. Wij waren niet de enigen die geleerd hadden met goede manieren de schijn op te houden. Hij toonde me foto's van thuis, alle soldaten hadden foto's van thuis in hun portefeuille, zielenpoten, als ze niet zoveel kwaad hadden gedaan. Ik wist niets van Franz, wilde ook niets weten, ik huiverde voor zijn hunkeren. De pistoolholster op zijn heup leek heimelijk te refereren aan de bult in zijn grauwe broek.

Ik had hem kunnen vragen waarom hij ons onder de knoet hield en waarom hij ons de dood dreigde aan te doen. Ik had hem kunnen vragen wie hij was. Dat hij het zelf niet zou hebben geweten, pleit hem niet vrij. Ik verschool me achter plichtplegingen om niet bij hem betrokken te raken. Daar is de liefde voor uitgevonden, dat mensen bij elkaar betrokken raken, maar ook wat dat betreft was ik al *beschäftigt.* Vraag me niet hoe ik zo godsjammerlijk door het wel en wee van Augustijns aanhang in beslag kon worden genomen. En dat terwijl die vlegels zich er nauwelijks om bekommerden hoe het met mij was gesteld. Ik leed onder die onverschilligheid en ik nam het hun kwalijk, maar ik heb het ze makkelijk gemaakt door voor te geven dat ik was wat ik deed. Een meid voor alle werk, iemand die in hun schaduw stond. Eentje die zich wijsmaakte dat ze onmisbaar was. Vanzelf dat ik bedrogen ben uitgekomen, een blinde had het kunnen voorzien, maar had ik een ander leven kunnen leiden?

In gedachten heb ik me alles en nog wat voorgesteld, maar feitelijk legde ik me neer bij wat me werd toebedeeld. Wat heb ik mijn moeder te verwijten? Dat ik haar heb nagedaan?

Mijn Fritz, alla, Franz, maakte geen enkele kans, ik had me kunnen laten overhalen voor een gestolen uur, maar me met hem verbinden, nee. Ik kon me niet indenken met een man het leven aan te gaan zonder kinderen van hem te krijgen. Maar de man die dat soort verlangen in mij kon opwekken, was door een ander in beslag genomen. En Madame was zo vruchtbaar als een moer. Zij bracht voort wat mij werd onthouden, of het nu engeltjes of duiveltjes waren. De zorg werd aan mij overgedragen, maar het moederschap bleef van haar. Ik maakte deel uit van de bruidsschat, ik hoorde bij de menage.

Ik heb alles meegemaakt, ze hoefden mij niets uit te leggen. Bij mij waren hun geheimen veilig. En zolang de familie een zekere samenhang vertoonde, was ik gerust. Madame had me voor niemand willen ruilen. Wij wisten wat we aan elkaar hadden. Haar dreigen me weg te sturen werd op den duur een gewoonte, niet anders dan mijn dreigen om op te stappen. Het ging erom ons gezicht te redden. En niet voor elkaar onder te doen.

Als Augustijn eerst was gestorven, was ik zeker niet naar Welverdiend gestuurd. Madame zou het niet hebben toegelaten, zij liet niet over zich lopen. Ze was de eerste om de kinderen eraan te herinneren wat ze aan mij verplicht waren. En ze hoefden het niet in hun hoofd te halen mij te commanderen, dat deed ze zelf.

Misschien was het te veel van het goede: een moeder, en een meid die een gedelegeerde moeder was. Twee paar handen voor de zorg, maar ook twee paar ogen om te controleren. Het begon met protest, ze wilden het anders. 'De willekens groeien in de bossen,' zei Madame. Maar het willetje zette door, het ging in verzet, en als dat niet hielp, kwam het in opstand.

'Zelf doen.' Angelique duwde de paplepel in mijn hand van zich af. Ze wilde op een schone dag ook zelf bepalen wat ze aan zou trekken. Met de jongens ging het niet anders, zelf naar de wc, zelf soep lepelen. Het was altijd een verrassend moment, maar ik drong niet aan, al waren ze onhandig en morsten ze alles onder. Ik begreep: die zijn aan hun lange mars begonnen. Weg van mij, en het was zinloos te proberen ze tegen te houden. Alle water stroomt naar zee, alle bomen groeien naar de hemel. En alle kinderen gaan hun gang. Ik liet ze los, terwijl ik verwachtte dat ze bij me terug zouden komen. Dat ze, als het nood deed, zouden weten op wie ze konden rekenen. Ik hield altijd een vangnet klaar. Was meer dan Madame bereid te pardonneren. Ik speelde vals, een beetje maar, om hen te laten voelen dat ik alles voor hen overhad. Als hun moeder zich ongenaakbaar toonde, konden ze het met Celestien op een akkoordje gooien. Ze konden haar vragen bij hun vader een goed woordje voor ze te doen. Het was alsof ik een zekere Celestien had uitgevonden. Ik stelde me op als mijn eigen dubbelganger. Gaandeweg was het geval een eigen leven gaan leiden, en zat ik vast aan mijn rol. Maar ik kon me ook achter Celestien verschuilen, ik kon me dommer voordoen dan ik was. Dat gaf mij ruimte en stelde de Van Puynbroeckxen gerust. Ze hoefden zich niet het hoofd te breken over wie ik werkelijk was of wat ik in de zin had. Als ik het zelf al wist.

Ik had van mijn aanbidders kunnen leren dat wie om liefde bedelt veel kans loopt te worden afgewezen. Ik had het van mijzelf kunnen leren. De ergernis die Karel, Franz *et les autres* in mij opwekten, werd verergerd door een vaag mededogen en het gevoel dat ik tekortschoot. Ik hield mijn vrijers met uitvluchten op afstand, tot ik hen ruw moest afwijzen. Dat was onaangenaam en ik nam het hun kwalijk. Waarom wilden ze altijd meer? Waarom moesten ze zo aandringen? Alleen slungelig Jantje was altijd welgezind: 'We hebben tijd zat, meid!' En als hij een glaasje op had, zingen van 'bij ons in de Jordaan' en 'tulpen uit Amsterdam'. Maar aan Jan wil ik nu niet denken. De man van de laatste kans, een Hollander nota bene!

Madame had als eerste door dat het een serieuze affaire was. Zij heeft navraag gedaan en Jan wandelen gestuurd. Ik was geschokt, in de war, maar zoals zij fijntjes opmerkte: wat lette mij hem te volgen? Zij waste haar handen in onschuld en ik werd met mijn neus op de feiten gedrukt. Zo deed ze ook met de kinderen, zo handelde ze met Augustijn. Ze dreef de zaak op de spits en wachtte dan af hoeveel durf je had. Of hoeveel liefde je overhad voor haar nest.

Arme Jantje. Ik word altijd week als ik dat liedje hoor van de tulpen uit Amsterdam, maar ze draaien het niet meer zo vaak. De radio is ook uit de mode geraakt.

Na Jan werd de lente zo weemoedig als de herfst. Ik was vrouw af, zonder het ooit helemaal te zijn geweest.

■■■

Al mijn vrijers schoten tekort. Beter gezegd, ik raakte nooit van slag, zoals van Augustijn, toen ik alles vergat en ademloos gelukkig was. Zonder me daar iets bij voor te stellen of ik weet niet wat te verwachten. Veertien jaar, wat wil je, het onvoorwaardelijke paste ook bij de leeftijd. Geen voorwaarden of geschipper. Geen ditjes of datjes. Het volle pond. De liefde is de vervulling van de wet.

Ik heb me de ogen uit de kop geschreid toen ik in het theater *Romeo en Julia* zag, het is er ook naar gemaakt, zelfs Angelique zat te snotteren. Met dit verschil dat zij, zoals de meeste toeschouwers, geroerd raakte door de treurige afloop en ik al in het eerste bedrijf in tranen was. Vervuld van een wilde vreugde. Julia vertolkte wat mij was overkomen, al had ik dan geen Romeo bij de hand. En het hoefde toch niet per se slecht af te lopen.

Marius was een tijdlang bezeten van Shakespeare – bij gebrek aan een schedel liep hij mompelend met een glazen sneeuwbol door het huis –, hij sloeg geen voorstelling over, en als niemand hem nog wilde vergezellen, mocht ik mee. Maar het was altijd hetzelfde liedje: doden en gewonden aan alle kanten, alsof de schrijver op geen andere wijze het toneel kon schoonvegen. Ik vond het overdreven, maar de vreugde van Julia, haar nog kinderlijke aanhankelijkheid, haar onwankelbare vertrouwen, daar kon ik me helemaal in vinden.

Augustijn was alles voor mij: man en minnaar, vader en zoon. Dat hij dat niet zag, of niet wilde zijn, veranderde daar weinig aan. En dat ik nooit het bed met hem heb gedeeld, maakte het niet minder, al heb ik daar zeker naar verlangd. Maar ik gaf het mezelf niet toe. En mettertijd – ook al omdat ik mijn ogen niet kon sluiten voor de gevolgen – hoefde het niet meer zo nodig. Als het niet zo raar klonk, zou ik zeggen dat ik kopschuw was geworden. Ik kwam eenvoudig niet in aanmerking voor wat ik me wenste. En voor minder deed ik het niet, dat hadden mijn aanbidders nog eerder begrepen dan ikzelf. Ik vertikte het mij met afleggertjes tevreden te stellen, was te trots om met andermans veren te pronken.

Bovendien had de bijslaap met Augustijn het einde betekend, want hoe had ik Madame nog onder ogen kunnen komen?

Je had vrouwen, dames nog wel, die oogluikend toelieten dat hun man er een bijzit op na hield. Op voorwaarde dat zij hun status behielden en de andere de mindere bleef.

Toen een van de madammen die gedurende het diner voor het vijfendertigjarige bestaan van de zaak gedurig hun glazen hadden laten volschenken, bij de *pousse-café* uitriep: 'Laat hem die rosse maar vogelen, dan ben ik van het gehos af!', keek Madame het mens vernietigend aan en beet haar toe: 'Geef de man eens ongelijk!' Trouwen en de benen bij elkaar houwen, dat was boerenbedrog. Daar moesten ze bij haar niet mee aankomen.

Toen Angelique zich na haar bruiloft in bedekte termen kwam beklagen – ze had pijn in de lendenen – vroeg Madame grinnikend: 'Is hij zo goed?' Dat had ze van die slome niet verwacht. Angelique sloegen de vlammen uit, maar haar moeder schikte de kammen in haar kroezige haardos: 'Geniet, want het kan verkeren.' Zelf mocht ze niet klagen, Augustijn was nog een echte man, je hoorde het weleens anders, dan hing al met veertig de vlag halfstok. Ze knipoogde naar me toen Angelique de kamer uitstormde: 'Ze leert het nog wel.' Wat eens te meer bewees dat Madame haar dochter niet kende zoals ik haar kende.

'Leren' betekende voor Angelique toegeven of de mindere zijn. De uitverkorene moest aan haar voeten liggen. Op haar schoonheid stond de prijs van de volkomen overgave. Maar dat zij zich jammerend zou uitleveren – dan kon je lang wachten. Had ze een aanbidder op de knieën gedwongen, werd ze preuts. Kijken mocht, aankomen niet! Alleen Bertje genoot het voorrecht met zijn hoofd tegen haar borst volop van haar welvingen te mogen genieten.

De intimiteit tussen broer en zus was gênant, vooral toen Bertje groter werd. Maar Angelique speelde de Madonna en Bertje moest voor verlosser doorgaan.

Toen Marius nog 'de pastoor' werd genoemd, stelde hij de retorische vraag wat belangrijker was: beminnen of bemind worden? Reinout schoot in de lach, waar zijn broer zich al niet het hoofd over brak – pakken wat je kon krijgen! Maar Angelique twijfelde niet: bemind worden was het belangrijkste. 'Dan mag je wel wat aan je karakter doen,' sneerde Marius. 'Of eerst memmen krijgen,' gnuifde Reinout. 'Die heeft ze al!' meende Bertje zijn zus te moeten verdedigen. Maar zijn broers riepen in koor: 'Hoe weet jij dat?' Bertje bloosde van ontsteltenis. En nog lang werd hij als 'onze mammelokker' aangeduid.

Madame hoorde dat niet graag: toen ze Bertje kreeg, was ze zo uitgeput dat ze hem nauwelijks aan de borst verdroeg. Ik heb hem op de fles grootgebracht en met drie liep hij nog op een fopspeen te zuigen. Dat waren dingen die zij zich aantrok, al liet ze het niet merken. Bertje was niet te stillen, hij wilde altijd meer en was immer tekortgedaan. Ik werd erdoor aan het denken gezet. Geen mens die het zonder liefde uithoudt, maar het belangrijkste was toch te beminnen. Het gevoel dat mij vervulde, werd haast belangrijker dan Augustijn zelf. Het was als een devotie, waarzonder ik in een leegte was terechtgekomen.

Angelique leek ranker dan ze was, dat kwam door de fiere houding. Als ze met haar geitenborstjes wilde pronken, hield ze haar adem in. Het was echter uit zelfbehagen of om een onnozele hals van streek te maken. Ze was niet te genaken en niet van plan zich te laten opzadelen met de last van haar soort. Een enig zoontje, meer kon er niet af, ze had haar plicht vervuld. Met opeengeklemde tanden, dat kan ik getuigen. Ze zou haar Davy pas liefhebben toen hij als een wandelende dode uit het kamp werd bevrijd. Toen was hij vanzelf geheel en al *harmlos.*

Het mannelijke maakte haar schuw: als Augustijn in sjamberloek liep, ontweek ze hem. Zijn lachen of proesten, zijn uitbundig niezen, alles maakte haar verlegen. Ze was vies van zijn scheergerei, en het schaartje met de ronde punten waarmee hij zijn neusharen knipte, zou ze voor geen geld hebben aangeraakt. Als hij haar wilde knuffelen, weerde zij hem af. En als hij plagend met zijn snor over het decolleté van Madame streek – om het stof af te doen, zei hij altijd – keek ze schichtig de andere kant op.

Angelique en haar karakter, daar had de schepper vergeten een gebruiksaanwijzing bij te doen! Het was om tureluurs van te worden, zoals ze altijd wist wat ze niet wilde. De balsturigheid kwam wellicht ook door de *mariage* van haar ouders, door hun eensgezinde beddendans en het touwtrekken voor en na. Dat maakte hun verbond voor een buitenstaander goddelijk en afschrikwekkend.

Ik liep ook weleens te knarsetanden, zoals Angelique, maar ik was niet uit dat bed voortgekomen. Ik stond erbij en ik keek ernaar. Het was wel het enige waarvoor ik niet de tweede in rang wilde zijn. Ik zou het niet hebben verdragen op Augustijn te moeten neerkijken. Want wat had het meer kunnen zijn dan gescharrel in de coulissen? Een maîtresse – het woord komt van Reinout – is een soort oppermeid, en ik kwam niet eens in aanmerking om op een discreet adres te worden geïnstalleerd. Wat had ik daar ook moeten uitvoeren, op een sofa, al de dagen en uren dat Augustijn niet kon komen. Dan had ik net zo goed meteen naar Welverdiend kunnen vertrekken. Ik wilde Augustijn in volle glorie, en als ik hem zo niet kon krijgen, tot wederzijds genoegen, hoefde het niet! Dat heb ik net zo lang volgehouden tot het vuur was getemperd en ik mijn eigen plaats in zijn huis had bevochten. Ondertussen had ik de man leren kennen, van buiten en van binnen. Zijn kleine gebreken vertederden me eerder dan dat ze me teleurstelden, en dat hij aan Madame was verhangen, dat wist ik altijd al. Maar hij had zich wel wat kunnen intomen, met al die engeltjes.

Toen Madame eens te meer dreigde te verbloeden, mopperde de baker dat Augustijn beter een knoop in zijn geval kon leggen. 'Ze is er toch zelf ook bij,' zei ik kribbig. 'De vrouw wikt, de man beschikt!' antwoordde de baker. Daar leek het in dit geval niet naar, maar toen ook de dokter Augustijn het advies gaf 'zijn vrouw te ontzien', voelde ik me ongemakkelijk. Madame wist dat Augustijn haar niet kon weerstaan. Ze wist hoe ze hem kon kalmeren door hem zijn zin te geven. Maar het laat zich indenken dat het haar ook wel een keer te veel werd.

Waarom gaf ze toe aan zijn dwang? Aan zijn zoetelijk gedram? Zijn nooit te bevredigen verlangen om haar te bezitten? En waarom moesten daar altijd kinderen van komen? Was het verlies niet op een andere wijze goed te maken?

Aan het offer van de liefde ben ik rakelings ontsnapt, maar de gevolgen zijn ook op mij neergekomen. Van de kinderen ben ik nooit afgeraakt. En wat ik deed, deed ik in opdracht. Ook toen ik allang geen kind meer was.

Mijn moeder had met de Red Star Line naar Amerika kunnen varen, op een boot vol landverhuizers, om aan de overkant van het water een ander leven te beginnen. Zoveel zijn er gegaan, 'ontwortelden' zeiden de pastoors, maar het was een kans om te ontsnappen aan de horigheid. Waar was mijn moeder beducht voor? Ze had toch handen aan haar lijf? Ze was gebleven omdat ze zonder man niet wist hoe ze in den vreemde met haar kinderen zou terechtkomen. Dat zei ze. Maar was het ons in Amerika zoveel slechter vergaan? En heeft ze haar kinderen niet op de tweede plaats gesteld met haar gedienstigheid? Mijn Madame, zei ze. Mijn mijnheer. Die konden haar niet missen. En zodra het gebroed van haar meesters twaalf werd: mijnheer Cyriel, juffrouw Therèse. Die waren zo op haar gesteld. Niemand die beter wist hoe die verwende schepsels het wilden hebben. Hun maniertjes werden ons tot voorbeeld gesteld. Wij moesten braaf zijn en met twee woorden spreken. Jawel, Madame. Jawel, mijnheer.

Op het trouwfeest van mijnheer Cyriel was mijn moeder in tranen: 'Ik heb uw luiers nog verschoond.' Hij glimlachte flauwtjes en stak haar een muntstuk toe. Mijnheer Cyriel, die nooit naar haar heeft omgekeken. God nog aan toe!

Een schone dienst, zei ze, mijn moeder, die had haar Madame voor mij gevonden. En dat ze me zou straffen als ik nog een keer zou weglopen. Want dat heb ik wel gedaan. Tot drie keer toe werd ik opgepakt, een keer door de veldwachter en twee keer door de gendarmes. Alsof ik een dief was, zo werd ik door de dorpsstraat weer naar het witgepleisterde landhuis gebracht. Ik verdiende straf, maar de uitvoering werd aan mijn moeder overgelaten. De oude mevrouw maakte haar handen niet vuil aan een wegloopster. Ja, zo werd ik genoemd: de wegloopster, maar wie is er altijd op haar post gebleven? Wie heeft de zorg opgebracht? Of denkt Bertje dat ik niet weet dat de Van Puynbroeckxen bij me in het krijt staan?

■■■

Ik kan mijn gedachten niet stilzetten, maar ik vergeet de meest voor de hand liggende dingen. Toen ik daarnet moest plassen merkte ik dat ik geen onderbroek aan had. Ik schrok ervan en sloeg een hand voor mijn mond toen ik giechelde. Niemand had het gemerkt, behalve ik, en toch voelde ik me bespied.

Op een warme zomermiddag, toen Madame alles begon te vergeten of door elkaar te halen, zat ze uitgeteld en met gespreide knieën op de sofa. Het was na het middagdutje en Augustijn trok de rolgordijnen op. Onderwijl keek hij naar zijn vrouw en er speelde een lachje om zijn mond. 'Je poepje is bloot!' Lust en weemoed in zijn stem. Madame was versuft van de slaap, ze reageerde niet meteen. 'Je moet een broekje aantrekken.' Weer die smeltende toon. Madame tilde haar rok op en gluurde eronder. Even leek ze een apin, en zo grijnsde ze ook, met gekrulde lippen. Van haar brandende braambos was een dof plukje haar overgebleven, het binnenste leek op een gedroogde vijg. Maar het scheelde niet veel of Augustijn had er onder mijn ogen een zoen op gedrukt.

'Mag ik je roosje zoenen?' had Jan me ooit gevraagd. Ik ben weggelopen, zo hard ik kon. Dat wilde ik aan geen levende ziel laten zien. Oorsprong en ondergang, dat kon ik niet laten aanraken. Doodsbang, maar vurig hopend dat hij me achterna zou komen. Dat hij me zou pakken. Dat ik het niet meer kon helpen. Dat het eindelijk zou gebeuren. Aan Augustijn dacht ik niet of wilde ik niet meer denken. Maar Jan aarzelde, en het beslissende moment ging onbeslist voorbij.

Nu is hij dood en ik zit in Welverdiend. Ik heb er een spiegeltje bijgehaald om het eens goed te bekijken, wat ik daar tussen de benen verborgen heb gehouden. Kleiner dan vermoed, kaler ook, maar dat is de leeftijd.

Ik hoef niet te proberen mezelf op dat plekje te zoenen, daar moet je een acrobaat voor zijn. Mijn gebogen nek kraakt, mijn gekromde rug knarst, mijn hele lijf doet me pijn. Nooit zal ik mijn diepste raken. Moeizaam heb ik maar weer een onderbroek aangetrokken. Wat zou ik er niet voor geven om het allemaal te laten rusten!

Op de vensterbank ligt de glazen sneeuwbol waarmee Marius door het huis liep, al mompelend: 'Zijn of niet zijn, dat is de kwestie.' In de bol is een grot van Lourdes nagemaakt, met een Lieve Vrouw, zo klein dat je nauwelijks haar gezicht kunt zien, maar het blauw van haar gordel is van hetzelfde blauw als het riviertje dat onder haar voeten slingert. Als je met de bol schudt, sneeuwt het over het grijs van de grot en het blauw van het riviertje; al het andere vervaagt en wordt bedekt door een sneeuwstorm. Ik kan het laten sneeuwen zo vaak ik wil. 'Dat is naast de kwestie' – ik hoor het Madame al zeggen.

Na een paar keer flink schudden heb ik de sneeuwbol kwansuis laten vallen. Maar hij brak niet, hij stuiterde en rolde over het parket tot onder de tweedeurs kleerkast. Daar ligt hij oplichtend in een vale schemer en ik kan er niet bij. Ik zou de hulp kunnen bellen, maar dan moet ik het gaan uitleggen. En ik zie de vrouw al op haar knieën liggen voor die kleerkast. Met haar brede kont omhoog. Daar zou ik wat graag een trap tegen geven. Bij wijze van overdracht.

■■■

Zodra Madame heen was, hield Bertje achter gesloten deuren krijgsraad met Angelique, en aan de telefoon deed hij uitgebreid zijn beklag. Zijn vader werd dement en gooide het geld over de balk. Het ontbrak er maar aan dat hij het met Celestien aanlegde. Die had toch al een oogje op hem. Dat spelletje had veel te lang geduurd, maar zijn moeder had die meid altijd de hand boven het hoofd gehouden. Telefoon na telefoon werd zijn verhaal geloofwaardiger. Hij moest er alleen nog zelf in geloven.

Dat geklets was haast zo schandelijk als op het graf van zijn moeder spuwen. En de meid, die vreemde eend in de bijt, dat was ik. Gelukkig hoefde Madame zich niet meer voor Bertje te schamen. Van alles – woede, verdriet, ja, zelfs haat, is schaamte het ergste. 'Om in de grond te zinken,' zuchtte Madame. De engeltjes hadden haar een onvoldoende gegeven, en de overlevenden zetten haar voor schut. Ik voelde met haar mee, maar het waren uiteindelijk haar kinderen, ik hoefde hun streken niet voor mijn rekening te nemen. Ik werd echter geplaagd door plaatsvervangende schaamte, ik had de blagen stuk voor stuk uit de wieg gevist, ik had ze zindelijk gemaakt en ik had ze, met de zegen van Madame, fatsoen proberen bij te brengen. Dat was, om het voorzichtig uit te drukken, niet helemaal gelukt, maar ze konden er niet onderuit dat ze wisten hoe ze zich hadden te gedragen. En daar wrong het schoentje.

Angelique was niet op haar gemak; even steil als stijlvol verlangde ze de nalatenschap onberispelijk af te handelen. Het was haar niet om het geld te doen maar om de vrijgekomen plaats van haar moeder. Zij wilde eindelijk eens een keer haar vader voor zich alleen. Ik had haar kunnen uitleggen dat we wat Augustijn betreft in hetzelfde schuitje zaten, maar ik heb ook mijn trots. En ik was het gewoon in de schaduw van Madame te staan.

Mij hoefde Angelique niets voor te spelen: ze was jaloers. Als de kat op haar vaders schoot wipte, haalde ze haar er subiet af. Dat beest was in de rui, zo dadelijk zat zijn broek onder de kattenharen. 'Dat stoort toch niet,' mompelde Augustijn. Angelique stak een tirade af over het huis dat dreigde te vervuilen, zoals haar vader zelf, als hij niet oppaste, zou verslonzen. 'Celestien zal de haren er wel af schuieren,' suste Augustijn. Welja, Celestien, die alles liet slingeren, en het ene glas na het andere brak, Celestien, die het ervan nam nu haar moeder er niet meer was om haar op de vingers te kijken. 'Ach,' zuchtte Augustijn. En zich naar de kat buigend die in een krul, met één poot geheven, haar krent zat te likken: '*Viens, Minou.*' De kat wandelde naar de deur en miauwde met aandrang.

Zodra haar moeder door de finale beroerte werd getroffen, was Angelique toegesneld en had ze alles op zich genomen, de verzorging en de huishouding. De broers konden het goed uitleggen, maar wie had de handen uit de mouwen gestoken? Ze verwachtte geen merci, maar dat ze werd tegengewerkt, dat Celestien liep te mokken en haar vader haar ontweek, dat was er te veel aan. Of had zij haar moeder niet verloren, soms? 'Stel je niet aan,' zei ik. Het was alsof de stem uit het graf had gesproken, ik schrok er zelf van. Angelique pakte een kussen van de sofa en maakte zich op om het naar mijn hoofd te gooien. Ik keek haar aan, ze schrok, liet zich op de sofa vallen en drukte haar hoofd in het kussen. Ze wilde niet in de schaduw van haar moeder staan en ik had in die schaduw gestalte gekregen. Ik wist te veel, had te veel praats. Zij kon zich niet aan mijn blik onttrekken en ik kon mijn blik niet afwenden. Ik bleef als plaatsvervangende moeder aanwezig. Dat ging verder dan de naijver om Augustijn. Wij waren elkaar na op een manier die niet onder woorden is te brengen.

Met mijn rechterhand in een verband was ik vleugellam, het werk bleef liggen. De dokter schreef slaappillen voor en zei dat ik aan wat anders moest denken. Er eens uit gaan, een verzetje kon geen kwaad. Hij opperde dat Augustijn en ik een wandeling zouden maken, een luchtje scheppen, ergens koffiedrinken. Misschien een keer naar het theater, Augustijn was toch een liefhebber? Men moest er maar het beste van maken. Ik zag de lange gezichten van de wettige erfgenamen en verbeet mijn lach. Het was ondenkbaar dat ik aan de zijde van Augustijn de loge zou betreden en naast hem zou zitten, terwijl op het podium een dame een belletje zou laten rinkelen, waarop de meid, met wit kapje en dito schortje, uit de coulissen zou opduiken om volkomen overbodig te vragen: 'Mevrouw heeft gebeld?' De meid, dat is altijd komedie, zelfs in een tragedie. Ze luistert aan de deuren, leest brieven die niet voor haar zijn bestemd of legt het aan met de heer des huizes.

Augustijn was inderdaad een liefhebber van het theater, maar het was Madame die altijd in vol ornaat de loge bezette. Achteraf wist ze meer te vertellen over wie met wie was en wat er aan juwelen en bont werd vertoond dan over wat zich op het podium had afgespeeld. Het leven volstond als spektakel en zelf speelde ze geen komedie. Geen aanleg, en ze had het ook niet nodig.

Augustijn was een natuurtalent, hij hield zelfs de Gestapo voor het lapje, en uitgezonderd Reinout hadden ze allemaal de gave voor het toneel van hun vader meegekregen. Bertje vertolkte zijn eerste rol in een stuk dat *Smidje Smee* heette en waarin een smid zijn ziel aan de duivel verkocht. Ik moet toegeven, de kleine was een knappe duivel. Hij droeg een rood pak en was uitgerust met horens, bokkenpoten en een rattenstaart. Gezwind sprong hij op een tafel om de smid de stuipen op het lijf te jagen. Die tafel was een wankel geval; op een avond sloeg ze om en de duivel ging op zijn gezicht. Tot groot jolijt van het publiek, maar Bertje pruilde. Toen hem, vanwege zijn kleine gestalte, werd gevraagd om de rol van een dwerg op zich te nemen, was de lol eraf: 'Ik ben geen kabouter!'

Angelique is in vele stoeten en processies opgetreden, schrijlings te paard als Maagd van Vlaanderen, of boven op een praalwagen als Onze Lieve Vrouw. Ze had er het postuur voor, maar het beviel haar niet dat ze haast nooit mocht declameren.

Toen ze met achttien de aanvallige leeftijd bereikte om te worden voorgesteld, werd ik opgetrommeld om haar – omdat ouders en broers waren verhinderd – te vergezellen naar de schouwburg. Ik wist niet waar te kijken van de decolletés en de hoge borsten. De blote schouders van Angelique vertrouwde ik evenmin, al zette ze nog zulk doodernstig gezicht. Om de maagd te vertolken was ze te goed, maar het was in orde om half ontkleed te worden aangegaapt. Het mocht dan om een kunstzinnige avond gaan, het had er veel van dat ze als een merrie werd gepresenteerd.

Ik zat met mijn kanten kraagje op de zwarte crêpejurk als een schooljuf naast haar en voelde me opgelaten. Het was een opluchting dat de lichten werden gedoofd, maar toen kreeg ik het weer te kwaad met wat zich op de planken afspeelde. Ik herinner me een jongeman die verslaafd raakte aan een wit poeder en schuimbekkend heen en weer rolde. Al zijn geld vergokt, zijn meisje verloren, en maar jammeren om cocaïne. De ellende was niet te overzien, ik huilde tranen met tuiten. Angelique siste me toe te blijven zitten terwijl zij in de pauze naar de foyer ging. Ze bracht me wel een glas champagne en legde me nog maar een keer uit dat de vertoning niet echt was; ja, dank je wel, ik ben niet achterlijk – maar zodra het doek werd opgehaald was ik weer verloren.

Ik voorzag dat de jongeman er na de pauze nog minstens een uur over zou doen om het loodje te leggen en staarde met opengesperde ogen naar het plafond. In het goudverguldsel boven de loges keken gevleugelde engelenkopjes lachend op me neer, en ook boven de gecapitonneerde deuren ontdekte ik cherubijnen; ze waren behangen met druiventrossen of bliezen met bolle wangen op een dubbelfluit.

De champagne schoot in het verkeerde keelgat en Angelique moest me op de rug kloppen. Ik wees half verstikt naar de engeltjes, maar ze leek ze niet te zien, of zag niet wat ik zag, het was niet uit te leggen.

Angelique zwoer dat ze nooit meer met mij naar de schouwburg ging, voor zulk spektakel bedankte ze, maar hoe meer ze vertelde des te harder haar broers lachten. Celestien, dat was me er eentje! Daar kon je avonturen mee beleven. Ze maakten me belachelijk, maar wie had er het meeste hart? En wie kon het best de werkelijkheid van de verbeelding scheiden? Zij die in het theater opgingen, en het niet toepasten, of zij die erom lachten, maar die zich een rol aanmaten?

De Van Puynbroeckxen verbeeldden zich heel wat, maar de werkelijkheid zette hen voor schut. En naarmate ze verder verstrikt raakten in hun verbeelding, gaven ze het toneelspelen op. Marius heeft het nog het langst volgehouden; het toneel bevrijdde hem, alsof hij slechts als een ander zichzelf kon zijn. Na de oorlog echter ruilde hij het toneel voor de rechtszaal. Hij miste geen enkel groot proces en beleefde hoogtijdagen toen hij voor het Hof van Assisen in de jury zetelde. Moord noch doodslag schrikte hem af, de grootste misdadiger kon op begrip rekenen, want: 'De mens zoals hij zich dan voordoet, dat is pas echt theater!'

Wat niet wegneemt dat hij weigerde voor Reinout te getuigen, terwijl het woord van een verzetsman zeker gewicht in de schaal had gelegd. Augustijn heeft hem gesmeekt, hij hoefde niets over de oorlog te zeggen, alleen maar over de kinderjaren te spreken. Wat naïef was, want voor de uitzonderingsrechtbank moesten er koppen rollen, terecht of onterecht. Maar Augustijn leed zodanig onder de schande dat het erop ging lijken dat hij zich zelf schuldig voelde. Marius moest zijn vader vrijspreken en aantonen dat Reinout niet was wat hij leek, dat hij, jong en zot, in zijn ongeluk was gelopen. Was hij er niet het levende bewijs van dat er sprake was van een tragisch misverstand?

Marius zweeg en bleef zwijgen. Er kon geen goed woord af voor de foute broer en hij had het gelijk aan zijn kant.

Reinout kreeg een versteende grijns op zijn gezicht – wij herkenden die uitdrukking, maar voor de rechters heeft het hem geen goed gedaan. Spot was uit den boze. Reinout kreeg zijn verdiende straf met nog een flinke schep erbovenop. Zoals de ene broer geen hart kon tonen, zo kon de andere het hoofd niet buigen.

Augustijn ging Reinout om de zes weken in de gevangenis bezoeken, en als hij verhinderd was, ging ik. Terwijl ik het pakje met sigaretten en chocola klaarmaakte, vroeg Augustijn meer dan eens aan Marius er een 'woordje bij te doen'.

'Laat hem maar Daniël in de leeuwenkuil spelen,' gromde Marius, en hij sloeg de deur achter zich dicht. Voor het volgende bezoek was hij daar weer, met de krant vol oorlogsgruwelen, misschien kon Augustijn die aan Reinout geven? 'Jongen toch,' Augustijn schudde mismoedig het hoofd. Op hoge toon vroeg Marius of zijn vader die vier jaar in de loopgraven was vergeten. 'Dat was een andere oorlog,' antwoordde Augustijn. Waarop Marius, veelbetekenend: 'Precies.'

Augustijn had van aandoening een tremor in zijn rechterhand gekregen; toen Madame hem bevend zijn zakdoek zag grijpen, beet ze Marius toe: 'Hoe oud ben jij eigenlijk?' Marius was uit het veld geslagen, maar hij herpakte zich. Waarom ging zij niet op bezoek in de gevangenis? Was het geen werk van barmhartigheid?

'Vlegel!' Madame wendde zich af. Marius keek van zijn vader naar zijn moeder. Hoe konden zij hun held afwijzen? En het zwarte schaap in bescherming nemen? Ik was druk in de weer met het voedselpakket. 'Doe er maar een mooie strik om, Celestien,' zei hij bitter. Voor ik een antwoord kon bedenken was hij alweer voor zes weken weg.

De oorlog bleef een tikkende tijdbom die onverhoeds kon ontploffen. Toen Reinout, na jaren wringen en wrokken, erin slaagde zichzelf van kant te maken, reageerde Marius flegmatiek: 'Dat zat eraan te komen.' 'Hou nu ook maar je mond,' zei ik.

■■■

Ik was opgenomen in het huis van de hoge woorden en de grote gebaren. Het was constant theater, en niet voor een zaaltje in de provincie, maar voor de *Weltbühne*. Daar heeft de tijd zijn best voor gedaan, met de crisis en de oorlog – de Van Puynbroeckxen deden het niet voor minder.

Het was indrukwekkend, maar ondertussen moesten de bedden worden opgemaakt en de aardappels geschild. Ik had sterk de indruk dat het makkelijker was je over de politiek druk te maken, dan je met het eigen huishouden bezig te houden. Goed, het een zit aan het ander vast, ik heb mijn lesje geleerd – maar ik kon het me niet veroorloven mijn gram te halen. Al dat gekibbel hield het werk maar op, en het bracht geen zaad in het bakje.

Maar de Van Puynbroeckxen waren nog liever doodgevallen dan hun woorden in te slikken. Het was kop tegen kei, of zoals bij de protestanten: 'Hier sta ik, ik kan niet anders.' Terugkomen op een besluit, hoe dwaas ook, werd als een nederlaag ervaren. Ze stonden op hun ponteneur en verborgen hun twijfel. 'Een man een man, een woord een woord!' zei Augustijn, en Bertje nam het van hem over. Of ze het zelf geloofden of niet: daarmee was alles gezegd en afgehandeld.

Madame snoof en schamperde, maar zij had er evengoed een handje van om zich in een patstelling te manoeuvreren. Het was alsof de taal als misverstand was uitgevonden. Bovendien stonden ze erop het laatste woord te hebben. Ik werd dol van het gekrakeel, maar de stilte was een nog verdachter geluid. Die duidde op een loopgravenoorlog, waarbij de partijen elkaar grimmig zwijgend bespiedden. Ik kon er niet tegen, maar ik vreesde evenzeer het moment dat het weer zou knallen. Dus zong ik tegen de sterren op, of zette de radio hard. Tot het nieuws werd aangekondigd, dan draaide ik haastig de knop om. Een oprisping van Augustijn over 'die idioten' zou volstaan om Madame op de kast te jagen. Het was me te doen om het bevrijdende: 'Celestien, je zingt vals!' Hij. Of: 'Celestien, zet die radio uit!' Zij. Het is een geluk in een huwelijk over een bliksemafleider te beschikken, een tussenpersoon aan wie je je gezamenlijk kunt ergeren, en die je als doorgeefluik kunt gebruiken. 'Celestien, heb je mijnheer gezegd dat ik uitga?' 'Celestien, zeg aan Madame dat ik een afspraak heb.' En allebei: 'Ben je alweer vergeten wat ik je heb gezegd?'

Ik liet het me aanleunen, het was in ons aller belang dat zij hun geschil zouden bijleggen, maar ik mocht lijden dat de onmin even zou duren. Ik koesterde geen valse hoop, want uiteindelijk werd de strijd beslecht in bed en kwam ik er niet meer aan te pas. Vrede heerste. Madame liet het wereldbestel over aan Augustijn, in huis en zaak bleef haar wil wet. Hij gaf haar schouderophalend haar zin, maar de woede flikkerde in zijn ogen. Soms zette hij tegen beter weten zijn zin door. En als hij niet tegen haar gelijk op kon, ging hij tekeer als een olifant in een porseleinkast, vernielend wat hij wilde redden. Of hij ging het platgetreden mannenpad, van wijntje naar trijntje, tot zij hem de deur wees. Waarna hij als een geslagen hond om het huis zwierf en onder de straatlantaarn de wacht betrok. Vandaar kon hij het echtelijke slaapkamervenster in de gaten houden en het geringste bewegen van de gordijnen bespieden.

Op een winteravond stond Augustijn met opgeslagen kraag in de stralenbundel onder de lantaarn. Het sneeuwde, en het was alsof er confetti over hem werd uitgestrooid, maar zo feestelijk was het niet. Madame had de lichten gedoofd en was in haar bed gestapt zonder een blik uit het raam te werpen. Ze wist dat Augustijn onder de lantaarn stond en wat haar betrof stond hij daar goed.

Ik zag hem al in de verschrikkelijke sneeuwman veranderen en kon de slaap niet vatten. IJsberend van de deur naar het raam raakte ik verkleumd tot op het bot. Ten einde raad, en omdat ik inzag dat een gewond hart alle andere pijn verdringt en geen van beiden kon toegeven, maakte ik een warme kruik klaar en bracht die samen met een zakfles whisky naar Augustijn. Zijn wenkbrauwen en zijn snor waren besneeuwd, net als zijn schouders en de vouwen van zijn jas. Toen hij sprak, leek zijn stem uit een ijskelder te komen. 'Ga naar binnen, Celestieneke.' Voor de warme kruik bedankte hij, de zakfles nam hij genadig aan. Ik smeekte hem zich bij de keukenkachel te komen warmen, en in de logeerkamer stond altijd een opgemaakt bed klaar. Van meer durfde ik niet te gewagen.

Het raam van de echtelijke slaapkamer werd opengerukt en de stem van Madame schalde door de winternacht. 'Is het afgelopen, daar beneden?' 'Hier hebben ze tenminste een hart,' gaf Augustijn ten antwoord. 'Moet ik u komen halen?' dreigde Madame. Ze had 'u' gezegd, meervoud zou je denken, maar het kon alleen op Augustijn slaan, want zelfs als ze kwaad was, had ze mij niet met u aangesproken.

In de belendende huizen floepten de lichten aan. Ik moest de impuls onderdrukken om sneeuwballen naar de ramen te gooien. Maar dan had ik met het raam van de echtelijke slaapkamer moeten beginnen. En ik wilde me niet laten kennen. Of mezelf onsterfelijk belachelijk maken.

Augustijn schudde de sneeuw van zich af, nam een teug uit de zakfles en stapte met lange schreden naar Madame. Ik stond als verweesd onder de lantaarn; het kwam me voor dat de sneeuw trager viel en alles afschermde. In de deuropening draaide Augustijn zich om alsof hem op de drempel nog iets te binnen schoot. 'Naar bed Celestien, en neem die kruik mee!' Het ijzige was alweer uit zijn stem verdwenen. Madame hoefde zich maar even inschikkelijk te tonen en hij gaf zich over.

Ik had nog wat onder de lantaarn willen blijven staan, maar het was te koud om de martelaar uit te hangen. Ik kon die kruik goed gebruiken: mijn voeten waren als ijsklompen. Even later lag ik te woelen. Hoe konden ze me zo opjutten met hun kuren? En dan moest ik me nog opgelucht voelen dat ze weer goed met elkaar waren. Dadelijk kwam er weer een kind van, en wie zou ervoor opdraaien? Had er dan niemand medelijden met mij?

De koude nacht verging in een donkere dag. Het was met die sneeuw alsof ik de wereld in negatief zag.

Met brandende ogen ging ik aan de slag, rammelend met potten en pannen en alle deuren achter me dichtslaand. Ik liet de melk overkoken; toen Madame vis ordonneerde, zette ik vlees op tafel, en bij het strijken schroeide ik het linnen. Ik hield me doof voor de verwijten en mopperde zo hard ik kon: 'Wat een bende!' Het duurde net zo lang tot Madame ermee dreigde ook mij aan de deur te zetten.

Ik deed mijn beklag bij Augustijn, niet met zoveel woorden, nee, ik ging voor hem staan met trillende onderlip, op het randje van tranen. Dat kostte me geen moeite, want ik was ontdaan, maar ik moest ook stilzwijgend op zijn gemoed werken, elk woord tegen Madame had hem in de verdediging gedrongen. Hoe meer hij op haar had aan te merken, hoe minder hij het van een ander verdroeg. Dus gaf ik mij, na alle geweld en vergeefs protest, over in zijn genade. Hij zuchtte: 'Is het weer zover?' En vervolgens onderhandelde hij met Madame. Dat deed hij graag zolang het niet hemzelf betrof. En zij toonde zich inschikkelijk zolang het niet haarzelf betrof. Ze deden niets liever dan tegen een derde samenspannen. Ze lieten het ontregelde huishouden aan mij over en gingen eensgezind buitenshuis dineren. Het laken met de bruine afdruk van het strijkijzer mocht ik houden, het was toch zo goed als versleten, Madame kocht wel een nieuw paar lakens. 'Ik heb gezegd dat het je spijt,' monkelde Augustijn.

Ik nam hem dat leugentje om bestwil kwalijk.

Onmerkbaar was ik begonnen hem te zien door de ogen van Madame. Sterk van lijf maar zwak van inborst. Vervuld van een dwaze trots, een Don Quichot, zoals in het boek dat we tijdens de oorlog hebben stukgelezen. Hij wilde zo graag nobel zijn, onberekenend en vrij van hebzucht. Hij weerstond niet aan een smeekbede en had om het even wat weggegeven als zijn Dulcinea daar geen stokje had voorgestoken. 'Hij loopt weer met molentjes!' mopperde ze. De kluis ging op slot. Augustijn had weliswaar ook een sleutel, maar Madame was de enige die de code kende. En hoe babbelziek ze ook was, de code van de kluis zou ze zelfs niet hardop dromend prijs hebben gegeven.

Zij had er alle reden toe om de code geheim te houden, maar hij was in zijn eer gekrenkt. Vertrouwde ze hem niet?

Welzeker, maar niet voor de poen en niet voor de pik. 'Ik ken u,' besloot ze.

Dat zei ze ook tegen de kinderen, en tegen de advocaat, of bijgeval tegen de pastoor. Ze werd altijd ijzig beleefd als ze kwaad was. En zo mogelijk nog beleefder wanneer ze een onherroepelijke beslissing nam. Het was alsof de bijl viel. Spijt werd opgekropt. Tranen werden achter gesloten deuren gestort.

Misschien heeft ze nooit u tegen me gezegd omdat het niet nodig was. Misschien hield ze het met mij uit, of was ze geheel met mij vertrouwd, omdat ik een schaduwmoeder was. Haar was het moederschap niet aangeboren: hoe makkelijk ze ook zwanger raakte – ze beweerde dat Augustijn maar naar haar hoefde te kijken –, zodra ze de boreling eruit had geperst, werd ze kopschuw. Vanzelfsprekend, het waren spannende dagen, elke verandering van kleur, elke rimpeling deed ons de adem inhouden.

Ouders prijzen zich gelukkig als hun kind hen niet nachtenlang wakker huilt, maar ik heb het wicht weleens een tik op de billetjes gegeven, zodat het een flinke keel opzette. Niets was beangstigender dan een Van Puynbroeckx die zachtjes sluimerde.

Madame huiverde ervoor haar kinderen bloot te zien; het was erger dan de hond, de beruchte Merla, die begon te huilen als een wolf bij volle maan zodra ik een baby in bad deed. Alsof ik het wicht wilde verdrinken! Maar allicht kwam het door de kwetsbaarheid van het jong, een poedelnaakte baby toont zich gezond, of niet. Onder de dunne huid tekenen zich de blauwe adertjes af, en men kan het hartje haast zien kloppen. Die huid mag melkwit of poederroze zijn, maar niet oranje of grijs als papier-maché.

Als Madame een kind aan de borst had, legde ze een kanten doekje over het hoofdje, zogenaamd tegen de tocht, maar wat ze verborg was haar angst voor een hoofdje als een verschrompelde appelsien. Van die oerangst bleef altijd wat hangen, het kleinste kuchje van de kinderen volstond om Madame onrustig te maken. Ze kon er niet tegen als ze huilden of zeurden en kon alleen op een bruuske wijze haar liefde tonen.

De opvoeding in het algemeen viel haar zwaar; aan een kind zitten geen handvatten, het doet niet wat men ervan verwacht, het volgt geen orders op. En dat troepje van haar kon er wat van: waarom dit en waarom dat, en waarom niet zus of waarom niet zo? Nieuwsgierig, jawel, maar het was ook bedoeld om je af te leiden of bezig te houden. Je kon wel aan de gang blijven met uitleggen of verklaren, zij volgden hun eigen zin. Heimelijk deden ze ook hun voordeel met de engeltjes, maar waar de angst mij mild maakte, werd Madame streng. Ze zag erop toe dat de kinderen niets tekortkwamen, ze verwachtte dat ik haar richtlijnen zou volgen, maar ze behield een zekere distantie.

Als Augustijn de kinderen voorlas, met die warme stem van hem, hingen ze als betoverd aan zijn lippen, en ik ook, welzeker. En Madame glimlachte met tranen in de ogen, tot ze merkte dat ik haar gadesloeg of een van de kinderen dromerig op haar schoot klom. Abrupt stond ze op, sloeg haar rok af en verliet gehaast de kamer. Je kon ervan op aan dat even later haar 'Celestien, waar ben je?' door het huis schalde.

'Schone liedjes duren niet lang,' zuchtte Augustijn dan. Hij klapte het boek dicht, kneep in een neusje, beet in een oorlelletje, tikte tegen een kontje. 'Bedtijd!'

Je kon Madame nooit bij de bedjes van de kinderen betrappen, behalve als ze ziek waren. Wel deed ze 's nachts haar ronde, op haar muiltjes, van kamer naar kamer. Ze opende geluidloos een deur en stond daar met het hoofd schuin secondenlang te luisteren. Dan spoedde ze zich weer naar Augustijn, die zich beklaagde over haar koude voeten.

'Ik kan mezelf niet verwarmen,' klaagde zij op haar beurt. Want ze vond het een taak van haar man haar voeten warm te houden. Wat zeg ik, taak: het was een liefdesdaad, die ze terecht mocht verwachten, en zolang het bloed joeg, was het een gegil en gelach als zij haar koude voeten op een gevoelige plek legde. Door de macht der gewoonte verstilde het gillen tot genoeglijk knorrende geluiden, en als het stil bleef, hield Madame haar voeten terzijde. Op het laatst nam Augustijn die voeten, bleek en blauw, in zijn handen en wreef ze warm. Toen was het een daad van erbarmen.

■■■

Een opperbevel, een legerleiding en vele soldaatjes. Het systeem-Madame: alle manschappen inzetten en de touwtjes in handen houden. Augustijn op de bouwplaats, ik in de keuken, de kinderen waar het uitkwam. We deden ons best, gewillig of onwillig, maar het was nooit goed, het kon altijd beter. Ze eiste geen honderd maar tweehonderd procent. Haar eigen inzet was ook totaal, en hoe kwader ze werd, des te harder ze werkte. Dag en nacht was ze paraat, ze gunde zich geen rust, maar het volmaakte bleef buiten bereik. Dat was onvergeeflijk. Ze verdubbelde haar inzet. Ging tegen haar natuur in en keerde zich af van de hopeloze wereld. Ze werd tiranniek: de was die een dag later in de kast lag, kamers die niet tijdig waren gelucht, een tafel die niet piekfijn was gedekt, het waren allemaal catastrofes die naar de totale ondergang leidden.

Ofschoon haar wieg een wasmand was, kwam ze als aangenomen dochter in het eiderdons terecht. Die dochter had geleerd hoe het hoorde en was – ook zonder klooster –, voorbestemd om dienstbaar te zijn.

Jammer genoeg had Madame geen aanleg voor onderdanigheid. Ze wilde wel op de divan luieren, maar niet passief op haar rug liggen. Augustijn had haar verleid, maar zij had hem uit zijn tent gelokt. Ze deed nooit iets half en die dikke buik kwam in de beste families voor. Achter zijn romantische façade was haar held echter een gekwelde man. Hij was aan de dood ontsnapt, maar zijn strijdlust was uitgedoofd in de loopgraven. Hij kon zijn hoofd niet bij de zaak houden en hij vond geld triviaal. Hij was Madame onvoorwaardelijk toegedaan, maar hij hing te veel aan haar rokken. De kinderen verdomden het te leven of werden brokkenmakers. Zo was het altijd wat en de tijd zat tegen.

Madame had vele redenen om zich te beklagen, maar ze slikte haar teleurstelling in en ontstak in gramschap. Het was voorzeker iets om bang voor te zijn, zo onverbiddelijk als zij was; maar ik die haar een half leven van dichtbij heb meegemaakt, ik weet ook dat zij het benauwd had. Dat zij altijd het ergste verwachtte en ingesteld raakte op ongeluk. Kon ze niet één keer toegeven dat vergissen menselijk is? Was het nodig ons voortdurend achter de vodden te zitten? En alles onder controle te houden? Ze stelde het voor alsof het tegen haar zin was, dat de omstandigheden haar ertoe dwongen. Dat mocht waar zijn voor de zaak, het hoefde niet persoonlijk te worden. Waar was ze eigenlijk bang voor? Dat de boel in het honderd zou lopen, dat wij onze eigen gang zouden gaan? Dat zij alleen en verlaten zou achterblijven? Dat was meer iets voor mij, een schijtlijster als het erop aankwam.

Madame had zo triomfantelijk geleken, voor niets of voor niemand bang. Waar was de dekselse meid gebleven die met haar vrijer de benen had genomen? Die rode deerne die haar kont tegen de kribbe gooide? De aanblik van haar glorie volstond om vele aanbidders stil te maken. Ik spreek tegen mijn belang, maar zoals Augustijn meteen was verkocht, zo was ik vol huiverachtige bewondering. Die durft, dat was toch wat we allen dachten, en aan durf heeft het Madame nooit ontbroken, maar de luister ging eraf. De flamboyante jurken werden vervangen door strenge mantelpakken, het korset, dat ze 'haar harnas' noemde, werd zo strak aangesnoerd dat ze schaafplekken kreeg onder haar oksels en op haar billen. Verbeten werd ze en, ofschoon ze het probeerde te verbergen, ook krampachtig. Ja, dat is het, en het is met de engeltjes begonnen.

De baker begreep er niets van, in plaats van dat Madame makkelijker ging bevallen, werd het met elke geboorte lastiger. Ze deed er zo lang over dat het erop leek dat ze de weeën probeerde te rekken, of dat ze de vrucht niet los wilde laten. Bij het persen verzette ze zich met opeengeklemde tanden en gebalde vuisten. Ze hield alle sluizen dicht, het kind moest zich met geweld een weg naar buiten banen. En als de stumper eindelijk was geboren, sloot ze haar ogen en stopte ze haar vingers in haar oren. De baker vond het tegennatuurlijk, maar Madame wilde gewoon de dood voor zijn. Wat ze niet had, kon haar ook niet worden afgenomen. Augustijn, die er zelf ook niet gerust op was, moest haar paaien met zoenen voor zij het kind aan de borst wilde leggen. Het bakeren liet ze aan mij over, vaak met tranen in de ogen. 'Het zijn de naweeën,' was de diagnose van de opgeroepen dokter. Er was altijd het gevaar dat Madame een vloed zou krijgen en zou doodbloeden.

Zoals zij zich voor de geboorte had verzet, zo liet ze zich na afloop gaan. Slap als een vaatdoek en witter dan wit. Huilend om een niemendal.

Ze had met de kinderen wat Augustijn met de oorlog had. Een kwellend gevoel van verlies, van verslagenheid. En ook een onredelijk schuldgevoel: hij moest ermee leven dat onder zijn bevel jongens waren gesneuveld, zij vreesde dat ze bij de geboorte het kind aan de dood uitleverde. Glorie voor de krijger, laurieren voor de moeder, maar dit paar ontdekte al vlug dat in oorlog of liefde niets te winnen valt. Ze verborgen hun nederlagen voor de buitenwereld en ook voor elkaar, maar het speelde hun parten, al verwerkten ze de rouw elk naar hun eigen aard.

Als Augustijn neerslachtig was, verschool hij zich; zodra Madame weer op de been was, organiseerde ze een feest. De angst werd onderdrukt met hectische bedrijvigheid. Alles moest tot in de puntjes worden verzorgd en gearrangeerd zoals het haar voorstond. Als het huis in gereedheid was gebracht, daalde ze, oogverblindend, de trappen af en inspecteerde de kamers, hier een bloem verschikkend, daar een vork verleggend, en ten slotte mijn kraagje rechttrekkend. 'Zó en niet anders!' zei ze beslist. Het was de toon die ik niet kon velen, het was een toon die geen tegenspraak duldde.

Augustijn kon ook heel goed commanderen, maar hij deed het terloops. Als hij zijn kopje koffie wilde laten bijvullen, keek hij, over de rand van zijn bril, van het kopje naar mij: 'Celestien?' Meer hoefde niet, en hij was ook niet te groots om te bedanken. Dat deed hij al even onnadrukkelijk, met een knikje, of nadat hij een teugje van de koffie had genomen: 'Lekker.' Augustijn vond het vanzelfsprekend dat hij naar behoren werd bediend. Madame ging ervan uit dat ze zou worden tegengewerkt, of dat ze in de maling werd genomen. Ze uitte zich gedecideerd, maar vertilde zich aan de toon. Zoals ze liep, snel, de grond onder haar voeten wegmaaiend, zo ging haar tong: doe dit, doe dat! En alsof het niet volstond dat ze alles tien keer beter wist, beschikte ze over een slagvaardigheid die sprakeloos maakte. Ze genoot ervan iemand de mond te snoeren.

Na een rondje bekvechten was ze zo fris als een hoentje. Dan kon ze mild zijn en onverwacht genereus. Ik kreeg een middagje vrij of ze bedacht me met een jurk. Ze stak me graag in de kleren, maar zelf kiezen was er niet bij. Ik had geen smaak of ik wist niet wat me goed stond. Ze liet me ook door Augustijn keuren: wat vond hij van mijn nieuwe jurk? Hij keek met een half oog, even opgelaten als ik, die om mijn as moest draaien. Madame sloeg ons glimlachend gade, maar haar voet tikte ongeduldig op het parket. Die voet was als de staart van een kat, die vinnig heen en weer gaat, terwijl poeslief kwansuis afwezig in het zonnetje zit te soezen. Al speurend ontdek je ten slotte het vogeltje in het bladerdek...

Ik was op mijn hoede als Madame inschikkelijk was, en als ze me om mijn mening vroeg, was ik zo voorzichtig niet het achterste van mijn tong te laten zien. Ze kon niet tegen haar verlies, dat wist ik al van het kaartspelen, maar het was geen kunst te winnen van een groentje als ik, of van de kinderen zolang ze klein waren. Tegenstribbelende metselaars hadden algauw zonder werk gezeten.

Augustijn hield zich doof als Madame commandeerde en hij stapte de kamer uit als ze contracten ondertekende. Haar naam prijkte op de marmeren plaat naast de deur en in een boze bui merkte hij schamper op dat het ook voor haar een geleende naam was. Het was beneden zijn waardigheid om zijn vrouw zakgeld te vragen en zij zorgde er wel voor dat het niet hoefde. De enveloppe die hij in de la van zijn bureau vond, was echter identiek aan de enveloppen waarin zij de lonen uitdeelde. Ze deed dat niet opzettelijk, zulke dingen vielen haar niet op, maar het zijn de kleinigheden die de rekening maken.

Madame zette Augustijn niet openlijk voor schut, zijn mening werd op prijs gesteld, en ze kon heel preuts doen: 'Dat moet u aan mijn man vragen.' Dat was handig als ze een zaak in beraad hield of er weigerachtig tegenover stond. Honderdvoudig heb ik te horen gekregen dat ze eerst met Augustijn moest overleggen, de kinderen hebben net zoveel keer op de goedkeuring van hun vader moeten wachten.

Augustijn sprak zijn vrouw niet tegen, zij kon haar gang gaan wat hem betreft. Hij had zijn handen ervan afgetrokken. Hij zweeg en groeide in dat zwijgen. Zij mocht schamperen: 'Heeft zijne hoogheid zijn tong verloren?' Hij gaf geen sjoege, sloeg de krant op of zette de radio aan. Het nieuws en de sportuitslagen, op zondagmiddag het belcanto. Hij oefende zich in het stommetje spelen en paste ervoor op het beter te weten.

Niet één keer kon Madame hem betrappen op: 'Wat heb ik je gezegd?' Dat zinnetje lag háár in de mond bestorven. Zodra er wat mis ging klonk het: 'Wat heb ik je gezegd?' Mij kon het razend maken, de kinderen protesteerden luidkeels, maar Augustijn zweeg. Hij verweet haar niets, maar hij prees haar ook niet. Zij mocht haar gelijk mee in het graf nemen. Wat haar op haar beurt verbitterde. Waarom deed hij niets, waarom zei hij niets, waarom liet hij alles over zich heen gaan? Augustijn haalde zijn schouders op, ze wilde toch zo graag het laatste woord hebben, wel nu dan, ze had het, was ze niet content?

Met een gramstorige blik liep Madame dan door het huis. Ruziezoekend, ten einde raad, haast smekend om weerwerk. Maar tegenover haar 'Wat heb ik je gezegd?' trok Augustijn een muur van zwijgen op. Het was om dol van te worden. Geen van beiden kon de strijd winnen, geen van beiden kon hem verliezen. Ik leerde de harde les van het onvermogen, van de noodlottigheid, die niet alleen in het geslacht maar ook in het karakter is besloten.

De omstandigheden hebben ons niet gespaard: nauwelijks hadden we de ene oorlog verwerkt of we kregen de tweede op ons dak, nauwelijks waren we uit de rouw voor de engeltjes of we kregen het met de duiveltjes te stellen. Dat gaat een mens niet in de koude kleren zitten. Maar men zit ook aan zichzelf vast. Augustijn vond de wereld beneden niveau, Madame wilde hem naar haar hand zetten. Hun kinderen hadden van het een en van het ander, en ik, ik kon niet kiezen en bleef maar aanklampen.

Zo verspeel je zonder dat je er erg in hebt je kansen. Als je tot inzicht komt is het te laat, je kunt ervaringen niet overdragen. Zodra het hogere zaken betrof, kon ik niet uit mijn woorden komen, maar ik tetterde er tenminste niet op los. Ik probeerde het kromme niet recht te praten.

De kinderen waren rad van tong, dat kon niet missen met zulke ouders, maar zoals die deugnieten hun dwaasheden goed wisten te praten, dat hadden ma en pa hen niet verbeterd. En als ik hen al een keer te vlug af was of het beter wist, hulden ze zich in hooghartig zwijgen. Of ze lachten me uit. Celestien, met haar keukenwijsheid en haar achterhaalde opvattingen, een ouwe vrijster, wat wil je. Alsof ze hun gelijk hadden opgezogen met de moedermelk. Ik had niets over hen te zeggen, en ik kreeg het ook niet gezegd.

Ach ja, over wat ik weet, heb ik jaren gedaan, hier wat opgestoken, daar wat onthouden. En heel veel ondergaan. Ik heb mijn waarheid al doende verworven. Arme Celestien, zeg dat wel.

Wie zwijgt, stemt toe, aldus de volksmond. Een bloedhekel heb ik aan dat soort gezegdes. Als iets te pas en te onpas wordt herhaald, hoor je niet meer wat er wordt gezegd, maar het raakt je toch, onderhuids ga je er rekening mee houden. Rosa reeg de ene gemeenplaats aan de andere, zo kon ze niet op haar woord worden gepakt, dacht ze, maar ze zat er zelf aan vast. Madame gebruikte gezegdes als afstoppers; ze wilde niet op een probleem ingaan of ze probeerde iemand op afstand te houden. Augustijn toonde zich beleefd beledigd als ze met een algemene wijsheid aankwam. Hij antwoordde niet of was zogenaamd niet te spreken. Hij kon zwijgen als het graf.

Net zoals bij een front dat tot stilstand komt, ontstond er binnenskamers een niemandsland. Madame rammelde met haar sleutelbos en zakte af naar de keuken. Had ik melk en eieren ingeslagen? Hoe ver stond het met het diner? Ze lichtte de deksels van de potten, roerde en proefde. Te zoet of te zout? Ze kneep haar ogen tot spleetjes en ik hield mijn adem in. Het was alsof mijn hoofd trager werkte, ik kon niet uit mijn woorden komen. Madame kon mijn tong verlammen en ervoor zorgen dat ik borden liet vallen of het eten liet aanbranden. Ik stond op mijn benen te trillen, maar achteraf nam ik haar die onmacht kwalijk. Wie dacht ze wel dat ze was? Volstond het niet dat ze haar man op de kop probeerde te zitten? Met haar 'Wat heb ik je gezegd!' Het was als een genoegdoening; zelfs als het fout ging, wist zij het beter. Ik had wat op mijn hart lag eruit moeten gooien, recht voor z'n raap: klinkt het niet dan botst het! Ik had mijn eigen waarheid voorop moeten stellen. Maar ik wist het nooit zo zeker; het inzicht kwam te laat.

Augustijn besefte dat hij onder toezicht was gesteld. Hij kon niet vrij over zijn middelen beschikken. Madame had daar in beginsel geen schuld aan, maar het leek alsof zij er haar voordeel mee deed.

Het is vermetel, maar ik vraag me af of Augustijn niet beter af was geweest met een vrouw die zijn mindere was. Zodat hij niet het onaangename gevoel had gehad zich te moeten bewijzen. En hij op zijn gade kon neerkijken. Met mij, bijvoorbeeld, had hij geen moeite gehad. Madame echter was een ongetemde heiden, zij keek niemand naar de ogen. Niets was haar te min, maar er was ook niets te hoog gegrepen. En hoe meer ze door het noodlot werd getroffen, hoe minder ze zich op haar kop liet zitten.

Na enkele stormachtige jaren liet Augustijn zijn vrouw betijen. Hij was een heer in het diepst van zijn gedachten, het was beneden zijn waardigheid zich met een vrouw te meten. Het waren er ook de tijden niet naar: de bouw lag plat door de crisis, de kinderen begonnen hun mond te roeren, hij vreesde dat het weer op oorlog zou uitdraaien. Een van de twee moest de wijste zijn, hij gaf – schijnbaar – toe voor de lieve vrede.

'Zwijgen kan niet worden verbeterd,' zei Augustijn. Hij zweeg omdat hij had gefaald, maar hij zweeg ook uit dédain. Dat is hem zuur opgebroken, want al werd zijn zwijgen niet voor instemming genomen, zolang hij niet tegensprak, ging Madame haar gang. Ten slotte zweeg hij ook wanneer hij had moeten spreken. Zo verloor hij veel van zijn veren. Hij kreeg een lege blik in zijn ogen die voortdurend traanden. Hij cultiveerde zijn gewoontes en deed alles op het uur, dag aan dag hetzelfde. Bij elke verandering raakte hij overstuur en voor een onbenulligheid kon hij op zijn strepen gaan staan.

En zoals hij hoog en laag gescheiden hield, zo wenste hij binnen en buiten uit elkaar te houden. Omdat hij zich ten enenmale niet om het huishouden bekommerde en zijn vrouw zich daartoe niet kon beperken, werd er op de bouwplaats een ware veldslag geleverd. Als Madame de opdracht gaf beton te storten, beval Augustijn gegarandeerd daar nog drie dagen mee te wachten. De metselaars konden hun pret wel op; als de een 'Vooruit!' riep, dan schreeuwde de ander: 'Achteruit!'

Consequent liepen de voor- en de achterhoede elkaar voor de voeten. Wit van woede kwam Augustijn dan thuis aanzetten: wie wist het beter, hij die verstijfd van de kou op de bouwplaats stond, of zij die knus in haar warme kantoor zat? Madame vond zijn reactie overdreven en dacht er niet aan om toe te geven. Van de weeromstuit klaagde Augustijn over het dagelijks bedrijf: de rosbief was doorbakken en de tong niet zeevers. Zo regende het weer op mijn dak. Want ook zijn hemden waren niet naar behoren gestreken en zijn schoenen niet glimmend gepoetst. Ik kon geen goed meer doen.

De kinderen profiteerden van het gekibbel door hun ouders tegen elkaar uit te spelen, en ook de werklui – en ik – beweerden naar gelang het ons beter uitkwam dat een taak door de tegenpartij was opgelegd of afgelast. Dat duurde tot de ruziemakers te veel gezichtsverlies leden en er opstand dreigde. Dan kwamen ze op de bekende wijze tot een vergelijk en was het van berg je, want allebei haalden ze hun gram bij wie onder hen stond. 'Celestien, waar ben je?'

Augustijn en Madame waren aan elkaar gewaagd. Desondanks bleef er die eeuwige strijd te beslechten. Hij haatte het afhankelijk te zijn, zij wilde voor hem niet onderdoen. En zij had de sleutels in handen, denkbeeldig en in het echt. Zij kon de boel afsluiten en je voor de deur laten staan.

De sleutelbos van Madame ging voor haar juwelen, hij lag op haar bureau, hing aan haar ceintuur of zat in haar tas. Zolang ze bedrijvig was, begeleidde het sleutelgerinkel haar, dat was handig omdat je haar hoorde aankomen. Later, toen het haar allemaal te veel werd, raakten de sleutels geregeld zoek, ze verstopte ze op de onmogelijkste plaatsen, zo goed dat ze het zelf vergat. Dan haalde ze kasten overhoop en graaide in laden, hoe langer hoe meer opgewonden. Ze wist zeker dat ze de sleutelbos nog in haar handen had toen er werd gebeld, maar waar had ze hem vervolgens neergelegd? Had ik de sleutels gezien, had Augustijn de sleutelbos meegenomen?

Madame was radeloos, Augustijn moest haar troosten en ik werd aan het zoeken gezet. Zij lag het ene moment uitgeteld op de sofa, en snelde het volgende moment naar de kelder. Daar bleef ze staan als een ezel voor een afgrond. 'Celestien, ga daar beneden eens kijken.' Waar waren die vervloekte sleutels gebleven? Lagen ze op de schappen tussen de weckpotten? Waren ze in de berg antraciet verzonken?

Ik wees haar erop dat de sleutels niet in de kelder konden zijn als zij er niet in afgedaald was. Madame keek me dan verwilderd aan; ze raakte haar verstand kwijt! Ze zouden haar met de gekkenkar ophalen!

Sint Antonius werd aan het werk gezet. Voor het foeilelijke gipsbeeld werd een kaars gebrand, maar als de heilige van de verloren voorwerpen het liet afweten, werd hij voor straf met het gezicht naar de muur gezet. Ik verbeet bij zulke vertoningen mijn lach, maar ik was toch ongerust. Madame hield de sleutels van ons bestaan in handen.

Toen Angelique in een historische stoet de sleutels van de stad aan keizer Karel moest aanbieden, troonden Augustijn en Madame als trotse ouders op de tribune. De grote sleutels lagen gekruist op een roodfluwelen kussen; Angelique droeg een goud met zwart afgezette mantel en een kanten kapje met een sluier. Ze kweet zich sierlijk van haar taak, maar in plaats dat keizer Karel de sleutels symbolisch aanvaardde, maakte hij zich meester van het kussen. Angelique liet het echter niet los – de keizer moest haar het kussen uit handen rukken, waarbij de sleutels onvermijdelijk op de kasseien vielen. Gelach steeg op uit het volk. Madame kreeg een hoofd als een boei. Augustijn wilde het voorval afdoen als een grapje, maar we gingen zwijgend op huis aan. Daar stonden we voor een gesloten deur. 'Heb jij de sleutels?' 'Nee, jij had ze toch!' 'Celestien, waar zijn de sleutels?' Het oude liedje. Het begon zoetjesaan te regenen. 'Mijn hoed wordt nat!' grommelde Madame terwijl ze in haar handtas graaide. 'We worden allemaal nat,' zei Augustijn zuur.

Angelique kwam uren later aanzetten, in haar geelzwart kostuum, als een wesp die een storm heeft doorstaan. Maar rank, en met geheven hoofd, verklaarde ze haar tegenspeler voor gek. Als je niet wist hoe het hoorde, kon je beter thuis blijven. Niet zij, maar keizer Karel stond voor joker. Angelique demonstreerde een familietrekje dat op instemming kon rekenen.

■■■

Ik heb de sleutelbos van Madame meegenomen toen ik moest vertrekken. Niet dat het nut heeft, maar het kalmeert me als ik de sleutels door mijn handen laat gaan als een rozenkrans en opsom op welk slot ze passen. De grote sleutels voor de binnen- en buitendeuren, de kleine sleutels voor kluizen en juwelenkistjes. De enige echte en onvervalste.

De sleutels van Augustijn waren duplicaten, en na het verscheiden van Madame bleek dat hij niet wist op welk slot sommige sleutels pasten. De bureaula, de kluis? Bij leven had hij Madame de sleutels betwist, na haar dood kon het hem allemaal niet meer schelen.

Angelique pakte de sleutelbos, niet om het geld in handen te krijgen, maar om de geheimen van Madame te ontsluiten. Bertje eiste de sleutels op, maar zijn zus wees hem terecht. Wie was de eerstgeborene? Hij of zij? En toen hij tegensputterde, noemde ze hem een ongelukje. Daar had hij niet van terug. Ruziënd liepen ze van kamer naar kamer en probeerden alle sloten. Ze vonden wat geld, een sommetje voor onverwachte uitgaven, een pakje brieven, een zakdoek met een vreemd monogram. Alles bij elkaar een magere oogst, en er bleven vier sleutels over waarvan niemand kon achterhalen op welk slot ze pasten. Toen kon er bij Augustijn voor het eerst weer een flauwe glimlach af. Zijn sakkerse vrouw was de grijpgrage erfgenamen te vlug af geweest. Ik zag het met lede ogen aan; trouw over het graf heen, daar valt weinig tegen te beginnen.

Bertje stelde voor dat Angelique en hij het handgeld zouden

delen, maar zij wuifde dat voorstel weg. Ze snuffelde als een jachthond aan het zakdoekje, ongetwijfeld muf na zoveel jaren, en kon niet wachten om de brieven open te maken. Toen was het mijn beurt om te glimlachen, want de brieven waren een dwaalspoor; voorzover je van een geheim kon spreken moest je het in het monogram zoeken. In de dooreengevlochten letters van de vader van Madame en van haar onbekende moeder.

'Ik ben een kind van de liefde,' had Madame zich eens laten ontvallen. 'Dat is eraan te zien,' antwoordde Augustijn teder. Daarmee was recht gedaan aan de vrouw die in het kraambed was verbloed, en over de man die het kleine meisje in een wasmand had meegenomen hoefde geen kwaad te worden gesproken. De brieven waren van de stiefmoeder, die vooral niet zo wilde worden genoemd, maar die nooit vergat dat het kind een vreemdsoortig cadeautje van haar man was geweest. Ze deed haar best, maar ze kon zich niet uiten. Naargelang het meisje opgroeide tot een wildebras met rode haren had zij zich meer en meer teruggetrokken. Maar omdat zij zich verplicht voelde, of in een ultieme poging om de afstand te overbruggen, had zij zich aan het schrijven gezet. Brieven vol levenslessen om het ongeremde wicht in te tomen. Stijf en onbeholpen, maar vol goede wil, en Madame had de epistels bewaard, ofschoon zij zich er nooit wat van had aangetrokken.

Angelique legde de brieven terzijde, ze aarzelde om mij te ondervragen. Dan had ze moeten toegeven dat ik meer wist. En ze wilde het zich besparen dat ik als vanouds zou beweren nergens van af te weten.

De eerste les die ik van Rosa kreeg, was die van 'horen, zien en zwijgen', en daarna heb ik zo goed en kwaad als het kon mijn tong in bedwang gehouden. Maar ik heb vooral de tweede les nageleefd, en die luidde: 'Hoe minder ze weten, des te geruster ze slapen.'

Het was niet makkelijk omdat we in hetzelfde huis leefden, maar het was mijn enige vrijheid dat ik meer van hen wist dan zij van mij. En nu is het alsof ik de dubbele rente kan heffen, ik heb onze levens samen opgespaard.

Ik zit erop te wachten dat Bertje op hoge poten in Welverdiend komt aanzetten om de sleutelbos van zijn moeder op te eisen. Dan zal ik verklaren, sleutel voor sleutel, op welk slot die past. En ik zal er mijn tijd voor nemen.

De kinderen hebben nooit wat begrepen omdat ze nooit wat wilden weten. De ontkenning van het verleden was een voorwaarde voor hun vrijmoedigheid. Nu hun niet te kloppen moeder dood is, heeft het verleden hen ingehaald. Er is geen ontkomen meer aan, ze zullen ook het belaste deel van de erfenis moeten aanvaarden. En hun daden en drijverijen onder ogen zien.

Ik zit erop te wachten om af te rekenen, en ik heb al de tijd van de wereld om te wachten, ik, die nooit een eigen sleutel heb gehad, en zelfs niet deze welverdiende kamer kan afsluiten. Voor mijn eigen bestwil, welteverstaan, ik zou een been kunnen breken of mijn nek, en dan zou de hulp voor een gesloten deur staan. Dat risico kunnen zij niet lopen, maar zou het niet mooi zijn als ik er in mijn slaap vanonder muis, en niemand iets in de gaten heeft? En ik feitelijk ook aan mezelf ontsnap? Dat is, vrees ik, alleen de gelukkigen gegeven, maar voor één keer zouden zij niet kunnen beweren dat ik het mezelf heb aangedaan. Uiteindelijk zal gerechtigheid geschieden.

Ik heb de sleutels van Madame zo vaak door mijn handen laten gaan, dat ze glimmen als de tenen van de heilige Petrus, de sleutelhouder, die door duizenden handen werden gestreeld. Ik vond het vies, al die handen die de tenen van dat beeld beroerden, maar dat soort rituelen behoorde tot de devotie van Madame.

Het was diep treurig dat ze haar sleutelbos aflegde en er niet meer naar omkeek. Elk sterft voor zich alleen, maar zoals zij haar sleutels aflegde, haar blik afwendde, van mij, van haar resterende kinderen en ten slotte ook van Augustijn, vermoeid en zonder illusies, dat was hartbrekend.

Ze was al dood voor ze goed en wel was gestorven. Ik heb nog geprobeerd er weer leven in te blazen en haar de cassette met juwelen voorgehouden: de parels of de diamanten, ze had maar te spreken. Zwakjes wenkte ze met haar goede hand, weg ermee, en toen ik de sleutelbos in die hand legde en de vingers eromheen vouwde, dwaalde haar blik door de kamer tot hij aan mijn ogen bleef haperen. Had ze medelijden met me of smeekte ze om mededogen? Ze zuchtte, maar sprak geen gebenedijd woord.

Naast het bed opende ze haar hand en de sleutelbos viel op de vloer. Ze kon of ze wilde niet meer, en zoals de plof van de sleutelbos werd gedempt door het tapijt, zo werd haar laatste zucht gesmoord door de wind die onverwacht was opgestoken.

Het stormde en het regende dat het kletterde, dagenlang, de begrafenisgangers strompelden met omslaande paraplu's achter de kist. Toen ik me tegen de wind keerde, meende ik een bekend silhouet te ontwaren. Had de schim van Reinout zich verdekt opgesteld? Haast had ik mijn hand opgestoken als teken van herkenning. Ik probeerde uit te rekenen hoe lang hij al wijlen was en spiedde om me heen. Hadden de anderen hem ook gezien? De storm geselde de bomen, we werden vrijwel verjaagd van het graf. Ik heb Madame gedachteloos en haastig achtergelaten.

Gedurende het begrafenismaal werd er een aardige slok gedronken; de wereld draaide om me heen toen we met de taxi naar huis reden. Daar stonden we voor een gesloten deur, niemand had eraan gedacht de sleutel mee te nemen. Het leek wel opzet.

Augustijn snikte als een kind en Angelique gaf mij de schuld. Ik begon te schreeuwen, wat kon mij die vervloekte sleutel schelen, was het soms mijn huis? Bertje sloeg een raampje van de veranda stuk en klom naar binnen. De avond verging in narrig zwijgen.

Voor ik in bed stapte, keek ik uit het raam. Er was geen levende ziel te bespeuren, de straat was schoongeveegd door de regen. Het drong tot me door dat Madame langzaam in de modder verzonk. Ellendig kroop ik tussen de lakens. De koudste aller winters was aangebroken.

■■■

Dit stilzitten is niet gezond, ik hoef hier niets, het eten wordt opgediend, de kamer onderhouden, het bed opgemaakt. Ik moet alleen maar de tijd zien door te komen. Het lijkt wel luilekkerland, maar ik eet me met lange tanden door de rijstebrij. Je kunt niet tegelijk herinneren en verdonkeremanen, enfin, dat kun je wel, maar ik heb mezelf te lang voor de gek gehouden. Als ik schoon schip wil maken, moet ik door zoet en zuur heen.

De Van Puynbroeckxjes zijn begenadigde fantasten, ze kunnen liegen alsof het gedrukt staat. Hun versie van de feiten, daar gaat het om, en om zich te verschonen. Alles wat hen is overkomen, is ze aangedaan, door de geschiedenis of door hun ouders. Ik word vrijgesteld omdat ik er niet toe doe, een zijlijn, een anekdote in de marge. Goede oude Celestien. Heeft weliswaar alles meegemaakt, maar wordt gewraakt als getuige. Te eigen. Haar te horen is een slag onder de gordel, haar te geloven getuigt van kwade wil. Het is algemeen bekend dat bedienden roddelen en zich verbeelden deel uit te maken van de familie. Terwijl ze er toch nooit het fijne van weten en worden geduld. Wat zouden ze ook zeggenschap krijgen als ze geen verantwoordelijkheid dragen? Wij hebben aan onze verplichtingen voldaan: Celestien wordt goed verzorgd.

Geen noemenswaardig leven, kind noch kraai om na te laten. Ik hoef alleen nog begraven te worden, maar ik laat me niet het graf in kijken. De sluipmoord zal niet lukken. Mijn bestaan gaat niet langer in het hunne schuil, ik zal mijn verhaal tegenover hun verhalen stellen en hun achterkant onthullen. Het is niet voor niets dat Bertje er als een haas vandoor ging, dat Angelique me ontwijkt, dat Marius zich stilhoudt. Ze zitten echter niet zozeer met mij als wel met zichzelf opgescheept. Ik hoef alleen maar geduld te hebben. Wachten op een verhuiswagen met meubels waarmee ik niets kan beginnen. Dat zal ze leren.

Bij het vallen van de avond fladderen vleermuizen om het huis en verleden nacht heb ik een uil horen schreeuwen. Het klonk als een roep uit oude tijden. Ik kon de slaap niet vatten en dacht aan het kasteeltje waar de oude mevrouw wachtte tot haar uur had geslagen. In de toren nestelden de uilen en daar werden ook de vallen opgesteld. In elke jager schuilt een stroper en het was Herward erom te doen de uilen ongeschonden in handen te krijgen. 'Je moet ze op hun nest betrappen,' monkelde hij. Dat klonk niet wreed, eerder weemoedig.

In de salon van de oude mevrouw stond een opgezette uil op de piano. Hij zat met gekromde tenen op een boomstammetje, met zijn veren als leien over elkaar gelegd en met grote ogen die in het niets staarden. Ik streelde de donzige veertjes en volgde de curve van de snavel. De uil was niet meer dan een omhulsel van een uil, maar zo voelde het niet.

In de traphal van het kasteeltje hingen opgezette koppen van herten en everzwijnen. Voor Pasen werden ze van de muur gehaald en uitgestald op het gazon. De stugge haren werden geborsteld en de glazen ogen gezeemd. Herward vond het een mooi tableau, mij deed het denken aan de collectie van een koppensneller.

Ik was uitgeleend voor de grote schoonmaak, maar ik voelde me ongelukkig in het kasteeltje en wilde naar huis. Madame mocht me een flauwerd vinden, ik hield het daar niet uit.

Toen ik weer in mijn eigen bed lag, droomde ik dat de koppen van de herten en everzwijnen waren vervangen door de hoofden van de familie, te beginnen met Herward en zijn vrouw, en hogerop Augustijn, Madame en hun nazaten. De uil van de piano vloog geluidloos in een spiraal door de traphal naar de toren. Aan de trap kwam geen einde, hij leek ergens bovenaan in het niets op te lossen. Ik probeerde de droom zo vlug mogelijk te vergeten, maar het lukte niet, en het verontrustte me dat ik, al dromend, mijn eigen hoofd voorbij was gelopen. Dat had, als terloops, tussen de andere hoofden gehangen.

Op een nieuwjaarsdag was de uil van de piano verdwenen. Slecht geprepareerd: uit zijn buik waren maden gekropen. Hij was met de vuilnis verbrand. 'Dat staat ons allemaal te wachten,' zei de oude mevrouw. Ze liet geen gelegenheid voorbijgaan om onaangenaam te zijn.

De uil werd vervangen door een herderspaar van biscuit. Dat beeldje moest de eeuwige jeugd voorstellen, maar het was smoezelig. Het stof school in de plooien van het biscuit en viel niet weg te poetsen. 'Dat is het patina,' verklaarde ze.

Boven de haard hing haar portret in rijkostuum. De boezem geprononceerd door de wespentaille, onder het amazonehoedje een blik van wie doet me wat. Op haar achttiende werd ze uitverkoren als debutante van het jaar. Als ze opkeek, werd ze eraan herinnerd hoe veelbelovend ze was geweest.

Daar was alleen de houding van overgebleven, maar nog altijd was ze niet bang. Ze verbleef in dat uitgeleende kasteeltje, dat door vocht was aangevreten, alsof ze in Versailles vertoefde. Ze was omringd door rottende en verstofte voorwerpen uit een vorig leven, maar ze gaf geen krimp. Toen ze niet op haar wenken werd bediend, sloeg ze eens met haar wandelstok het herderspaar stuk. Ze liet uilen verbranden en hitste de honden op. Ze wist dat haar de hel wachtte, maar ze lachte de duivel uit in zijn gezicht. Ze had wat je noemt zelfrespect.

Ik ben nog niet zo oud als de oude mevrouw destijds, maar het schiet al aardig op. Ik zou graag wat stukslaan, maar er is in heel deze kamer niets te vinden wat het stukslaan waard is. Ik meen dat ik een uil heb horen schreeuwen, maar wat betekent dat? Ik kan niet eens een bromvlieg doodslaan!

Mijn buik is als arduin, zo hard en versteend, en ofschoon ik snak naar verlichting, ben ik beducht voor het moment dat er weer beweging in komt.

Toen ze aan haar leunstoel werd gekluisterd, kreeg Madame ook last van hardlijvigheid. Op het laatst zat ze te kermen op de wc.

De dokter schreef een lavement voor en zonder tegenstribbelen liet ze zich op haar zij kantelen. Het baren had haar geleerd nederig van lijf te zijn. En zich te laten bijstaan. Maar Augustijn zat in de keuken op zijn snor te bijten, hij had geen assistentie aangeboden en wij hadden er niet om gevraagd.

De billen van Madame waren gerimpeld als gedroogde appeltjes, ooit waren ze zo rond geweest als de billen van een Brabander. Van de van kop tot kont gebalde kracht was niets overgebleven.

Ik had de klisteerspuit ingevet met boter, maar Madame slaagde er niet in zich te ontspannen. Ze kneep alles dicht: ogen, mond en aars. De verlamde hand probeerde een vuist te maken. Ik begon zachtjes te zingen terwijl ik haar billen streelde: '*J'attendrai le jour en la nuit, j'attendrai toujours...*' Het slepende lied van verlangen. En jawel, het werkte. Madame lag te schudden alsof ze tegelijk lachte en huilde. Het was alsof de zon scheen terwijl het regende: duiveltjeskermis. Als zingend dreef ik de klisteerspuit naar binnen en in haar darmen begon het te gisten en te rommelen. De zwarte smurrie stroomde naar buiten als kokende lava, golf na golf, tot ze totaal uitgeput was. Ze huilde als een kind en ik hield haar hand vast, kokhalzend maar vastberaden. Ontsteld rook ik dat dit het begin van het einde was. En hoe penibel ook, ik was dankbaar dat ik erbij was.

Ik heb gezworen dat ik niet in Welverdiend zal bezwijken, maar als ik me voorstel dat Angelique zich over me zou ontfermen, begin ik te twijfelen. Vreemde ogen zijn beter te verdragen. Ik zou Augustijn ook niet aan mijn sterfbed willen hebben, al kun je in uiterste nood altijd op hem rekenen. Zoals hij Madame had bijgestaan met bevallen, zo hielp hij haar te sterven. Na afloop weigerde zijn lichaam dienst, zijn hart, zijn prostaat, zijn onwillige darmen. Alles deed hem pijn en niets wat nog naar behoren functioneerde. Zijn broek flodderde om zijn benen en hij kreeg een kippennek. Hij weigerde pillen te slikken en ook ik moest van hem afblijven. Hij stond erop dat er werd geklopt voor je de slaapkamer betrad. Dat was meer dan ooit het heilige der heiligen. Maar hij bracht ook uren door op de wc. Angelique gaf me de opdracht pruimen in de week te zetten.

Hoe had Augustijn hardlijvig kunnen zijn, hij at haast niets. Ik luisterde aan de deur van de wc, klopte, en nog een keer. Ten einde raad haalde ik er Angelique bij en zij dreigde ermee de deur te laten openbreken. Met een ruk trok Augustijn de deur open: hij had gehuild en zijn broek hing op zijn enkels. De harige mannenbenen stonden vreemd onder de slippen van zijn hemd. Hij draaide zich om en bukte zich om zijn broek op te trekken. Tussen zijn billen zagen we – even – de gerimpelde zak van zijn afhangende ballen. Ik wist niet waar te kijken en was me onaangenaam bewust van Angelique.

Toen Augustijn zich weer in postuur had gezet, voer hij uit; wat stonden wij daar te gapen, ging het ons wat aan wat hij op de wc uitvoerde? 'Wijventroep!' brieste hij. Dat gaf geen pas en het paste ook niet bij hem. Angelique stapte met afgemeten passen naar de salon. Ik vroeg aarzelend of Augustijn wat wilde drinken. Een whisky? 'Laat me met rust!' snauwde hij. De geest van Madame leek in hem gevaren. Toen kwamen ook bij mij de waterlanders.

■■■

Je kunt je wel verbeelden dat de hersenen boven de darmen staan, maar onder en boven zijn met elkaar verbonden; als de darmen van slag zijn, kun je ook niet helder denken.

Omdat ik vannacht niet kon slapen, zat ik vandaag te dommelen, en in mijn halfslaapje zag ik de traphal van het kasteeltje alsof het gisteren was. Aan de wand hingen echter niet de hoofden, maar de achtersten van Herward, van zijn vrouw, van Augustijn, van Madame en compagnie. Vraag me niet hoe ik wist welk hoofd bij welk achterste hoorde, ik wist het, het enige achterste waaraan ik twijfelde was het mijne. Altijd bezig, van voor niet wetend hoe je van achteren leeft, dat mag je wel zeggen, en ik had me ook voor mijn achterste geschaamd. Al merkte ik wel hoe

Madame met haar kont kon draaien en hoe Augustijn haar dan nakeek. Zelfs als ze niet met elkaar spraken, of juist dan, was het alsof hij met zijn blik haar achterwerk omarmde. Ik deed mijn best om het niet te zien of keek de andere kant op als hij haar 'kontje' noemde. Dat was wel het laatste wat bij haar paste en ik had me gegeneerd als het mij was overkomen. Hoewel Jan ook een keer opmerkte dat ik 'een pront kontje' had, en dat vond ik toen niet erg. Voor Jan had ik me ook niet hoeven te schamen. Dat hij 'de Hollander' werd genoemd kwam van Madame, en Augustijn vond hem een praatjesmaker. Ik slikte het en schaarde me aan hun kant. Spijt om al je haar bij uit te trekken, maar ik wist niet beter of zij gingen altijd voor...

Al zou ik om mijn as draaien tot ik omval, mijn achterste blijft onzichtbaar. Madame inspecteerde zich aan alle kanten en liet niets aan het toeval over. Ze keek achterom in haar handspiegel naar de vrijstaande spiegel die haar rug terugkaatste. Ook de medemens werd voor en achter gekeurd, die nek, oei, en die kont, olala, terwijl een mooie rug toch ook kon bekoren. Enfin, zij mocht niet klagen, welgevormd als ze was. Angelique mompelde weleens dat haar moeder een ouderwets figuur had, maar dat deerde Madame niet. Aan een vrouw moet wat spek zitten, zodat je haar eens lekker kunt pakken. Dat was de mening van haar man, en heus niet van hem alleen. Angelique leek een tuberculosepatiënt, niets dan stokken en zeilen, en altijd slecht gezind, dat had je van dat hongerlijden. Madame schoof nog vlug een tompoes op het bordje van haar mokkende dochter: 'Eet, dat je wat voller wordt! Je wilt niet?' Goed, dan at ze het gebakje zelf op.

Maar met de jaren verdween het welbehagen. Madame mopperde dat ze eruitzag als een geplukte kip. Aan de veren kon het niet liggen, ze kleedde zich beter dan ooit. Het ongenoegen kwam door wat eronder zat, dat begreep ik, we hadden gemeen dat we niet uitdijden maar wegsmolten. Borsten en billen moesten er eerst aan geloven. Augustijn zag niet dat zijn vrouw verschrompelde, Madame bleef voor hem zijn voluptueuze schone, zijn roodharige vlam. Hij werd kwaad als ze een toespeling maakte op het ouder worden. Oud, zij? Van zijn leven niet!

Daarmee was Madame veroordeeld om altijd jong en voor immer begeerlijk te blijven. Geen kleine last, maar het was eenvoudiger Augustijn te bevredigen dan zichzelf een rad voor ogen te draaien. Mij viel het ook niet mee, al was ik maar een flauwe afspiegeling van Madame. Zij had de volheid van het leven geproefd, terwijl ik verdorde zonder genoegdoening. Ze had gelijk, mijn tepels waren als krenten en over mijn kont zal ik maar zwijgen. Het was alsof mijn vlees verstierf.

Het is in Welverdiend geen vetpot, en wat er wordt geserveerd is zo onsmakelijk dat mijn eetlust erbij inschiet. Twee boterhammetjes, één met kaas en één met ham, cellofaan erover, kuipje confituur ernaast, een kop slappe koffie toe. Madonna! Terwijl ik een eersteklas keuken heb gevoerd, het beste was nog niet goed genoeg. Zelfs in de oorlog zijn we nooit wat tekortgekomen, enfin, ik zou liegen, we hebben gevast, omdat we ook clandestiene monden moesten spijzen. Maar er waren altijd aardappelen, er waren kolen en bonen, haring, konijn, somtijds een haas of een fazant, alles aangesleept door Augustijn. Zo schoot hij de vijand onder zijn duiven.

Madame herhaalde regelmatig trots: 'We hebben gans de oorlog geen margarine gegeten!' Ze stond op goede boter en als die helemaal onbetaalbaar was of eenvoudig niet te krijgen, at ze haar boterham droog. Ook Augustijn was de mening toegedaan dat je op kwaliteit niet mag toegeven, maar hij had al een oorlog achter de rug, hij had desnoods stront gegeten. Als hij zonder blikken of blozen Madame een klein fortuin zag neertellen voor een kilo boter, was hij trots uit verzet. Alweer een lekkernij waarnaar de Fritzen konden fluiten!

De gesmokkelde boter lag op de keukentafel als een trofee, Madame vouwde het vetvrije papier open, streek over de gele kluit, likte haar vinger af, knikte goedkeurend, streek weer over de boter en hield Augustijn haar vinger voor. Hij zoog hem met gesloten ogen naar binnen. Terwijl hij nagenietend zijn snor schoonveegde, schraapte Madame met een koffielepeltje een rolletje van de boter af en stak het mij toe: 'Proef!' Dat je zoveel genot kunt beleven aan een hapje boter! Ik liet het smelten in mijn mond, het was lichtjes gezouten, vet, maar romig. Net wat we na al die haring nodig hadden. De Mayers jammerden dat de boter onbetaalbaar was, maar ze aten wel mee. Het was ook zonde geweest de boter ranzig te laten worden, maar door het eenzijdige dieet waren de gevolgen er naar: de wc was doorlopend bezet. Het maakte niet uit, we zaten wellustig te spetteren, het was als een bevrijding.

Madame beweerde dat het diepste streven van de mens een plaats in de hel is, hoog genoeg om op de kop van wie eronder zit te schijten. Dat was grof gezegd, maar door de boter kreeg ook ik een heldhaftig gevoel. Het waren ónze koeien, ónze melk en ónze boter. Stukje bij beetje zouden we wat ons toebehoorde weer in bezit nemen en de bezetter uitdrijven. Het was alsof we deel uitmaakten van een mystiek lichaam, of van een geheim genootschap, en door al dan niet verbeelde banden met elkaar waren verbonden.

Dat was het mooie van de oorlog, en ik had te doen met onze joden, die voor vriend en vijand vreemden waren. En die terugschrokken voor elke toenadering, alsof ze bang waren zichzelf te verliezen. We leefden onder hetzelfde dak, we deelden het brood en bijgeval de boter, we hadden dezelfde vijand. Maar als ze uit hun schuilplaats aan tafel werden genood, veegde mevrouw Mayer eerst met haar servet de borden van haar man en zoon schoon, en ze bracht haar eigen bestek mee.

Een keer verscheen ze in de keuken om te helpen met het inmaken van witte kool, maar ze wenste alles apart te doen, en haar inmaak moest opzij worden gezet. Het was alsof ze vies van ons was of vreesde dat we van haar *Sauerkraut* zouden smikkelen.

Madame maakte korte metten met de aanstellerij – voor de oorlog waren de Mayers niet koosjer geweest en dit was niet het moment om het ons lastig te maken. Voor het geval mevrouw

Mayer het nog niet doorhad: Jahweh of hoe ze hem ook mocht noemen, keek even de andere kant uit.

Mevrouw Mayer kreeg migraine en ontwikkelde gordelroos, maar Madame was niet onder de indruk, en ten slotte at ook mevrouw Mayer wat de pot schafte. 'Honger is de beste saus,' orakelde Madame.

De zilveren couverts uit Solingen waren onderhands verkocht, de Mayers hadden niets meer te makken, ze aten genadebrood. Dat moet ze niet zijn meegevallen, maar er was erger. Ik had mevrouw Mayer kunnen geruststellen: Madame blafte, maar ze beet niet. De dame ontweek me echter, voorzover dat kon, en als ze me aansprak, was het met een mengeling van angst en afgrijzen. 'Czelestien, kan ik een *sauber* handdoek krijgen?'

Het lag op mijn tong dat ik geen vuile handdoeken verstrekte, maar ik reikte haar zwijgend het gevraagde aan. Mevrouw Mayer pakte de handdoek van ver aan, terwijl ze verschrikt *'Danke schön'* mompelde.

's Ochtends leegde meneer Mayer de nachtspiegel van zijn familie en hij deed dat zo onhandig dat hij op de vloer van de wc morste. Verlegen kwam hij in de keuken om een dweil vragen, maar ook van poetsen bracht hij weinig terecht. Ik moest er nog een keer achteraan en stelde voor dat Mayer junior het karwei zou klaren, of dat de familie simpelweg de wc zou gebruiken. Daar schrok meneer Mayer van. Junior was een moederskindje, te goed om zijn handen vuil te maken. En het was uitgesloten dat mevrouw Mayer zich op onze wc zou neerlaten. Of ze bang was haar billen te branden, vroeg ik. Madame kapittelde me om mijn grote mond, maar ze gaf me wel gelijk. Augustijn pleitte voor begrip, mevrouw Mayer had alleen in eigen kring verkeerd, en nu moest ze alles, van tafel tot wc, met anderen delen, dat lag moeilijk. We moesten haar tijd gunnen om te wennen.

'Celestien kan er niet nog een keer de wc bij hebben,' zei Madame. '*Das mach ich schon*,' haastte meneer Mayer zich te zeggen. Madame schudde haar hoofd, het was onmogelijk geen medelijden met meneer Mayer te hebben. Hij was bang en wist zich verschuldigd, zijn vrouw en zoon stelden onmogelijke eisen, hij moest hun de waarheid vertellen, maar wat hield dat in? 'Spreek met uw vrouw,' zei Madame. Meneer Mayer: '*Mach ich, mach ich schon.*' Hij repte zich de gang op en struikelde over de nachtspiegel, die over het marmer leegklokte. 'Wat een kluns,' liet ik me ontvallen. Augustijn kneep zijn neus dicht: 'Poeh!' 'Halleluja,' beaamde Madame. Ze keken elkaar aan en schoten in de lach.

Kwaad zette ik de gangdeuren op de tocht, want onze onzichtbare gasten waren door het hele huis te ruiken. Met de gangdeuren open kon je van voor naar achter kijken, dat gaf een bloot gevoel. Ik zwiepte vlug een emmer water door de gang, maar de enige die belangstelling toonde was een loslopende hond die er slippend vandoorging.

Na dat voorval gebruikte meneer Mayer de wc, junior volgde, alleen mevrouw Mayer hield vast aan de nachtspiegel. Haar man kweet zich van zijn taak, leegde de nachtspiegel en kwam vervolgens bedremmeld om een dweil vragen. Ik ergerde mij mateloos, maar bij Madame hoefde ik niet te klagen, en Augustijn merkte guitig op dat meneer Mayer vooruitgang boekte. Geen sporen in de gang, een paar drupjes op de vloer van de wc, een kniesoor die daarop lette. We moesten wel bedenken dat er niet veel bankiers waren die een nachtspiegel konden legen. Was het echt nodig dat ik de wc elke dag een extra beurt gaf?

Prompt besloot ik de boel de boel te laten, maar ik hield het niet vol, de wc was mijn *point d'honneur.* Kraakhelder moest ze zijn, en niet dat ik wat tegen de Mayers had, maar ik rekende ze die bezoedelde wc wel aan. De boter zorgde voor de loutering: ze dwong ook mevrouw Mayer op een holletje naar de wc. Meneer Mayer stond met de dweil in de aanslag op de gang. '*Die Frau war ein bissl krank.*' En voor ik een chagrijnige opmerking kon maken, moest ik me zelf haasten.

Tegen het einde van de oorlog werd het te gevaarlijk voor de Mayers om uit de schuilplaats te komen. De Duitsers zochten als bezeten naar onderduikers en hielden de ene razzia na de andere. Het was van: ik kapot, alleman kapot. 'Die doen het in hun broek,' smaalde Augustijn. Hij nam het op zich de nachtspiegel van de Mayers te legen.

Madame sprak over niets anders meer dan over eten en hoe eraan te komen. Alleen al de hoeveelheid voer die we nodig hadden, was verdacht. En wat erin ging, kwam er ook weer uit. Augustijn was bang dat het zou opvallen als we de beerput lieten ruimen. Dus wachtte hij tot het een donkere nacht was en schepte de aal in een emmer die hij in de tuin leegde. Ik harkte, zo goed en zo kwaad als het ging, aarde over de derrie. We werkten ons gehaast en zwijgend in het zweet. Het was alsof we iets onoorbaars deden. Na afloop waste ik me van kop tot teen, walgend van de oorlogszeep die met vetoogjes op het water bleef drijven.

Toen bij daglicht onze vieze voetsporen in de gang zichtbaar werden, barstte ik in tranen uit. Maar daar verscheen Madame, met mijn schort voor. 'Ga koffie malen, Celestien.' Zonder verder naar me om te kijken, greep ze zwabber en dweil en begon te poetsen. Ze zag eruit als een meid, maar ze zwaaide met de zwabber alsof het een scepter was.

De volle geur van gebrande koffiebonen vulde even later de keuken. Het was de laatste koffie. We dronken met afgemeten teugjes om het genot zo lang mogelijk te rekken.

Mevrouw Mayer verdroeg de ratjetoe niet die we uiteindelijk moesten eten. Ze had een grauwe huid en haar buik zwol op. Ik dacht onwillekeurig aan het einde van de stiefmoeder van Madame. Mevrouw Mayer mocht niet ziek worden en kon het zich niet veroorloven te sterven. Hoe hadden we haar moeten begraven? Daar moest ik liever niet aan denken.

'Nu is het te laat om het op te geven,' gromde Madame. Ze stroopte haar mouwen op en masseerde de schijnzwangere buik alsof ze het kwaad moest uitdrijven. Toen mevrouw Mayer een jammerkreet slaakte, knorde ze instemmend. Met een lange fluittoon ontsnapte de eerste van een reeks stinkende winden.

Het was alsof alle ellende van de oorlog zich als gas in de buik van mevrouw Mayer had opgehoopt. Madame en ik deinsden achteruit. Mevrouw Mayer lag uitgeput naar het plafond te staren.

De eigenzinnigheid van de buik is bekend, en die van mevrouw Mayer bleef ons parten spelen. Nauwelijks ontlucht zwol hij weer op. Augustijn deed het onmogelijke om aan gedroogde pruimen te geraken, maar meer dan wat met zweet en bloed uitgedreven pulp bracht het niet op.

Ik trachtte mevrouw Mayer te voeren met brood geweekt in melk, maar ze wendde zich kokhalzend af. Als ze een kind was geweest, had ik haar een draai om de oren gegeven. Ze was echter voortijdig oud geworden, met vergrijsde haren en ingevallen wangen. Ik kreeg het onaangename gevoel dat we haar het leven oplegden en een te zware last voor haar waren. Meneer Mayer met zijn hondse aanhankelijkheid, Mayer junior met zijn klagende 'mama', en wij met ons drammen.

Augustijn stopte zijn pijp met *fleur de matrasse* – het zo verfoeide paardenhaar – en pufte alsof hij een rookgordijn om zijn hoofd wilde leggen. Hij was tanig geworden, maar hij bleef verbeten eten smokkelen. Het brood was zemelig, de aardappelen glazig, de soep waterig. Spek was onbetaalbaar en toen Herward erin slaagde ons wild te bezorgen, zaten er maden in het vlees. Ik spoelde ze weg met water en azijn en niemand die er wat van merkte.

Het was feest toen Augustijn het parelsnoer met bijpassende oorbellen van Madame had kunnen ruilen voor een zak tarwemeel. De eieren, die goud waard waren, kwamen van de kippen van de kolenboer, en voor zijn laatste sigaren had hij bij de bakker zuurdesem kunnen loskrijgen. Ik schrobde een tobbe schoon en Augustijn rolde zijn broekspijpen op en waste plechtig zijn voeten. Terwijl hij het deeg kneedde, al trappend in de tobbe, wiste Madame met een handdoek het zweet van zijn gezicht. Ingetogen stonden we om de kachel terwijl de deegbollen een voor een werden gebakken.

Het was de dag voor Kerstmis en we aten het brood warm. Omdat we honger hadden, maar ook omdat het de finale kerst kon zijn: in de Ardennen hadden de Duitsers een offensief van alles of niets ingezet. 'Het zijn de laatste stuiptrekkingen,' verzekerde Augustijn. Ik wilde het graag geloven, maar de vliegende bommen joegen me de stuipen op het lijf. Angstvallig speurde ik de hemel af, elk gebrom kon dat van een V1 zijn.

In de luttele seconden tussen het stilvallen van de raketmotor en het inslaan van de bom stond mijn hart stil. 'Als de hemel valt, zijn alle mussen dood,' gromde Madame terwijl ze koppig aan haar bureau bleef zitten. De inslag deed het huis trillen, ik hield me vast aan de leuning van een stoel. Madame leek onaangedaan, maar ze had zo hard op haar pen gedrukt, dat de punt was afgebroken. '*Merde!*' vloekte ze. En nadat ze diep had ademgehaald: 'Zeg aan de Mayers dat het niets is, houd ze stil.' Want gejammer, dat kon ze er niet bij hebben.

■■■

Het blijft me verwonderen dat zij hun eigen regels stelden, wederzijds, en voor de buitenwereld. Ik had er moeite mee mijn grenzen te bepalen, voor Augustijn en Madame was het vanzelfsprekend: tot hier en niet verder! Had het met geld te maken? Augustijn was belast door de geschiedenis van zijn vader, maar evengoed vond hij geld geen onderwerp van gesprek. Geld tastte zijn eigenwaarde niet aan, laat staan dat hij zich voor schulden van kant zou maken. Daarbij, hij had geen schulden, hij had krediet! Zoals hij beweerde met één goed gepakte koffer om de wereld te kunnen reizen, zo hield hij vol in het algemeen niet veel nodig te hebben. Waarop Madame spottend antwoordde: 'Alleen maar van alles het beste!'

De portemonnee was haar kruis, zij had de verplichtingen na te komen en de schulden af te lossen. Er waren altijd meer monden te voeden en altijd meer behoeften te voldoen. En ze wist van zichzelf dat ze een gat in haar hand had. Grimmig controleerde ze elke uitgave, bijna alles werd te duur bevonden of overbodig verklaard. Tot er een voordelig contract werd afgesloten of een flink bedrag werd uitbetaald. Dan werd de kooplust te groot. Er werd niet langer geaarzeld of gerekend: een bontstola of een partij diamanten – Madame sloeg toe!

Ze had een dure smaak, maar elke aankoop werd als belegging goedgepraat, of anders stelde de geldontwaarding haar wel in het gelijk. Banken vertrouwde ze niet, als het erop aankwam, was geld niet meer dan bedrukt papier. Het in de kous stoppen was bekrompen en drukte de pret.

In tegenstelling tot haar joodse geldschieters, die zich gedeisd hielden, kon Madame het pronken niet laten. Augustijn betwistte haar de luxe niet; als de kans zich voordeed, gaf hij zelf geld uit voor zijn genoegen, om vervolgens te beknibbelen op alledaagse uitgaven. Het paard was nog niet helemaal de deur uit of hij schafte zich een motor aan, niet voor het vervoer, maar voor de sport. Op zondagen raasde hij over de wegen, en als Madame jammerde dat hij zich dood zou rijden, draaide hij plagend het gas open en klopte uitnodigend op de duozit. O jee, dat deed ze niet, tenzij voor een ererondje, waarbij ze zich angstig aan hem vastklampte.

Augustijn bleef de paardenrennen volgen en als zijn denkbeeldige gok goed uitviel, liet hij niet na Madame te melden hoeveel ze hadden kunnen winnen. Maar als hij de radio uitzette vóór het verslag van een race was afgelopen, vroeg Madame liefjes: 'Hoeveel zouden we eventueel verliezen?' Wat later hoorden we dan de motor aanslaan, Augustijn gaf een paar keer vol gas en daverde de straat uit. Voorovergebogen, de ellebogen buitenwaarts, de lange benen dubbelgevouwen. Het was alsof hij de motor omklemde. De flappen van zijn vliegenierskap wapperden op de wind, hij droeg ook een stofbril, maar het was alsof hij niets of niemand zag.

Op een keer reed Augustijn haast een gendarme van de sokken. 'Waar moet dat heen?' riep de man. Waarop Augustijn repliceerde: 'Dat zijn uw zaken niet!' Hij vervolgde zijn weg zonder vaart te minderen, maar of hij een uur raasde of een halve dag, het ging nergens heen. Omdat Madame aandrong op het nut gebruikte hij de motor een tijdlang voor het toezicht van de bouwplaatsen. De metselaars waren allicht onder de indruk van de vijfhonderd cilinder, maar spotten met de uitrusting van Augustijn. Wijzend naar zijn rijlaarzen vroegen ze of hij van zijn paard was gevallen. Of hoopte hij dat zijn motor vleugels zou krijgen, zodat hij alvast een vliegenierskap had opgezet?

Augustijn besloot zich aan te passen en kocht een fiets, maar daar hoorden dan weer een geruite pet, een tweedjasje en een drollenvanger bij. 'Als je iets doet, moet je het goed doen!' verklaarde hij. Het was geen gezicht, zoals hij in die uitrusting over de kasseien laveerde, net tegen het vallen aan. Madame verdacht hem ervan er een schepje bovenop te doen; hij wendde wel vaker onhandigheid voor als hem wat tegenstond. Zo was het veelzeggend dat hij de fiets 'broeder ezel' noemde.

Bij het uitbreken van de oorlog werd de motor in een schuur onder het stro verborgen. Alles van waarde werd verstopt; Madame herinnerde zich dat bij een vorige gelegenheid zelfs de koperen keukenkranen door de Duitsers in beslag waren genomen. Er werd ook flink gehamsterd, en Madame had een fijne neus voor bijzondere aankopen, hoe ongerijmd die op het eerste gezicht ook mochten lijken. Zo kocht ze tijdens de mobilisatie een scheepslading schapenwol. Augustijn vroeg verbluft wat haar bezielde. De oorlog stond voor de deur en zijn vrouw kocht een lading wol! Verbeeldde ze zich dat ze Penelope was? Ze kon niet eens een trui breien!

'Bemoei je er niet mee,' zei Madame bits. Ze liet de wol opslaan in een havenloods, en we hebben er in de oorlogsjaren goed van gegeten, wat Madame ons geregeld inpeperde, maar Augustijn verzoende zich pas met de wolhandel toen zij haar joden aan het spinnewiel zette. En Bertje bij hen in het achterkamertje stopte toen hij met een bevroren achillespees uit Stalingrad kwam aanstrompelen. Ik had intussen uitgevonden wie Penelope was, en het klopte dat Madame wist hoe ze met vrijers moest omgaan, maar dat ze zelf aan het spinnen zou zijn geslagen, dat mocht je gevoeglijk vergeten. Voor de kloven die ruwe wol in de vingers maakte, duikelde ze de fameuze pot ganzenvet op. We konden de wol niet in balen verkopen en al spinnend maakten de tafelschuimers zich ook eens nuttig. Zo hielden ze bovendien minder tijd over om te kiften. Madame had altijd zeven redenen om haar gelijk te bewijzen.

De voorraad kolen slonk zienderogen, eten aanslepen werd met de dag gevaarlijker, maar toegeven dat ze in de penarie zat, was een capitulatie. Ze negeerde de penibele toestand, en wee diegene die het lef had zich bij haar te beklagen. 'Het is voor iedereen oorlog!' Achtte mén zich te goed om te werken? Of kende mén een beter adres? Mén was vrij om te gaan, zij hield niemand tegen! Vol ingehouden woede rammelde ze met haar sleutelbos. Het protest verstilde, niemand kon ergens anders heen, we zaten op straffe van dood met elkaar opgescheept.

Het was een fraai gezelschap, wij, de Mayers, Bertje en somtijds Marius; alsof je schapen en wolven in één kooi had gestopt. Madame heeft er een hartkwaal aan overgehouden en ik kreeg maagzweren. Ik was doodsbenauwd dat een oningewijde het snorren van het spinnewiel zou horen, of dat de zwart verhandelde wol boven water zou komen. Als we al geen honger hadden, dan was het wel de angst die knaagde. In een oorlog is het ongewisse echt onverdraaglijk.

De enige die wat van het spinnen terechtbracht, was Bertje, die alweer moest bewijzen dat hij de dapperste was. Hij dreef het spinnewiel aan met zijn ongeschonden voet, al zingend van: 'Een smidje in zijn smisse, die zong de hele dag... van kloppekloppeklop... van kloppeklop...' Terwijl wij voor de klop op de deur vreesden. Augustijn sommeerde Bertje zijn mond te houden; de kleine grinnikte – nog altijd een mondvol gave tanden – en spon lustig verder.

Ik vroeg me af wanneer Bertje wijzer zou worden, nooit dus, maar voor het eerst gaf hij blijk van zijn buitengewone werkkracht. Hij werkte als bezeten en waar anderen het opgaven, ging hij door.

De Mayers hielden de bundels gesponnen wol op en rolden er bollen van, terwijl ze het tempo van de woeste spinner trachtten bij te houden. Bertje verdiende een pak rammel en het zat eraan te komen, maar ook de Mayers werkten op de zenuwen. Nooit een keer tevreden en op alles afpingelen. Het was hoog tijd dat de oorlog was afgelopen, we raakten echt op elkaar uitgekeken. In de beslotenheid leek de verplichte stilte echter op stilstand. Het was alsof we in een duikerklok waren opgesloten en niet wisten of we langzaam opstegen of voorgoed naar de zeebodem zonken. Dat vroeg om beheersing en respect, wat juist door de beslotenheid moeilijk was op te brengen. Maar het moest, je stond tegenover een overmacht, je kon het je niet veroorloven op eigen troepen te schieten.

Augustijn trad op als de grote verzoener, hij was bereid om over zijn schaduw te stappen om tot een vergelijk te komen. Hij was ook de gangmaker en prikte de vlaggetjes van de geallieerden veel verder op de kaart dan waar de troepen in het veld zich bevonden. Ze staan voor Parijs! Ze zijn over de Rijn!

De kaartavonden werden in ere gehouden, al werd er niet voor geld gespeeld, maar voor een extra rantsoen. Toen de voorraad slonk en de winnaar werd belaagd, werden winst en verlies bijgehouden in een kasboek. Dat zou later, na de oorlog, worden afgehandeld.

Er is toen heel wat verschoven en opgekropt, maar nooit heb ik Madame en Augustijn zo eensgezind gezien, al werd er haast niet gevrijd. De ruimte ontbrak en het overleven was uitputtend. We moesten alles zelf doen, van brood bakken tot zeep zieden; voor een pond boter moest je lange strooptochten houden. Het was ook uitkijken met wie je handelde; in de onderwereld van grote en kleine profiteurs was de scheiding tussen betrouwbaar en onbetrouwbaar flinterdun. Gebouwd werd er niet meer, maar er werd zoveel platgegooid dat het niet anders kon of de bouw zou weer opleven.

Hoe uitzichtlozer de toestand, des te koppiger Madame en Augustijn de werkelijkheid voorstelden als een tijdelijk ongemak. Ze spraken over voor of na de oorlog, alsof ze een brug sloegen en herinneringen in de toekomst werden geprojecteerd. Ik wilde wel meedoen, maar wat voorbij was leek verloren, en wat zou komen durfde ik me niet voor te stellen. Ik was als een levende dode in de tijdloosheid terechtgekomen, maar zonder het comfort daarvan.

■■■

Na de inval had Augustijn kwansuis hongerig langs de veldkeukens van de Duitsers geslenterd. Moutkoffie, smout en namaakchocolade, alles *ersatz*, hij offreerde een legerkok een sigaar en kwam grijnzend met een zwart brood onder de arm naar huis. 'Ze gaan hem weer verliezen!' Hij vertelde hoe de kok na een paar trekjes aan de sigaar wit was weggetrokken en nog net een bosje haalde om te kotsen. De man verdroeg geen echte tabak omdat hij alleen *fleur de matrasse* te roken had gekregen. Wat de drank betreft: dat was een *Chateau de Pompe.* Gerustgesteld gaf Madame hem de sleutel van de wijnkelder en hij haalde een Margaux boven. Een grand cru classé, waarvan zij na de openbare verkoop zes flessen had weten te recupereren. Augustijn dronk op de overwinning, en bracht een toost uit op zijn vrouw. Het zag ernaar uit dat hij de hele wijnkelder zou leegdrinken. Madame glimlachte met tranen in de ogen, ze hief haar gezicht en Augustijn kuste haar met zijn mond vol wijn. Toen hij haar abrupt losliet, liep er een donkerrood straaltje van haar mondhoek naar haar kin. Ze wiste haar mond af en zag me daar staan met mijn schort in mijn handen. 'Neem ook een slokje, Celestien.' De wijn lag zwaar in mijn mond, en het verwonderde me dat Madame geen opmerking maakte over de Margaux, daar hadden we nog maar drie flessen van over. Ook het gekibbel over de vermeende superioriteit van Bordeaux (Augustijn) of Bourgogne (Madame), bleef achterwege. Zolang ik hen kende, hadden ze elkaar de loef afgestoken met een 'fruitiger bouquet' of een 'fluwelige afdronk'. Ik was er zelf een keer bij gehaald om het pleit te beslechten, maar eerlijk, ik proefde niet zoveel verschil. 'Ze zijn allebei lekker,' zei ik voorzichtig. 'Dat zal wel,' hoonde Madame.

Wijn drinken was een van de ondeugden die je moest leren en waarvoor je ervaring moest opdoen. Ik kende ondertussen de terminologie van het wijn keuren, maar ik kon er geen smaak aan verbinden. Op goed geluk wees ik een glas aan. 'De Nuits Saint Georges,' triomfeerde Madame. 'Wat weet Celestien van wijn,' schamperde Augustijn. Ik voelde me onterecht op mijn plaats gezet. En waarom moest Augustijn zijn verlies op mij verhalen? Zonder vragen pakte ik een ander glas en rook aan de wijn: hout of tabak, of was de wijn gewoon een beetje muf? 'Neem je tijd,' zei Madame fijntjes lachend. Aarzelend dronk ik van het ene en van het andere glas. Ik kreeg een branderig gevoel in mijn maag, maar toch had ik de neiging om meer te drinken.

'Zo is het wel goed,' zei Augustijn afkeurend. Ik liet een boer en veegde met de rug van mijn hand mijn mond af. Ik deed het met opzet, als ze me dom wilden, konden ze me dom krijgen. 'Laat haar toch drinken,' lachte Madame. Maar voor Augustijn was de pret eraf, hij verliet de kamer. Ik ruimde de glazen, goot de restjes bij elkaar en dronk alles tot de laatste druppel op.

De volgende dag was ik onaanspreekbaar zonder precies te kunnen zeggen wat me dwarszat. Ik had geen kennis meegekregen en ik werd niet wijzer. Ik zou nooit een wijnkenner worden. Maar moest ik daarom alles gelaten ondergaan?

Augustijn noemde de wijnkelder zijn bibliotheek, en ik daalde erin af om bij kaarslicht de namen van de etiketten uit het hoofd te leren. Er stond geen water in de kelder en toch hing er een schimmellucht. Ik schrok bij elk vermeend gerucht, angstig voor ratten of ander ongedierte. De benamingen op de flessen waren Chinees, ik brak er mijn tong op, en omdat ik niet wist waarnaar de namen verwezen, voelde ik me onthand. Hoe zou ik ooit wat van de wereld begrijpen, of hoe kon ik aan mijn beperkingen ontsnappen? Door me aan Augustijn en Madame te spiegelen? Alsof zij de wijsheid in pacht hadden! Het was niet omdat ze alles beter wisten, dat ze geen fouten maakten. Maar zij leken het zich niet aan te trekken. Of het kon hen niet raken.

'Als je iets niet weet, vraag het dan,' zei Madame. Zij had makkelijk praten, ik stond met mijn mond vol tanden en vreesde ook nog te worden uitgelachen. Het ergste vond ik dat ze ervan uitgingen dat ik niet alles hoefde te weten, en dat ze mij, ondanks dat 'Vraag het dan!', geen verklaring schuldig waren. 'Daar hoef jij je hoofd niet over te breken!' Dat kwam er net zo vlot uit. Als het te heikel werd, probeerden ze me erbuiten te houden; het was geen opzet, eerder een reflex. Binnen was te intiem, buiten te gevaarlijk. Madame zei nooit dat ze me benijdde, maar als ik mopperde, kreeg ik wel te horen dat ik 'van de korf zonder zorg' leefde. Dat zei ze ook tegen de kinderen, als die tegensputterden.

De wijn werd kostbaarder naar gelang hij zeldzamer werd. In de oorlog probeerde Madame het genot te rekken door rantsoenering, maar fles na fles ging er stilletjes aan. Toen de wijnkelder moest worden leeggeruimd om als schuilkelder te worden ingericht, werden de overblijvende flessen naar boven gehaald. De tafel werd gedekt als voor het laatste avondmaal, met het damasten tafelkleed en kaarsen in de zilveren kandelaars. De wijn was gechambreerd en gedecanteerd. Ik had een kip tot *coq-au-vin* verwerkt en er was zelfs een dessert dat voor *crème brûlée* moest worden gehouden. We werden allen, boven- en ondergronds, met het passend ceremonieel aan tafel genood.

De sirenes van het luchtalarm loeiden toen de soep was opgeschept. Mayer junior plantte zijn ellebogen op tafel en verborg zijn gezicht in zijn handen. Madame fronste haar wenkbrauwen en tikte tegen zijn arm. Ze zei niets, maar in de stilte hoorden we het echoën: 'Ellebogen van tafel!' Mayer junior ging rechtop zitten, bleek en gekweld, maar correct, met zijn handen ter weerszijden van het bord. Augustijn hield zijn glas wijn tegen het kaarslicht, snoof de geur op en liet een teug door zijn mond spelen. We hielden onze adem in en luisterden scherp, het ratelen en knallen kon elk ogenblik beginnen.

Augustijn slikte de wijn door en knikte goedkeurend: 'Alsof er een engeltje op je tong piest!' De hemel dreunde, lichtstralen schoven door het firmament, Madame pakte haar lepel op: 'Smakelijk.' Met neergeslagen ogen lepelden we de waterige soep op.

■■■

Ik zou kunnen uitgaan, tenminste, dat stel ik me voor. Gedachteloos rondzwerven, met de geur van de zee als een vleugje wind en het land open en bloot. Al die jaren had ik een weg voor ogen, een kronkelende kasseiweg, met moddergeulen en putten die ook volliepen. Na zware regens zaten er kikkertjes met klokkende keeltjes te zonnen in het lauwe water. Helder zijn de plassen als het vuil is bezonken en als spiegels zo glad.

De allereerste herinneringen zijn als een allesomvattend gevoel van gemis. Maar die weg staat me scherp voor ogen, en hoe ik daar liep, dorp in dorp uit, vijf of zes jaar oud, huppelend en volkomen op mijn gemak. Het was nooit oorlog. Geluk is: er zijn zonder het te weten. En tijd hebben zonder het te onderkennen.

Toen mijn moeder me uitbesteedde, werden zowel tijd als ruimte ingeperkt. De onzekerheid werd me bespaard maar ik werd aan de leiband gehouden. Ik was niet ongelukkig, al miste ik het gevoel gelukkig te zijn. Er ontbrak wat aan of er bleef wat onvervuld. Ik kan er geen naam op plakken of het moest die van de Van Puynbroeckxen zijn. Ik werd schuw als een tam konijn, dat reikhalzend blijft zitten als het hok wordt opengezet.

Dat is er niet beter op geworden toen we naar Antwerpen verhuisden; ik volgde Madame op de voet, met de kinderen aan het handje, bang dat ik er eentje kwijt zou raken en voorvoelend dat ik dan evenzeer verloren zou zijn.

We betrokken een huis in de buurt van het Centraal Station. Daar liepen mannen met pijpenkrullen langs hun oren en hoeden als met bont afgezette karrenwielen. De vrouwen droegen pruiken en tulbanden en duwden overladen kinderwagens over de stoep. En zo bleek die kinderen waren! Alsof ze bloedarmoede hadden en nooit een straaltje zon kregen. Die lui spraken een raar taaltje en leken van ver te komen. En ze waren al net zo schichtig als ik, die hen met een zijdelingse blik passeerde. In de zijstraten zaten hoeren in de etalages, ja, dat zeg ik ronduit, ik wist hoe ze aan de kost kwamen, al vermeed ik het daarop door te denken.

Toen we nog op het land woonden, ging Madame geregeld winkelen in Gent. Dat was de stad van mijn vader, en als ik ergens zijn aanwezigheid heb bespeurd, dan was het daar, langs het water van de reien. Toen hij er flaneerde was hij nog niet mijn vader, maar een jongeman, zoals de jongemannen die me onbekommerd nafloten. Ik sloeg mijn ogen niet neer, nee, ik genoot ervan en zonder de kinderen – die attent toekeken – had ik vast een likeurtje of een chocoladereep aangenomen.

Madame had me kunnen kwijtraken aan een van die goedgebouwde kerels, maar ze dirigeerde me met haar aanhang naar het park. Daar werden we in ogenschouw genomen door de *promeneuses*, die een cent bijverdienden door kinderen te begeleiden. Ze droegen mottige hoeden en afgetrapte schoenen, en smoezelden over de *bonne*, dat was ik, en over mijn boefjes, die ze *enfants terribles* noemden.

Angelique weigerde met haar poppen te spelen en zat zich op een bank opzichtig te vervelen. Haar broers rolden vechtend over het gras of trapten een voetbal in de vijver. Eensgezind trokken we de stad in en vermeden de winkelstraten om Madame niet tegen het lijf te lopen.

Op een van die dwaaltochten kwamen we voorbij het Gloazen Stroatje, dat was een besloten doorgang met een boogvormig glazen dak en aan weerszijden kleine winkels waarin vrouwen ten toon zaten. Het leek een broeierige oranjerie en ik haastte de kinderen verder, tot er een hels onweer uitbrak en ik niet beter wist dan in het Gloazen Stroatje te schuilen. Een van de dames van dienst was Blanche. Ze kwam dadelijk toegesneld met een badlaken om de kinderen droog te wrijven. 'Kom hier, schaapkens.'

Voor ik a of b kon zeggen, werden we overrompeld door zwaar opgemaakte madammen in froufrous. Pralines voor de schatjes, een elixirtje voor het juffrouwke, kom, kom, niet zo benauwd. Ze zouden ons niet opeten!

Blanche lachte, en meer nog dan naar haar uitpuilende borsten staarde ik naar haar wijdopen mond. De hoektanden hadden, boven en onder, gouden hulzen, het bliksemde als ze lachte, en ze lachte gedurig. Een hese hoerenlach, ze kon het niet helpen. Als het buiten niet zo lelijk had gedaan, was ik meteen opgestapt, maar Blanche had een hart van goud, zoals Angelique vaststelde toen we, jaren later, haar lichaam moesten identificeren.

Blanche was, ook al vanwege de jaren, uit het Gloazen Stroatje vertrokken. Maar ze had wel een paar vaste klanten aangehouden. Voor de gezelligheid en omdat ze niet stil kon zitten. Zo was ze door toedoen van een van haar oude getrouwen bij het verzet betrokken geraakt. Wat voor haar betekende: elkaar helpen in moeilijke tijden. Dat had ze altijd al gedaan en haar klanten waren ook altijd clandestien geweest. Toen Angelique na het wegvoeren van haar Davy in de penarie zat, hielpen verzetsmensen haar aan een onderduikadres. En Blanche werd ingeschakeld als tussenpersoon: zij zorgde voor bonnen en extra's voor de baby.

De Fransen zeggen dat de uitersten elkaar raken en voilà, toen Blanche zelf in de problemen raakte, nam Angelique haar op. Als hulp in de huishouding!

Ik herkende Blanche eerst niet, zonder rouge en met een schort voor, maar toen ze al bliksemend lachte, wist ik het weer.

Blanche was de gewillige slaaf van het zoontje van Angelique, maar het huishouden lag haar niet. Ofschoon het niet zonder gevaar was, verdween ze geregeld voor een dag of drie. Het was het vak dat trok.

Toen ze tijdens de oorlog werd opgepakt, leidde het spoor naar Angelique, en die was al verdacht. Maar Blanche zweeg, wat ze ook met haar deden. Ze zweeg tot haar hart het begaf. Madame stuurde me naar Gent om Angelique bij te staan, want ook stalen zenuwen kunnen knappen. En wie moest er voor het kind zorgen?

Angelique doorstond de huiszoeking en de ondervraging op haar ijzige wijze. Ze kon Blanche niet afvallen, ze kon haar Davy niet afvallen, ze kon zichzelf niet afvallen. De zorg voor haar zoon viel mij toe. Dat kon ze er niet bij hebben. Maar het was alsof ze het kind iets kwalijk nam. Ze was ook kwaad op Davy, alsof hij zich opzettelijk had laten wegvoeren. Hij moest terugkomen om haar recht te doen. Zelfs van de dood aanvaardde ze geen nee.

Wat de oorlog in Angelique had aangericht, zou pas later duidelijk worden. Toen hield ze zich sterk. Blanche een hoer? Dat zou haar verwonderen. En bij de ondergrondse? Overdreven de heren niet een beetje? Vanzelf dat zij de vrouw zou identificeren, ze was tenslotte bij haar in dienst. Als ze het tenminste over dezelfde persoon hadden.

Toen de Duitsers het huis uit waren, sloeg ze haar hoofd tegen de muur. 'Ik ga mee,' zei ik. Angelique draaide zich om: 'Denk je dat je ertegen kunt?'

Het stoffelijk overschot van Blanche lag op een zinken plaat, het hoofd was achterovergeknakt en de mond hing open. We herkenden haar tegelijk aan de gouden hoektanden die op de hulzen van obussen leken. Angelique sprak het laatste woord: 'Een hart van goud.' Vierentwintig karaats! Jawel, dat was onze Blanche.

De stille die haar had laten oppakken, grinnikte: 'Een hoer als een paard!' De pokdalige man keurde Angelique alsof hij haar prijs berekende. En grijnsde naar mij alsof ik de madame van het bordeel was. Eigen soort, die waren erger dan Duitsers. 'Neem je hoed af,' beval Angelique koel. De grijns versteende op het smoelwerk van de stille, tergend traag nam hij zijn hoed af. Mijn benen waren van elastiek, maar ik hield me recht, bevend van trots. Madame had het moeten meemaken.

Angelique boog zich over Blanche, om de mond te sluiten, maar de verstijving was al ingetreden. Ze vlijde haar wang tegen het gemartelde gezicht, richtte zich op en knikte naar mij. Ik streek het gebleekte haar naar achter en bedekte Blanche zedig met het laken. Meer viel er niet te doen.

Op de gang stond het armetierige zoontje van Angelique te trappelen. Ik nam hem mee de straat op om hem in de goot te laten plassen. Terwijl ik het jongetje hielp, zag ik Blanche in al haar glorie, zoals zij zich wijdbeens over Bertje had gebogen. 'Wat een sloeberke!' had ze gelachen. Ze droeg het spartelende joch naar haar kale bed. Ik weet nog hoe ik onthutst naar dat bed keek, het was alsof je na alle glitter voor de naakte waarheid stond. 'Veel beloven en weinig geven doet de gekken in vrede leven!' sprak Blanche. O God, waarom had ze haar ondervragers niet wat op de mouw gespeld, of ze aan de praat gehouden? Ze beweerde toch dat haar klanten niets liever hoorden dan dat ze een verloren gelopen vrouwtje was? En dat ze naar haar snoepwinkel kwamen om hun hart uit te storten? 'Ze willen allemaal aan de tiet!' En dan volgde die schorre lach. Een lach die me afstootte, maar die me ook boeide.

Zodra ik er kans toe had gezien, waren we op bezoek gegaan in het Gloazen Stroatje. Het was een teleurstelling als Blanche aan het werk was en het gordijn was dichtgeschoven. Ik was kwaad op de mannen die in de galerij drentelden, maar te bevangen om ze recht in het gezicht te kijken.

Een keer werd ik aangesproken door een politieagent, toen we het Gloazen Stroatje wilden binnenglippen. Hij vroeg wat ik daar ging zoeken. Wijzend op mijn clubje voegde hij eraan toe dat het geen plaats voor kinderen was. We dropen af en liepen een middag heen en weer over de kaden, langs de reien. Als ik werd nagefloten was het alsof ik vanbinnen bloosde, maar ik piekerde ook over Blanche, die alles deed, behalve zoenen, terwijl ik om te beginnen niets anders wilde.

Op een dag kon ik het niet langer voor me houden en vroeg ik Madame waarom hoeren niet zoenen. Ze keek me bevreemd aan en antwoordde kortaf: 'Omdat ze hun hart moeten sparen.' En à propos, hoe kwam ik aan die vraag? Ik haalde mijn schouders op.

Achteraf hoorde ik haar tegen Augustijn zeggen dat Celestien nog echt een groentje was. Je moest eens weten, dacht ik. Toen Reinout floot zoals de jongemannen langs de reien – één keer lang, één keer kort – vroeg Augustijn verstrooid: 'Waar heeft hij dat nu weer geleerd?' Ik repte me naar de keuken; Reinout floot me na, maar Augustijn legde het verband niet. De jongens maakten hem niet wijzer en ook Angelique hield haar mond. Ofschoon het om niets ging, een lach en een blik, smaakte ik toch het fijne genoegen Madame, en ook Augustijn, te foppen.

Door Blanche en haar vriendinnen waren hoeren als goede bekenden. Het was dan ook een koude douche toen we op een verkenningstocht in de nieuwe buurt door een hoer werden uitgescholden. Met de kinderen was ik vriendelijk groetend langs de etalages gestapt, niet opmerkend dat de hoeren ons verbijsterd aanstaarden. En toen die ene hoer haar tong uitstak, deed Reinout, die het voor een spelletje hield, hetzelfde. Waarop de vrouw in een openvallende kamerjas naar buiten sprong en ons voor rotte vis begon uit te schelden.

Ik wist niet wat te doen, Angelique gooide haar hoofd in de nek, de jongens stonden er lacherig bij. Tot Marius koeltjes tot de conclusie kwam: 'Stom wijf!' De hoer sperde haar mond open, Marius ging voor me staan, maar de vrouw sprong naar binnen zoals ze naar buiten was gesprongen. Ze trok het gordijn dicht en begon zo hartstochtelijk te huilen dat we haar op straat konden horen. Wel zeker vijf hoeren kwamen daarop naar buiten en joegen ons de straat uit. Ik zou met mijn onnozel gezicht de klanten in verlegenheid brengen, en ook die kinderen waren er te veel aan. Slecht voor de commercie! De lucht die ze afgaven, deed ons achteruitdeinzen, Soir de Paris, of wat voor bocht het geweest mag zijn, en de hoer die het hardst schreeuwde, had een mond als een kolenhok.

We vermeden voortaan de zijstraten, maar ik begreep de afwijzing niet. Blanche had nooit wat over mijn gezicht gezegd, en net als haar vriendinnen was ze dol op de kinderen. Het waren allen miskende moeders, met vruchtafdrijvingen, en kinderen die onder toezicht waren gesteld of in kostscholen waren ondergebracht. Blanche ging door voor de tante van haar zoon, die ze met tranen in de ogen 'een bedrijfsongeval' noemde.

Na haar dood voelde Angelique zich verplicht de zorg voor de jongen op zich te nemen. Blanche had een klein kapitaal voor hem opzij gezet, maar het joch vertikte het te leren. Dat hij niet wilde deugen, schoof hij op zijn moeder, die nooit naar hem had omgekeken. Toen het kapitaaltje verteerd was, vroeg hij zonder blozen de Fritzen om *Wiedergutmachung*. Hij was tenslotte zijn moeder verloren. Toen hij alweer platzak was, probeerde hij Angelique af te zetten. Zij was hem wat schuldig omdat ze zijn moeder niet had beschermd. 'Weet je wat het betekent wees te zijn?' vroeg hij huilerig. Angelique zette de uit de kluiten gewassen wees met klikken en klakken aan de deur. 'Dat heeft Blanche niet verdiend,' stelde ze bitter vast.

Met kinderen heb je maar aan te pakken wat er komt. Je droomt al op voorhand van hoger en beter, je wilt alleen het beste, en op den duur mag je al blij zijn dat ze leven. 'Als ze niet willen, dan willen ze niet,' zei Madame. Maar zich bij haar eigen wijsheid neerleggen kon ze niet. Keek ze naar de foto's van haar viertal, dan merkte ze op dat het er veel meer geweest konden zijn. Liep er een in zijn ongeluk, dan was het niet verdiend. Of het had anders kunnen lopen. En als het anders was gelopen, had de wereld versteld gestaan. En mislukte worp was er niet bij, er werden alleen maar mirakels gebaard! En het is nog overdrachtelijk ook.

Angelique heeft in de zoon van Blanche meer Latijn gestoken dan in haar eigen broed. En ik dan, met de productie van Madame! Tot op de dag van vandaag zit ik op hen te wachten en geen kwaad woord kan ik over hen horen.

Dat haar zoon een pooier is geworden, heeft Blanche tenminste niet hoeven meemaken. Want zoveel is zeker, ze had zichzelf de schuld gegeven.

We vermeden voortaan de hoerenbuurt en liepen door de stad als vreemden tussen de vreemden. Althans ik, want de kinderen veranderden zo vlug dat het niet bij te houden viel. Ze kwamen thuis met jongelui die me geen blik waardig keurden of veelbetekenend grinnikten als ik het blad met limonade aandroeg. De jongens waren wel aan wat pittigers toe, ze jatten de fles jenever en goten een flinke scheut in de limonade. Tot ze ladderzat van de trappen tuimelden en Augustijn de drank achter slot en grendel bewaarde. Marius en Reinout werden gestraft vooral omdat ze Bertje dronken hadden gevoerd, drie weken geen zakgeld, maar echt kwaad was Augustijn niet. Apenstreken! Hij herinnerde zich nog wel wat hij met zijn broer had uitgevreten.

Ik negeerde de jongeheren en toen Reinout in de keuken kwam vragen waar de drankjes bleven, zei ik bot: 'Bedien jezelf!'

Angelique sloot zich met haar vriendinnen op in haar kamer, giechelend en fluisterend. Als ik passeerde, werd de deur op een kier geopend en voelde ik de spiedende meisjesogen in mijn rug.

In hun poëziealbums schreven de vriendinnen rijmpjes waar ze hartjes en bloemetjes bij tekenden. Angelique hield er ook een dagboek op na, een in kalfsleer gebonden schrift met een slotje. Het sleuteltje hing om haar hals aan het gouden kettinkje met de Mariamedaille.

Ik voelde me buitengesloten, niet voor het eerst, maar wennen doet het nooit, en het leek erop dat het opgroeiende grut zich voor me schaamde.

Toen ik eens met twee zware boodschappentassen naar huis sjokte, stak Angelique, in het gezelschap van twee grieten, haastig de straat over en deed alsof ze me niet had gezien. Dat was pijnlijk, en bij Madame of Augustijn moest ik niet met klachten aankomen; ze waren te druk met elkaar en met de zaak. Ze véstigden zich, zoals Madame haast plechtig placht te zeggen.

Voor de oorlog heb ik Blanche nog één keer gesproken; Madame had in Gent een zaak af te handelen en ik kreeg twee uur vrij. Ik repte me naar de reien; het was een gure herfstdag, de wind joeg het water op en de regen had de kaden schoongeveegd. Ik miste mijn vader en dacht dat ik anders was terechtgekomen als hij nog had geleefd.

Toen een oudere man mij aansprak, zette ik het op een lopen. Recht naar het Gloazen Stroatje. Ik viel Blanche in de armen en zei dat ik voortaan bij haar wilde blijven. 'Maar kind toch,' zuchtte Blanche. Ze wreef me droog met het badlaken en zei dat ik niet wist wat ik vroeg, en maar goed ook, want wat zij had, dat was geen leven. 'En wat heb ik dan?' vroeg ik. 'Een goede dienst is goud waard,' suste Blanche. Ik wilde haar nog van de hoeren in Antwerpen vertellen, maar ik was te verlegen.

Het was laat toen ik het Gloazen Stroatje verliet, de winkeltjes waren verlicht, hoeren tikten tegen de ramen, mannen schoven als schaduwen voorbij. In de schemer van de morsige straat trapte ik haast in een zure brij; iemand had zijn ziel uitgekotst. Een hond hief zijn poot tegen een paaltje, een man en een vrouw hadden een hooglopende ruzie. Ik voelde me veroordeeld om dat soort van dingen te zien en te horen en er als een spook bij te lopen.

Madame tijgerde door de wachtzaal, we hadden de trein gemist, en moesten in de restauratie weer twee uur op de volgende wachten. Augustijn zou vast dodelijk ongerust zijn. Waar had ik uitgehangen? En hoe haalde ik het in mijn hoofd haar te laten wachten?

Ik warmde mijn handen aan de kop met hete bouillon, waarop 'oxo' stond geschreven. Er werd een strooibus met selderiezout bij gegeven om het flauwe brouwsel te kruiden.

Madame dreigde ermee de volgende keer de eerste de beste trein te nemen en me aan mijn lot over te laten. 'Had dat maar gedaan,' mompelde ik. 'Wat zeg je daar?' vroeg ze. Ik keek haar aan als een geslagen hond, daar kon ze niet tegen. Op haar kuitlaarsjes dribbelde ze naar het toilet, en toen ze terugkwam, had ze de voile van haar hoed als een net over haar gezicht getrokken. Door de fijne mazen stonden haar ogen dof en ook het rode haar dat onder haar hoed vandaan kroezelde, leek donkerder. Ik dacht aan het rode bosje dat ze onder haar rokken verborg en dat allicht ook door het fijne zwarte broekje schemerde. Mijn bosje was peper en zout, aan dat van Blanche had ik nooit gedacht, ofschoon dat bij een hoer toch het eerste was waaraan je zou denken. Maar met dat blond geverfde haar van Blanche, dat als een hooimijt om haar hoofd stond, bleef het raden. Het bloed stroomde naar mijn wangen, en om me een houding te geven, zette ik de kop oxo aan mijn lippen, maar ik had de bouillon al opgedronken.

'Wat zit je te gapen?' vroeg Madame. 'Ik wil liever niet terug naar Antwerpen,' mompelde ik. Voor ze haar mond opentrok, wist ik het antwoord al: lieverkoekjes worden niet gebakken. Beladen met pakjes liep ik achter haar aan naar het perron.

■■■

Het einde kan worden vastgesteld, maar wanneer begint het?

Toen de jongens de baard in de keel kregen, begonnen ze zich tegen elkaar op te stellen. Augustijn glimlachte toegeeflijk, het spel van jonge bokken, dat hoorde erbij. Ik luisterde met een half oor; de bolsjewieken, de zwarthemden, waar hadden ze het over?

Angelique werd buiten de debatten gehouden. 'Wees mooi en hou je mond,' lachte Reinout. 'Wie denk je wel dat je bent: Napoleon?' vroeg ze verongelijkt. Madame verzocht om stilte; zij kon bij dat gekrakeel niet denken. Reinout wierp haar een kushand toe, Marius wendde zich af, Bertje vroeg wie het debat had gewonnen. 'Wij, jongen, wij winnen toch altijd?' Reinout sloeg zijn arm om Bertje. 'Wie het laatst lacht, lacht het best,' zei Marius stug.

Angelique had de klep van de piano opgeslagen en begon te spelen alsof ze met de noten rammelde. Madame klapte in haar handen: '*Ruhe!*' 'Ik doe toch niets!' riep Angelique. Maar Bertje had al overijverig het deksel van de piano dichtgeklapt en Angelique slaakte een kreet die door merg en been ging. Haar linkerhand was geplet tussen de toetsen en het deksel. Ze danste door de kamer wapperend met haar pijnlijke hand. Ik haastte me om een koud kompres te halen. Augustijn betastte de hand, Madame zwachtelde ze in.

'Misschien kan ik wel nooit meer pianospelen,' piepte Angelique.

'Een geluk bij een ongeluk,' Reinout knipoogde naar Bertje. Die zat kleintjes op een stoel met zijn duimen te draaien.

'En nu is het afgelopen,' gromde Madame. Dat had ze gewild, met samenzweerders en vrijers die weldra het huis onveilig maakten. Op hoge toon kondigde de radio de nieuwe tijd aan: al het oude was versleten en moest weg. Madame noemde de radio 'de kletskast', en voorlopig veranderde er niet zoveel, behalve dat ik meer werk kreeg. De jongens gedroegen zich als heertjes, ze staken geen poot uit en paradeerden met de broek in de plooi. Angelique verkleedde zich driemaal daags, voor het overige had ze twee linkerhanden.

Ze was de keuken gaan mijden, maar van Madame moest ze leren koken. Ik zette haar de bak met aardappelen voor. Ze keek ontzet van de knollen naar mijn handen. Het kon toch niet de bedoeling zijn dat zij met het schillen van aardappelen haar handen zou bederven? 'Alle begin is moeilijk,' zei ik. Dat ik als haar moeder klonk, wist ik zelf ook wel, maar hoe kon ik de jongedame anders met haar neus op de feiten drukken?

Angelique verdeed haar tijd voor de spiegel, speelde piano of las romannetjes. 's Avonds rekte ze zich uit als een kat die zich opmaakt voor de jacht. Ze brak aan de lopende band harten en klaagde dat ze zich verveelde. Dat maakte Madame furieus; zij was dag en nacht in touw. 'Maak je nuttig, ga Celestien helpen,' zei ze kwaad.

Maar Angelique wilde niet aan het nut, ze wilde aan de kunst, met blote schouders op het toneel: pianospelen of acteren. Het was niet alleen voor de roem, de bloemen en het applaus. Ze verklaarde 'groots en meeslepend' te willen leven. 'Je speelt voortdurend komedie,' smaalde Marius. De toneelschool was uitgesloten, een eventuele opleiding moest een aardigheidje blijven.

Toen ze zestien was, ging Angelique van school af, hoewel Augustijn dat te vroeg vond, maar de fut was eruit. Angelique was als de prinses op de erwt: kreeg ze haar zin niet, dan hoefde het niet. Ze kon echter niet aan het verkleden blijven – maar wat dan wel?

Madame kon in het kantoor hulp gebruiken, maar ze verdroeg het gezicht van zeven dagen slecht weer niet dat Angelique opzette: 'Hop, naar Celestien!'

Tergend traag schilde Angelique een aardappel en hield de krul van de schil op voor ze de knol in de pan met water liet vallen. Maar hoe lamlendig ook, ze was geen Van Puynbroeckx geweest als ze het bestel niet had willen verklaren. Ik had mijn handen vol en liet haar praten. Toen ze zich echter in een discussie van de jongens mengde, werd ze prompt door Marius terechtgewezen: 'Zorg jij maar dat je van de straat geraakt!' Voorheen was Angelique haar broers de baas geweest, met het vrouw worden kwam de omslag en werd ze uitgesloten. Dat zinde Madame niet, maar Angelique moest zich niet aanstellen, vond ze. Mannen konden niet zonder vrouwen, dat zou dochterlief vlug genoeg ontdekken.

Angelique kreeg migraine en lag middagenlang op bed in haar verduisterde kamer. Als ze uitging, daalde ze als een adembenemende verschijning de trappen af. De aanbidder van dienst kon zijn geluk niet op, maar 's ochtends lag de avondjurk verfrommeld op de vloer en sliep Angelique een gat in de dag. Als je vroeg of haar chevalier haar beviel, kwam ze niet op zijn naam. En hoe hij was? Nou niks, gewoon.

Volgens Augustijn was het wachten tot de ware Jakob zich zou melden. Intussen zat Angelique in mijn keuken met de dood in het hart. Met Marius en Reinout lag ze gedurig overhoop, maar Bertje was haar *postillon d'amour*. Hij bezorgde briefjes aan haar vrijers; roze voor een toezegging, blauwe voor een afzegging. Angelique gaf zich niet de moeite de enveloppe dicht te kleven, voor Bertje had ze geen geheimen. Hij keek toe als ze toilet maakte en hij mocht in haar laden rommelen. Met carnaval verkleedde ze hem als haar page, met kanten kraag en fluwelen kniebroek. Ze noemde hem 'haar ventje' en hij leek zich daar zeer wel bij te voelen. Voorzover Bertje iets met een vrouw kon hebben, was het met Angelique. En voorzover Angelique ooit moederlijke gevoelens koesterde, was het voor Bertje. Al verloochende de kleine haar op slag als zijn grote broers present gaven. Mannen hingen niet aan een rok. Als ze zich met vrouwen afgaven, was het omwille 'van dattum'. De broers knikten instemmend, ofschoon ze geen van de drie, en Bertje nog het minst van al, enig begrip van dattum hadden. Ze pasten wel op dat Madame hen niet hoorde als ze dat soort van wijsheden verkondigden. Het ontzag voor hun moeder was groot, maar het leek erop dat Angelique de eerste was die daarvoor moest boeten.

Ze werkte op mijn zenuwen, maar ik had met haar te doen. Zodra ik me echter meelevend toonde, snauwde ze me af. Nooit een hoogdravender maagd gezien, en nooit een hart dat meer om hartstocht smachtte. De jongens hebben me pijn gedaan, maar het waren jongens, er moesten brokken van komen. Het was toch de zwakkere soort. Maar Angelique had alles om liefde en glorie te gewinnen: schoonheid en verstand. Zij had niet zozeer haar karakter als wel haar sekse tegen. Madame wilde het niet zien, en ik kon het niet toegeven.

Het is alleen Blanche gelukt het vertrouwen van Angelique te winnen, ik bleef te veel de rechterhand van haar moeder. De betuttelende, de beperkende, degene die haar tegen beter weten in op het gebaande pad wilde krijgen. Ik was ook, al wilde ik het niet toegeven, een concurrente voor de aandacht van haar vader. De gedweeë, die ze de dienstmaagd des heren noemen, en al was dat niet helemaal waar – ik kan niet ontkennen dat ik haar Augustijn benijdde. Meer nog dan zijn vrouw had ik zijn dochter willen zijn. Zijn enige dochter, die hij zijn oogappel noemde.

■■■

Hoe lang nog? Dat is de vraag die me zou moeten bezighouden, maar het laat me koud. Ik leef uit gewoonte, tot de klok stilvalt, en ook wel om dwars te liggen. Alleen dat opgesloten zitten valt niet mee. En al die lege dagen die eindeloos lijken.

Hoe vaak heb ik de kinderen niet het verhaal verteld van de helleklok die onverbiddelijk 'altijd, eeuwig' tikt? Ze leken er niet van onder de indruk, de hel kwam hun veel interessanter voor dan de hemel waar niets omging. Waarom ik hun schrik wilde aanjagen met zulke verhalen weet ik niet. Allicht hoopte ik dat een zekere beduchtheid die kleine barbaren handelbaar zou maken. Maar het had een omgekeerd effect: hoe angstiger ze waren, des te overmoediger ze werden.

En nu denk ik dat niet de hel het schrikbarende is, maar die klok met haar zenuwslopend getik. 'Altijd, eeuwig, altijd, eeuwig...' Alsof je tot in de eeuwigheid veroordeeld bent en voor altijd vastzit. Het leven is geen straf waaraan een einde moet komen, maar toch, het einde kan een erbarmen zijn.

Ik ben het wachten meer dan zat, Magere Hein mag me komen halen. Maar met Bertje heb ik nog een appeltje te schillen. En de anderen zouden zich ook wat meer om me mogen bekommeren. Ik zal ze een brief schrijven: 'Waar blijven mijn meubelen, uw toegewijde Celestien.' Daar zullen ze van staan te kijken. Zeker Angelique, of misschien toch niet. Marius zal moeten erkennen dat ik een nette brief kan schrijven, maar ik zou niet willen dat Augustijn het epistel las. Hij hoeft zich geen zorgen te maken en ik wil niet dat hij mij hier opzoekt. Zijn Celestien, een onthand oudje. Wat een afgang! Ik hoef hem evenmin weer te zien zoals ik hem radeloos en verslagen heb achtergelaten. Hoewel, wie zal hem bijstaan in zijn laatste ogenblikken als ik het niet doe? Zo blijft het ongewis, een kwelling, een verhaal dat zijn beslag niet krijgt. Een einde dat geen einde is. Dat je het bestaan niet kunt afmaken is wel het ergste, dat alles onaf achterblijft, en wie weet hoe het verder gaat. Je zou om vergetelheid smeken, al wil je zelf niet worden vergeten.

Dat is de troost voor het malen in mijn hoofd, dat het me bijbrengt dat ook de Van Puynbroeckxjes er niet in zullen slagen mij te vergeten, tenzij ze hun verstand verliezen. Dat zou wel het ergste zijn wat hun zou kunnen overkomen, het verstand is hun *point d'honneur*, daar zouden ze geld en lust voor inleveren. Al zit er geen wijsheid bij en redeneren ze nog zo krom. Voor alles willen ze de slimste zijn. *Misère!* Maar het is sterker dan de wil, ze kunnen het niet helpen. Zodra ze over het woord beschikten, begonnen ze elkaar met denkbeelden te bestoken. Het onderwerp deed er niet zoveel toe, ze probeerden hun denkvermogen uit en trachtten de tegenstander onderuit te halen. Al vlug werden ze door hun eigen betoog gegrepen en raakten ze in een roes, er was geen terugweg meer mogelijk, ze gingen door tot ze ongerijmdheden uitkraamden. Consequent stelden ze zich tegen elkaar op en kwamen dan in een patstelling terecht. Alsof ze de proef op de som moesten leveren, voegden ze de daad bij het woord. Ze vielen van het dak, knalden tegen de muur, hongerden of knipten hun haar af. Dat was nog het minste, want toen ze oud genoeg waren om partij te kiezen – op hun eigen snuggere wijze, maar volkomen naast de kwestie – , begonnen ze oorlog te voeren of gingen ze halsoverkop trouwen. Van opportunisme kon je hen niet verdenken, ze haalden zich alleen maar ellende op de hals. En hoe hoger ze zich schatten, des te meer ze zich tegen zichzelf keerden. Alles was goed, als het maar niet gewoontjes was, nou ja, dat is om ongeluk vrágen.

Bertje was de eerste die in een uniform kwam aanzetten. De pijpen van de broek leken onder zijn oksels te beginnen, de gesp van de koppelriem bengelde onder zijn navel en de bottines leken met het ventje weg te lopen. Hij stond voor aap, maar hij was van zichzelf gecharmeerd. 'Trek dat uit!' zei Angelique.

Haar broertje was echter tot het mannenlegioen toegetreden en stond op zijn strepen, hij liet zich niet door een vrouw commanderen. 'Ik ben de leider!' 'Van de kalverenbond?' informeerde Angelique. 'Laat hem,' zei Reinout. Toch zou hij zelf maar een enkele keer een uniform aantrekken, en Marius pakte er pas na de oorlog mee uit. Maar allebei besteedden ze veel aandacht aan hun kleding, Reinout met zijn maatpakken en zijn manchetknopen met monogram, Marius met zijn witte flanellen broeken en zijn hemden met Schillerkraag. De eerste had een collectie zijden dassen en de tweede wilde bij gelegenheid wel een sjaaltje omdoen. Reinout smeerde brillantine in zijn donkere haar, dat hij achterover en plat tegen de schedel kamde, Marius probeerde vergeefs een scheiding in zijn rode ragebol te trekken. De badkamer was gedurig bezet; het was alsof ze hun lijf met koud water wilden stalen of elkaar de loef afsteken met gladgeschoren wangen en verblindend witte tanden.

Angelique klaagde over de spiegels vol spatten en natte handdoeken die achteloos waren neergegooid. Als de broers hun toilet hadden gemaakt, leek het alsof er een troep jonge otters in de badkamer had gestoeid. Ik had mijn handen vol, de jongedame had haar handjes ook een keer kunnen vuilmaken. Daar hoefde ik uiteraard niet op te rekenen, een gebroken nagel was een drama.

Als Angelique haar dag niet had, wierp ze zich, na uren kleden en kapsels uitproberen, in wanhoop op bed. Om zich de volgende dag weer nijdig aan de kermis der ijdelheid te begeven. Reinout spotte met haar frivole jurken en Marius keurde ze af, maar Angelique voegde de broers toe naar hun eigen uitrusting te kijken.

Ze begon haar kleding te ontwerpen, vond een naaister en had succes. Ze verkocht zelfs een jurk aan een kennisje. Triomfantelijk zwaaide ze de geldbiljetten onder de neus van haar kwelgeesten. 'Dat hadden jullie niet gedacht!' En toen deed Augustijn iets wat ik niet begreep: hij verbood het haar. Met die handel in kleren moest het afgelopen zijn, het geld zou hij voor haar bewaren. Als ze wat nodig had, kon ze het vragen.

Ik keek naar Madame, die haar man boven haar leesbrilletje aanstaarde, maar Augustijn was niet te vermurwen. Zijn dochter moest zich niet met *frutsels* bezighouden.

'Wat moet ik dan?' riep Angelique. Ze beet op haar nagels tot ze voor een maand ontoonbaar waren en nam vervolgens een besluit. Ik zag haar nog net de deur uitgaan met dat air van wie doet me wat, en haastig klopte ik aan bij Madame. 'Ja, en wat dan nog?' zei ze kwaad. Ze kon haar dochter toch niet achterna lopen? Een huishouden van Jan Steen geleek het, waar iedereen zijn zin deed. Ze sommeerde Augustijn naar de slaapkamer en daar werd een hartig woordje Frans gesproken. Na het: '*Ça suffit!*' rende ik op de toppen van mijn tenen de gang uit.

Ik had me de moeite kunnen besparen, Augustijn keurde me geen blik waardig. Hij zweeg en bleef zwijgen, al was het van verbijstering toen Angelique tegen de avond thuiskwam met een jongenskopje. De haardos was gekortwiekt tot goudrode lokjes, hoog opgeschoren in de nek. Dat was een groter offer dan een paar pijpenkrullen. Zij had *en passant* ook haar wenkbrauwen laten plukken en vervangen door met potlood getekende boogjes. De porseleinblauwe ogen leken groter en in het algemeen had ze meer gezicht gekregen. Maar met de grote snoei was er ook iets onherroepelijks gebeurd.

Madame slaakte een kreet en barstte in tranen uit; daar schrokken we zodanig van, dat we niet wisten wat te doen. Gelukkig had Reinout de tegenwoordigheid van geest zijn moeder een glas cognac in te schenken. 'Dat groeit wel bij,' zei hij.

Madame snikte alsof ze zelf was kaalgeknipt. Al zou ze er bij een volgend geschil mee dreigen haar haren te laten afknippen. 'Waag het!' zei Augustijn, maar hij bond in, want hij had ondertussen geleerd dat er veranderingen op til zijn als vrouwen hun haren laten knippen. En hij wilde het vooral bij het oude houden. Zijn vrouw de geliefde, zijn dochter het maagdje, zijn zonen de jongens.

Zo bleef hij zijn manschappen noemen, ook toen de soldaten uit de loopgraven zoetjesaan oude mannetjes waren geworden.

Hij verfoeide de oorlog, was levenslang gekweld door het verlies van zijn makkers en toch verwachtte hij niet anders dan dat ook zijn zonen soldaatje zouden spelen. Alsof een man zich te allen tijde als krijger moest bewijzen.

'Kon ik maar in hun plaats gaan,' zei hij toen Marius en Reinout bij de mobilisatie onder de wapens werden geroepen. Het was het vaderhart dat sprak, maar er klonk niettemin een zekere weemoed naar zijn jeugd in door. Naar het leven bij de troep, mannen onder elkaar, kameraden en vijanden gelijk voor de ultieme proef: de dood, en geen vrouw die als spelbreker kon optreden. Want ook de opwindendste, de losbolligste deerne gaat nestelen en op de eieren zitten.

Augustijn kampte met een mannenprobleem: hij wilde bij moeders op schoot, met het vrouwtje in bed, bij een voorbeeldige huisvrouw met de voeten onder tafel. Tegelijk wilde hij de zeven zeeën bevaren, de hoogste bergen beklimmen, hemel en aarde verslaan. Hij wilde de eerste onder de mannen zijn. Het alfadier, zoals Marius me uitlegde. Degene die het hardste brult en stoot, tot de andere met de staart tussen de benen afdruipt. Daarbij had hij een verholen respect voor diegenen die tegenstand boden. Vrienden had je al, vijanden moest je er nog onder krijgen. Hij hield van de honden, die aan zijn voeten lagen, maar van de kat, die zich niet liet commanderen, verdroeg hij meer. Augustijn was de meest getrouwe man als hij niet aan de leiband werd gehouden. De soevereine vrijheid lonkte. Zijn kameelharen pantoffels stonden klaar voor het bed, maar ze raakten nooit versleten. Hij trok ze alleen aan als hij ziek of verstrooid was. Drie passen, voor hij slipte en ze van zich afschopte: 'Wat een ondingen!' Zijn blote voeten kletsten op de tegels. Madame lachte dan haar vreugdeloze lachje: 'Zo dadelijk loop je nog een blaasontsteking op.'

Woest beende Augustijn door het huis, hij vond geen rust, voelde zich ingesloten. De motor werd van stal gehaald en vol gas scheurde hij weg. 'Doodrijder!' schold Madame. Ze leden er allebei onder dat de eenheid werd verbroken, dat wat hen naar elkaar dreef, hen ook weer van elkaar verwijderde, maar het leek noodlottig.

Na een onheilspellend kalme nacht zat Angelique aan het ontbijt met een hoofd vol pieken. 'Dwaze kont,' bromde Marius. Madame ontbeet op bed en Augustijn bestelde koffie in het kantoor. Ik liep gedurig af en aan. Maar daar kwam Bertje met een sjaaltje aanzetten, dat hij schutterig op de schoot van zijn zus legde. Angelique keek Bertje aan met haar versteende gezicht, gaf hem een draai om de oren en trok hem vervolgens aan haar boezem. We waren allemaal opgelucht. En deden alsof we dat gemaltraiteerde hoofd van haar niet zagen. Al was het even slikken toen Angelique ook nog een sigaret opstak, een Egyptische, die ze in een sigarettenpijpje stopte, dat ze met een langoureus gebaar naar haar lippen bracht. Dat was weer een avond later, na het diner. Augustijn veegde zijn mond schoon voor hij zijn servet op tafel smeet, maar Reinout redde de situatie door zijn zus galant vuur aan te bieden. Hij had de met goud beklede aansteker voor zijn achttiende verjaardag gekregen. Marius rookte al vanaf zijn zestiende, en toen hij Angelique zag opsteken, begon Bertje er ook aan. Ik pikte een sigaret, maar er zat geen smaak aan, net of je stro de lucht in blies.

Het korte haar trok wel aan, het had een zekere pikanterie. Toen er weer wat slag in kwam, leek Angelique met die lange nek op een zwaan, en zo keek ze ook: donker en hoogmoedig. Bertje, meer dan ooit het lievelingetje, mocht met zijn vingers de kortgeschoren nekharen opstrijken, een liefkozing waarvoor Angelique bevallig het hoofd boog.

■■■

Voor de spiegel borstelde ik mijn haar achterover en probeerde me voor te stellen hoe ik er zou uitzien, *à la garçonne*, maar ik had de moed niet om over een kapper te beginnen. Ik boog me voorover, zoals mijn moeder en ongetwijfeld haar moeder daarvoor hadden gedaan, en vlocht een staart, die ik overeind komend in een knoet draaide en op mijn kruin pinde.

Het haar moest strak uit het gezicht worden gekamd en zodanig vastgezet dat er geen haar in het eten kon terechtkomen. Vreemde haren, de mijne, waren haast ongepaster dan luchtjes. Maar ik vond rode, zwarte en blonde haren als sierlijke krullen tegen de wanden van de wasbekkens of als vettige klissen in de afvoer. Voor mij waren het handtekeningen, duidelijker dan vingerafdrukken.

Het verwonderde me niet dat een mannetje van de *Sicherheitspolizei* bij een huiszoeking met een pincet haren uit de afvoer viste. Hij trok er een vies gezicht bij en ik kende een stille triomf. Geen haartje zou er in mijn huis aan zijn hengel blijven hangen, geen teken van herkenning, niets. Daar stond ik borg voor. Bij mij mochten die smiechten onder de bedden kijken of boven op de kasten. Ze mochten de keuken ontmantelen en van kelder tot zolder naar ongerechtigheden speuren.

Er dreunde een riedel door mijn hoofd: 'God is overal, in de hemel, op de aarde en op alle plaatsen!' Hij was diegene die alles zag en alles wist. Zelfs op de wc was je niet veilig. Waar ik dat had opgestoken in die luttele tijd dat ik school had gelopen, weet ik niet, en het klinkt ook als een raadsel, maar ik was op alles voorzien. Want als God er niet was, dan was er nog altijd Madame, die ogen had met röntgenstralen; ze kon dwars door je heen kijken. Als ik de kinderen naar het medisch onderzoek bracht voor de keuring van de longen, wist ik dat we gewoon aan een verplichting voldeden. Nog voor de koortsblos of het verdachte kuchje had Madame ongetwijfeld gezien dat er iets niet pluis was.

Het moederoog, daar is geen ontkomen aan. Madame kon zelfs gedachten lezen: 'Je leugens staan op je voorhoofd geschreven!' Het kind viel door de mand voor het een uitleg kon verzinnen. Er zat maar één ding op: zorgen dat ze je nergens, maar dan ook nergens, op kon betrappen.

Ik keek de Sicherheitskerels aan met de bête glimlach van de gedienstige, een en al schaapachtige onnozelheid. Als je voorgeeft wat hij verwacht, is een man geneigd je te geloven. Dat hoefde Madame me niet te leren.

Tot op de dag van vandaag zit het me dwars dat ze toch nog wat hebben gevonden, niet de Duitsers, maar onze eigen dappere politie, die na de Tweede Oorlog aan de lopende band verraders oppakte. Ze kieperden de naaidoos om en ontdekten een uniformknoop. Een knoop van niks, van koper, met het embleem van de jeugdbeweging, maar het kleinste schildje was verdacht. Nooit wat wegdoen wat nog van pas kan komen, dat was me ingeprent.

De voorbeeldige huisvrouw op heterdaad betrapt! En waar was de onverlaat, de snotneus die zingend door de straten had gemarcheerd? Die zat zich vlak onder hun neus aan het spinnewiel te verbijten. De Mayers, die lichtschuw uit de schuilplaats tevoorschijn waren gekomen en wachtten tot hun huis werd vrijgegeven, wisten van niets. Wij evenmin. De heren trapten een kastdeur in en daalden met veel wapengekletter af naar de kelder. Hun mond viel open bij het aanschouwen van de voorraad kolen en overjaarse aardappelen. Als dat geen zwarthandel was! Daar moest inbeslagname op volgen.

Augustijn was ondertussen ook in de kelder aanbeland. Op zijn gemak haalde hij zijn pijp uit de mond en blafte: 'Ingerukt mars!' Het bevel galmde onder het gewelf, het was alsof hij over twee stemmen beschikte, een normale en een donderstem. Hij plantte de pijp weer tussen zijn tanden en pufte, maar het was geen vredespijp, de rookwolk was een signaal tot de aftocht. De heren vertrokken met stille trom, de koperen knoop namen ze nog vlug mee als bewijsstuk.

Toen ik hem later in de rechtbank op het groene tafelkleed zag liggen, het koper ook groen uitgeslagen, dacht ik onvermijdelijk weer aan Bertje, zoals hij zich trots als leider van de jeugdbeweging bekend had gemaakt. Met een mondvol leuzen over God en land, eer en plicht, wat hem net zo slecht paste als dat slobberende uniform. Hij was zijn broers voor geweest, daar was het hem om te doen, en om zijn vader te bewijzen dat hij geen ongelukje was. Een misser die raak bleek. Een schreeuwlelijk die je niet kon terugsturen naar waar hij vandaan kwam.

Zo hoor je als ouder niet te denken, en Augustijn bezag zijn jongste met gelatenheid. Eentje meer of minder, wat deed het ertoe, vooral als er zoveel minder waren en het er nog minder zouden worden.

Het zat Bertje hoog, de broers die een koplengte voorlagen, de vader waar hij niet overheen geraakte. Als hij niet de beste kon zijn, dan maar de vlugste.

■■■

De kleine was nog maar drie turven hoog toen hij zich al manifesteerde. Op een Pinksterzondag was Augustijn voor een paardenkeuring opgeroepen. Hij bezat geen paarden meer en tikte nerveus met de rijzweep tegen de schacht van zijn laarzen. Hij moest respect afdwingen in een club van liefhebbers met uitpuilende portefeuilles. Wij vergezelden hem feestelijk uitgedost, maar Bertje bleek hangerig. Hij beliefde geen limonade en geen suikerspin, hij wilde zelfs niet op een paard worden getild.

Augustijn zette het dreinende joch met een zwaai in zijn nek en ging onverdroten door met paarden keuren. De dames dronken thee met melk – dat was de Engelse chique – onder een parasol. Madame kreeg al vlug genoeg van het gezelschap en vroeg me Augustijn te zoeken, zodat hij haar kon verlossen van het gebabbel. Dat was makkelijk genoeg, hij stak minstens een kop boven de pikeurs uit en voerde het hoogste woord. Paarden en vrouwen hadden voor hem geen geheimen, hoorde ik hem beweren. De toehoorders lachten besmuikt, Bertje hing aan zijn vaders jasslippen. Terwijl ik aarzelde om op de mannen toe te stappen, zag ik voor mijn ogen hoe hij zijn piemeltje tevoorschijn haalde en op de rijlaarzen van zijn vader richtte. Dromerig staarde hij voor zich uit. Augustijn merkte pas dat er tegen zijn been werd geplast toen een omstaander er hem op wees. 'Dat belooft wat!' grinnikte de man. Augustijn lachte als een boer met kiespijn.

Ik trok me terug in de menigte toen hij Bertje bij Madame afleverde. Kon ze dat kind geen manieren bijbrengen? En waar hing Celestien uit? 'Jouw zoontje,' kaatste Madame terug. Ze was absoluut niet onder de indruk. Augustijn speurde in het rond, maar ik hield me gedeisd.

Toen we naar huis reden, was hij danig uit zijn humeur, ofschoon zijn favoriet de eerste prijs had weggekaapt. Bertje sliep in mijn armen en werd zelfs niet wakker toen ik hem in zijn bedje legde.

De plas had het leder van de rijlaars gebleekt, niet in straaltjes, maar in een veelvoud van spatten; het was alsof Bertje een fonteintje had opengedraaid. Ik had er werk aan om – met spuug en zeep – de laars te fatsoeneren.

Het voorval werd als een kinderstreek afgedaan, maar Augustijn keek voortaan met een zekere oplettendheid naar Bertje. De kleine trad hoe langer hoe driester op, hij leek voor niets of niemand bang, maar hij pochte en liep gedurig op zijn tenen. Veel goeds kon daar niet van komen. Toch ondernam Augustijn slechts halfhartige pogingen om zijn jongste van zijn dwaze voornemens af te houden.

In zijn collegetijd begon Bertje lange redevoeringen te houden, hij verklaarde hemel en aarde en kondigde aan advocaat te willen worden. Madame vond het beneden zijn niveau, maar Augustijn mompelde: 'Dat zien we dan nog wel.'

Marius koos voor de architectuur, en dat vooruitzicht droeg aller goedkeuring weg. Hij was de enige die zich teleurgesteld toonde. De toekomst leek zo welbepaald, zo keurig, dat het leven minder spannend leek. Angelique gaf de indruk dat ze niet wist wat ze wilde en Reinout glimlachte geheimzinnig.

Op een middag, toen iedereen het huis uit was en ik vroeger dan verwacht de boodschappen had gedaan, stroomde me uit de openstaande ramen een overweldigende golf muziek tegemoet. De koperen blaasinstrumenten klonken zo stormachtig dat ik me met mijn tassen als tegen de wind in naar het raam moest worstelen. Toen ik naar binnen gluurde, wachtte me een bevreemdend tafereel: Reinout, in rok, dirigeerde met een liniaal een onzichtbaar orkest, het gezicht geheven in een totale en zo te zien goddelijke overgave. Ik sloop naar de keuken, waar ik de kalfsschenkels, de selder en de uien op tafel uitstalde, voor ik verwezen ging zitten. Het huis leek op een wilde zee te zeilen, voortgedreven door aantrekkende en afstotende klanken, van hier naar daar, en het dreigde op de klippen te lopen. Althans zo kwam het me voor, en het was zo ondraaglijk dat ik mijn vingers in mijn oren stopte.

Ik kwam pas tot mezelf toen Madame met de handen in de zij naar het stilleven op de keukentafel stond te kijken. Zat ik erop te wachten dat de groente tot soep zou transformeren en de kalfsschenkels vanzelf in de pot zouden springen?

Mokkend greep ik mijn schort, terwijl ik haar strak aankeek. Jou staat nog wat te wachten, ja dat dacht ik, want ik was kwaad, maar ik meende het niet.

’s Avonds hoorde ik haar in de slaapkamer over mijn merkwaardige gedrag berichten. Ze meende dat ik de laatste tijd wel meer afwezig leek. Was ik aan een vrijer toe? ‘Daar zou ik niet om bidden,’ zei Augustijn. Mijn hart maakte een sprongetje. Hij wilde me niet kwijt. Ze wisten heus wel wat ze aan me hadden.

Over wat er die middag was gebeurd, zei ik niets, omdat ik niet wist hoe ik kon verklaren wat ik had gezien. Aan Reinout was niets ongewoons te merken; het had er ook niet de schijn van dat hij aan de muziek wilde. Hij ging naar concerten om te zien en gezien te worden; als dirigent had hij geen slecht figuur geslagen, maar hij had geen maatgevoel. Hij had met die meetlat staan zwaaien alsof hij naar vliegen mepte. Het overdonderende kwam van de muziek, het onbehagelijke van zijn gezicht.

In die tijd hadden de buren een hond die Wagner heette, een schnauzer, die de postbode aanviel en fietsers naar hun kuiten hapte. Het regende klachten. De papegaai kon al vlug het geblaf nadoen en riep zodra hij de schnauzer hoorde: ‘Keffer!’ ‘Dat beest werkt op mijn zenuwen,' gromde Madame. Het was niet duidelijk wie ze bedoelde, de hond of de papegaai. Augustijn gaf als enig commentaar: 'Slecht opgevoed.'

Toen Wagner met een blauwe tong onder de rododendrons werd gevonden – het was al een dag ongewoon stil gebleven – wist niemand te zeggen wie de hond had vergiftigd. Ik kreeg een hol gevoel in mijn maag toen uit de salon weer die meeslepende, maar zeeziekmakende muziek weerklonk. De papegaai begon te keffen, Madame riep erbovenuit of het niet wat stiller kon. Ten slotte draaide Marius de knop van de radio om: 'Denk om de buren!'

'Wat kunnen de buren je schelen?' vroeg Reinout. Hij was briljant en hij wist het. Op het college was hij de primus, zelfs de paters die hem graag wat nederigheid hadden bijgebracht, waren verplicht hem de hoogste cijfers te geven. Taal, wiskunde, geschiedenis, alles ging hem even makkelijk af. Hij kon alle kanten uit, de keuze was moeilijk. 'Ik wil me oriënteren,' zei hij. Ik heb meteen het woordenboek van Marius opengeslagen, want dat oriënteren klonk mij niet serieus. Moest Reinout geen vak leren?

Augustijn was dezelfde mening toegedaan: 'Dat hangt het heertje uit, maar brengt niets voort.' 'Ze zijn maar één keer jong,' antwoordde Madame. Dat hebben we geweten.

Het was alweer Bertje die het laatste nieuws verkondigde: hij was een dichter. Een openbaring, want dichter wérd je niet, dat wás je! Er volgde geen gelach op de banken. Angelique inspecteerde haar nagels, Reinout leek geërgerd, en Marius kreeg een kop als een boei. Het kwam uit dat hij al gedichten had gepubliceerd, in het schoolblad, onder zijn bijnaam: De Zwijger. 'Ik had het kunnen weten,' mompelde Reinout.

Het huis was onverwacht vol met schrijvers, jawel, want ook Angelique en Reinout hadden hun gedachten op schrift gesteld. Bertje zat er beteuterd bij, hij was de enige die het bij niet veel meer dan een voornemen had gelaten.

Augustijn nam het luchtig op: wie had er geen gedichten geschreven? Dat hoorde bij het ontluiken. Het kostte geen geld en de kinderen deden er niemand kwaad mee. Madame was ontzet: 'Schilder de duivel niet op de muren!' Het was alsof ik mijn moeder hoorde, met haar angst voor het beschreven blad. Madame duldde de boeken uit Augustijns ouderlijk huis, al waren het stofnesten die muizen aantrokken. De bibliotheek werd uit de openbare verkoop gehouden en verhuisde mee naar de stad. Ofschoon de boeken, volgens Madame, de meerkosten aan verpakking en verhuiswagen niet opbrachten. Bovendien bedierf je met lezen je ogen, en dat bedoelde ze niet alleen letterlijk. Het vers was te gevoelig, de roman wekte overdreven verwachtingen. Boeken brachten het hoofd op hol, al was het maar door de ledigheid die de fantasie aanwakkerde. Ze eiste dat Augustijn die handel achter slot en grendel zou wegbergen, maar het was te laat.

Bertje sloot zich op in zijn kamer – drie dagen en drie nachten – om de schrijfachterstand in te halen. Hij at niet en rookte als een schoorsteen. Ik mocht geen venster openzetten, ik mocht zijn bed niet opmaken, ik mocht hem niet eens aanspreken. Hij zat ongewassen met een afwezige blik naar het plafond te staren om zich vervolgens koortsachtig over het papier te buigen. Hij schreef gedreven, stopte onverwacht, beet op zijn pen, vloekte en verfrommelde het beschreven blad tot een prop. Gezond kon dat niet zijn, ik moest Madame gelijk geven. Maar het was zo besmettelijk als de mazelen, van kamer tot kamer werd er geschreven. Bij nacht werden de lichten niet meer gedoofd, aan tafel zaten ze met hun hoofd in de wolken of er werd knallend ruzie gemaakt. Welke dichter was de grootste, welke schrijver de beste?

Angelique liet zich niet bidden om voor te lezen, en ik luisterde graag, ze had een mooie stem en het ging over dingen die ik kon volgen, liefde, verdriet, en alles wat met het gemoed heeft te maken. De broers hoonden haar weg, tot ze een keer kort maar krachtig oplas wat ze allemaal kon en niet mocht, en waarom ze hoofdpijn kreeg. Toen was het wel even stil. Ook Madame was er niet goed van. Augustijn kauwde op zijn sigaar.

'We weten het nu wel,' gromde Marius. Hij schreef zoals hij

was, doorwrocht, maar hoekig. Over keuzes die je moest maken en doelen die je moest bereiken, en over het zoeken naar God. Het was mij wat te zwaar, maar het leek belangrijker dan wat Reinout voortbracht. Dat ging over het veroveren van onbekende gebieden en het onderwerpen van wilde volkeren. Hij onderhield ons ook over beschaving en vreemde zeden, waarbij hij echter hele stukken oversloeg.

Bertje hing aan zijn lippen, maar Marius lachte zijn broer rondweg uit. Dat was jongensboekenpraat, daar had hij toch niet over nagedacht! Reinout keek hem neerbuigend aan. Brood en spelen, dat wilde het volk, zoals de Romeinse keizers al wisten, moord en doodslag en een flinke dosis van dattum. 'En dat heb jij in huis!' spotte Marius. 'Wat een pretenties!' merkte Angelique koeltjes op. 'Ik ga...' ving Bertje aan. Marius kapte het af: 'Leer jij eerst maar eens zonder fouten schrijven!'

'Jongens, jongens...' sprak Augustijn kalmerend. Madame keek rond met een beschuldigende blik, zoekend naar iets waar ze haar ongenoegen op kon richten: 'Celestien...?' Ik was al weg. Druk doende. Nog bezig met het vorige. Op weg naar het volgende. Stoffend en vegend. Wassend en plassend.

Na het eten stond Augustijn voor de boekenkast. Daar stond hij vaker, niet omdat hij zoveel las – hij verschikte een boek, sloeg er één open, liet zijn hand over de ruggen glijden. Het was alsof hij zijn respect betuigde of zijn voorvaderen groette, want zoals hij voor de boekenkast stond, zo verwijlde hij ook bij de portretten van ouders en verwanten. Deze keer echter schudde hij misnoegd het hoofd, hij raakte de boeken niet aan en blies de rook van zijn sigaar met vooruitgestoken onderlip in de hoogte.

Aan de wijze waarop Augustijn met zijn rookgerief omging, kon je zijn humeur afleiden. Zachtjes lurkend en puffend had ik het liefst, dan voelde hij zich goed. Was hij in een betogende bui, dan hield hij de sigaar tussen wijs- en middelvingers en nam af en toe een trekje. Op pijp of sigaar bijten of nijdig rook uitblazen betekende storm op komst.

Dacht hij erover de boeken toch weg te doen? Capituleerde hij? Dat raakte mij, al mocht ik de boeken niet op orde zetten, zodat ik nooit degelijk kon stoffen. Maar de kamer kreeg door de boeken een zeker aanzien. En ik ging ook weleens voor de boekenkast staan om met gesloten ogen een boek uit te kiezen. Zo had Augustijn de kinderen het lezen bijgebracht, ze mochten met dichtgeknepen ogen een boek uitkiezen. Hij lachte in zijn vuistje als ze een dik exemplaar aanwezen. Daar zouden ze nog een hele beet aan hebben! Want welk boek ze ook hadden uitgezocht, ze mochten het niet terug op zijn plaats zetten voor ze het hadden uitgelezen.

Wat dat laatste betreft speelde ik zelf vaak vals. Als ik 's avonds in het gesmokkelde boek begon te lezen, was ik meestal zo moe dat mijn ogen dichtvielen voor ik er wat van had opgestoken. Maar ook als ik op zondagmiddag tijd had om te lezen, viel ik soms bijna in slaap. Ik begreep het boek niet en moest aldoor terugbladeren, omdat mijn gedachten afdwaalden, tot ik niets meer dacht en zat te gapen. Dan zette ik dat boek weer op zijn plaats en koos op goed geluk een ander. Want toen ik eenmaal was begonnen met lezen, kon ik het niet meer laten. Ik wilde achterhalen wat de boeken verborgen of inhielden, wat er zo bijzonder aan was, en al lezend was het alsof ik een andere wereld ontdekte, die tegelijk ook de mijne was, of werd – daarvan ben ik niet zeker.

Met de kinderen had ik een goed excuus om voor te lezen, of, later, om samen te lezen. We deden *Alice in Wonderland, Robinson Crusoë, Don Quichot,* en vele andere, het hield nooit op, en ook als je een boek tien keer las, was het elke keer weer anders.

Me dunkt dat Augustijn moet hebben geweten dat ik boeken naar mijn kamer smokkelde, maar hij heeft er nooit wat van gezegd. Hij toonde zich alleen geamuseerd als ik met een opmerking naar een verhaal verwees of een uitdrukking uit een boek gebruikte.

Het rare was dat Madame bijdraaide zodra er werd voorgelezen; als ze er de kans toe had, kwam ze bij de kinderen zitten en luisterde even geboeid. Toen haar een advertentie onder ogen kwam waarin zich een lectrice aanbood, besloot ze meteen dat dit de oplossing was voor de verveling van de oude dag. 'Dan lees ik je wel voor, daar hoef je geen vreemde voor in huis te halen,' zei Augustijn. 'Echt, Stijntje?' vroeg Madame koket. '*Nie versagen!*' lachte Augustijn.

Zo waren ze weer dik met elkaar, en Augustijn heeft woord gehouden. Toen Madame, half verlamd, de woorden niet meer op een rijtje kreeg, las hij haar voor, urenlang, de oude vertrouwde verhalen. En ik luisterde mee, soms met tranen in de ogen.

Uiteindelijk werden onze boeken geheiligd door de brulaap uit Berlijn. Toen hij weer een keer zwavel en pek spuwde, werd zijn gebrul beantwoord door een duizendvoudig koor, dat zich opzweepte tot één eindeloze schreeuw: '*Jaaa... wohl...!*' De haartjes op mijn armen gingen overeind staan. En al had ik te klagen over het gekibbel en de tegenspraak van mijn clubje, dat was niets vergeleken met de massale eenstemmigheid die als een pletwals over je heen rolde. Het schreeuwen werd een uitzinnig juichen, waarin elke stem verloren ging, behalve die van de brulaap. Het leek wel of hij de enige was die niet doof en blind werd van al dat geweld, maar dat hij het opriep en erop inspeelde. Hij was de voorbidder, de gangmaker, de dirigent, maar hij werd ook op golven van instemming en aanmoediging verder gedreven. Het was als passionele liefde of opgezweepte haat. Achteraf kwamen sommige van die roepers beweren dat ze niet wisten wat ze deden, zoals in 'Heer vergeef het hun'. Wat onvergeeflijk was, moesten wij even vlug vergeten als zij het ontkenden. Schuld is lastig, maar dat konden de slachtoffers niet helpen.

We zaten als verdoofd of lamgeslagen door het geloei. Er hing ons iets boven het hoofd, en dat we niet wisten welke vorm het onheil zou aannemen, wakkerde de angst aan. Het was alsof de doden hun tol eisten en de Groote Oorlog met de Tweede Oorlog zijn beslag moest krijgen.

Het was constant crisis, de slapte zat in de handel. Terwijl ik de vaat deed, hoorde ik het gebrul uit de radio en de gedempte stemmen die geen weerwerk konden leveren. Kribbig deed ik het huishouden, Augustijn spelde de kranten en beet op zijn sigaar. Er waren wat minder werklozen, maar de grote bouworder om versneld bunkers te bouwen, was – ondanks het werk dat het opleverde – geen goed vooruitzicht.

'Wie nu geen huis heeft, zal er in lange tijd geen bouwen,' declameerde Marius. Madame kon er niet mee lachen. En ook de rest liep met malcontente gezichten. Af en toe barstte er een ruzie uit, die niets oploste. Er werd ook wild gefeest, zonder dat het opluchtte. Het was alsof we elkaar in de weg zaten. We leefden op geleende tijd en bleven ons aan elk uitstel vastklampen.

Toen Augustijn op een ochtend de krant openvouwde, keken Madame en ik over zijn schouders naar de foto waarop mannen met potachtige kepies, koppelriemen en laarzen, boeken op brandstapels wierpen. De radio bleef stom, maar het was alsof we het zachte knetteren van het vuur hoorden. Augustijn, die in zijn haast om de krant in te zien zijn hoed niet had afgezet, ging voor de boekenkast staan en nam de hoed af, zijdelings, met gestrekte arm. Het was alsof hij met gevelde sabel de vlag groette. Ik pakte de hoed aan en hield hem voor mijn buik. Madame was aan de andere kant van Augustijn komen staan, met geheven hoofd, zodat ze wat groter leek. Het was een plechtig moment, dat mag ik wel zeggen.

Augustijn inspecteerde in de weken die erop volgden de boekenkast en werkte de inventaris bij. Een aantal exemplaren haalde hij van de planken – die zette hij uit het zicht in de slaapkamer. Hij kocht ook boeken in en sloeg die op in kisten. Zo dekte hij zich in tegen het ongewisse.

■■■

Met de geletterdheid had ook de politiek haar intrede gedaan. Het was als een drift, een koorts, die van een stotteraar een redenaar kon maken. Zelfs Marius, de zwijgzame, mengde zich hartstochtelijk in het debat. Hij verklaarde voor de vrijheid – dat leek een ander woord voor zijn mening – te zullen vechten.

'Gebruik je verstand,' knorde Augustijn. De wens is de vader van de gedachte. Verstand te koop, maar het geschikt gebruiken, dat zat er niet bij.

Marius vroeg zijn vader of hij verstandig had gehandeld toen hij, zo jong als hij was, van huis wegliep en over zijn leeftijd loog om naar het front te worden gestuurd. 'Dat was een andere situatie,' Augustijn stak zijn pijp aan. 'Ik wil het niet meer horen,' zei Madame. Maar voor het eerst werd zij niet gehoord.

Het kroost bracht rare gasten in huis. Bebrilde jongens met vooruitstekende adamsappels en pastoors met beduimelde soutanes. Meisjes waren er niet bij.

Reinout verklaarde dat vriendschap een mannenaangelegenheid was. Tragisch en nobel, met vrouwen ging het om andere dingen. 'Dat zal wel,' snauwde Angelique. 'Het is de natuur,' zei Marius met een uitgestreken gezicht. Angelique brieste. Had Marius soms de schepping uitgevonden?

Bertje haastte zich om ook wat in te brengen; meisjes zouden elkaar maar de ogen uitkrabben. Was meneer een kenner? Angelique probeerde het met spot, maar de broers hielden voet bij stuk: zij hadden ernstige zaken te bespreken en daar konden ze geen vrouwen bij gebruiken. Ondertussen bezocht Reinout wel een salon van een kunstzinnige dame, waar hij werd ingewijd in de schilderkunst, de mode en de liefde. Maar dat zijn we pas veel later te weten gekomen.

De heertjes die de jongens introduceerden, deden zich voor als kunstenaars of politici in de dop; de pastoors wierpen zich op als geestelijk leiders. Ze moedigden de woordenstroom aan en leidden hem in zekere banen. Het eindeloze gepraat was oervervelend, ik begreep ook niet zoveel, maar dat het dubbelzinnig was, dat hoorde ik wel. Het volk moest zijn fierheid herwinnen en zich bevrijden. Tegelijk moest het godvrezend zijn en trouw aan de eigen aard. Wat dat betekende, had ik meteen in de gaten, want al die gasten moesten mee-eten, en geen enkele die zijn voeten veegde. De pastoors hadden het op de wijn en de sigaren voorzien, de jongens stelden zich tevreden met sigaretten, maar ze dronken sloten koffie. Wat me nog het meeste tegenstond, was dat die kwasten zich beter waanden. Ze hadden het over de elite – waarmee ze kennelijk zichzelf bedoelden – en ze veroorloofden zich een ongepaste jovialiteit.

'Dag vader,' zei er één die zich al helemaal thuis voelde. 'Mijnheer Van Puynbroeckx voor u,' antwoordde Augustijn kortaf.

De gasten lieten het wel uit hun hoofd Madame 'moeder' te noemen, al had ze voor het moederschap een medaille kunnen krijgen, maar ze hadden heel goed begrepen wie het huis bestierde. 'Eerbied voor de moeder' was ze in de mond bestorven, maar toen een pastoor te lang doorzeurde over de deugden van het moederschap, snoerde Madame hem de mond: 'Het maken doet deugd, het krijgen wat minder.'

Angelique zat zich te verbijten; ze liet zich graag het hof maken, maar niet zo, tegelijk protserig en kruiperig, en niet door dat soort, ongewassen, en met zwarte randen onder de nagels. Ze probeerde toch haar zegje te doen, maar ze werd mild weggelachen of ze deden alsof ze haar niet hoorden.

Pianospelen mocht ze, borduren, desnoods gedichten schrijven, maar vóór alles moest ze leren koken en naaien, om zich deemoedig voor te bereiden op de rol van echtgenote en moeder. Het allerhoogste wat een vrouw kon bereiken. Dat werd met zoveel woorden gezegd, en toch begonnen de jongens te stotteren als Angelique het ene been over het andere gooide en verveeld een sigaret opstak. De pastoors ontweken haar alsof ze geen juffer maar een Jezabel was. De moedigsten spraken haar zalvend aan met 'kind'. 'Ze ruiken niet lekker,' klaagde het kind. 'Zeg maar gerust dat ze stinken,' mopperde Madame.

De wijn en de sigaren werden gerantsoeneerd, evenals de koffie. Tegen tienen vroeg Madame steevast de ramen open te zetten om te luchten. Dat hoefde ze geen twee keer te zeggen. Ik had mijn bekomst van die uitvreters met hun geleerde praatjes en hun neerbuigendheid. Toen ik vroeg 'juffrouw Celestien' te worden genoemd werd er gemonkeld. Die juffrouw was een aankomende oude vrijster, een meid die voor het leven meid zou blijven. Niet de moeite waard om zich druk over te maken. Terzake!

Het palaver werd onverdroten verdergezet. Ik leegde de asbakken en vulde de kopjes bij.

'Zou je het leuk vinden als je dochter met een van die puistenkoppen trouwde?' vroeg Madame. Augustijn wilde de gasten ook kwijt, de jongens werden hoe langer hoe ongezeglijker, maar over Angelique hoefde hij zich geen zorgen te maken, die bepaalde zelf haar keuze. Ze kwam aanzetten met een mollig manspersoon, donkerharig en kort van stuk, ene Davy, die van verlegenheid niet wist waar te kijken. 'Dat doet ze met opzet!' zei Madame.

Dat was juist, maar het was te laat. Angelique was, verliefd of niet, vastbesloten haar wil door te drijven. Davy aanbad haar en hij kon zijn geluk niet op. Dat deze blonde schoonheid met hem wilde trouwen, was niets anders dan een wonder. Hij overlaadde haar met rozen en diamanten en las de wensen van haar gezicht. Angelique liet zich de attenties welgevallen, maar veel meer dan een vluchtige zoen kon er wat haar betreft niet af. 'Davy is amusant,' verklaarde ze. En dat was hij nu net niet. Hij was doodernstig en timide. Een enige zoon, gedwongen de handel van zijn vader over te nemen, want anders was hij een *Lehrer* of een *Dichter* geworden. En ik weet zeker dat hij het in huis had, al sprak hij een mengelmoes van Duits en Frans en kon hij haast niet uit zijn woorden komen als Angelique in de buurt was.

'Wat moet ze met die snoeshaan?' vroeg Reinout. Marius zweeg, verlegen met het amoureuze, maar Bertje was zo jaloers dat hij zich niet kon beheersen: 'Die jood moet weg!' Daarmee haalde hij zich de toorn van zijn vader op de hals: 'Dat ik je niet meer hoor!'

Angelique verbood Bertje nog in haar slaapkamer te komen. Zij had tegenstand uitgelokt, maar ze had niet verwacht dat haar 'ventje' zo brutaal zou uithalen.

Het al of niet jood zijn van de vrijer was geen onderwerp van discussie, maar niettemin hoorde ik Augustijn opmerken dat het niet het moment was voor een officiële verloving. 'Is het dat ooit?' vroeg Madame. 'Ze is te jong,' wierp Augustijn tegen. 'Weet je nog hoe oud ik was?' vroeg Madame. Het bleef stil. Toen: 'Wil je wachten tot ze met een buikje naar huis komt?' 'Dat doet ze niet!' Augustijn was verontwaardigd. 'Merci,' zei Madame. 'Ik bedoel dat die jongen te bleu is.' Augustijn probeerde vergeefs van de netelige kwestie af te komen. 'Ga een luchtje scheppen!' gromde Madame.

Uiteindelijk stelde Augustijn voor om Angelique op reis te sturen. Parijs, Wenen, Monte Carlo. Augustijn zag het groot en enige goklust was hem niet vreemd. Madame, die zelf geen reisje zou afslaan, bleef niettemin voorzichtig: 'Eventueel.' De broers sputterden, hadden zij geen reisje verdiend?

Na veel vijven en zessen werd het een uitstap voor 'drie man en een paardenkop', zoals Reinout het stelde. De paardenkop had beter ezelskop geheten, zo koppig als Angelique was. Ze vertrok niet voor ze de toezegging kreeg dat de trouwerij door zou gaan, als ze na de rondreis niet op andere gedachten was gekomen.

Parijs was een voorproefje, waar ook Madame en Augustijn van meegenoten. Alleen thuis met zijn twee. Ik moest alle dagen het ontbijt op bed verzorgen. Al betreurden ze het hardop dat ze mij niet met de kinderen naar Parijs hadden gestuurd, dan waren ze van alle pottenkijkers af geweest. Dat was om te plagen, maar ik werd er toch sikkeneurig van.

De reis was in zoverre een succes dat de broers heel Parijs hadden afgedweild en Angelique een hoop geld aan kleren had besteed. Bertje berichtte wel dat Angelique ruzie met Reinout had gekregen. Bij een *diner dansant* had zij per ongeluk op de tenen van haar broer getrapt. Hij had haar pardoes midden in een wals losgelaten. Wankelend had ze nog een halve draai volbracht, terwijl hij zich een weg baande tussen de wervelende paren. Hij voerde een drama op met de doffe plek op zijn zwarte lakschoen, zij verweet hem dat hij geen maat kon houden en überhaupt geen manieren had. Een geschil om niemendal, maar veelzeggend, ook al omdat het nooit werd bijgelegd.

Terwijl de kinderen op reis waren, kregen wij bezoek van een heer die zich als de vader van Davy bekendmaakte. Een fabrikant van ijskasten, maar toch een heer, dat zag je zo. Driedelig pak, hoed en handschoenen, camel sjaal toe. En ook nog een oudstrijder, Augustijn liet meteen een bordeaux aanrukken. Waarvoor de heer beleefd bedankte. Hij had nóg een verrassing voor ons in petto. Hij had niets op Angelique aan te merken, ze was mooi en wist hoe zich te gedragen, maar het was toch niet wat hij zich als stamvader had voorgesteld. Ze paste niet bij de achtergrond van zijn familie, als wij begrepen wat hij bedoelde. Hij had zich opgewerkt, maar was door de vroege dood van zijn vrouw met één zoon achtergebleven. Zijn oogappel, zeer zeker, maar hij verwachtte kleinkinderen als zegen op zijn werk. En Angelique leek hem te fragiel en, om het maar rechtuit te zeggen, te werelds om voor een talrijk nageslacht te zorgen. Dat leek hem meer iets voor een vrouw die bij de achtergrond van de familie paste – het speet hem dat hij daarop terug moest komen. Bovendien was er de politieke evolutie, die zonder meer zorgwekkend mocht worden genoemd. Het verschil was te groot, de families waren te vreemd voor elkaar, en om het maar ronduit te zeggen, de heer had in Polen naar een geschikte schoondochter laten uitkijken. Er waren voldoende meisjes met de juiste achtergrond, die wat graag uit Polen weg wilden.

'Wat vindt Davy daarvan?' vroeg Madame. De heer kon nu niet meer naast haar kijken, maar hij sloeg onmiddellijk weer zijn ogen neer. 'Davy zal *vernünftig* zijn,' mompelde hij. Madame snoof.

Augustijn presenteerde de heer een sigaar om tijd te winnen, maar ook dat werd beleefd afgewezen. Het glas water dat ik had neergezet, raakte hij evenmin aan. Augustijn schraapte zijn keel: 'Angelique zal na de reis uitsluitsel geven.' Daarmee gaf hij zijn dochter weg en hij besefte het. Er stonden tranen in zijn ogen.

Madame stond op en klopte haar rok af: '*Et bien.*' De heer wilde nog wat zeggen, maar Augustijn was hem voor. Hoeveel kostte een goede ijskast? Dat mocht hij toch wel vragen nu ze elkaar nader hadden leren kennen. Dat hing, zo bleek, van het volume af. *Tiens*, daar wilde Madame graag wat meer over weten, met drie zonen die aten als wolven. Hoofdschuddend ging de heer heen.

Vóór de gedenkwaardige reis was er in een fotostudio van het viertal een portret gemaakt. Wat een knappe bende was het toch, zoals Angelique haar hoofd schuin hield, met dat zweempje melancholie over het gezicht, ach, en zoals Marius even ernstig als Reinout lachend poseerde, niemand kon hen deren, en daar was Bertje als de veelbelovende hekkensluiter. Nooit waren ze zo samen en nooit zouden ze méér samen zijn.

Madame had even haar angst afgelegd, en ik keek met haar naar de foto als naar de bekroning van een levenswerk. Ze hadden het gehaald, ze waren groot en sterk en knap. Helemaal klaargestoomd voor het leven. Ze hoefden het alleen maar voort te zetten.

De volgende gezamenlijke reis ging over de Rijn. Dat was tegen de zin van Angelique, maar de broers hadden voet bij stuk gehouden. Zij wilden dat daar weleens zien. Reinout om wat hij verwachtte, Marius om wat hij vreesde. Ze hadden dezelfde vastberaden trek om hun mond. Bertje was danig opgewonden en Angelique stemde ten slotte in om *contraire* te zijn.

Davy zat verkrampt op de sofa, het zweet liep in straaltjes over zijn gezicht. Zijn aanstaande in het hol van de leeuw!

'Mij doen ze niets!' Angelique stak haar neus in de lucht. Het was persoonlijke trots, maar ze kwetste er Davy mee. 'Daar kan ik je niet volgen en niet helpen.' In zijn stem was een ondertoon van oude pijn geslopen: o wee, o wee! 'Over een maand ben ik terug,' zei Angelique luchtig. 'En dan?' Angelique knikte stom. '*Sei vorsichtig*,' smeekte Davy.

Madame kon het niet meer aanzien, Angelique moest naar

bed, ze wilden bij het krieken van de dag vertrekken. In de gang nam ze de jas van Davy van me over, en terwijl ze hem zijn gerief aanreikte, zei ze bars: 'Jammer toch niet zo, man!' Als een geslagen hond droop hij af.

'Wat moet dat worden?' vroeg Madame zuchtend. 'Hij heeft het flink te pakken,' antwoordde Augustijn. 'Angelique heeft een sterke man nodig.' 'Wie zegt dat hij dat niet is?' 'Ik ga naar bed,' besloot Madame.

De kinderen reisden naar Bayreuth voor *De Vliegende Hollander.* Ter voorbereiding vulde het huis zich weer met die stormachtige muziek. Ik zette de ramen open, omdat ik het gevoel kreeg dat het uit zijn voegen zou barsten. Reinout sloeg met gesloten ogen de maat en gebruikte daartoe het programmaboekje van Marius. Ik kon er geen wijs uit, het was in het Duits, maar ik had al begrepen dat Richard Wagner geen familie was van de schnauzer. Reinout noemde hem een genie, maar voor Madame was het een lawaaimaker. De muziek belette haar te werken en hield haar uit haar slaap. Augustijn kauwde op zijn sigaar toen Marius opmerkte dat dit je reinste fascisme was.

Wat? dacht ik. De muziek stond zo hard dat we onszelf niet meer konden horen, wat niet bevorderlijk was voor de huiselijke vrede. Angelique waste haar haren met kamillebloemetjes zodat ze als een gouden helm om haar hoofd zaten. Onderwijl rende Bertje als Vliegende Hollander met zwaaiende armen de trappen op en af. Toen ik hem vroeg of hij zot geworden was, vertelde hij mij het verhaal van het spookschip met zijn dode bemanning, dat met volle zeilen tegen de wind in zeilde en gedoemd was tot het einde der dagen stuurloos rond te varen. Om Kaap de Goede Hoop.

Waar mocht dat wezen? Ik trok mijn stoute schoenen aan en klopte aan bij Augustijn.

Hij moest het schema voor de bouwplaatsen bijwerken, maar hij zat te dutten. Geschrokken ging hij rechtop zitten: 'Wat nu weer?' 'Ik wil niet dat de kinderen naar die Vliegende Hollander gaan,' zei ik. Hij fronste zijn wenkbrauwen, zei dan met een glimlach: 'Dat is een opera, Celestien!' 'Niettemin,' verstoutte ik mij. Augustijn verschoof de papieren op het bureau: 'Ga het maar aan Madame uitleggen.'

Dat deed ik, en na het eten begon ze erover; of het niet overdreven was helemaal naar Duitsland te reizen voor een opera. 'Het is nu zo beslist.' Augustijn was het beu. 'Hum,' deed Madame. 'Ja, wat?' Augustijn werd nijdig, hij wilde rust, de radio uit, stilte potverkoffie!

Er hing een dikke lucht, af en toe kwam het tot een uitbarsting, maar echt opklaren deed het niet. Iedereen was malcontent. Het was een en al uitbreken en aansluiten, zowel in de politiek als in de liefde.

Toen Reinout de avond voor het vertrek eens te meer Richard Wagner begon op te hemelen, vroeg Marius: 'Weet je nog van die schnauzer?' 'Wat een valse hond was dat,' viel Angelique hem bij. 'Wie het laatst lacht, lacht het best!' zei Reinout. 'Absoluut,' Marius staarde zijn broer aan zonder met de ogen te knipperen.

'Wie zou die hond hebben vergiftigd?' hervatte Angelique. 'Ik niet!' riep Bertje. Alle hoofden draaiden zijn kant op. Een blos trok over zijn wangen. 'Jij kleine duivel,' gromde Marius. 'Je blijft thuis!' Angelique was lijkbleek. 'Ik ga mee!' riep Bertje.

Augustijn klapte in zijn handen, maar het mocht niet helpen. Er dreigde een gevecht uit te breken. 'Luister naar jullie vader!' Madame was al in kamerjas, ze had een haarborstel in haar hand. Bij dag, als haar haren waren opgestoken, merkte je het niet op, maar als de rode vacht loshing, zag je het haar van binnenuit grijs worden. Ze zette een paar passen en klopte met de borstel op tafel. 'Vlieg op!' Het knalde door de kamer, alles viel stil, wij wisten niet waar te kijken.

'Pardon,' dat was Marius. 'Wablief?' vroeg Augustijn met geheven hand. 'Het ontsnapte mij,' mompelde Marius. Madame ging zo traag zitten dat ik vreesde haar botten te horen kreunen. Ze zat met de haarborstel in de schoot en keek met een onthutste blik naar haar kroost. De oorlog zou haar beperkingen opleggen en haar het gevoel geven dat haar het essentiële werd ontnomen, niet ten onrechte tenslotte. Maar het waren niet de beperkingen of de ontberingen, niet de Duitsers of de joden die het begin van haar einde inluidden, het waren eens te meer de kinderen. De kinderen die met haast bovennatuurlijke kracht in leven waren gehouden en die, alsof het hun geboorterecht was, de weg naar haar graf plaveiden.

Terneergeslagen gingen we naar bed. Ik lag in het donker op mijn rug met de ogen open, toen uit de diepte, als het ware uit de buik van het huis, de muziek opwelde en zich een weg baande, door het trappenhuis tot onder het dak, dat werd opgetild en als een omgekeerd schip de donkerste nacht in vloog... *Tu-tum-tum-tu-tum-tu-tum-ti...*

Voor het eerst vermoedde ik dat er van deze roerige familie niets zou overblijven. Dat wat met zoveel tranen en zweet op de dood was gewonnen, roemloos ten onder zou gaan. Het was een ondraaglijk vooruitzicht. Ik kon mij er niet bij neerleggen, niet voor hen, niet voor mij. Kinderen zonder ouders zijn wezen, ouders die afstand nemen van hun kinderen zijn evengoed verweesd.

Ik probeerde het van me af te zetten en ging nog hardnekkiger aan de slag. Madame en Augustijn achterna. Geen van ons drie die er ooit wat van zei of kon toegeven dat het een opeenvolging van verloren veldslagen was.

Ik bleef bidden en smeken. Je wist het maar nooit, ze hadden ook kunnen bijdraaien. Zelfs nu blijf ik hopen – wat moet ik anders?

■■■

Eerst werd ik niets gewaar, diep in slaap als ik was, behalve een verre schok. Ik zou weer in het onbewuste zijn verzonken als niet het schudden en trillen had ingezet en vervolgens het bed werd opgetild. Ik ben eronder weggekropen zonder helemaal bij zinnen te komen, en daar lag ik, verstijfd, wetend dat er gevaar dreigde en niet in staat te handelen.

Even staat de tijd stil, dan is Welverdiend vol kreten en gejammer. De verpleging – onze hulp – rolt als een golf door het huis, niets aan de hand, een aardbeving, een kleintje maar, het is alweer voorbij. Een paar pannen van het dak, meer schade hebben we blijkbaar niet geleden.

Wanneer ik voetstappen hoor naderen, probeer ik vlug onder het bed uit te komen. Ik stoot mijn hoofd en kom klem te zitten. Verbeten, zwijgend, slaand en wringend werk ik me los. Ik ben kwaad op mezelf dat ik zo ontdaan ben. Wat maal ik erom dat Welverdiend in elkaar zou storten? Levend onder het puin begraven worden, dat is andere koek. Op slag weet ik dat het de oorlog is die me parten speelt. Want zo was het begonnen, met verre doffe slagen en een gedreun dat het huis deed schudden. Daarna was het stil geworden.

Augustijn had Madame de trappen op gedragen, naar het bed. Voor geen goud was ze te bewegen in de kelder te schuilen. Als ze eraan moest, dan met geheven hoofd, en liefst in één klap. Het klonk heldhaftig, maar ze deed het in haar broek. Nog een keer oorlog, dat was te veel, ze gaf het op. Er zijn dingen die je maar één keer moet doormaken of die je geen twee keer kunt verdragen. Maar wij hadden geen keus.

Met haar stiefmoeder had Madame ook de gedachte aan haar eigen moeder begraven. Ze kende haar oorsprong niet en probeerde zich met de kinderen te verankeren. Je hoefde niet bijzonder slim te zijn om dat te verstaan. En dat de engeltjes, de een na de ander, alle grond onder haar voeten weghaalden, ook dat was te begrijpen. Niet haar angst om ze levend te begraven.

We moesten haar het engeltje tonen, keer op keer; het was alsof ze ons niet vertrouwde. Ze blies haar adem over de blauwe lipjes en probeerde het schepseltje wakker te schudden. Als het witte kistje werd gesloten, werd ze gek van het gehamer. Ze trok haar haren uit en bonkte haar voorhoofd tegen de muur. Augustijn moest haar met geweld intomen. De dokter diende haar dan hoofdschuddend een kalmeringsmiddel toe. Ik hield haar in het oog als ze naar de voorkamer sloop. Maar hoe kon ik voorkomen dat ze haar oor op het kistje te luisteren legde? Ik was zelf als gebroken. En ik vreesde dat ze inderdaad gek was geworden toen ze met een schop naar het kerkhof wilde trekken. Omdat ze meende dat er zich wat had geroerd in het nog ongedekte graf. Ze verweerde zich fel toen we haar beletten het huis uit te gaan. Waarom waren wij zo zeker dat het kindje dood was?

Als het stormde, liep ze rusteloos op en neer: 'Hoor je dat?' 'Het is de wind,' suste Augustijn. Maar zij hoorde haar man niet, of luisterde naar wat anders, tot ze het niet meer hield en hem aanvloog: 'Heb je dat gehoord?' Ze besefte dat ze over de schreef ging, was beducht dat ze waanzinnig zou worden verklaard, maar ze had zichzelf niet in de hand.

De dokter dreigde haar in een herstellingsoord te laten opnemen: 'Algehele rust verricht wonderen!'

Augustijn deed wat hij kon om Madame te helpen – althans na de eerste drie engeltjes –, maar ze was verkrampt in haar rouw. Niemand kon haar helpen, ze moest er zelf uit geraken. Het was dan alsof ze terugkwam van een verre reis, verwonderd dat wij er nog waren, tot tranen toe bewogen en toch afstandelijk. Een deel van haar was ergens achtergebleven, en een deel was veranderd.

Augustijn voelde zich na een mislukte worp afgewezen en schuldig verklaard. 'Ik kan er toch niets aan doen?' zuchtte hij. Zijn klacht ging verloren in haar zwijgen, maar hij rustte niet voor ze hem weer tot zich nam. En hij toonde zich teleurgesteld als zij neerslachtig bleef, terwijl hij opgemonterd de draad oppakte. Hij was verlost en zij beladen. Daarmee wil ik niet gezegd hebben dat Augustijn niet treurde om de engeltjes. Maar hij had er geen aanspraak aan. Ze waren zo klein, zo vederlicht. Oogjes open en oogjes dicht. 'Dat beetje leven,' zei hij weemoedig.

De engeltjes leefden zo kort dat ze hem niet als vader herkenden. En hij zag er zijn opgroeiende zonen niet in. Augustijn wilde niet constant aan het verlies worden herinnerd en hij kon niet in een sterfhuis leven. De kinderen die het hadden gehaald, gingen voor. Die moesten zo onbekommerd mogelijk opgroeien. Hadden recht op lachen en stoeien. Hij herinnerde zich zijn jeugd, vooral de jongensjaren, die door de Groote Oorlog abrupt waren afgebroken. 'Je treurt langer om je zogenaamde kameraden dan om je schamele kinderen,' verweet Madame hem. 'Hoezo, schamel?' vroeg Augustijn. Hij zette het gezicht op van een man die de waarheid als onaangenaam ervaart en haar daarom niet wil horen.

Madame begon in voortekens te geloven, in slechte voortekens welteverstaan. Als het ongeboren leven zich roerde, legde ze haar hand op haar buik, hield het hoofd schuin en glimlachte mistroostig. Het zou mij ook benieuwen, engeltje of duiveltje, maar ik gaf het het voordeel van de twijfel.

Ofschoon het oorspronkelijk verband duidelijk was, gedroeg Augustijn zich alsof de zwangerschap een van de schijngestalten van Madame was. Ze zwol op en ze slonk. En zo ging ook haar stemming op en af. Dat had je als man te verdragen. Had ze haar zinnen op haring gezet, dan kreeg ze die; moest het kaviaar zijn, ook goed. Alles voor de lieve vrede. Als ze hoogzwanger ging, kwam de erkenning en verheugde hij zich. Deze keer was het de goede keer! Het werd een zoon, maar als het onverhoeds toch een meisje zou worden, zou hij daar niet om treuren. 'Als het maar gezond is!'

En hup: daar gingen de kristallen glazen, de Chinese vazen en de bonbonnières! Madame gedroeg zich alsof ze een tijdbom onder het hart had. Of een demon moest uitdrijven. Het zwangerschapsmasker gaf haar het starre aanzien van een beeld. Het was om bang van te worden, de kinderen meden haar. Ondertussen trachtte Madame de tekens te verklaren: ze legde de kaarten, tuurde in de kaarsvlam, bestudeerde het koffiedik. Als er een houtblok omviel in het haardvuur, kondigde zich een gast aan of zou er weer eentje de pijp uitgaan.

'Superstitie!' foeterde Augustijn. Het ergerde hem buitenmate dat zijn vrouw haar zin voor de werkelijkheid verloor. Want het bleef niet bij het verklaren van de tekens, weldra verschenen er toverkollen die met hun abracadabra het kwaad 'aflazen'. Ze verkochten gedroogde kruiden in linnen zakjes. Die moest je onder je hoofdkussen leggen, of onder je kleren dragen, om het onheil af te weren. Maar in plaats dat Madame daar rustiger van werd, raakte ze helemaal in verwarring. Als je een haas zag, kreeg je gegarandeerd een kind met een hazenlip. Er was van ver of nabij geen haas te bekennen, maar de voorstelling speelde haar parten. Wat al geen ongeluk kon aantrekken: spinnen, zwarte katten, vrijdag de dertiende. Het einde was zoek.

Toen ik een van die toverkollen haar handen zag uitstrekken naar de bolle buik van Madame – om de vrucht bij 'de Boze' aan te bevelen – verbrak ik het voorzichtige zwijgen en ging het overbrieven. Augustijn schopte de kol het huis uit en installeerde Madame in de slaapkamer. Een dag later had hij boven water dat de toverkol een engeltjesmaakster was. Hij trommelde met zijn vingers op tafel. Wat voerde dat wijf in haar schild? 'Hoe durf je me van zoiets te verdenken,' kreet Madame.

Wij bogen het hoofd, wisten nog al te goed – Madame hoefde er ons niet aan te herinneren – hoe ze eens bij een miskraam de handen als een prop tussen haar benen had gedrukt, in een wanhopige poging het bloeden te stelpen. Ik kreeg het vruchtje toegestopt in een handdoek. Augustijn bezwoer Madame dat er niets was, een klontje bloed, volgende keer beter. Hij zei me niet wat ik met de handdoek moest doen en hij heeft er achteraf niet naar gevraagd. Ik wilde er evenmin aan denken hoe ik ervan af was geraakt. Of wat ik had gedaan omdat ik niet wist wat te doen. Maar het bedrukte me wel. En nu we zover zijn: ja, ik heb de bebloede lap opengeslagen. Het leek op een niertje. Ik liet het met handdoek en al in de beerput vallen. We moeten er geen drama van maken, het was geen volle drie maanden, het maakte geen enkele kans. Maar het zat me dwars dat we het verzwegen. En dat ik die toverkol bij Augustijn had aangebracht. Enfin, de kol had afgedaan, maar ik viel evengoed in ongenade. Madame sprak niet meer met me en liet Angelique haar orders overbrengen.

Een glansrol: 'Mijn moeder laat zeggen...' De juffrouw deed er nog een schepje bovenop en begon zelf te commanderen. Eerst in het algemeen: waren de bedden opgemaakt, had ik de kamers gelucht? Vervolgens werd ik als haar persoonlijke meid ingezet; haar blouses moesten met voorrang worden gestreken en ik moest een 'magere' bouillon voor haar laten trekken. De ene klus was nog niet klaar of ze had de volgende bedacht.

Ik kon me niet tot Augustijn wenden zonder nog meer veren te verliezen. Toen Angelique met dat superieure airtje naar haar schoenen wees en vroeg waarom die nog niet gepoetst waren, trok ik het raam open en gooide het schoeisel op straat. Verbluft staarde ze me aan, stom, met een domme uitdrukking op haar mooie toet.

'Als het klokje twaalf uur slaat, blijft je gezicht zo staan!' Dat was wat Madame zei als de kinderen pruilden of een kwaaie kop opzetten.

Angelique hapte om lucht zoals een vis op het droge, wilde nog wat zeggen, bedacht zich en repte zich naar buiten om haar schoenen op te halen.

Na dat voorval bond ze in, ook al omdat Madame weer bedrijvig werd. Een beetje te veel zelfs voor de lamentabele staat waarin ze zich bevond. Maar ze kreeg weer greep op de werkelijkheid, al bleef ze bijgelovig. En soms kwam wat ze voorspelde nog uit ook.

Het laatste engeltje was drie weken over tijd. 'We hebben ons misrekend,' probeerde Augustijn Madame te kalmeren. Want wij begonnen te vrezen dat het wichtje in de moederschoot was gestorven. Met elke zwangerschap werd het gevaar groter.

Een loden stilte hing over het huis. Geen van ons waagde het Madame te vragen of ze nog wat voelde. De ochtend waarop ze meende dat de weeën inzetten, trok ze haar hemd binnenstebuiten aan. Ik wilde haar helpen het weer uit te trekken, maar ze weerde me af. Dat bracht ongeluk. Ik haalde haar met zachte dwang over, opgelucht dat de geboorte nakend was, want Madame vroeg of ik haar voeten wilde wassen. Dat was een teken.

Het kindje werd inderdaad dood geboren, en maar goed dat het de allerlaatste keer was, want het was meer dan we konden verdragen. Madame kreeg het voor de uitdrijving zo benauwd dat ze geen adem meer kon halen. De baker probeerde het hemd over haar hoofd te trekken, maar Madame had de kracht niet om mee te werken. Ik pakte een schaar, knipte de hals open en scheurde het hemd middendoor.

Toen alles voorbij was en we de kraamkamer opruimden, stond ik met het gescheurde hemd in mijn handen. 'Doe dat bij de vodden,' Augustijn wendde zich af. Madame sloeg haar ogen op, zag het hemd en sprak in stil verdriet: 'Wat heb ik je gezegd?'

■■■

Hoe lang ik naast mijn bed heb gestaan na dat aardbevinkje zou ik niet kunnen zeggen, maar er trekt een half leven door mijn hoofd. Ik stuur de hulp weg; een bed dat even opwipte, daar hoef je geen drukte om te maken. Soldaat eersteklas, ik. Kwaad op mezelf, vanwege de beheersing die sterker is dan ikzelf. En vanwege de ontreddering die ik met kracht onderdruk.

Terwijl de hulp verder ijlt, ga ik met knikkende knieën op het bed zitten, dat diep zucht en krakend in elkaar zijgt. Daar zit ik, vooralsnog niet in staat overeind te krabbelen. Woest denk ik aan het gebeeldhouwde ledikant van de oude mevrouw, dat minnaars, kinderen en doden heeft geherbergd. De kribbe van de sibbe.

Waar blijft Bertje, of moet ik ook nog in een tweedehands bed aan mijn einde komen?

Ik kijk tegen mijn gebitje aan, althans, de vier middelste boventanden – de kiezen heb ik nog van mezelf, en al is het niet veel zaaks, ik tel ze keer op keer. Zoals ik het ook niet kan laten mijn tongpunt door het gat te stoppen, zodra ik het gebit uit mijn mond heb gehaald. Soms kijk ik daarbij in de spiegel, maar ik pas wel op dat niemand het ziet.

Van onderaf lijkt het gebitje in het glas water te zweven. Het roze verhemelte met de metalen haken en de vier bleke tanden geven het ding een monsterlijk aanzien. Ik kokhals. Als om me af te leiden bedenk ik dat het vreemd is dat het glas water niet is omgevallen. En plotseling zie ik weer het puin van een herenhuis.

Een vleugel die in volle glorie op een stuk overhellend parketvloer stond, dat was het enige wat van de bel-etage van onze buren was overgebleven. Het was een onwezenlijk gezicht. Een brandweerman klapte in de handen: 'Die zullen we eens vlug naar beneden halen!'

Statig schoof de vleugel naar de rand van de parketvloer, die afbrak, waarop de vleugel – met schuin openstaande deksel – de afgrond in dook. Dat ging bliksemsnel, haast niet te volgen, de toeschouwers schrokken toen hij te pletter sloeg. Tussen de brokstukken lagen de toetsen, ivoor en ebbenhout, verspreid als een uiteengeslagen gebit.

Ik was kwaad op de brandweerman, die, toen het te laat was, de toeschouwers begon weg te jagen. 'Opgepast voor vallend puin!' Nerveus keken de mensen naar boven en haastten zich verder. Ik raapte twee toetsen op, een witte en een zwarte, hoewel ik niet wist wat ermee te beginnen. Toen meende de brandweerman nog een keer te moeten optreden: 'Hier wordt niet geplunderd!' 'Zorg jij maar dat de volgende piano niet op jouw kop valt!' Iets dergelijks voegde ik hem toe, en al zou het een groot toeval zijn dat je een vleugel op je hoofd krijgt, de man vatte mijn bedoeling. Ik nam de witte en de zwarte toets mee naar huis en paste ze op de toetsen van onze piano. Augustijn sloeg me verwonderd gade. 'Voor het geval er een toets uitvalt,' verklaarde ik. 'Dat is een *pièce unique,* Celestieneke,' glimlachte Augustijn.

Een enig stuk, dat hoefde ik niet op te zoeken, want Augustijn gebruikte de uitdrukking vaak. Een ding dat door geen ander ding kan worden vervangen. Waardoor het een meerwaarde kreeg. Het leek zeldzamer dan mensen. Hoewel Augustijn Madame ook weleens vleiend een *pièce unique* noemde. Mokkend trok ik met de witte en de zwarte toets naar mijn kamer, waar ik ze opborg in een schoenendoos. Ik heb ze nog lang bewaard, maar waar ze uiteindelijk zijn gebleven of hoe ik de toetsen ben kwijtgeraakt, zou ik niet kunnen zeggen.

Het handgeklap van de brandweerman had volstaan om de vleugel over het hellende vlak te laten schuiven tot het breekpunt was bereikt. Ik klap in mijn handen om het glas water met het gebitje van het nachtkastje te laten schuiven. Het lukt niet, ofschoon het nachtkastje kaduuk is. Ik geef het in duigen gevallen bed een duw. Het nachtkastje verschuift, het water in het glas schommelt en het gebitje tikt tegen het glas. Een getinkel dat nazindert. En dat me herinnert aan het geluid van kristallen tranen van een luster, die zachtjes schudde onder het dreunen van een tank.

Traag kwam het monster om de hoek van de straat gekropen, met gesloten koepel en vuurklare loop. De bocht was te klein, de rupsbanden rolden verder maar verloren hun greep op de kasseien. Even kwam de tank vast te zitten, en ik, die met bonzend hart tussen de roodfluwelen gordijnen stond te gluren, hoorde het fijne gerinkel van de kristallen tranen. Dat is te zeggen, op dat moment registreerde ik het, zonder het werkelijk te horen. Dat kwam later.

Met een schok zette de tank zich weer in beweging. Alsof hij zijn kont tegen de kribbe gooide, schokte hij de straat in, waarbij zijn achterflank een stuk uit een hoekhuis beukte. Naast de tank, aan weerszijden van de boulevard, doken soldaten op, glurend en sluipend langs de gevels.

'Daar zijn ze,' zei Augustijn. Ik had hem niet horen komen en schrok. Voorzichtig sloot hij de zware fluwelen gordijnen. We bevonden ons in het donkerrode waas. Ik huilde, hij nam me in zijn armen en hield me dicht tegen zijn borst. Ik snoof zijn lucht op, zweet, sigaren en lavendel van Yardley. Een vleugje whisky ook.

Hij drukte een zoen op mijn haar en pakte mijn schouders stevig vast: 'Zet maar een pot koffie, Stieneke.' Hij liet me los: 'Straffe.' Toen ik niet onmiddellijk in beweging kwam, draaide hij me om en gaf me een tik tegen de billen. 'Ingerukt... mars!'

In de keuken klemde ik de koffiemolen tussen mijn dijen. Het logge gedaver en gedreun werd nu afgewisseld door een vlug geratel: *takketakketak*. Ik draaide de hendel van de koffiemolen knarsend rond, maar ik kon het malen niet horen, een geluid dat me altijd kalmeerde. Toch drong het tot me door dat Augustijn kalm was, ja, dat hij haast opgelucht had geklonken.

■■■

'Elk kind kost me een tand,' zuchtte Madame. Als dat waar was, was ze tandeloos geweest, maar ze had nog het merendeel van haar 'bijtertjes' – zoals Augustijn ze noemde. Ofschoon ze gedurig met haar gebit sukkelde. Dat lag niet zozeer aan de kinderen, maar aan haar snoeplust. *Pralines*, *petits fours*, *friandises*, nooit een groter zoetekauw meegemaakt. Behalve als ze zwanger was, dan stond ze op zout en zuur; pekelharing, augurk of zoetzure uitjes. We hadden altijd een paar potten inmaak op voorraad.

Augustijn had een volmaakt gebit en hij verzorgde het nauwgezet. Hij wilde zijn glimlach niet verliezen. Of de vrouwen met een slechte adem op de vlucht jagen. Hij zette een brede lach op, maar Madame klemde angstvallig haar lippen op elkaar. Augustijn mocht niet naar haar kiezen kijken, ook al deden ze haar pijn: 'Ik ben geen paard!' Ze gebruikte schuurpoeder tegen het vergelen, mondwater voor de geur, en whisky bij een abces. Ze glimlachte verstolen of hield een hand voor haar mond. Die camouflage mocht niet helpen, maar meer nog dan de pijn vreesde Madame de tandarts. '*Le dentiste!*' huiverde ze. Het dappere wijf werd op slag een bange muis.

Augustijn moest haar regelmatig met een zoet lijntje naar Wenen lokken. Daar woonde zijn tandarts, die hij in de Groote Oorlog gevangen had genomen. De man, een befaamd specialist, was aan het front gedegradeerd tot slager. Maar wie zou er om een ruw uitgerukte tand klagen als armen en benen zonder verdoving werden afgezet? De tandarts, die, als jood, tweemaal zo hard zijn best deed om te bewijzen dat hij twee keizers kon dienen, verdroeg de ontberingen manhaftig. Maar met de latrines kon hij zich niet verzoenen. De stinkende, overlopende, door vliegen omzwermde latrines. Dat maakte het soldatenbestaan ondraaglijk. Hij was het niemandsland in geslopen om zijn gevoeg te doen en daar werd hij door de verkenners van Augustijn gesnapt. Gehurkt, met zijn broek op zijn bottines, kreunend van de diarree. Een belachelijke positie. De tandarts schaamde zich diep. Augustijn spaarde hem omdat veel van zijn manschappen een gebit als een kolenhok hadden. En omdat Wenen ter sprake kwam, na Parijs toch wel dé stad om te bezoeken. De opera, het theater, de Spaanse rijschool – de heren staken er een sigaartje bij op.

Na de oorlog was er een brief uit Wenen gekomen: de tandarts stond Augustijn voor het leven ten dienste. Dat was een uitgelezen kans om op reis te gaan, en dus begon Augustijn Madame te bewerken. De elegante toiletten van de dames, de parade in het Prater en niet te vergeten de koffiehuizen met het onovertroffen gebak. En de fameuze Sachertorte, die met een glas *demi brut* werd genoten. '*Im chambre séparée!*' zong Augustijn wervend.

Tussendoor werd ook over de tandarts verteld; geen prutser, maar een meester in zijn vak. Wat die al niet met een tangetje en een haakje voor elkaar kon krijgen! Daar hadden veel piotten hun gebit aan te danken. En: geen betere vriend dan een oude vijand!

Als een lam liet Madame zich naar de slachtbank leiden. De kinderen wuifden hun ouders vrolijk uit – eindelijk hadden ze het huis alleen. Ik keek de stomende locomotief na met gemengde gevoelens. Want het scheelde niet veel of Madame kwam kotsend terug van de reis. Met gevulde kiezen, maar ook met het bekende pakketje onder het hart. En met dozen snoep, verpakt in kunstig geplooid zijdepapier, versierd met fluwelen linten en trosjes kunstfruit. Maar de kinderen moesten vooral niet te veel snoepen, dat was slecht voor hun gebit. De chocola ging achter slot en grendel. Dat was de beste graadmeter voor de toestand van Madame.

De jaarlijkse reis naar Wenen werd bezwaarlijk toen er gelaarsde benden door de straten begonnen te marcheren. En ofschoon Augustijn beloofde dat ik een keer mee mocht, ben ik er nooit geraakt. Het tandartsbezoek was voorgoed voorbij toen we het bericht kregen dat de joden in Wenen met een tandenborstel de stoepen moesten schrobben. Op hun knieën nog wel. Of onze tandarts daarbij was, zijn we nooit te weten gekomen, en ook niet waar hij is gebleven. De mensen werden uitgeblazen als rook, ze losten op in het niets. Maar in mijn hoofd blijven ze wandelen. Met de dood is het niet afgelopen, zolang er nog één overlevende is.

'Weet je nog, die of die?' vroeg Madame. En ook al wist Augustijn niet precies meer wie die of die was, en moest ik erbij worden gehaald, we bleven ermee bezig. Alsof we 'die of die' konden terughalen door over hen te praten.

Na de oorlog kregen we foto's te zien van bergen schoenen en brillen. Ook de haren en het goud van de kiezen kon men blijkbaar goed gebruiken. Hoezeer de getroffenen ook werden misprezen, van wat ze bezaten was men niet vies. Die brulapen waren erger dan menseneters.

Augustijn, die voor de Fritzen toch al geen goed woord overhad, kon er met zijn hoofd niet bij. 'Wat heeft dit met de oorlog te maken?' vroeg hij. 'Ze zagen hun kans schoon,' gromde Madame. Augustijn hijgde als een astmalijder. Gas was zijn ergste nachtmerrie. De gifwolk die over de loopgraven dreef en de soldaten uitrookte als ratten, waarna ze blind en reutelend over elkaar heen tuimelden. Het einde van zijn ridderlijke oorlog. Hij trok de knoop van zijn das los.

Madame had haar eigen gedachten gevolgd: 'Die Fritzen zijn sukkels, ze kunnen niet leven.' Dat had ze vaker gezegd. Maar je kunt ook bestaan ten koste van, of leven ondanks alles.

Er was niets bijzonders aan mijn eigen Fritz geweest, al kon hij joden ruiken. Zonder iets van de Mayers in de achterkamer te weten, begon hij erover dat hij persoonlijk niets tegen joden had. Het was dat hij zich *unheimlich* voelde als hij joden zag. Proper kon je dat soort immers met de beste wil van de wereld niet noemen, met hun duistere zaakjes en de slinkse wijze om zich ergens in te werken. En waarom moesten ze altijd liegen en bedriegen?

Hij zat in mijn keuken en de sneeuw die aan zijn laarzen kleefde smolt tot plasjes modderwater. Zijn vingertoppen staken uit de grove wollen mitaines. Ik had nog geamuseerd gedacht dat ze op spenen leken, maar de nagels waren in de rouw. Ik was een beetje vies van hem, en keek opzettelijk naar de vettige rand van zijn kraag. Ik wist nog hoe de boerenknechten zich wasten aan de pomp op de binnenplaats, met de bretellen omlaag en het hemd afgestroopt. Hun verweerde hals was scherp afgetekend tegen het blanke vlees van hun borstkas. De waterdruppels glinsterden in de zon en ik voelde de loomheid na een warme dag. Dat was voor de oorlog, en ik schrok terug voor mijn Fritz, die onder zijn grauwe uniform vermoedelijk een groezelig lijf verborg. Hij moest het van zijn grijsblauwe ogen hebben en van zijn lach. Twee rijen blinkende tanden, die met het gebit van Augustijn konden concurreren. Een flinke hengst, mijn Fritz, die had geen gouden kronen nodig!

Als ik het gebitje uit mijn mond haal, staan er aan weerszijden van het gat twee gouden wachters. Ik heb dat altijd lelijk gevonden, het herinnert me aan de gouden kronen die Blanche onder en boven had, en die haar openvallende mond onkuis maakten. Zouden ze die kronen er ook uit hebben gehaald?

Al die verhalen over het hoe en waarom van de oorlog, al die drogredenen; het was een met afkeer gecamoufleerde rooftocht. Dat je ziek kunt worden van angst, dat heb ik gezien, maar zou je ook ziek kunnen worden van woede? Omdat je de kwaadheid niet kunt verwerken?

■■■

Augustijn stopte de foto's van brillen en schoenen in zijn bureaula en sloot die af alsof hij een geheim wilde verzegelen. 'Gas, dat is het smerigste wat er bestaat.' Maar Madame vervolgde haar eigen gedachten: 'Weet je nog: Goldbergje met haar gouden tanden?' Een teken aan de wand was ze geweest, maar wij konden of durfden het niet te zien.

Mevrouw Goldberg, één meter vijftig, veel meer zal het niet geweest zijn, en ook nog kromgetrokken, met een hoge rug. Ze had haar gouden kronen verkocht om de overtocht van haar kleinzoon te betalen. 'Naal Amelika,' lispelde ze. Ze leek op een heks, met haar ingevallen mond, en ze sputterde als ze praatte.

Madame fronste de wenkbrauwen, ze had het geld toch kunnen voorschieten? Nee, nee, dat wilde Goldbergje niet, omdat ze niet zeker was dat ze 'tijd van leven had' om het geleende terug te betalen.

De kleinzoon wist niet beter dan dat zijn grootje de reis had betaald met het geld van de verzekering. Maar de zwarte moederkeszak die Goldbergje onder haar rokken droeg – net als Madame vertrouwde ze geen banken meer –, was plat.

Mijnheer Goldberg had na een beurskrach het gas in zijn kantoor opengedraaid. Toen hij op vrijdagavond niet thuiskwam, was Goldbergje met de sabbatsknecht naar het kantoor gegaan. De man knipte het licht aan en de zaak ontplofte. Goldbergje raakte zwaargewond, de sabbatsknecht bezweek aan de derdegraadsverbrandingen. 'Alme kelel,' lispelde mevrouw Goldberg. De verzekering weigerde de schadevergoeding te betalen, omdat het klaarblijkelijk om zelfmoord ging, wat Goldbergje heftig ontkende. 'Een splijtig ongeluk,' daarmee werd haar man bijgezet in de verhalen die van Antwerpen naar Krakau heen en weer gingen.

Toen Madame erop aandrong – omdat je maar nooit kunt weten – dat Goldbergje eveneens naar Amerika zou vertrekken, weigerde ze. Haar kleinzoon zat veilig en wel aan de overkant, dat volstond. Er was een diepe rust over haar gekomen. Goldbergje ging nergens meer heen. Haar man was dood, haar lijf versleten. Van nut was ze niet meer, maar als last zou ze haar gram halen. Want een lastig mens was het wel.

Op het onverwachtst stond ze voor de deur, voor koffie en een koekje; bij voorkeur een lange vinger. Dat was het geprefereerde biscuit van de papegaai, en zodra hij Goldbergje hoorde, begon hij te schelden: 'Viezerik!' Er zat niets anders op dan hem met een lange vinger te paaien.

Goldbergje bleef op afstand van de papegaai – een beest in huis, dat was pas vies! Wat de papegaai betreft kon ik haar geen ongelijk geven; hij stoof zonnepitten in de kamer en schudde gedurig het stof uit zijn veren. Daarbij zette hij ook nog een grote bek op! Terwijl hij woest in de lange vinger hapte – die hij al vlug liet vallen, om krijsend een volgend koekje af te dwingen – zeeg Goldbergje neer in een armstoel en stak lispelend van wal. Urenlang, als je tijd van luisteren had, en die hadden we niet. Achteraf heb je daar spijt van, maar je moet het zeggen zoals het was. Meeeten deed Goldbergje niet, ze kon met haar tandeloze mond niet kauwen, maar ze wilde niet onbeleefd zijn en schoof daarom wel bij ons aan tafel. 'Lluik lekkel, heel lekkel!' 'Viezerik!' schold de papegaai.

Goldbergje gunde hem geen blik. '*Häng* die vogel een doek ovel hem.' Ze doopte een lange vinger in de koffie, die ondertussen koud was geworden, en vervolgde sputterend haar verhaal. Het was alsof ze het vergeten tegenging door alles drie keer te herhalen. Tegelijk leek ze zich van de horreur te bevrijden: '*Ja, so wal das.*'

Hoe minder ze at, des te meer ze over eten sprak. De kippensoep van haar moeder, de *gefillte Fisch* van haar tante Berthe, de *Apfelstrudel* van een andere tante Berthe. Ook het slachten en schoonmaken van gevogelte en vis werden uitgebreid behandeld. Wij waren niet flauw wat voedsel betrof, maar we zaten toch ongemakkelijk te eten.

Als Goldbergje zich eindelijk uit de armstoel wurmde, was er vaak een donkere plek in het trijp. 'Tsjh, tsjh,' deed ze verrast, maar niet in het minst verlegen. Bij het afscheid verlangde ze '*das schöne kindl*' te zoenen. Angelique deinsde achteruit voor de getuite lippen van Goldbergje, maar die liet niet af: '*Ein kleines Kussel mal*.' Madame gaf met een ruk van het hoofd te kennen dat Angelique zich toeschietelijker moest tonen, maar ik moest haar een duw in de rug geven voor ze zich weigerachtig op de wang liet zoenen.

Zodra Goldbergje de deur uit was, kromde Reinout zijn rug, boende een appel aan zijn trui en sliste: '*Eine Apfel fur das schöne Kindl*.' 'Onnozelaar!' beet Angelique.

Goldbergje had niets kwaads in de zin, maar het was alsof ze zich het onheil had toegeëigend. We zagen haar liever gaan dan komen.

Toen de joden op transport werden gesteld en Goldbergje niet meer veilig de straat op kon, stuurde Madame soms mij, soms Angelique naar haar toe met een pakje koffie en een doos lange vingers. Goldbergje had Angelique haar servies, vierentwintig stuks Limoges, als huwelijksgeschenk gegeven. Maar daarom liet de bruid zich niet gewilliger zoenen. Wel ging ze Goldbergje vaker en uit eigen beweging opzoeken.

Toen kwam de dag dat de straat waar Goldbergje woonde, was afgezet. Madame, die erheen snelde, kreeg te horen dat niemand werd doorgelaten. Angelique, die haar moeder achterna was gegaan, liep als een blonde engel op de soldaten af en ze lieten haar passeren. Niet zozeer om de smoes die ze had verzonnen – ze moest haar verstelde jurk ophalen – maar vanwege haar moorddadig blauwe ogen.

Goldbergje had de heren koffie gepresenteerd en 'even goede vlienden' gelispeld, maar de koffiekan werd in een hoek getrapt. Met de doos lange vingers onder de arm wendde Goldbergje zich vervolgens tot Angelique voor '*ein kleines Kussel*' ten afscheid. In de verwarring had ze haar vol op de mond gekust.

Angelique kwam thuis als de dood van Ieper. Met wijd opengesperde ogen en een hand voor haar mond. Augustijn dwong haar te gaan zitten en klopte haar sussend op de rug. Ze boog zich balkend voorover en er rolden vier diamanten over tafel. Goldbergje had ze haar in de mond gegeven als een vogel die zijn jong voert. Vanuit de coulissen hoorden we haar lispelen: '*Ein Kussel fur das schöne Kindl.*'

Angelique vatte zich 'te samen' en dat was meer dan herpakken. Haar rechte rug zo mogelijk nog rechter, haar lange hals gestrekt, zo verbeten hadden we haar nog niet gezien. Ze ging terug naar de straat van Goldbergje, haar Davy kon smeken wat hij wilde.

Omdat hij haar onmogelijk kon vergezellen, liep ik sakkerend achter haar aan. Het was voorheen al geen vrolijke bedoening in die buurt, maar met huizen die half leeg waren gehaald, met papier dat door de straat wapperde en die stilte waarin onze voetstappen hol klonken, was het om de daver op het lijf te krijgen.

Angelique gaf de deur van het huis een duw en ze draaide gewillig open. Op de trap lag een damesschoen, maar de voeten van Goldbergje leken ons kleiner. In de kamers was alles overhoop gehaald. De laden hingen half uit de kasten en waar de schilderijen hadden gehangen, zaten verbleekte plekken op het behang. De familieportretten waren uit de zilveren lijsten gehaald en lagen her en der verspreid.

Angelique schopte tegen alles wat haar voor de voeten kwam en gromde binnensmonds. Zo wist je weer dat het de dochter van Madame was. Dat stelde me een beetje gerust. Maar hoezeer ik het ook op de zenuwen had, en hoe opgelucht ik me ook voelde dat Angelique haar vruchteloze zoektocht staakte, ik ontdekte nog net op tijd de trouwfoto van Angelique en Davy.

Die had bij Goldbergje een ereplaats op het buffet gekregen, maar lag nu op de vloer tussen de andere. Angelique maakte een wegwerpgebaar, maar ik raapte hem op: 'Dat is gevaarlijk!' Ze keek even naar de droombruid en de verlegen bruidegom. 'Je hebt gelijk.'

Ik had gelijk! In andere omstandigheden zouden alle klokken

van het land feestelijk zijn gaan luiden, maar in dat spookhuis hoorden we alleen het bonzen van ons hart. 'Weg hier,' fluisterde Angelique. 'Kalm aan.' Ik hoorde zelf dat mijn stem trilde. 'Wat doen we hiermee?' Ik hield haar de trouwfoto voor. Angelique pakte de foto en begon hem te verscheuren. Ik probeerde haar onwillekeurig tegen te houden, maar ze gaf me een por met haar elleboog. 'Jij de andere.' Familie, vrienden en kennissen van Goldbergje moesten onherkenbaar worden gemaakt, je wist maar nooit in wiens handen de foto's konden terechtkomen. We verscheurden er zoveel als we konden, wat nog niet zo gemakkelijk was, want fotopapier is taai. De snippers schopten we door elkaar, gejaagd; als een van ons verstijfde, bleef de ander ook doodstil staan. Maar er kwam niemand en we liepen ongehinderd naar huis. Het was alsof we onzichtbaar waren geworden en door de muren konden stappen.

■■■

De kilte glijdt langs mijn rug als valse lucht, en ik, dwaze kont, kijk eerst nog naar het glas water met mijn gebitje, alsof daar het lek zit. Maar het middelste raam is opengezwaaid, wellicht door de aardschok, en de vitrage wappert als een sluier.

In de tijd dat Angelique op trouwen stond, heb ik de vitrage van de salon, die met de kantmotieven, om mijn hoofd gehangen en me in de ruit gespiegeld. Een sluier doet wonderen, ik leek statig en mooier dan ik eigenlijk was. Althans, zo kwam het me voor.

Ik vermoed dat we allemaal wisten dat Angelique haar trouwplannen niet zou opgeven, al had Augustijn haar een reisje naar de noordpool aangeboden. We konden alleen maar hopen dat het huwelijk haar goed zou doen. Maar ze is er niet milder van geworden. Mooi was ze altijd al, en als kind gedroeg ze zich al volwassen. Wat haar anders maakte, waren de trouw in bange tijden en de drift om te overleven. Ze bleef een getrouwde vrouw, ook toen ze de weduwensluier moest aannemen. En al maakte de zwarte kanten sluier haar helemaal ongenaakbaar, ook deze sierde haar.

Een windstoot doet het raam verder openzwaaien en de vitrage dreigt te scheuren. Ik zou er wat aan moeten doen, maar ik ben niet langer van dienst; ik blijf zitten waar ik zit.

Er werd dus getrouwd, en volgens het principe: als je iets doet, moet je het goed doen. Ook al is iedereen ertegen. Zelfs de bruidegom, die op de valreep kranig verklaarde dat hij Angelique de verbintenis niet kon aandoen. 'Gezien de omstandigheden.' Angelique herkende in die uitspraak de stem van haar toekomstige schoonvader, en maakte meteen duidelijk wie er voortaan de broek zou dragen: 'Wees een man!'

Bedremmeld keek Davy van zijn aanbedene naar de drie grijnzende broers. Als het erop aankwam, sloten ze nog altijd de rijen. Marius zou als getuige voor zijn zus optreden, al had hij veelbetekenend tegen zijn voorhoofd getikt. Reinout hield het bij 'zot zijn doet geen zeer', en Bertje maakte ons allemaal het leven lastig. Waarom moest Angelique trouwen? En met die Davy meegaan? Had ze thuis niet alles om gelukkig te zijn? Hij deed zich volwassen voor, maar hij jengelde als een kleuter.

Het probleem was dat Angelique niet één twee drie een jodinnetje kon worden en Davy – als hij al had gewild – niet in een handomdraai kon worden gedoopt. Daarbij weigerde Angelique dispensatie aan te vragen.

Voor Augustijn was het een klap dat er niet in de kerk zou worden getrouwd. 'Wij hadden er toch ook geen pastoor voor nodig,' zei Madame. 'Maar wij hebben ons naar de regels gevoegd,' mopperde hij. 'Zolang de mensen kletsen, doen ze geen ander kwaad.' Madame had hem door, hij wilde zijn dochter naar het altaar leiden, en zo met zijn status uitpakken. Ze bleef merkwaardig kalm – dat huwelijk was een waagstuk, maar was het ooit anders? Vertederd wreef ze over de kale plek op het hoofd van Augustijn: 'We moeten een hoge zijden kopen.' 'Voor het stadhuis?' twijfelde hij. 'We zullen ons niet laten kennen,' zei Madame. Daarmee was de toon gezet.

Angelique stortte zich op de modebladen en wij gingen *à contrecoeur* aan de slag. Het was alsof we iets moesten afdwingen of te vlug af zijn. Toen de ambtenaar bij de registratie spottend vroeg of er haast bij was, antwoordde Madame in plaats van haar dochter: 'Wat gaat u dat aan?'

Ik steek er mijn hand voor in het vuur dat Angelique als maagd het huwelijk in ging, al is ze daar niet gelukkiger van geworden. Uit mijn mond mag het vreemd klinken, maar ik had haar liever alle remmen zien losgooien. Ze had alles piekfijn geregeld voor ze haar jawoord gaf en toch ontbrak er wat aan. Je hoefde maar naar de bruidegom te kijken: die was tegelijk zielsgelukkig en zielsongelukkig. De bruid, wasbleek van opgekropte emotie, was niettemin een kunststuk. Een jurk van glanszijde, hooggesloten met een Chinees kraagje, maar ook nauwsluitend om de hoge boezem en de fijne taille te benadrukken. Angelique kende haar figuur. Toen ze langzaam de trappen afdaalde, viel Davy zowat achterover.

Madame ging in groen brokaat, ik in blauw batist, er was geen vergelijk mogelijk. De broers, voor de eerste en de laatste keer in eenzelfde pak – zwart jacquet en grijsgestreepte broek – genoten van het opzien dat de bruidsstoet door Madames verschijning baarde. In het stadhuis werd toen nog in civiel getrouwd, de pronk was voorbehouden voor de kerk. Dan nóg werden moeders geacht zich in zwart of stemmig grijs te kleden; zij hadden immers hun tijd gehad. In dit geval verbleekte de bruid bij haar moeder. Het groen brokaat deed het rode haar onder de hoed met struisvogelveren nog meer opvallen, en de ingeweven motieven benadrukten haar weelderige vormen.

Angelique durfde niet hardop zeggen dat het vulgair was; met trillende neusvleugels vond ze het 'ongepast'. 'Ik kan nog mijn hele leven zwart dragen,' zei Madame. Koket depte ze de zweetdruppeltjes van haar slapen. Ze transpireerde niet van verlegenheid, maar omdat haar korset te strak was aangesnoerd. En ze gedroeg zich zó uitdagend dat ik me afvroeg wie ze wat betaald wilde zetten. Of was het de angst om oud te worden?

Ik was opgelucht dat ik niet in de bruidsstoet hoefde mee te lopen. Toen we op het bordes voor de foto poseerden, hadden we zoveel bekijks dat ik me achter de rug van Marius verschool.

Augustijn noemde de vertoning 'een farce', maar hij wist zich een houding te geven. Hoofs bood hij zijn dochter de arm, evenwel met een tranend oog. De vader van Davy had zijn kat gestuurd, en voor de heildronk ontbraken – van beide kanten – vele bekenden. Maar Goldbergje was er. Ze was dol op bruiloften en had de bezwaren afgedaan met: '*Das ist toch alles quatsch!*'

Bij het diner zaten de tafelgenoten stommetje te spelen. We hadden het huwelijk volbracht, maar het was alsof we een toneelstuk hadden opgevoerd. En niemand wist hoe het verder moest. We waren als het ware onze tekst kwijt. Tot Augustijn opstond voor de toespraak en het menens werd. Hij legde er de nadruk op dat het jonge paar altijd op de familie kon rekenen. Wat er ook stond te gebeuren.

Reinout stak een sigaret op, Marius beduidde hem die te doven, maar Reinout keek de rook na die naar het plafond cirkelde.

Bertje had al de hele dag geklaagd over zijn knellende nieuwe schoenen. Hij had ze onder tafel uitgeschopt, en toen de bruid abrupt vertrok, snelde hij haar op kousenvoeten achterna. Hij gleed uit op de geboende vloer en kwam allerdwaast op zijn achterste terecht. Zo werd de bruiloft toch nog vrolijk besloten.

Het bruidspaar ging een weekje naar zee. Angelique had haar bekomst van reizen en kon 'het uitgespaarde geld' best gebruiken voor haar uitzet. Ze had alles; van bed tot bordjes. We waren het gewoon dat het haar aan niets ontbrak. En dat ze onfeilbaar het beste uitzocht.

'Ik heb maar één dochter,' zuchtte Augustijn aangedaan. Met een berooid hoofd stonden we de taxi na te kijken. Geen toeters of bellen, geen ballonnen. Een zwarte Citroën, die als een boevenwagen verdween in de nacht.

Marius mompelde dat hij nog ergens heen moest en vertrok met opgeslagen kraag. Reinout en Bertje zetten het op een zuipen. Madame keek vermoeid naar het slagveld in de keuken: 'De rest is voor morgen.' Het groene brokaat leek vaal, de rode kroezen stond wild om haar hoofd, het poeder was in de lijntjes om haar ogen en mond samengeklonterd. Het was alsof ze op één dag tien jaar ouder was geworden.

Augustijn had ook zijn weg naar de keuken gevonden, een fles whisky in de hand, das en vest losgeknoopt. 'Zet eens drie glazen op tafel, Celestien.'

Ik haastte me om wat ruimte te scheppen. We klonken en zaten zwijgend te drinken tussen de stapels vuile borden. Ten slotte stond Augustijn stijfjes op en tikte Madame op de schouder: 'Kom op, moeder!' Het was voor het eerst dat ik hem haar zo hoorde aanspreken. Het beviel haar allerminst. Met één slok ledigde ze haar glas, zette het met een klap op de tafel en marcheerde af. 'Saluut, vader!'

Het was duidelijk dat hij geen bijzondere verwachtingen voor de nacht hoefde te koesteren, maar misschien wilde hij dat ook niet, want hij liet zich langzaam weer op zijn stoel zakken.

Toespelingen op de bruiloftsnacht had hij ongepast genoemd. Dat was iets wat hij van zijn dochter niet wilde weten. Toen zijn zoons op vrijersvoeten gingen, moedigde hij hen geamuseerd aan, maar de romances van Angelique hadden hem geïrriteerd. 'Wat moet dat gescharrel?' Angelique kon evenmin verdragen dat haar vader Madame het hof maakte. Ze had er de voorkeur aan gegeven uit een pompoen te zijn geboren. Of zonder bevruchting te zijn verwekt. Dat haar ouders onverdroten doorgingen met 'dat gedoe' joeg haar het schaamrood op de wangen. 'Op hun leeftijd, belachelijk!' Madame trok het zich niet aan: 'Jaloezie, niets anders dan jaloezie.' Maar Augustijn voelde zich niet op zijn gemak met zijn dochter.

Na het vertrek van Madame zaten we zwijgend in de keuken. Augustijn leegde zijn glas, hij draaide het om en om in zijn hand en tuurde erin. Alsof daar op de bodem de oplossing van een raadsel stond geschreven. Eindelijk stond hij op. 'Davy is een lam.'

Wat moest ik daarop zeggen? Dat onze schoonheid inderdaad weerwerk nodig had om respect op te brengen? Dat Davy haar te zeer naar de ogen keek? Dat de liefde haar moest overweldigen? Haar knock-out moest slaan? Dat de lakens met monogram en het zilveren bestek een hopeloze poging tot compensatie waren?

Augustijn was diep verzonken in sombere gedachten. 'Lijden loutert,' hikte ik een tikje aangeschoten. 'Wat?' vroeg Augustijn, en hij herhaalde: 'Wat?'

Voor ik die nacht insliep, zag ik de broers zoals ze 's ochtends als eersten de bruid hadden aanschouwd. Bedremmeld, al hadden ze haar hun hele leven gekend. Angelique liet vol gratie de sluier voor haar gezicht vallen en schreed naar de deur. Als een liefelijke bruid, maar ook als een koningin die haar lotsbestemming tegemoet gaat. De broers weken uiteen om haar te laten passeren.

Ik lag te luisteren of ik Marius thuis hoorde komen. Ook de twee drinkebroers in de salon waren stilgevallen. Ik herinnerde me hoe ik, als we gingen wandelen, voorgaf een klavertjevier te kunnen vinden. Terwijl de kinderen vergeefs zochten tussen de stengeltjes, plukte ik twee klavertjes, schikte ze met één blaadje extra vooraan en de twee andere dubbel. De kinderen kwamen er niet uit. Tot de jongens in een jolige worsteling mij het boeketje klaver ontfutselden en de truc uitkwam. Angelique stampvoette. Het klavertjevier bestond niet en ik had haar bedrogen: dat was dubbelop. Altijd die hoge toon, meteen die grote woorden. Ik had het alleen maar een beetje mooier willen voorstellen dan het was.

Ik maakte me, in mijn eenzame bed, plotseling zorgen om Angelique. Het misverstand wil dat als je het goed probeert te doen, iedereen aanneemt dat je het onmogelijke kunt volbrengen. Daar kan ik van meespreken. Geluk heeft weinig met verdienste te maken. Geluk is voor onnozele zielen, en voor gelouterde zielen, die geen geluk meer nodig hebben. En het is zo voorbij, het lijkt wel of het geen sporen nalaat. Maar ongeluk blijft, als onvrede, aan je knagen.

■■■

De vitrage gaat aan flarden, maar ik zie ertegenop overeind te krabbelen. Ik zou op mijn matras kunnen blijven zitten tot het einde der tijden, vooropgesteld dat ik mijn hoofd zou kunnen leegmaken. Bertje, onze specialist in pijn, gaf me ooit – toen ik fijt aan mijn ringvinger had – de raad mijn hoofd leeg te maken. Dan zou ik dat kloppen en gloeien, alsof mijn vinger in brand stond, niet zo erg meer voelen. Maar ja, hoe doe je dat, je hoofd leegmaken? De gedachten zijn vrij, ze overvallen je op ongepaste momenten. En als je iets moet bedenken, laten ze je net zo lief in de steek.

Over de top van mijn linkerringvinger loopt een wit lijntje. Als ik dat litteken zie, denk ik onvermijdelijk aan het naderen van het glimmende mes waarmee de dokter het abces opnieuw zal opensnijden. Er kunnen echter ook dagen voorbijgaan zonder dat ik het witte lijntje opmerk; het hoort intussen bij mijn lijf. Dat betekent niet dat ik de pijn of de angst voor het mes ben vergeten. Ik heb altijd een zwerende vinger, om het zo uit te drukken, en geregeld moet het mes erin. Het is dát of amputatie. Daarom geloof ik niet dat Bertje zich echt leeg kan maken. Zo slecht kan hij niet zijn, met zijn rottende hiel waarvan de wonde moet worden opengehouden. Hij doet het bij voorkeur zelf, zonder zucht en met precisie. Soms vloeit de etter makkelijk, soms moet hij dieper kerven. Maar hij heeft zijn voet nog en daar is het hem om te doen. Liever dood dan verminkt. Een Vlaming beklaagt zich niet: verliest hij een been, geen nood, hij heeft er nog een!

Ik hoor hem nog pochen, onze held, die zich onkwetsbaar waande en dacht dat er geen prijs op zijn dwaasheid stond. Toen hij voor de keuze werd gesteld: verdoving of *schnaps*, koos hij voor de drank, want hij vertrouwde de Duitse legerarts niet. Die amputeerde aan de lopende band, omdat voor een andere behandeling de middelen ontbraken.

Bertje vertelde vrijuit over de veldtocht en de gevechten waarin hij betrokken raakte, ofschoon hij was ingehuurd om wegen aan te leggen en bruggen te bouwen. Hij beschreef de witte vlakten met kadavers en afgedankt wapentuig tot we zaten te klappertanden. De Mayers nog het hardst van allemaal.

Bertje heeft een gouden klepel in zijn mond, maar hoe het hem werkelijk was vergaan, hoe hij aan die bevroren achillespees kwam en hoe hij uit de omsingeling was ontsnapt, dat kwamen we niet te weten. Het enige dat waarachtig klonk was zijn opmerking over sneeuw: die mocht nog zo mooi worden beschreven; blank of puur – hij kende er maar één woord voor: 'Scheiße!'

Na de oorlog, toen die hiel verdacht begon te stinken en koudvuur dreigde, moesten we er een jonge dokter bij halen. De oude, die het geval kende, was op reis. Nou ja, eigenlijk was hij op zoektocht naar zijn verdwenen familie. Augustijn had het hem afgeraden, maar Madame had hem de namen van de vooroorlogse vrijdagsgasten gegeven. 'We kunnen de boeken niet sluiten voor we het weten.' Ze snoot haar neus, toeterend, en voegde er met half verstikte stem aan toe: 'Speelschulden zijn ereschulden, zeg ze dat maar, nee, zeg maar niets.'

Ze had de oorlog het liefst willen uitwissen, maar het onherroepelijke was geschied. En de tijd voor de oorlog was al een verhaal geworden. Als Madame erover vertelde, klonk er weemoed in haar stem. Hoe zij, berooid maar manmoedig, een rondgang had gemaakt langs de banken, en geen bank die haar krediet wilde verlenen. Een roodharige opgedirkte vrouw, die een falend bouwbedrijf in hun wereldstad wilde voortzetten. Nee, dat vonden de heren met witte boorden te riskant. 'Alsof het hun geld was!' mopperde Madame. Ze was menigmaal in tranen geweest, maar na elk debacle had ze haar neus gepoederd en zich weer in postuur gezet. Uiteindelijk was ze bij joodse geldschieters terechtgekomen. Die waren allicht ook verbluft door haar verschijning, maar ze ontdekten, zoals mijnheer Ochsenberg het uitdrukte, in de merkwaardige dame 'een zekere kwaliteit'. De Ochsenbergs wisten hoe ze met geld moesten omgaan. Je moest het inzetten om het te vermenigvuldigen; je moest je geld voor je laten werken. Madame was wel een gokje waard.

Opgelucht was ze aan het werk getogen, en wie hard werkt, moet goed eten. De groenteman, de slager en vooral de bakker mochten zich op haar klandizie verheugen. Bij het degusteren van gebak bij de joodse bakker was Madame in gesprek gekomen met een dame die niemand anders dan mevrouw Ochsenberg bleek te zijn. De dames bevielen elkaar. En Madame besloot het zakelijke persoonlijk te maken. De Ochsenbergs, die niet vroom waren, zaten zich op sabbat te vervelen en de Van Puynbroeckxen, hoewel van huis uit katholiek, wilden op vrijdag wel een keer wat anders dan kabeljauw met botersaus. Bovendien zochten ze spelers voor een potje pokeren.

Voortaan gingen op vrijdagavond de luiken dicht en werden er biefstukken met frieten gebakken. Daarna gingen de glaasjes port rond en werd er mompelend en in rookwolken gehuld tot diep in de nacht gepokerd. De Ochsenbergs brachten de Mayers mee; daarmee was de kaartclub compleet en allengs werden de zondaars dikke vrienden.

Ik kreeg de opdracht om de biefstukken en de frieten te bakken en werd na het eten naar bed gestuurd. Vaak kon ik niet slapen en stond dan in mijn nachtjapon op de trap te kleumen. Vanwege de rook werd de deur van de salon op een kier gezet en in het schijnsel van de lamp zag ik de hoofden gebogen over de kaarten op tafel. Ik was onrustig zonder te weten waarom.

De Mayers zouden we voor een paar jaar te logeren krijgen. De Ochsenbergs vluchtten bij het uitbreken van de oorlog naar Frankrijk, maar keerden na de capitulatie terug naar huis. Ze aarzelden om onder te duiken. Mijnheer Ochsenberg bleef herhalen dat de vervolging een misverstand was, mevrouw Ochsenberg kon geen afscheid nemen van haar Chippendale-meubels. Ze moeten diep geschokt zijn geweest toen ze met een allegaartje joden en zigeuners op de trein naar Polen werden gezet.

Madame bleef herhalen dat de Ochsenbergs een voortreffelijk paar waren; hij een verwoede pokeraar, zij een *connaisseuse* van patisserie. Ik vermoed dat Madame er de voorkeur aan had gegeven de Ochsenbergs onderdak te verlenen. De Mayers waren saai, al werd dat niet hardop gezegd.

Toen Bertje uit de steppe kwam aangestrompeld, vroeg Madame hem of hij op zijn omzwervingen de Ochsenbergs niet had gezien. Mevrouw Ochsenberg kon zo smakelijk lachen, wist hij nog wel? Bertje plukte aan zijn hiel. Meneer Mayer, die toch al geslonken was, zakte nog een beetje dieper in elkaar.

Vier jaar is lang als de oorlog maar blijft duren en het elke dag gevaarlijker wordt. Toen de Fritzen zich terugtrokken, aarzelden we om ons in het feestgewoel te storten; we waren als schuwe marmotten die uit hun hol kruipen, klaar om bij het eerste fluitsignaal in dekking te gaan. We hadden de oorlog doorstaan, maar we waren gehavend. De tweespalt in de familie kon niet worden verhuld, de afwezigen konden niet worden vervangen. Het knaagde.

Omdat hij de zorg van Madame deelde, en om haar te kalmeren, liet Augustijn achter haar rug aan Reinout – in de gevangenis – vragen of hij wat van het lot van de Ochsenbergs wist. Het antwoord was een zin die van een velletje pakpapier knalde: 'Als je denkt dat ik aan zoiets mijn handen zou vuilmaken: bedankt!' Reinout weigerde zich schuldig te voelen.

Hij had inderdaad zijn handen niet vuil gemaakt, maar hij had zijn ziel aan de duivel verkocht. En zijn verstand gebruikt om kwaad te doen. En dat alles omdat hij wilde schitteren.

Toen de oude dokter voor zijn zoektocht vertrok, bleef er weinig hoop dat we de Ochsenbergs ooit zouden terugzien, maar Madame kon zich er niet bij neerleggen. Dat was toch niet mogelijk, dat mensen spoorloos verdwenen, ergens – '*Irgendwo*,' zei ze, alsof ze door het Duits dichterbij kon komen – moesten ze toch zijn gebleven.

Marius vertelde haar botweg van het gas. Ze snakte naar adem. 'Vertel toch niet zulke vreselijke dingen.' 's Avonds vroeg ze benauwd aan Augustijn: 'Wanneer denk je dat we iets van Davy horen?' 'Laat het rusten,' zei Augustijn. Er ging een kop tegen de vloer.

Toen ik binnenkwam met de veger, zat Madame op haar knieën de scherven op te rapen. 'Ga weg,' snauwde ze. En toen Augustijn haar overeind probeerde te helpen: 'Laat me met rust.' Augustijn en ik keken elkaar aan en wisten niet wat te doen. Maar ik voelde me niet langer schuldig omdat we Madame de engeltjes hadden getoond. Alles is beter dan in het ongewisse te verkeren.

Toen de jonge dokter bij de etterende achillespees werd geroepen, stond ik op de gang met een kom water en een handdoek, klaar om assistentie te verlenen. Achter de gesloten deur hoorde ik het doktertje verwonderd vragen hoe Bertje aan die bevriezingswond kwam. En hij, deels in paniek, deels om het doktertje te imponeren, vertelde over de knagende honger die hem bij veertig graden onder nul uit zijn schuilplaats had gedreven. En hoe hij door ongenadig trommelvuur in een ruïne dekking moest zoeken en daar de nacht had doorgebracht. Hij wijdde uit over de slaap die hem overviel, een kwelling, omdat hij bang was nooit meer wakker te worden. Hij had zich verweerd door gedichten te reciteren, maar hij had de strijd verloren, en was met het beeld van zijn moeder – jawel! – voor ogen ingeslapen. Toen hij traag ontwaakte, had hij zich moeten dwingen om wakker te blijven en niet weer af te drijven naar zijn dromen. Hij was overeind gekomen, maar hij kon niet weg doordat zijn rechtervoet, met laars en al, aan de grond was vastgevroren. Hij had hem losgerukt met beide handen en was struikelend en kruipend tot bij een geïmproviseerde landingsbaan geraakt. Een vliegtuig wachtte met draaiende motoren – vanwege de kou – op een vracht gewonden. Daar had hij zich bijgevoegd. En zo was hij hoog boven het wit versteven land naar een lazaret gevlogen.

Het doktertje, zo groen als gras, kon geen vraag meer bedenken. En ik werd pas gewaar dat ik de kom schuin hield, toen het lauwe water over mijn voeten stroomde.

Het relaas klonk aannemelijk, maar toch kon ik me niet voorstellen hoe het er werkelijk aan toe was gegaan. Of Madame en Augustijn er het fijne van wisten, betwijfel ik, en ook van Angelique ben ik niet zeker. De enige die alles van Bertje wist, was Reinout, zijn verdoemde voorbeeld. Aan hem zou hij vertellen, grommend en gnuivend van de pijn en de tegendraadse spot, hoe hij dat plaatsje in het vliegtuig had veroverd. En dat verhaal kwam er pas uit een jaar nadat hij vitriool had gedronken. Van zijn fraaie tanden waren toen alleen zwartgeblakerde stompjes overgebleven. Hij was zijn smaak en zijn geur kwijt. Door zijn vernauwde slokdarm kon nauwelijks een erwt passeren en zijn maag was voor meer dan de helft weggesneden. Door zijn linkerneusgat ging een groene draad naar binnen, die met loodjes was verzwaard om door de keelholte en de slokdarm naar de maag af te dalen en zo te voorkomen dat zijn slokdarm dichtgroeide. Het uiteinde van de draad kwam in een gat in zijn zij weer naar buiten en was daar met een pleister vastgezet. De draad, die op een vislijn leek, bracht honden aan het blaffen; kinderen die hij op zijn arm nam, graaiden ernaar, en één keer moest hij een soldaat van zich afslaan. De kerel stond op wacht bij de voetgangerstunnel onder de Schelde en vond de draad verdacht.

Bertje was op pap, geklutste eieren en gebakken kalfshersenen aangewezen, maar nog kostte elke hap hem moeite. Als hij zich ergerde of te vlug wilde eten, verslikte hij zich. Hij verloor zijn molligheid en kreeg een scherp gesneden kop, maar hij bleef zichzelf. Eigenwijs en watervlug.

Nauwelijks was de wapenstilstand afgekondigd of Bertje maakte zich op voor de volgende veldtocht. Hij zou de bouw veroveren, zijn vingers jeukten, hij trappelde van ongeduld. Marius bedankte voor de eer en Reinout was uitgeschakeld. Niets of niemand stond hem in de weg. Behalve Madame, die niet toeliet dat Augustijn opzij werd geschoven. Toen is de lange strijd om de zaak ingezet; een uitputtingsslag om de zeggenschap.

Het was Bertje niet zozeer om het geld te doen, hij wilde vóór alles de baas zijn. Om dat te bereiken koppelde hij zijn kwiekheid aan zijn werkkracht. Hij was de ideale ondernemer, altijd opgewekt en altijd bedrijvig. De eerste op de bouwplaats en de laatste om huiswaarts te keren. Daar had hij overigens zijn redenen voor. De oorlog had hij in recordtijd achter zich gelaten, zijn vrouw ontweek hij, zijn moeder zou hij de zaak ontfutselen. Alleen zijn vader stond hem in de weg.

Augustijn hield zijn jongste bij de teugel, hij had zijn bekomst van dolle avonturen. Over de engeltjes was hij schijnbaar heen geraakt, maar de overlevenden dreigden hem te ontmoedigen. 'Volgroeid ja, volwassen neen,' zuchtte hij mismoedig.

De Tweede Oorlog was er te veel aan geweest. Dat was niet langer een gevecht van man tot man, maar een verzieking van de geest met een georganiseerde massamoord tot gevolg. Toen hij bij het uitbreken van de Groote Oorlog, vol jeugdig elan, met Herward naar het front was vertrokken, leek alles helder. Het vaderland was aangevallen, het was zijn plicht het te verdedigen. Wat het voor zijn ouders betekende dat hun zonen achter de waterlinie in de modder verdwenen, daar had hij zich geen voorstelling van gemaakt. Het thuisfront was het eens over de grond van de zaak, dat was het belangrijkste. Hij wist niet wat hem te wachten stond, maar hij streed voor een rechtvaardige zaak. Dat maakte hem vrij.

In de Tweede Oorlog was hij gebonden aan vrouw en kinderen, en daar kwamen nog de Mayers bij. Hij kon de vijand niet open en bloot tegemoet treden. Hij moest hem ondergronds bestrijden. Hij had zijn dochter niet afdoende kunnen beschermen, hij had de tweespalt tussen zijn zonen niet kunnen voorkomen. Zijn ogen traanden al jaren voortdurend en hij had een tremor in zijn linkerhand, hij was aan rust toe. Er wachtte hem echter een moeizaam herstel; er moest worden opgebouwd en er moest worden verzoend. En zijn vrouw, zijn steun en toeverlaat, verklaarde dat ze haar buik ervan vol had. De wereld draaide averechts en de kinderen waren hardleers.

Augustijn wilde een wereld gestalte geven die niet meer bestond. Toen hem werd voorgesteld een rij herenhuizen te herstellen die door de bombardementen was getroffen, nam hij de opdracht gretig aan. Bertje was ertegen, de herenhuizen waren goed voor afbraak. Restauratie zou veel tijd vragen en ondertussen kwam de markt voor nieuwbouw vrij. Daarbij kwam nog de onzekerheid over de eigendom; niet alle bewoners van de herenhuizen waren teruggekeerd: 'Als je daaraan begint, ben je niet zeker dat je uit de kosten geraakt.' Madame was evenmin enthousiast, maar Bertje leverde de verkeerde argumenten, vond Augustijn. 'Het minste wat we kunnen doen is die huizen in gereedheid brengen.'

Madame en Augustijn sloten de rangen en Bertje draaide bij. Als dit het definitieve besluit was, zou hij er vlug aan beginnen. Of zoals hij handenwrijvend zei: 'We zullen er eens invliegen!' Hoe vlugger de klus was geklaard, hoe liever. Hij had grootsere plannen, de ruimte moest worden gevuld, en als er geen ruimte was, moest het de hoogte in. Hij wilde presteren, laten zien wat hij kon. Voorwaarts moest het, altijd verder en altijd vlugger.

De geruchten bleven hem echter achtervolgen, de ene keer werd hij voor de goede broer gehouden, de andere keer voor de foute. Hij kon nooit hard genoeg van het verleden weglopen.

De vrouwelijke conciërge van een van de herenhuizen had de oorlog in het souterrain doorgebracht. Toen de bewoners een oproep hadden gekregen, waren ze er niet op ingegaan. En toen ze werden opgehaald, hadden ze heftig geprotesteerd. Met trappen en kolfslagen werden ze uit hun huis gedreven. De man van de conciërge, die de duvel-doet-al in huis was, kon het niet aanzien en was tussenbeide gekomen. Hij werd in zijn hemd en vest, zonder jas, meegenomen.

Zijn vrouw was van de burgemeester naar de pastoor gelopen om hem vrij te krijgen. Ze had uren aan de kazerne gestaan waar de mensen op transport wachtten. Had pakjes gemaakt, had bewakers proberen om te kopen met sigaretten. Alles vergeefs, haar man was domweg in het grote raderwerk vermalen. Zij had zich in het gehavende herenhuis verschanst en om haar einde gebeden. Ze overleefde echter de oorlog, een vrouw van middelbare leeftijd, een vrouw zonder vooruitzichten. Haar woeste hoop dat haar man zou terugkomen, of dat minstens de bewoners van het huis zouden terugkomen, was al vlug vervlogen. Noodgedwongen had ze de Engelsen bediend, die bij de bevrijding van de nog intacte kamers een zwijnenstal hadden gemaakt. Zij had toestemming gekregen om in het souterrain te blijven tot de herstelwerken waren voltooid. Daarna moest ze weg. 'Profiteer ervan,' had Bertje gezegd. Want wie wilde er nog in een kelder leven?

Het was uitzonderlijk warm die dagen, en in het souterrain hadden de Engelsen een doos met flesjes citroenlimonade achtergelaten. Het drankje had een giftige gele kleur en bruiste uitbundig. Een traktatie voor de werklui, die bestoft en zwetend de flesjes leegden. Als laatste kwam Bertje aanhuppelen: 'Waar is mijn flesje?' De conciërge overhandigde hem een flesje met vitriool en Bertje zette er gulzig zijn mond aan. Brullende, alsof hij van de duivel was bezeten, rolde hij over de grond. De werklui durfden hem niet aan te raken, de conciërge stond er met lede ogen op te zien. Ze wist niet wat er in het flesje zat, zou ze aan de politie verklaren.

Toen Augustijn arriveerde, was Bertje inwendig zwaar verbrand. En goed heen. Maar hij was een professionele overlever; hij doorstond de operaties, hij verbeet de pijn en hij ging weer aan het werk voor halve dagen. Hij zag zelfs kans een zoon te verwekken. In plaats van te klagen zong hij van het smidje in zijn smidse. Kreupel, half gesmoord, maar een man van de toekomst: dat was Bertje! Reinout, weer op vrije voeten, lachte: 'De kleine is niet kapot te krijgen.'

Een jaar later, het was hoogzomer, ik zal het nooit vergeten, voerde dat vrouwmens met wie hij halsoverkop was getrouwd, haar Bertje kriekenpudding. Zonder de pitten eruit te halen! Ik had haar graag een schop onder haar kont gegeven: Bertje kroop schuimbekkend over de vloer, een afgrijselijk gezicht, omdat hij door die krieken bloed leek te spuwen.

De dokter liet op zich wachten, maar Reinout kwam onmiddellijk. Hij knielde bij zijn broer en knoopte zijn hemd open: 'Bijt op je tanden!' Met één ruk haalde hij de pleister van de wonde in de linkerzij. Wat van de pudding door de vernauwde slokdarm was geraakt, spoot eruit. Het kriekensap was als gegist en verspreidde een vage biergeur.

Bertje verloor het bewustzijn. Met het wegrukken van het verband had Reinout ook de groene draad losgetrokken. Reinout droeg het gehavende lichaam naar de divan, waar vroeg of laat alle zieken van de familie op terechtkwamen. Zijn jammerende vrouw werd weggestuurd, mij hoefde hij niet te zeggen wat te doen, ik begon, misselijk en wel, de kamer te dweilen. De boel moest aan kant voor Madame en Augustijn thuiskwamen.

Toen Bertje bij zijn positieven kwam, en de dokter de draad weer had vastgezet, ging Reinout naast de divan zitten. 'Ouwe boef,' grimlachte Bertje. 'Kleine deserteur,' spotte Reinout. Dat was broederliefde, maar je moest het verstaan. En in die schemerige kamer, begon Bertje, uitgeput en knarsetandend – figuurlijk dan –, uit te leggen hoe hij uit Stalingrad was weggeraakt. Ik ging erbij zitten, en ze waren zo aan me gewend dat het niet opviel.

Toen Bertje uit de ruïne was gekropen waar hij zich bijna voorgoed had verslapen, werd hij beschoten door een groep verdwaasde Duitsers, die hem voor een deserteur aanzagen. Dat had hem razend gemaakt, maar ook op een idee gebracht. Hij sukkelde tot bij een landingsstrip waar een vliegtuig met draaiende motoren wachtte op een vracht. Hij wist dat het toestel niet lang aan de grond kon blijven. Het was ijzig koud en de Russen vielen aan, op barmhartigheid hoefde je niet te rekenen. Het was een kwestie van vlug handelen.

Op een brancard lag een gewonde met een buikschot te ijlen. De man maakte geen enkele kans, maar verzette zich wanhopig toen Bertje zijn plaats wilde innemen. Bertje had hem ten slotte van de brancard gekanteld en een deken over het hoofd getrokken. Zijn revolver had hij onder die deken gestopt, zodat het schot min of meer werd gedempt. Als plaatsvervanger was hij vervolgens weggevlogen over de sneeuwvelden en de bevroren rivieren. Een lange vlucht die hij als een film had beleefd. 'Het was alsof ik er niet echt bij was.'

In het veldhospitaal heerste de drukte van de grote dagen. Een buikschot of een bevroren voet – wat maakte het uit? En Bertje sprak zijn talen, niemand kwam zo vlug op de gedachte dat hij een ander was. Toen die ander met ziekteverlof mocht en een pasje kreeg, was hij met zijn krukken op een trein in de tegengestelde richting gestapt. Hij had er weken over gedaan, door de bombardementen en de verbroken verbindingen; op het laatst wist hij niet meer welke dag het was. Maar zelfs de *Feldgendarmerie* deed niet al te moeilijk tegen een gewonde Oostfronter.

Bertje durfde Madame niet onder ogen te komen, maar hij kon nergens anders heen. Gelukkig had Celestien de deur opengemaakt.

Ach god, ja. Ik heb hem binnengelaten, sprakeloos door de krukken, die hij meteen in de paraplubak zette. Hij wilde voorkomen dat Madame, of Augustijn, te hard zou schrikken. Strompelend met de hand tegen de muur en de arm om mijn schouder geslagen, ging het door de gang. Maar voor we in de kamer waren, verscheen Madame. En achter haar aan Augustijn.

'De kleine is er,' zei ik. Ze week achteruit, draaide zich om en verschool zich aan de borst van Augustijn. Van de weeromstuit onttrok ik me aan de arm van Bertje. Hij maakte slagzij, maar Augustijn ving hem op. 'Jongen toch.'

Bertje was zijn ronde wangen kwijt en je kon zijn ribben tellen. Maar hij had zijn witte tanden nog, een gelijkmatig en sterk gebit. Door de magerte viel het, als hij lachte, nog meer op. 'Wel, mamaatje, ken je mij niet meer?' Madame huilde zonder tranen. En ik, ach Here, stond te snikken. Maar toen met de kriekenpudding de laatste steen bovenkwam, had ik geen tranen meer over. Ik zat daar als van de hand Gods geslagen.

Bertje lag met gesloten ogen op de divan en zei niets meer. Reinout was bij het raam gaan staan, met zijn rug naar de kamer. Hij huilde. Ik aarzelde, liep toch op hem toe en legde mijn hand zacht op zijn schouder. Als gestoken draaide hij zich om: 'Doe dat nooit meer!' Hij had zijn arm geheven alsof hij me wilde slaan. Ik herkende hem haast niet, zo furieus als hij keek. Bevend deed ik een stap achteruit en weer haalde hij uit: 'Doe dat nooit meer!' Zonder verder naar Bertje om te kijken vluchtte hij de deur uit.

■■■

Een windstoot doet het raam helemaal openzwaaien, de vitrage scheurt met zacht gekraak. Alsof ik honderd jaar oud ben, kom ik moeizaam overeind. Maar de ramen in Welverdiend zijn hoog, ik kan de vitrage niet over het kozijn slingeren. Zweetdruppeltjes parelen op mijn voorhoofd, het wordt zwart voor mijn ogen. Dit trotse huis heeft op zijn grondvesten geschud, maar dat het in elkaar zal storten, dat is te veel gevraagd!

Ik doe een greep in de vitrage, draai de stof om mijn hand en ruk zo hard dat ik haast omver tuimel. De vitrage valt over me heen als een visnet. Ik worstel en begin de stof aan stukken te trekken. Het scheelt niet veel of ik heb er mijn tanden in gezet. Maar ik mis er vier en het glas met het gebitje lijkt onbereikbaar.

Weg van hier, gaat het door me heen. Weg, voor het te laat is. Naar huis, zoals de kat, die ons na weken zwerven had weten te vinden. Naar huis en dan nergens meer heen. Ik zie mezelf weerspiegeld in de ruit, in mijn nachtjapon, plat als een spook, met een flard vitrage over mijn hoofd. Daar komt de bruid, denk ik nog – dat is de geest van Madame – maar het oogwater welt op. Ik kan niet terug en ik kan niet verder. Ik zit vast.

Woest werp ik de vitrage van me af. Ik strompel door de kamer en stoot het glas met het gebitje van het nachtkastje. Mijn hand is uitgeschoten alsof ik een elektrische schok in mijn elleboog heb gekregen. Het glas valt op het beddengoed en blijft heel, maar het water verspreidt zich als een donkere vlek in de lakens. Ik durf geen voet meer te verzetten uit vrees dat ik op het gebitje zal trappen.

'Bijt op je tanden!' Ik hoor het me Reinout nazeggen. Op je tanden bijten, je vermannen, volhouden, je nooit of te nimmer laten kennen. Grote kak als je het mij vraagt. Maar het heeft me wel aangestoken. Al is het typisch dat ik dat snertzinnetje aanhaal nu ik mijn tanden kwijt ben.

'Wie is er bang van een brullende muis?' vroeg Marius altijd als ik kwaad was. De arrogantie waarmee dat werd gezegd! Ik stikte haast in mijn kolere.

Hij had de hoogmoed meegekregen van zijn vader, dat kan ik niet ontkennen. Met het fluitje tussen de tanden over de borstwering van de loopgraaf. Wie het sein voor de aanval geeft, gaat als eerste de vuurlinie in. Was het moed of de behoefte om te overtroeven? En waarvoor, als ik vragen mag? Met het verstrijken van de jaren was het duidelijk geworden dat de stellingenoorlog even hopeloos als nutteloos was. Zodat het enthousiasme voor zeshonderd meter voorwaarts – of achterwaarts – afnam, en het voetvolk met de revolver in de nek uit zijn dekking moest worden gedreven.

Wat Augustijn niet kon bekennen, deed hij af als de *petite histoire*. Datgene wat het vermelden niet waard is. Een anekdote. Gênant of amusant, maar nooit bepalend.

De Van Puynbroeckxen namen vanzelfsprekend aan dat zij voor het grote gebeuren waren geboren. Vastberaden om geschiedenis te schrijven, al zouden ze eraan ten onder gaan. En wie moest voor die waan opdraaien? Van de sokken tot de onderbroeken? Van de bevriezing tot de verbranding? Van de wieg tot het graf? Dat is vragen naar de bekende weg.

'Van niets bang, behalve om met een vreemde vrouw te slapen,' grapjaste Bertje. Verdomd als het niet waar is. Bevreesd voor het gemoed, bang om in hun blootje te staan. En zich nergens meer op te kunnen beroepen. Trieste helden, die op hun tanden beten tot ze er geen meer hadden. Zelfs als het helemaal fout was – onder een alles verzengend vuur of bij veertig graden onder nul – gingen ze dapper door. Om consequent te blijven en zich, ook in de nederlaag, de meerdere te tonen.

De zonen aapten de vader na en de oorlog was dé gelegenheid om hem te overtreffen. Ze konden het voortouw nemen en de strijd aanbinden. Dat bevrijdde hen van de duffe binnenkamers en van de vraag wat met hun leven aan te vangen. Ten strijde trekken, dat was het mooiste. Ten strijde trekken om van zichzelf af te wezen. Dobbelen met de dood.

Kerstmis hebben we nooit gevierd. Augustijn had een hekel aan sparren met ballen en engelenhaar. Van vredesapostels kreeg hij de kriebels. Alles hypocrisie! Alsof er ooit een kind vrede op aarde had gebracht!

Wat hem dwarszat, was die gedenkwaardige kerst aan het front. Toen de mannen een armtierig boompje hadden versierd en uit hun loopgraven kropen om elkaar te omarmen. De wapens zwegen. Daar moest streng tegen worden opgetreden. De vijand is de vijand, al hoef je niets tegen de persoon in kwestie te hebben. Oorlog is geen lolletje. Schiet maar dapper door. Hoe meer je er omver legt, des te vlugger je naar huis kunt. Als je zelf wordt getroffen heb je pech, maar ben je meteen van je zorgen af.

Augustijn werd prikkelbaar als Kerstmis naderde. De radio moest uit, we zaten zwijgend aan tafel. Konijn met pruimen was goed genoeg, de tarbot en de kapoen werden voor nieuwjaar voorbehouden. Dan had je tenminste wat te vieren. Bij ons geen kerstwake, geen zoetgevooisd gezang. Het was de donkerste nacht.

Ik gaf de hond een kluif, de papegaai een lange vinger, ik zette de kat een bakje lauwe melk voor. Omdat ik had meegekregen dat de dieren in de kerstnacht kunnen spreken. Als dat zo was, dan was het lang geleden. Ik deed zonder het te beseffen mijn moeder na.

In onze stal is met kerst nooit een kind geboren, al had dat best gekund. Niet dat ik daarom treurde. Toen ik eenmaal met de kinderen zat, heb ik weleens gedacht dat ze beter allemaal uit de wieg waren opgestegen, in plaats van twintig of dertig jaar later aan het kruis te gaan hangen. Zogenaamd om hun vader te behagen. Ik hoefde maar naar die prent van de calvarieberg te kijken, met de treurende vrouwen onder het kruis, om met Madame mee te voelen. Door je eigen vlees en bloed worden gekweld. Met hen sterven en verplicht verder leven. Al die vergeefse smart!

'Het is de schuld van de oorlog,' mompelde Madame. Waar de oorlog niet allemaal goed voor was! Madame kon niet toegeven dat ruziën en strijden in de aard van haar lieverdjes lag. Dat ze zich tot elke prijs wilden onderscheiden. Daar kwam geen goed of kwaad aan te pas. Om hun zin door te drijven waren ze tot alles in staat.

Augustijn beweerde dat de oorlog zowel het beste als het slechtste in de mens naar boven bracht. Gelijk had hij, maar hij maakte er zich wel gemakkelijk vanaf. De kinderen hadden aan dezelfde borst gelegen en waren onder hetzelfde dak groot geworden. Toch gingen ze verschillende kanten op. En om het helemaal onbegrijpelijk te maken, deden ze dat op dezelfde, hun eigen, wijze. Zonder oorlog was het veiliger geweest en hadden we niet zo bang hoeven te zijn. Maar hadden die brokkenmakers zich in een kalm bestaan geschikt? Dan hadden ze eerst moeten vergeten wie ze waren.

De oorlog verleende hun een jachtvergunning, of, zoals Bertje manhaftig zei, het was een gelegenheid om 'de daad bij het woord te voegen'. Maar ook zonder oorlog hadden ze geen vrede gekend. Er was altijd wat om zich druk over te maken. Zelfs Angelique, die toch een vrouw was, kon het niet laten. Het wereldbestel, de politiek, de kerk en de kunst: alles moest anders of over. Zij voelden zich geroepen. De narigheid die ze daarmee aanrichtten, werd aan de omstandigheden geweten. Het was nooit hun schuld, het had niet met onvermogen maar met heerkracht te maken.

'De tijd zat tegen,' verklaarde Reinout. Het viel hem aardig tegen dat de klok gewoon haar rondje tikt. Dat het puin werd geruimd en alles werd hervat. En hij, eenmaal achter de tralies, uit de tijd was gezet. De wereld was werkelijk veranderd, maar niet zoals hij het zich had voorgesteld.

Scherpzinnigheid noch galanterie kon hem helpen toen hij vrijkwam. Hij was van vroeger, hij sprak over dingen die hun waarde hadden verloren. Zijn vrouw lachte hem uit, zijn zoon kende hem niet. Hij was aan zijn eigen terreur overgeleverd. Hij kon zijn ongelijk niet verteren en uiteindelijk zou dat hem klein krijgen. Maar nog verdomde hij het de deur zachtjes achter zich dicht te trekken; hij blies zich op, twintig regels in de krant, meer niet.

Hij was verbrand en ik ben geschroeid. Ik zat te dicht bij het vuur. Was al te zeer met hem begaan. Het moederliefde noemen is overdreven, al weet ik niet hoe het anders zou heten.

De Van Puynbroeckxen hebben mij hun leven aangedaan en het mijne ontnomen. Voor mezelf bestond ik niet. In hun geschiedenis werd ik als laatste gehoord.

Wanneer was mijnheer – mijnheer! – vertrokken, wanneer was hij thuisgekomen? De SD-mannen die achter Marius aan zaten, zagen me niet eens staan terwijl ze me ondervroegen. Ze spraken hard en stelden stompzinnige vragen, alsof ik doof of achterlijk was. Het kwam niet bij ze op dat ik de kroongetuige was, meer nog, dat ik deel uitmaakte van het verhaal. Het was een kwelling dat ik hen niet wijzer mocht maken, maar ik begon me, in het geniep, wel slimmer te voelen. 'We zoeken het ontbrekende stuk in de puzzel,' liet een van de ondervragers zich ontvallen. Moest ik kwaad zijn of mocht ik in mijn vuistje lachen?

■■■

De hulp komt de kamer in, geagiteerd: ik zit op de tocht! Zo zal ik me nog de dood op de hals halen!

Ik staar naar mijn handen, naar de blauwe aders die door de dunne huid schijnen. Kun je ook van je handen vervreemden?

De hulp moppert op die oude kast, dat bewerkelijke huis, ze worstelt met de vitrages, sluit het raam. Ik zou het daarbij kunnen laten, doof zijn aan één kant, zoals Madame placht te zeggen.

Ik bekijk de hulp eens goed, onregelmatige trekken, plomp figuur, eentje van dertien in een dozijn. 'Kon je niet aankloppen?' vraag ik bits. De voorgewende kwaadheid doet me goed.

De hulp is even van de wijs, maar merkt met een toegeeflijk lachje op: 'U bent nieuw, nietwaar?' 'Stel je niet aan,' mompel ik. Maar die u bevalt me en ook de toon van haar taal die ouder is dan zijzelf. 'Hoe oud ben je?' Het is niet onaardig bedoeld, zij echter voelt aan dat haar leeftijd tegen haar kan worden gebruikt. 'Raad eens?' Dat is in ieder geval veel jonger dan ik. Of ze getrouwd is? Gescheiden, dat kan niet missen. 'Kinderen?' Ik laat niet af. Geen kinderen. Een geluk bij een ongeluk.

'En u?' vraagt zij. 'Wat?' Ik belief haar niet te verstaan. Of ik kinderen heb. Ze roept zo hard dat ik het wel moet horen. 'Vier in leven!' Daar heeft ze niet van terug. Ze stommelt door de kamer, begint aan een bedstijl te sjorren. 'Is uw man al lang overleden?' Is het medeleven echt of gespeeld? Ik kan Augustijn niet dood verklaren en de waarheid is eenvoudiger. Dus antwoord ik kortaf: 'Ik heb geen man.' Kippig staat ze me aan te staren: 'Hoezo?' Ik haal mijn schouders op, nou gewoon. Zij, toch een tikje verbijsterd: 'Bent u nooit getrouwd geweest?' 'Nooit!' Met een zekere trots, ik. 'Maar hoe?' zij, twijfelend. Ik grijns: 'Naar de wegen der natuur.' Die ondoorgrondelijk zijn, dat is algemeen bekend.

De hulp weet niet wat te denken. Ben ik kinds of plaag ik haar? 'Het ontbijt is van acht tot tien, beneden, wie slecht ter been is, kan het op de kamer krijgen.' Ze gaat over tot de orde van de dag. 'Ik zie wel,' mompel ik. 'We moeten het tijdig weten.' Ze is haar houvast kwijt, maar ze wil niet over zich heen laten lopen.

Wanneer ze het bed weer in elkaar zullen zetten, vraag ik. De hulp kijkt om zich heen. Heb ik geen eigen meubels? Er ontploft een bommetje in mijn borst: 'Die worden nog gebracht.' Het gebeeldhouwde bed van de oude mevrouw, de toilettafel van Madame, de commode met het roodmarmeren blad en wat was er nog meer? Dat is tegen de regels, volgens de hulp, de meubels gaan de pensionaires vooraf. Tenzij het niet meer de moeite waard is.

'Is de dokter al langs geweest?' De stem van de hulp klinkt bezorgd, maar ik let op haar ogen; die staan kritisch. Ik wuif haar weg: 'Wie heeft hier een dokter nodig?' 'Er komt dadelijk iemand om u te helpen.' Mijn hand wuift: weg, weg! In mijn beste jaren had ik de kamerdeur achter haar dichtgegooid, zeker en vast.

Met verwondering kijk ik naar die hand die maar blijft wuiven. Het meest beweeglijke deel van het lichaam als het de mond niet is. Ik ga staan, wankel, herpak me en loop door de kamer, maar vermijd het naar mijn voeten te kijken. Dat heb ik de dag ervoor gedaan en meteen ben ik gestruikeld.

Toen ik in vol bedrijf was, had ik geen last van mezelf, maar nu ik niets om handen heb, lijk ik in stukken uit elkaar te vallen. Mijn handen en voeten doen hun ding zonder uitstaans met mij te hebben. Over wat er zich onder mijn schedel afspeelt, heb ik helemaal geen overzicht. Ik ben niet zeker van wat ik weet of wat ik voel. Ik doe mijn best niet al te zeer op mezelf te letten, maar het is alsof mijn lijf me in de weg zit en zijn eigen regels stelt.

Het robbertje met de hulp deed me deugd, ik was even met wat anders bezig. Ik heb weliswaar een besloten bestaan gekend, maar de Van Puynbroeckxjes brachten leven in de brouwerij. Te veel zelfs, ze lieten geregeld mijn hart stilstaan. Toen ik, besmet door de kinderen, roodvonk kreeg en lag te rillen van de koorts, stelde de dokter vast dat ik een sterk hart had.

Als ik de slaap niet kan vatten lig ik te luisteren naar het kloppen in mijn borst. Het zweet breekt me uit, en ik knijp mijn ogen dicht om de televisiebeelden te bannen van een hartoperatie en het schudden van dat spastische orgaan.

Augustijn kon er ook niet tegen, maar Madame keek gretig naar medische uitzendingen. Hoe enger, hoe liever. En lol, omdat ik misselijk werd. 'Celestien, doe niet zo flauw!' Voor dat beetje bloed, nietwaar. Was ze vergeten dat ik er wel tegen kon als het nood deed?

Madame keek naar operaties en naar moorden, maar voor wat zich in haar huis afspeelde, was ze het liefst blind gebleven. En de aanblik van haarzelf in haar ouderdom verdroeg ze niet. 'We worden er niet mooier op.' Het was alsof ze de vaststelling van zich afduwde om meteen de tegenaanval in te zetten. Crèmes, poeder, rouge en parfum. Alles om de vaalheid te verdoezelen. Ze stutte haar borsten en snoerde haar taille in. Kocht zijden lokkertjes om het verval te maskeren, maar het karkas liet zich niet bedotten.

Het was haar hart dat zich tot de laatste klop teweerstelde. Een dapper hart, dat moet ik toegeven. Het schudde en trilde en haperde van de emoties. Als het stilstond was het alsof Madame tot inzicht kwam, en het hart herstelde zich omdat ze niet voor zichzelf bestond. Wij vonden dat vanzelfsprekend en rekenden erop dat het hart altijd door zou gaan. Wat wij, ook ik, niet konden toegeven, was dat we haar uitputten.

Het kwam voor dat Madame de deur van het kantoor afsloot om alleen te zijn. De deur van de slaapkamer deed ze niet langer op slot, maar ze klaagde over slapeloosheid. 'Celestien, ruim het slagveld op,' zei ze als ik het bed moest opmaken. Schone lakens, kanten kussens, zijden sprei. Ze was heel precies als het op haar bed aankwam. Als ik in de oorlogswinters met de strijkbout de kilte uit de lakens streek, nam ze de bout van me over opdat geen kreukel de gladheid ervan zou bederven. Terwijl ik haar zag strijken, mompelend en zuchtend voorovergebogen, kreeg ik de indruk dat zij haar nederlagen wilde wegvagen en het bed weer ongerept wilde maken.

Toen er geen engeltjes meer kwamen, had zij zich bevrijd moeten voelen, maar ze kon haar kleintjes niet vergeten. De levenden konden het verlies niet goedmaken; misschien waren ze daardoor ook zo balorig.

Augustijn werd haar laatste kind, aanhankelijk maar lastig. Een uit de kluiten gewassen baby. Ik kreeg het altijd te kwaad als hij haar tortelend *chouke* noemde, maar dat hij haar klagend moeder begon te noemen, beviel me evenmin. Ik weet haast zeker dat Madame Augustijn ook in bed aan de gang hield, want mannen die stilvielen, werden koud, maar dat ze dat altijd uit verlangen of uit begeerte deed, dat mogen we gevoeglijk vergeten. Ze wist wat hij nodig had en ze gaf het hem. Voor het overige volgde ze het advies dat ze aan Angelique had gegeven: 'Heb je geen zin, dan maak je maar zin!' Het hart van Madame klopte minstens voor twee. Geen wonder dat ze aldoor vermoeider werd. En dat ze opmerkte dat ze haar buik vol had van het gedoe. Dat kon het hart niet verhelpen.

Ik schuif de vitrage opzij en ruk het raam open. Lucht heb ik nodig, om mezelf vol te pompen, om de muizenissen weg te blazen. Is het verbeelding of kan ik de zee ruiken, de ziltheid die hongerig maakt? Ik pin mijn haarknotje vast. Als ik nu mijn gebitje in doe, lijkt het misschien nog wat. Een mens moet toch toonbaar blijven.

Als je Bertje voorheen niet had gekend, viel zijn kunstgebit best mee. Hij wilde er eerst geen, maar die zwarte stompen waren geen gezicht. Zonder er tegen iemand iets van te zeggen, was hij naar een dokter gegaan die alles in één keer deed. Uithakken van de stompen en inbrengen van het kunstgebit. Voorwaarde was wel dat hij dat gebit de eerste vierentwintig uren niet uit zijn mond zou halen.

Het was een bloederige geschiedenis geworden. Toen Bertje thuiskwam, was zijn gezicht zo buitenmate gezwollen dat je nauwelijks zijn ogen meer zag. Hij liep de hele nacht en de daaropvolgende dag heen en weer in het kantoor, grommend en rillend, maar vastbesloten niet toe te geven aan de pijn. We waren er allemaal ziek van.

Het was moeilijk uit te maken of Bertje zich had aangepast aan het kunstgebit of dat het andersom was. Met de tijd verkleurden de tanden door de tabak, en kregen ze een uitholling waar hij zijn pijp vastklemde. Hij deed alsof het geen prothese was en hield het gebit ook 's nachts in zijn mond.

Toen hij mij in Welverdiend had afgeleverd en de benen nam, de kreupele deugniet, herinnerde ik me dat ik hem een keer had betrapt in het kantoor. Hij zat aan het bureau van Madame en had het gebit uit zijn mond gehaald. Terwijl hij het om en om draaide, likte hij het zorgvuldig schoon. In diepe contemplatie, geen aap had het hem verbeterd, mijn maag draaide om. Toen Bertje me opmerkte, grijnsde hij en mummelde: 'Jaag ik je schrik aan, Celestien?' Nee, maar een ingevallen mond maakt tien jaar ouder. Als ik blaas, klappert mijn bovenlip als een losgeslagen vensterluik.

Met dat allegaartje van afgedankte meubels lijkt het of ik in de rommelkamer ben ondergebracht. Het bed van de oude mevrouw was vast niet in elkaar gezakt door een aardbevinkje, dat had grotere schokken doorstaan. Ik heb heimwee naar de bordeauxrode divan waarop de Van Puynbroeckxen hun pijn verbeten.

Als iedereen het huis uit was, of aan zijn bezigheden, ging ik weleens op de divan liggen en liet ik me gaan, zacht hijgend en zuchtend. Het meubel was bekleed met *velours d'Utrecht* waarin gestileerde bloemmotieven waren uitgeschoren. Die volgde ik met mijn vinger, de ogen gesloten, en het was alsof ik een geheim parcours aflegde. Ik drukte mijn gezicht in de rode kussens en snoof de geur op: parfum, melk en bloed, alles verstorven, maar niet helemaal vervluchtigd. De divan herbergde verlangen en verlies, het was een troost in bange dagen. In plaats van de eetkamertafel en de stoelen had ik de divan op mijn verlanglijst moeten zetten, dat was uiteindelijk ook praktischer geweest.

Voor Augustijn met zijn lange benen was de divan te klein, maar Madame heeft er, hoogzwanger, haar tijd op verbeid, ze heeft er de kinderen op gestild, en het scheelde niet veel of ze was ook op de divan gestorven. De meeste tijd heeft Bertje er echter op doorgebracht, met zijn bevroren hiel en zijn vernauwde slokdarm. En met zijn zoon, die hij opwierp tot het kereltje kraaide van plezier. Om het kind te doen griezelen haalde hij ongemerkt het gebit uit zijn mond en grijnsde. Het joch schrok en trachtte zich los te rukken, maar hij drukte het ferm tegen zich aan. Wat nu, zijn zoon een angsthaas, in tranen om een grapje? Dat het kind plotseling een vreemde in zijn vader zag, kwam niet bij hem op. Hij had zijn zoon van de borst van zijn moeder geroofd, had hem gevoerd als een vogel, met chocoladetruffels die hij in zijn mond liet smelten. Voor zijn zoon zou hij een imperium opbouwen, hij was de finale zet in het schaakspel met Madame. En nu wilde de kleine hem niet kennen?

'Hier, pak aan,' hij stak me het kind toe alsof het een postpakket was.

'Doe je tanden weer in,' zei ik. Hij deed het en ik sprak het jongetje vleiend toe: 'Kijk, daar is papa.' Het kind klemde zich snikkend aan me vast. 'Breng hem naar bed,' zei Bertje mat. Hij ging liggen en draaide zich met zijn gezicht naar de muur. Zo ging het altijd: als ze hun zin niet kregen, wendden ze zich af. Luiken dicht en je kwam er niet meer in.

Ik word kwaad met terugwerkende kracht en stap afgemeten van het open raam naar het bed om mijn gebitje te zoeken. Ze doen maar, en je kunt proberen het te vergeten, maar op ongepaste momenten wordt het je weer aangedaan. Hijgend vind ik mijn gebitje, opgelucht dat de hulp er niet op heeft getrapt en tegelijk verongelijkt dat ze het niet heeft gedaan. Dan had ik haar eens flink van jetje kunnen geven.

Ik wil het gebitje inbrengen met één gebaar, zoals ik dat ontelbare keren heb gedaan, maar het ding wil niet passen. Ik wring en draai, maar een van twee: of mijn mond heeft een andere vorm aangenomen, of het gebit is verwrongen. Verslagen sukkel ik weer naar het open raam en keil het gebitje naar buiten. Een opluchting, die helaas van korte duur is; de hulp, dezelfde, heeft de plof in het grind gehoord. Eerder een plofje, maar ze heeft scherpe oren of ze houdt me in de gaten. Opkijkend ontdekt ze me in flagrant delict en ze begint te loeien als een koe.

Er komt allerlei volk aan gelopen, gesticulerend en roepend. Mijn armen vallen langs mijn romp. Ik, springen? Niet goed bij hun hoofd daar beneden, maar ik heb het al begrepen, draai me om, laat het raam voor wat het is, maar doe nog een poging om de vitrages ervoor te schuiven, wat uiteraard mislukt: dus zet ik een stap in de kamer, te haastig, en daar ga ik op mijn gezicht.

Zomaar slaat de rechtervoet om, stekende pijn; ik ben verbluft, begrijp niet goed dat die voet dubbelslaat na een lang leven van stevig doorstappen. Maar daar lig ik dan, gevloerd en uitgeteld.

■■■

Het raam is vergrendeld; dat heb ik volgens de hulp aan mezelf te danken. Zo zit ik hier met omzwachtelde enkel, voet op de bank. Ik voer niets uit en toch ben ik moe. Zoals alles wordt tijd een last als je er te veel van hebt. Ik vermijd het naar de tenen van mijn immobiele voet te kijken, die steken als worstjes boven het verband uit en de grote teen heeft een kalknagel.

Madame is ook aan haar voeten begonnen te sterven. Het was haar zwakke punt, maat zevenendertig, met een te hoge wreef en verwrongen teentjes. Ze werd geplaagd door likdoorns en knobbels. En kocht schoenen als voor een duizendpoot, maar er mankeerde altijd wel wat aan. Ze knelden, de zool gaf te weinig steun, het model viel tegen. De waarheid was dat ze haar schoenen een maat te klein kocht en altijd op te hoge hakken liep. Maar al had ze een paar schoenen maar één keer aangehad, ze moesten worden opgeslagen. Voor als haar voeten weer normaal waren of voor de juiste gelegenheid.

Op den duur werden al haar schoenen handgemaakt, vanwege de misvormingen aan haar voeten, maar nog altijd bestelde ze haar schoeisel een halve maat te klein. Ik heb me laten vertellen dat de ingebonden voeten van Chinese vrouwen stonken als het verband eraf ging en dat het smartelijk was als het bloed weer ging stromen. Handig, die pijnlijke voetjes waarmee je niet weg kon lopen. Vrouwen horen kinderlijk te blijven.

Ik was al over de dertig toen Augustijn me nog kindje noemde.

Wat ik ook zei of deed: ik was en bleef een kind. Soms werd het me te veel, want ik beschikte niet over het gemak waarmee Madame zich kinderlijk kon voordoen en tegelijk de wijste zijn. En zoals zij de kunst verstond om met te kleine schoenen op grote voet te leven, dat zouden er haar niet veel nadoen.

Als Madame moe was, had ze ergens genoeg van. Haar moeheid deed geen afbreuk aan de energie waarmee ze de dingen te lijf ging. Ik heb haar nooit zien slenteren; als ze haast had, ging ze ook niet rennen: ze stapte altijd gedecideerd, haast afgemeten, op haar doel af. Ze keek op noch om en had een eigenaardige wijze van voortbewegen, met buitenwaarts zwaaiende voeten, alsof ze de grond onder haar voeten wegmaaide. En je moest maar zorgen dat je haar bij kon blijven.

Het was een koddig gezicht om Madame stug voor Augustijn uit te zien lopen. Hij kon haar met gemak bijbenen, maar hij liet haar voorgaan. Onderwijl keek hij met genoegen naar haar draaiende achterste. Monkelend merkte hij dan op dat 'ze trippelde als een pony'. Maar met haar gezwollen voeten waggelde ze op den duur als een gans. Ze pufte en hijgde en keek hoe langer hoe grimmiger. Algauw liet ze de auto voorrijden, en als er geen chauffeur beschikbaar was, bestelde ze een taxi. Maar noodzaak is geen luxe en ze verdroeg het niet dat ze moest wachten. 'Waar blijft dat ding?' Ze voer uit tegen Augustijn, waarom had hij haar nooit het stuurwiel toevertrouwd? Dacht hij dat ze er te dom voor was? En ik, wat stond ik daar te gapen, had ik niets beters te doen?

De ouderdom stond Madame niet, maar hoezeer ze zich ook tegen de jaren verzette, ze kregen haar in de greep. Financieel ging het haar voor de wind, ze kon eten en kopen wat ze wilde. Maar haar hart begeerde niet meer. Ze had hoe langer hoe minder nodig. Als ze zich iets aanschafte, moest ze er een reden voor verzinnen. Juwelen kocht ze, als vanouds, als het goed ging 'omdat het eraf kon', als het slecht ging 'omdat het een zekere belegging was'. De hartstocht waarmee ze oorbellen liet ombouwen tot broches, parelsnoeren liet herrijgen en diamanten liet herzetten, vervloog. Het was geen genoegen meer met haar juwelen te pronken, ze borg ze op in de brandkast. Daar lag haar schat in het donker te fonkelen.

Ik werd steevast de kamer uitgestuurd als ze de brandkast openmaakte. Als ik werd geroepen om haar te helpen met het ingenieuze slot van een halssnoer of met een armband, was de brandkast potdicht. Toen ze de code begon te vergeten, wilde ze dat eerst niet toegeven. Had iemand met de cijfers geprutst? Omdat ze de combinatie in de vingers had, kreeg ze de brandkast ten slotte open, maar meteen stak het wantrouwen weer de kop op. Waarom lagen de waardepapieren op een andere plaats, en waar was de blauwe cassette? Het duurde enige tijd voor ze doorhad dat ze zichzelf niet langer kon vertrouwen. En ze zou het nooit toegeven. Als je veel aan je hoofd had, vergat je allicht wat. Celestien had in haar schoonmaakwoede weer heel haar bureau overhoop gehaald.

Ik hoorde haar tegen de dingen praten: 'Schoenen waar zijn jullie, kom hier sloebers!' Tegen een van haar hoeden: 'Ben je weer aan het verstoppertje spelen?' Ik was gewend aan haar gemompel en grinnikte, tot ik de vispan kwijt was en me hardop aan de potten hoorde vragen waar die was gebleven. Het stond me tegen dat ik Madame nadeed, maar het kwam niet bij me op dat wij allebei vergeetachtig werden. En als ik wat vergat of niet goed meer wist, rekende ik erop dat Madame me uit de verwarring zou helpen. Zij was het fort, binnen haar vesting waren wij veilig. Zij kon niet worden ingenomen, zelfs niet door Augustijn. Daar vertrouwde ik op, en de kinderen ook, welzeker. Haar sterkte was een voorrecht dat we ons niet lieten afpakken. We leden onder elkaars hebbelijkheden en hadden moeite onszelf te bedwingen, maar dat Madame onwrikbaar was, hield ons in bedwang en gaf houvast. We hoefden elkaar niet het brood uit de mond te kijken of de strot af te bijten. Zij voerde het bewind en nam alles op zich. Dat wij het haar kwalijk namen dat we van haar afhankelijk waren – kon zij het helpen?

Ik werd dol van haar gedram: 'Schiet op!' 'Laat het vooruitgaan!' 'Hup, met de geit!' Maar als ze zich in stilzwijgen hulde, voelde ik een koud handje aan mijn hart. Augustijn verdroeg het mokken evenmin. Hij draalde, was op zoek naar zijn pijp, gaf mij een standje en wist met zichzelf geen blijf. Ten slotte stond hij verslagen voor zijn wettige wederhelft: '*Cherie?*'

Toen ze jong waren, volstond dat om Madame te doen bijdraaien; het geval werd afgezoend. Later ging het moeizamer, het duurde soms dagen voor Madame het zwijgen opgaf. Augustijn was opgelucht en ook wel wrokkig. Er hoefde maar een kleinigheid mis te gaan of de twist laaide weer op. 'Dat ben ik moe,' zuchtte Madame dan. Dat kon een schaaltje zijn of een beeldje waar ze op uitgekeken was. Maar meestal was het een gedraging of een houding waar ze niet langer tegen kon. Op stond was het: inpakken en afvoeren! Het ding moest het huis uit, de persoon was niet langer gewenst.

Ze wist zoals altijd wat ze wilde – of niet wilde – en dat stelde me gerust. Ze had ook geen compassie met zichzelf: 'Als ik ga liggen, blijft alles liggen!' Dat was overdreven, maar als zij doorging, moest ik ook doorgaan. Ik hield haar verbetenheid voor veerkracht en merkte niet hoe alles haar tegenstond. Ze wilde eindelijk een keer met rust worden gelaten. 'We zijn geen achttien meer,' zei ze als Augustijn tussen de bedrijven wilde stoeien. Tegen de kinderen: 'Waarom vraag je dat, je doet toch altijd je zin.' Tegen mij: 'Is het nodig mij voor elk bagatel lastig te vallen?' Maar moe of niet moe, ze kon niet van ons af. Dat bezwaart me, ook al omdat ik mij beklaag. Maar bij haar was het met de kinderen voorbeschikt, bij mij niet. Ik heb haar Augustijn gelaten, ik heb haar huis verzorgd, van boven tot onder en van het eerste tot het laatste kind, engeltjes en duiveltjes gelijk.

Zij was mij evengoed verplicht.

■■■

Wanneer begint het sterven? Madame heeft er jaren over gedaan,

Augustijn blijft het maar uitstellen. En ik kan niet voor mijn beurt gaan.

Vroeger zocht ik troost in de gedachte dat ik onverhoeds kon sterven. Ik lag in bed met de handen gevouwen, vroom als een non, en beeldde me in dat ik doodging. Het was als een beetje heilig worden. De Van Puynbroeckxen zouden me danig missen. Maar het was te laat om het goed te maken. En ik was nog zo jong dat de dood me niet afschrikte. Stel je voor dat ik zou blijven leven, dag en nacht, zonder respijt. Zodat ik mezelf in de toekomst zou verliezen. Dan liever met goed fatsoen de pijp uit. Want het gaat om het hoe en wanneer.

Voor Augustijn hoop ik dat de dood zal komen als een dief in de nacht: onverwacht en pijnloos. Te vaak heb ik, aan zijn voeten gezeten, geluisterd naar zijn verhalen over gewonden die nachtenlang lagen te huilen. Dat was slecht voor het moreel van de troepen.

Voor een stormloop had een infanterist Augustijn gebeden hem, indien hij zwaargewond zou raken, het genadeschot te geven. Augustijn had de jongen – hoogstens negentien – willen geruststellen. 'Dat zal niet nodig zijn.'

De infanterist had hem wijs aangekeken: 'U weet wel beter, mijnheer.'

Ik dacht aan het zieltogende paard dat Augustijn had moeten afmaken. 'Het is voorgekomen,' antwoordde hij op de vraag die ik niet durfde te stellen. Een paard of een infanterist, veel verschil maakt dat niet. 'Je doet het om het lijden te verzachten. Om het creperen niet te rekken.' Augustijn sprak als iemand die zichzelf moest overtuigen. Madame moest immers blijven leven. Ook al kon hij haar ellende niet aanzien. Wat moesten we zonder Madame beginnen? Zij hield het huis overeind en de familie op de been. Al was ze nog maar een schaduw van haar oude zelf, zolang zij ademde, waren wij gerust.

Toen ze uiteindelijk toch doodging, nam ik het haar kwalijk. Mij met haar hele troep achterlaten. Hoe moest ik dat zien te redden? Augustijn zat in de keuken te snotteren als een kind. Het kroost was aan alle kanten uitgezaaid en al vóór de erfenis verdeeld.

Madame en ik, wij waren elkaars pendant. Of zij dat erkende of niet. Zij sprak en ik sprak haar tegen, maar we waren met hetzelfde begaan. Wij zijn samen scheefgegroeid als bomen die gedurig in de wind staan. Dag aan dag ben ik een beetje met haar gestorven, ik was eraan gewoon geraakt. Zodanig dat ik het einde niet kon voorzien, en niet kon geloven dat het echt was afgelopen.

Ik verwachtte niet anders dan dat ik haar gemompel zou horen, haar sleutelgerinkel, haar spottende lachje. Pas in Welverdiend begon het tot me door te dringen dat ze er voorgoed vandoor was. En dat ik, zonder het in de gaten te hebben, oud was geworden.

Ik had altijd op haar vertrouwd, ook als ze gek werd van de engeltjes. Dat was nog niet de slechtste tijd: ik had de vrije hand, mocht op tafel zetten wat me schikte, kon het huis schoonmaken zoals het me uitkwam. Augustijn betrok me in de zorg om Madame, een enkele keer sprak hij ook over haar. Ik had daar geen hartzeer van, ik hoorde erbij, wij begrepen elkaar. De kinderen daarentegen hadden het kwaad. We moesten oppassen als we ze bij Madame brachten; ze stootte ze af of bedolf ze onder tranen.

'Is mama boos op ons?' vroeg Bertje. Ik trok hem op mijn schoot en legde hem uit dat mama verdrietig was omdat zijn broertje naar de hemel was gevlogen. 'Dat kunnen wij toch niet helpen,' mokte Angelique. Reinout hield zich kranig: 'We gaan allemaal naar de hemel.' 'Jij niet!' Het was wonderlijk de stem van Marius te horen, hij was nog zwijgzamer dan gewoonlijk. Hele dagen zwierf hij door de beemden, in huis maakte hij zich onzichtbaar. Als je hem wat vroeg, antwoordde hij met een gebrom.

Toen Augustijn erop stond behoorlijk te worden aangesproken haalde hij onwillig zijn schouders op. 'Hoor je me niet?' vroeg Augustijn. 'Jawel, mijnheer,' antwoordde Marius. Voor hij zich uit de voeten kon maken, had hij een draai om de oren te pakken. Stom staarde hij zijn vader aan en wreef over zijn wang. Augustijn maakte een gebaar alsof hij Marius aan zijn borst wilde trekken, maar dat dichtgeknoopte gezicht wees hem af. Ik mocht de jongen wegleiden.

Bij de deur gaf Augustijn hem nog mee voortaan beleefd te wezen. Marius draaide zich half om en met gesmoorde stem kwam het eruit, 'Jawel, vader.' 'Het is maar dat je het weet!' gromde Augustijn. En bars tegen mij: 'Waar is de krant?' 'Op haar plaats,' zei ik.

Ik heb de kinderen nooit geslagen, een tik als het echt nodig was, en daar ben ik nooit op aangesproken. Madame liet het aan Augustijn ze over de knie te leggen. Hij deed dat kordaat, maar zonder overdrijven, het was zeldzaam dat zijn hand uitschoot. Met Angelique maakte hij er een grapje van. Hij legde haar over zijn knie en hief zijn hand. Zij klemde vastberaden haar lippen op elkaar, maar Augustijn liet haar wachten. Als ze opkeek, trok hij aan het elastiek van haar broekje, alsof hij van plan was haar een pak slaag op de blote billen te geven. Ze gilde en trappelde, klaar om zich tot het uiterste te verzetten. Meer dan een streepje rozig vlees hebben we nooit te zien gekregen, het volstond dat Augustijn ermee dreigde haar billen te ontbloten.

Tot Angelique al wat groter was en bovenaan welvingen begon te vertonen. Ik weet niet meer wat ze had uitgevreten, maar toen ze op de knie lag en Augustijn haar broekje dreigde af te stropen, liet zij zich slap hangen en keek glimlachend naar hem op. Augustijn schrok, sloeg haar rokje over haar bibs en zette haar vlug op haar benen. Angelique huppelde de kamer uit, maar maakte nog vlug een lange neus. 'Heb je ooit, wat een Jezabel!' lachte Madame. Augustijn zweeg, beteuterd. Zijn kleine meid was niet langer zijn kleine meid.

Als Madame in het kraambed lag, of rouwde om een engeltje, ging Angelique om de nek van Augustijn hangen. Hij droeg haar over aan mij, ofschoon ik evenmin wist wat met haar aan te vangen. De broers deden wat tegenwerken betrof niet onder voor hun zus. Ik kon geen goed doen, al verwende ik ze met pannenkoeken en liet ik ze na bedtijd opblijven.

Zodra Madame weer op de been was, moest ze eerst de orde herstellen. Dat ging van één, twee, drie: in een handomdraai. Ze maakte er niet veel woorden aan vuil. Voor mij was het een opluchting om weer in het gareel te lopen, maar ik voelde ook een zekere gêne. Augustijn had me de vrije hand gegeven en ik had er gretig gebruik van gemaakt. Het was alsof we wat hadden uitgespookt achter de rug van Madame. Maar hij ging gewoon over tot de orde van de dag. Hij was als Augustijn geboren en zou als Augustijn sterven. Daar konden oorlogen, financiële debacles of verloren kinderen niets aan veranderen. Hij hoefde zich geen houding te geven, die had hij van huis uit. Hij kon zich zelfs veroorloven zijn houding te laten varen. Niemand zou hem dat kwalijk nemen, hij bleef toch altijd een mijnheer.

Maar Madame moest zichzelf in 'postuur zetten', ze moest een keurslijf aantrekken en zich opmaken. Omdat Augustijn op haar rekende en het welzijn van het nest van haar koelbloedigheid afhing. Ook ik ging ervan uit dat zij de zaken in handen zou nemen, ze was nu eenmaal de baas. Ik verliet me op haar en raakte in paniek als zij het af liet weten.

Ik heb Augustijn maar eenmaal buiten zichzelf gezien; toen Madame op sterven lag. Daar is hij niet van hersteld en hij zal er ook niet overheen komen. Het was een ontredderd man die me liet gaan, dat moet ik niet vergeten. En ofschoon ik er niet graag aan terugdenk, moet ik ook niet vergeten wat hij in zijn toespraak voor de gouden bruiloft zei. Dat een man geen knip voor zijn neus waard is als hij de liefde van zijn vrouw niet kan winnen. Want verliefdheid is één ding, zei hij, liefde alles.

Tranen in de ogen van de disgenoten, behalve bij Madame, die stuurs voor zich uitkeek. 'Wat valt er te vieren?' had ze gegromd. Zij, die zo van feesten hield, had zich verzet tegen het vieren van het jubileum. Dat bracht alleen maar ongeluk, het was weggesmeten geld.

De levenden kon ze op de vingers van haar hand tellen, de doden daarentegen… er waren dagen dat ze de tel kwijtraakte. Ze zat dan rijkelijk getooid aan tafel, overladen met juwelen en in haar beste kleren. Parels, diamanten, bont en brokaat. Maar het vuur was eruit. Augustijn maakte haar weemoedig en wij verveelden haar. Als ik opmerkte dat Angelique er alleen voorstond, reageerde Madame met: 'Die redt zich wel.' Maakte ik me druk over Marius: 'Die heeft altijd zijn zin gedaan.' Of was ik bezorgd om Bertje: 'Die komt wel op zijn pootjes terecht.' Ik had haar willen vragen wat er van mij terecht moest komen, maar ik hield me in.

Op een ochtend zat ze aan haar toilettafel en haalde ze traag de haarborstel door haar dunner wordende krullenkop. Aan de rand van de spiegels had ze foto's van haar kinderen gestoken en briefjes als geheugensteuntje, maar ook de doodsprentjes van de engeltjes, ofschoon Augustijn dat niet graag zag. 'Het zijn er zoveel,' verzuchtte ze.

Ik durfde niet te zeggen dat de engeltjes niet hadden geleden, maar trachtte haar toch te sussen: 'Ze hebben het niet geweten.' Madame leek me niet te horen. Al die namen die ze hadden moeten bedenken, elke keer weer een andere, want het bracht ongeluk het ene kind de naam van het andere te geven.

'Wat eten we vandaag?' vroeg ik. Ze kwam bij haar positieven, kalfsgebraad met morieljes. Ik trok de sprei recht en wilde de slaapkamer verlaten toen ze me toebeet: 'En Herwardje, heeft die het ook niet geweten?' Ik hapte naar adem, maar sloeg terug: 'Familie van Reinout.' Ik ontweek een flacon, en trok de deur van de slaapkamer achter me dicht. Aan de andere kant knalden de flesjes en potjes als projectielen tegen de deur. Ik had al spijt van mijn brutaliteit, maar durfde niet meer naar binnen te gaan.

■■■

Hoe vaak heb ik Madame niet naar het hiernamaals gewenst! Ik had daar geen voorstelling bij, behalve dat ik van haar gebiedende stem af zou zijn. Dat ik eindelijk rust zou kennen. Val dood! Loop naar de duivel! Een inwendig razen waarna ik, gekalmeerd, deed wat me was opgedragen.

Madame keek me de deur uit en ik probeerde haar weg te kijken. Maar toen zij zich naar het einde begon te richten, werd ik bang. Als ze niet op het aangekondigde uur thuiskwam, liep ik op en neer naar het raam. Als ze te lang bleef liggen voor het middagdutje, maakte ik haar wakker. ’s Avonds bracht ik de resten van het gebraad en het dessert naar de kelder, want daar zou ze geen voet meer zetten. Ze meed de kelder alsof er een moerasduivel in schuilde. Het kwam door de oorlog, door de angst onder het puin te worden begraven. Ze schrok terug voor het keldergat alsof het een afdaling naar de hel was.

Na de beroerte stopte ik een tennisbal in haar verlamde linkerhand en moedigde haar aan om te knijpen. Ik negeerde haar lege blik; als ze een ezel was geweest, had ik er de zweep over gelegd. Zij moest doorgaan, zodat ook ik verder kon.

‘God kon niet overal zijn, daarom heeft hij de moeders geschapen,’ predikte de pastoor toen Madame werd begraven. Dat kende ik uit een boek met spreuken. Ik verbeet mijn tranen, ik was kwaad op de pastoor. Altijd de mond vol wijsheid en de vinger geheven. Maar wij waren Madame kwijt. Als het waar was wat hij zei, moesten moeders dan ook niet het eeuwige leven hebben? Toen begon de pastoor er ook nog over dat zij hierboven zou worden herenigd met haar gestorven kindertjes. Die zouden haar een gouden kroon opzetten en de sleep van haar met hermelijn afgezette mantel dragen. Ik kon het niet helpen dat ik minachtend snoof.

Ik heb me op Madame verkeken. Na elke tegenslag leek ze sterker terug te komen. Van gewapend beton, niets of niemand kreeg haar omver. Wat haar dat kostte, dat wist je niet of wilde je niet weten. Wij waren als kinderen, al te grote kinderen, die zich niet afvroegen of de last niet te zwaar was. En toen we het beseften, was het te laat: Madame had zich in zichzelf gekeerd en was begonnen zich het graf in te eten.

Ze at omdat ze zich flauw voelde of ze at voor de honger die nog moest komen. Ze at omdat ze zich niet kon vullen. Er moest klaarblijkelijk een bodemloze honger worden gestild, veel was niet genoeg. Ik maakte me zorgen. Wat kwam ze tekort? Grommend als een berin werkte ze het voedsel naar binnen; wie haar niet beter had gekend, had gedacht dat ze kwaad was. Op alle uren van de dag stroopte ze de keuken af en 's nachts kon je haar in de schapraai betrappen. Met een volgeschept bord, zich volproppend omdat ze 'een leeg gevoel vanbinnen had'. Ze schranste niet, ze maalde gestaag en zonder op te kijken. Ze at zoals ze liep, vastberaden, maar zonder welbehagen en aldoor moeizamer.

Augustijn legde verslagen mes en vork neer, en ook mij verging de honger bij haar stouwen. Het was duidelijk dat het haar geen deugd deed. En wat wilde ze ermee bereiken? Ze werd paffe-rig, haar voeten zwollen op en ze ontwikkelde een onderkin. Ze hield vocht op en had last van een te hoge bloeddruk. Gezond kon dat niet zijn. En ze at maar door. Als ik probeerde ertegenin te gaan, of als Augustijn haar smeekte zichzelf te ontzien, reageerde ze nukkig met: 'Laat me met rust!' Wat moest je daarop antwoorden? Hoe konden wij dat zielloze kauwen en slikken verhinderen?

Augustijn schudde mistroostig het hoofd: 'Het is te veel geweest.' Ik bleef sprakeloos, maar ontstak in woede. Had ik dan alles maar te verdragen? Ik had mijn leven uitgesteld, alles wat geen uitstaans had met de Van Puynbroeckxen was voor later. En toen later was gepasseerd, kreeg ik van Madame te horen dat ze met rust moest worden gelaten. En van Augustijn dat het te veel was geweest! Op een toon die aangaf dat ook ik deel uitmaakte van de last die ze onverdiend op hun dak hadden gekregen. Ik, die niet met goed fatsoen de pijp kon uitgaan zolang die twee in leven waren! Die niet eens durfde te denken dat zij er op een dag niet meer zouden zijn. Hoe konden ze mij zo in de steek laten?

Ik kwakte het eten op tafel: soep, vis, gevogelte en gebraad, voor mijn part druipend van het vet, een plateau met minstens vier soorten kaas, puddingen en gebak, friandise bij de koffie. Vreet je een ongeluk, dacht ik, stikkend van kolere en niet in staat ook maar een hap van de overvloed door de keel te krijgen.

'Kan het niet wat minder?' vroeg Augustijn. Dat sloeg op het eten, maar ook op mijn verbetenheid. 'Het moest nog maar een keer oorlog worden!' – dat had ik niet willen zeggen, ik schrok er zelf van. Augustijn knipperde met zijn ogen en zocht zijn zakdoek. Hij had rode gootjes onder zijn ogen gekregen die gedurig overliepen. Bovenal had ik hem bemind, meer dan goed voor me was. Hij had er niet om gevraagd, maar hij had zich er ook niet tegen verzet. Hij had het vanzelfsprekend gevonden.

Geheel onschuldig was hij echter niet. Hij weet het aan de oorlog dat Madame zo bovenmatig op eten was gesteld en je kunt veel, maar niet alles, op de oorlog afschuiven. De oorlog werd ons weliswaar aangedaan, maar hoe wij ermee omgingen of hoe we de narigheid verwerkten, had meer met ons karakter dan met de omstandigheden te maken. Daar waren de kinderen het levende bewijs van. Wat ze ook uitspookten, als je hen beter kende, wist je dat ze zichzelf bleven, of eindelijk de kans kregen zichzelf te zijn.

Zoals ik het eten op tafel kwakte, zo sloeg ik met de deuren. Alles bonkte en dreunde. Mijn haren waren vergrijsd zonder dat ik het had gemerkt en toen ik eraan toekwam mezelf eens goed te bekijken, was ik gekreukeld en uitgezakt. Ik hoorde de rauwe lach van Rosa, de dag waarop ik mijn 'regels' had gekregen. Maand na maand, jaar na jaar had ik mijn regels gekregen, tot ik met een rode kop, alsof ik een bloedstuwing kreeg, van slag geraakte. En toevallig ontdekte dat ook mijn schaamhaar was vergrijsd. Ik was zowel boven als onder een grijze muis geworden. Toen had ik alle regels aan mijn laars willen lappen, maar Jan was ribbedebie, en aan wie kon je zoiets bekennen? Het was voor alles te laat. Ik wist van schaamte en woede niet waar me te bergen.

'Gaat het niet, Celestieneke?' vroeg Augustijn. Hij had makkelijk praten, zijn bed was gevuld, zijn tafel gedekt. Het stoorde hem dat Madame zo op eten was gesteld, maar enige gulzigheid was hem ook niet vreemd. Het zat in het bloed, generaties romances en verfijnd tafelen hadden hem de courtoisie bijgebracht. Toen echter de ouderdom dreigde, probeerde hij nog vlug te pakken wat hij kon krijgen. En wat hem betreft niet op het bord maar tussen de lakens.

Het scheelde niet veel of hij had ons bedrogen. *Avec* Eliane, de appetijtelijke schoondochter, die uit verveling een likeur- en sigarenhandel was begonnen. Madame wist het, maar ze deed er niets aan. Zat ze zichzelf niet aan te staren in de spiegel, dan werkte ze wel een maaltje naar binnen. Ze liet het aan mij over om Augustijn op zijn staart te trappen.

Of hij zich niet schaamde met de vrouw van Marius aan te pappen? Alsof de jongen nog niet voldoende had te stellen met dat tingeltangel-dametje. Moest hij ook nog de ontrouw van zijn vader slikken en de vernedering van zijn moeder aanzien?

'Ge hebt te veel boekskes gelezen, Celestien.' Augustijn probeerde eronderuit te komen, maar toen ik hem met gekruiste armen opwachtte terwijl hij met een dikke sigaar in zijn mond binnenglipte, schrok hij danig. Hij keek schichtig naar de deur van het kantoor: 'Is ze daar?'

Ze? Ik kende geen ze. Had hij het over Madame? 'Het is niet nodig haar voor elk bagatel lastig te vallen,' sprak hij haastig en gedempt. De deur van het kantoor kon elk moment openzwaaien. 'Wat moet dat?' Madame zou orde op zaken stellen. Korte metten maken met de kuren van haar eega. Maar de deur van het kantoor bleef dicht.

We hadden het overleefd, de oorlog was voorbij, het ging ons voor de wind. De verloren tijd konden we echter niet inhalen. En de toekomst maakte ons onzeker. We zaten met een reusachtige kater. Het was alsof de oorlog voortwoekerde in de intimiteit. De opgekropte angst en woede zochten een uitweg. Het was hoog tijd om schoon schip te maken. Madame stopte echter haar hoofd in een kookpot terwijl Augustijn het zijne onder een rok probeerde te stoppen. Over de kinderen, die ondertussen ook met kinderen zaten, hadden we niets meer te zeggen. We mochten blij zijn dat ze nog het woord tot elkaar richtten.

Zondag was familiedag, dan kregen we ze allemaal op ons dak. Marius verscheen klokslag elf, hij dronk koffie, bladerde in de krant en verdween voor het middageten even prompt als hij was gekomen. Wat later arriveerde Angelique met haar troepje, Bertje zat haar al op te wachten. Terwijl de kleine apen het huis op stelten zetten, brak onder de grote het gekrakeel los. Ik kon Eliane, die van Marius, geen ongelijk geven dat ze voor de gezelligheid bedankte. Er werd geklaverjast, voor geld, geen grote sommen, maar al vlug werd er op tafel geslagen. De schimpscheuten vlogen heen en weer. Troef, sakkertwee! Heb je ze weer in de mouw? Aas! Ruiten, dat is jouw kleur. Had je liever schoppen gehad? Bertje verslikte zich en Angelique mokte. Leuk was anders, maar ze moesten hun gram halen.

Davy hield zich ver van het kaartspel, hij lag op de divan met een boek. Hij studeerde alle dagen. Als het gekibbel te erg werd, klapte hij zijn boek dicht en stond op om de jassen te halen. Hij glimlachte verontschuldigend en sprak nooit over zijn oorlog. Dat verhaal wilde hij niemand aandoen.

De Mayers kwamen elke zondag plichtmatig op bezoek, maar de vrijdagse kaartavondjes werden niet hervat. Er waren te veel afwezigen. 'We halen ons getal niet' – Madame betreurde het.

Voorheen had ik weleens bedacht hoe de tafelschikking eruit zou zien als de engeltjes mee zouden aanschuiven. We waren zeker plaats te kort gekomen. Na de oorlog waren we zelfs op zondag niet compleet, en de open plaatsen werden niet ingenomen. Ik vroeg me af waarom Madame de visite niet afzegde; er leek echter een ongeschreven wet te bestaan die stelde dat het kroost altijd welkom was. Zelfs de stoel van Reinout werd vrijgehouden; voor het geval hij tot inkeer zou komen. Maar die slikte nog liever zijn tong in dan zijn ongelijk toe te geven. Zijn vrouw hield zich ook afzijdig, ze stuurde haar halfbroer met het zoontje. Dat heeft me altijd gestoord. Het was alsof de halfbroer een plaats innam die hem niet toekwam. Hij verwende de zoon van Reinout dat het niet mooi meer was. Snoepgoed naar believen, volop speelgoed, de fijnste kleertjes. De kleine was een varken. Als hij zijn zin niet kreeg, deed hij het opzettelijk in zijn broek. 'Verschoning,' mompelde de halfbroer dan. Alsof hij zelf in zijn broek had gescheten.

Madame en Augustijn verdroegen alles van hun kleinkinderen. 'Je moet verder kijken dan je neus lang is,' zei hij. En zij probeerde in de kindergezichtjes verloren trekken te herkennen. 'Spijtig dat we geen fotootjes van de kleintjes hebben,' verzuchtte ze. Ik ging er niet op in, al wist ik best dat ze op de engeltjes doelde.

Voor de zondag werd een karrenvracht voer ingeslagen. Madame geloofde dat samen eten de gemoederen zou kalmeren en Augustijn mocht graag aan het hoofd van de tafel zitten. Maar tegen dat het zover was, had iedereen zijn buik vol van het geruzie en ik bleef met het overschot zitten. Op maandag verwerkte ik de kliekjes. De nawerking van de zondag maakte echter dat er met lange tanden werd gegeten. Of er een luchtje aan zat, vroeg ik, of het misschien niet goed genoeg was. In de keuken at ik alles wat op de schotels overbleef, zonde van het weg te gooien. Op een keer had ik mezelf zozeer geweld aangedaan, dat ik moest overgeven. Madame bracht me een glas water: 'Blijf morgen maar wat langer liggen.' Augustijn had zich meteen in de slaapkamer teruggetrokken. Ziek lag ik me in bed af te vragen wat hij wel van me mocht denken. Ten slotte sloop ik naar mijn luisterpost, en ik hoorde hem verklaren dat je aan de manieren kunt merken waar iemand vandaan komt. Eten tot je moet braken, dat deden de boeren als het kermis was. 'Laat Celestien met rust,' zei Madame. Ze was zelf meer dan een keer ziek geweest omdat ze het teveel niet kon verteren. 'Ik heb Celestien altijd met rust gelaten,' lachte Augustijn. Madame geeuwde luidruchtig, maar Augustijn was niet van plan haar met rust te laten. Het nee, wat doe je, laat dat, ging over in gegiebel. Ik kon er plotseling niet meer tegen en stak mijn vinger in mijn keel. Daarmee had ik mezelf, want wie moest de troep opruimen?

Zoals altijd na een stoeipartijtje herpakte Madame zich. Ze ging aan haar toilettafel zitten om zich op te maken. En bestelde koffie met gebak in het kantoor. Er was werk aan de winkel. Op luide toon kondigde ik mijn vertrek aan: 'Nu is het afgelopen!' Als een luie schildpad trok ze een oog op: 'Zo zo.' 'Ik meen het!' riep ik. 'Kun je niet wat stiller roepen?' vroeg Madame.

■■■

Ze heeft me al bij leven in de steek gelaten. Dat is bijna zo erg als zonder pardon te worden afgedankt. Nog voor ik de kans kreeg wat te vragen, wuifde ze me weg. Alsof ik slecht nieuws bracht terwijl ik alleen wilde vragen hoe ze iets wilde hebben. Dat wist ik beter dan zijzelf, maar ik moest het haar vragen. Zo hoorde het. Met het verloop van de tijd suggereerde ik wel een keer wat ze wilde, of hoe iets gedaan moest worden, ik sprak haar ook tegen als ze ernaast zat, of als ze het domweg anders wilde hebben. Ik wist toch het beste wat de verlangens van Augustijn waren, ik kende als geen ander de behoeften van de kinderen. Terwijl we kibbelden, gaf zij aan wie er de baas was en ik liet haar voelen dat ze het zonder mij niet zou redden. We wisten wat we aan elkaar hadden. Toen ze me begon weg te wuiven ging ik daar tegenin, ik bestelde de slager op maandag en deed donderdags de was, maar al gooide ik de hele huishouding om, het kon haar niets meer schelen.

De zaak bleef ze voeren omdat ze vreesde dat Bertje brokken zou maken, maar ze kon nauwelijks het geduld opbrengen om een opdrachtgever aan te horen. Prachtig, welzeker, niets tegen in te brengen. Gelieve me nu te excuseren. Ze had nog altijd haar favorieten onder de metselaars, maar de nieuw aangeworven werklui interesseerden haar minder. Ze leken allemaal op elkaar en ze had er moeite mee hun namen te onthouden. Wie alweer? Nou ja, van geen belang. Als Augustijn haar een plan voorlegde, wierp ze er een blik op en mompelde dat ze het had gezien. Als hij aandrong, wimpelde ze hem af. Vier muren en een dak erbovenop, daar kwam het op neer, benieuwd wat het zou opbrengen.

Het was een omslag, Augustijn had zich in de bouw verdiept terwijl zij haar belangstelling verloor. Zij liet het werk meer aan hem over, maar dat betekende niet dat ze zich terugtrok. De zaak droeg haar naam, zij had er aanzien door gekregen, ze voelde zich verantwoordelijk. In belangrijke kwesties behield ze het laatste woord. Een woord dat over het graf heen moest reiken. Waarom zat ze anders gedurig haar testament te herschrijven?

Alsof ze niet wist hoe ze het vergaarde veilig moest stellen. Ze was ermee begonnen toen de tweedracht in de familie bittere ernst werd. Maar terwijl ze haar bezittingen verdeelde, veranderde ze van mening, ze schrapte en voegde bij tot het document onleesbaar werd en ze opnieuw moest beginnen. De kuren van de kinderen wogen haar zwaar, maar van het moederschap raakte ze niet af. Achter de gesloten deur van het kantoor hoorde ik haar sakkeren. 'Morgen laat ik de notaris komen.' Maar altijd werd dat bezoek uitgesteld, het was alsof ze terugschrok voor het definitieve besluit. Ze verscheurde het papier waarop ze haar testament schreef in heel kleine snippers – wat ik ook puzzelde, ik kwam er niet uit.

Ik zweer op de engeltjes dat ik nooit op gewin uit was, maar dat er op geen enkele snipper ook maar een stukje van mijn naam stond, vond ik onterecht. Ging ze ervan uit dat ik niets nodig had? Het hoefde niet veel te zijn, maar ze hoorde me wel met iets te bedenken.

De kinderen deden lacherig over de testamentaire bekommernis van hun moeder. Was ze weer bezig de inventaris op te maken? Dreigde ze hen te onterven? Dat kon niet eens. Ze keken wel op hun neus toen bleek dat Madame een potje voor mij opzij had gezet. Met de bondige mededeling: Celestien mag niets tekortkomen.

'Gaat dat van het kindsdeel af?' vroeg Bertje. 'Het is verdiend,' zei Marius. 'Vanzelf,' haastte Bertje zich. 'We hebben ons neer te leggen bij moeders wil,' besloot Angelique. Het was niet van harte, terwijl ik toch een soort petemoei ben. Hoogste tijd dat ik me ook eens aan een testament ga zetten.

De Van Puynbroeckxjes zullen nog aardig staan kijken. Of denken ze dat mijn spaarcenten hun zomaar in de schoot zullen vallen. Geen sprake van! Reinout heeft het niet meer nodig en Marius is in goeden doen. Bertje zal wel heel erg moeten veranderen voor ik hem een cent nalaat. Angelique is eigenlijk de enige waartoe ik me verplicht voel, gek is dat. Ze krijgt het niet omdat ze lief voor me was, ze krijgt het omdat ik haar de plaats wil geven die haar toekomt. En omdat zij de enige is die in staat is een erfenis af te wijzen. Maar bij mijn laatste wil moet ze zich neerleggen.

Enfin, ik ben nog niet dood. En ik laat me niet het graf in kijken. Wat denken ze wel? Dat ze me tot in de kist kunnen commanderen? Dat spelletje heeft lang genoeg geduurd. Ik hoef niet langer naar hun pijpen te dansen. Nog minder ga ik smeken dat ze me hier uithalen. Dat stel antieke meubels mogen ze houden, ik zal de oude salon zelf inrichten. Geld zat, het staat op spaarboekjes te beschimmelen. En wat moet ik anders? Op reis gaan, zoals Madame toen het huis haar te klein werd? Goede sier maken? Ik word er onrustig van dat ik niets kan bedenken wat ik echt nodig heb. Of wat ik zou kunnen begeren. Een mens moet goesting hebben. Maar wat kan ik aanvangen met de toilettafel; mijn rimpels tellen? En met dat gebeeldhouwde bed? Ik zou het niet eens kunnen vullen. En toch is het wezenlijk. Leegte vullen of leegte nalaten.

De meubels zouden hier maar stof verzamelen. Ik heb geen zin meer ze te onderhouden, al zouden mijn handen mij ertoe aanzetten. Ik ken elke nerf in het hout, elk foutje in de spiegels. Ik zou die spullen blindelings kunnen boenen en lappen. Vervloekt heb ik ze om hun bewerkelijkheid, maar ik was er ook trots op. Toen ik mijn laatste ronde door het huis maakte, gleden mijn handen over de stoelen en de kasten, het was alsof ik afscheid nam van goede vrienden. Veel samen doorgemaakt, elkaar naar de duivel gewenst, maar ook zeer aan elkaar gehecht. Ik kon er me niet van weerhouden de toilettafel een liefkozend klopje te geven. Noem het maar kinderachtig. Die schaamte ben ik voorbij.

Geld kun je niet omarmen, het wordt nooit deel van jezelf. Maar met de dingen leef je, ze gaan deel uitmaken van je bestaan en herbergen je verhaal. Zoals de geest van de oude mevrouw in haar gebeeldhouwde bed huist en de schim van Madame in de spiegels van haar toilettafel schuilt, zo glanst het werk van mijn handen in het hout en het marmer. Ik heb die meubels niet besteld om mijn gram te halen, ik wilde een deel van mijn leven meenemen. Onvermijdelijk maakte ik daarmee ook aanspraak op een deel van het leven van de Van Puynbroeckxen. Had ik daar het recht niet toe? Ik kan geen herinneringen kopen en geen toekomst fantaseren, ik kan me alleen troosten met wat ik ken. Ik zal ook de divan op mijn verlanglijst zetten, die kan er nog wel bij. De Van Puynbroeckxjes willen ervanaf en in Welverdiend is er plaats genoeg.

Ik hoopte dat het makkelijker zou zijn zonder iets van vroeger, maar ik kan de leegte niet aan. De meubels zullen deze kamer weer aanzien geven, en ginder zullen de lege plekken ook naar mij verwijzen.

Welverdiend lijkt wel een hotel, met genummerde kamers en meubels die niet bij de oude glorie passen. Wie onthoudt het nummer van een kamer voor één nacht, tenzij het een bijzondere nacht is? Heeft het huis na de laatste oorlog niet een tijd als *maison de rendez-vous* dienst gedaan? Jazeker, ik weet nog dat Augustijn het jammer vond dat het witte landhuis zo werd 'misbruikt' en dat Madame hem uitlachte. Kamers per uur verhuren – dat bracht goed op. Zo kreeg die oude kist ook nog stromend water op de kamers. En spiegels en bedden met veren matrassen. 'Lach er maar om,' zei Augustijn.

Welverdiend zal toen nog wel Mon Repos hebben geheten, die naam hadden ze beter behouden. Oudjes brengen ook meer op dan minnaars voor een uur. Al heb ik aan die vluchtige vrijers vermoedelijk de lavabo en het bidet te danken. Dat laatste kan nog van pas komen met mijn lastige voeten. Augustijn lachte in zijn vuistje om de nieuwe rijken die niet wisten wat ze met een bidet aanmoesten. Madame kon het niet schelen of die dingen voor het intieme toilet of als voetbad werden gebruikt, ze wilde er gewoon zoveel mogelijk van laten installeren.

Toen ik hen eens – we woonden al jaren in de stad – over het landhuis hoorde praten, kreeg ik een acute aanval van heimwee en vroeg plompverloren: 'Kun je er ook een kamer voor jezelf huren?' Het zou me niet storen af en toe een bed te horen kraken, en wat zuchten betreft mocht ik me een deskundige noemen. Ze vonden me amusant, een kamer huren in een maison de rendez-vous, om wat te doen alsjeblieft? Dat wist ik niet te zeggen.

Madame was tuk op burleske verhalen en ze aarzelde niet om de schuine moppen van de metselaars verder te vertellen. Het amuseerde haar dat Augustijn er verlegen van werd en ik niet wist waar te kijken. Maar toen ze met *brio* vertelde dat de vrouw van Mayer junior op het *moment suprême* had gevraagd of de telefoonrekening was betaald, schoot Augustijn in de lach en lachte ik zuinig mee. Ik wist waar ze het over had, maar wat betekende het precies? Al te vaak kreeg ik te horen dat ik 'de pointe miste' en het scheelde niet veel of ik begon het te geloven. Niet alleen wat het schuine mopje, maar ook wat het leven in het algemeen en voor het mijne in het bijzonder betreft.

Mayer junior is een droogstoppel, ik weet niet of zijn vrouw daardoor op de telefoonrekening kwam, maar ik vraag me af of je ooit wat zinnigs bedenkt als het erop aankomt. Ik zou mijn positie moeten bepalen, maar bij elk detail blijft mijn verstand hangen. Ik mijmer over alles en nog wat en kan niet tot een besluit komen.

Toen de kinderen werden geboren, dacht ik, geloof ik, niet, en ik kan me ook niet herinneren dat ik aan grootse dingen dacht toen we aan het eind van de oorlog met vliegende bommen werden bestookt. Terwijl we de seconden telden tussen het stilvallen van de motor en het inslaan van het projectiel, vroeg ik me af of ik de gaskraan in de keuken had dichtgedraaid.

Voor mijn laatste woord kan ik niet instaan, ik wil er ook niet aan denken. In ieder geval heeft Madame niet veel meer gezegd. En we hadden er het raden naar aan wat ze dacht. Ik had haar willen vragen wat de doorslag geeft, of wat het belangrijkste was. Of wat ik eigenlijk had gemist. Me dunkt dat na de zottigheid, na de pijn en de dagelijkse slijtage, warmte overblijft. Als vervulling of als gemis. Hoe kwam ik op zulke gedachten? En waarom denk ik daar nu weer aan?

'Niet warm, niet willen!' luidde de lijfspreuk van Madame. Ik begreep dat het met zin of geen zin had te maken en dat je opgedrongen plezier ook kon afwijzen. Tenminste, dat gold voor haarzelf, want met de rest van de wereld maakte ze geen complimenten.

Het was me niet opgevallen dat ze het 'Niet warm, niet willen' minder en minder in de mond nam, maar toen ze op een avond haast stikte van het lachen, kon ik niet langer ontkennen dat 'Niet warm, niet willen' ook haar bedcode was.

Madame zat pontificaal voor een schaal oesters. Ik heb niets tegen oesters, maar de wijze waarop ze de schelpen leegslurpte, stond me tegen. De televisie moest voor afleiding zorgen, want ook Augustijn werd kribbig van de gulzigheid van zijn vrouw. 'Metselen doet men bij de bouw!' 'Ik ben men niet,' gaf zij terug. Ze schoot in de lach en verslikte zich deerlijk in het oesterwater.

Augustijn schoot toe om haar op de rug te kloppen en terwijl ze purper aanliep wees ze naar de televisie. Er was een vrouw aan het woord die het genot voor vrouwen opeiste en daar geleerde woorden voor gebruikte. Het was me min of meer ontgaan, omdat Augustijn een sigaar had opgestoken. Dat was ongepast, maar het was waar dat hij de maaltijd had uit te zitten, en dat kon wel even duren.

Madame proestte, hikte en hapte naar adem. Augustijn had de waterkaraf vast en gooide plots de inhoud in haar gezicht. Madame slaakte een kreet en hijgend kwam haar borst tot bedaren. Ik reikte haar het servet aan, maar in plaats van haar gezicht af te vegen, wees ze naar de televisie. Weer overviel haar die vreselijke lach. Augustijn vloekte en zette de televisie uit. Madame drukte haar hand in haar zij. Snuivend wist ze toch uit te brengen dat de vrouw op de televisie niet goed bij haar hoofd was. 'Kierewiet,' snufte ze. Recht op je eigen genot, had je ooit wat anders, en hoe noemde die dame dat? Het woord volstond om kramp te krijgen. Een volgende lachgolf overspoelde haar. Arm wijfje, voor dat beetje genot, het was erger dan een man, en dan moest ze het nog uitleggen op de televisie. Madame schuddebuikte, verdraaide haar ogen en slaakte gilletjes. Wat een vrouw niet allemaal moet doen om een dak boven haar hoofd te krijgen en haar kerel bij de haard te houden. En dan had ze recht op haar eigen genot. Halleluja! Ze nam een slokje van haar glas, wat haar betreft was het simpel: 'Niet warm, niet willen!' Goesting hebben is goesting krijgen. Ze leek te bedaren, maar één blik op Augustijn volstond om opnieuw in lachen uit te barsten. Wat keek hij beteuterd, had hij klachten?

Ik maakte me uit de voeten, maar nog voor ik bij de deur was, begon Madame mij te bestoken. Daar had je er nog een die er benauwd voor was, en zich er ik-weet-niet-wat bij voorstelde. 'Niet warm, niet willen, Celestien!' Ik voelde me tegen de muur gezet. 'Hou daarmee op, moeder,' zei Augustijn streng. 'Ik ben je moeder niet!' riep Madame.

Het lachen was haar vergaan, maar daar werd ik niet vrolijker van. Wat had ik haar misdaan? Waarom moest ze mij kwellen? Had zij mij niet op mijn plaats gehouden? Had zij Jan niet de deur gewezen? Het klopte ook niet wat ze zei, ik was wel warm geweest, maar ik had niet gewild. Onthutst voelde ik hoe de vlammen me uitsloegen. Was ik er inderdaad te benauwd voor geweest? En had ik met Augustijn wel gedurfd? Vele gezonde kinderen had ik kunnen hebben. Een gezegende oude dag. Maar volgens haar had ik het mezelf aangedaan. Wie was zij dat ze dat zo boudweg kon beweren?

Bij de aanvang van het leven heb je geen idee en aan het einde van de rit heb je geen overzicht. Je hoopt de grote lijnen te zien en tot een besluit te komen, maar het blijft een opeenstapeling van gebeurtenissen waarvan de betekenis je ontgaat. Dit is het dan, mijn leven, maar wie zegt dat het geen ander leven had kunnen zijn? Je krijgt niet de tijd om orde op zaken te stellen, altijd de handen vol, duizend en één dingen die je aandacht opeisen. Wat overblijft zijn de gewoontes, het lijf en het besef dat je de tijd nooit zult kunnen bijbenen. Ik hoef maar om me heen te kijken, alles blijft vervuilen en vervallen, het is een hopeloze strijd, maar je kunt niet anders dan je teweerstellen, zoniet ga je aan jezelf ten onder.

Ik las in een boek over een gravin – of was het een hertogin, ze was in ieder geval zeer geleerd voor haar stand – die een briefje schreef aan haar man die aan de andere kant van het kasteel leefde. Dat ze alleen was in haar oude dag en dat het zo koud was, ze kon zich zelfs in bed niet verwarmen, ze bad hem weer samen te slapen en hun voeten bij elkaar te stoppen. De man antwoordde, ook per brief, van de andere kant van het kasteel, dat hij niet gestoord wenste te worden.

Dat zou Augustijn nooit hebben gedaan, en als ik hem een brief zou schrijven, zou hij fatsoenlijk antwoorden. Het is dat ik hem niet lastig wil vallen, dat ik begrijp hoe het met de kinderen is gesteld. Maar het is waar: als je te veel begrijpt heb je niets meer te zeggen.

Ik denk de laatste dagen veel aan Rosa, die had altijd een pasklaar antwoord. Het leek of ze niet na hoefde te denken. Terwijl ik er minder dan ooit uit geraak. En geplaagd word door ditjes en datjes. De vitrage die stuk waait, het bed dat in duigen ligt, mijn gebitje dat kaduuk is. Ik hoef het me niet meer aan te trekken, maar het is sterker dan mezelf.

Ik ben bang voor de kou, altijd een koukleum geweest. Dan kwam ze, Rosa, in kille nachten in mijn bed. Zachtjes zodat de veren niet piepten. Ze schuurde met haar eeltige hielen langs mijn benen. Als muizen konden giechelen, dan deden wij het zo. Het volle van haar warme lijf, al borsten en buik, ging samen met haar huid, die van haar hals af wit was – als albast, las ik later – en afstak tegen haar blozende wangen. Ze geurde naar haar bezigheden, versgebakken brood, zeep of bleekwater, het deed er niet toe. Ik rook haar er dwars doorheen.

Rosa moet nu nog ouder zijn dan ik, dat is niet te vatten. Er ligt een heel leven – op afstand – tussen ons. Alsof het niets was en toch is het onoverbrugbaar. Zou Rosa nog wel een keer aan me denken? Of is ze al wijlen? Zij met mijn Sjarel. Hoeveel kinderen had ze alweer? Denken vrouwen met kinderen nog wel aan een ander? En aan welk engeltje of duiveltje zou Madame de voorkeur hebben gegeven als het erop aankwam? En wie was mij het liefst? Dat mag je niet afmeten, ik weet het.

■■■

Toen ik verplicht mijn boeltje pakte, zei Angelique: 'Prijs je gelukkig, jij hebt kind noch kraai om naar om te kijken.' Voor die uitspraak had ze een dreun op haar mooie façade verdiend. Maar ook daarvoor was het te laat. Angelique had zich in haar karakter gebarricadeerd. Was minder dan ooit te genaken. En op haar hoede dat niets haar fataal kon treffen. Maar ze bleef wel alles en iedereen in de gaten houden. 'Bedankt voor de hulp,' ik pauzeerde, 'of ben je bang dat ik wat mee zal gappen?'

Er liepen trillinkjes onder haar linkeroog, een nerveuze tic, die ze had opgelopen toen ze standhield in het Chinese paviljoen. Ze paste niet in dat decor, maar het was oorlog, niemand die er aanstoot aan zou nemen. Behalve zijzelf, en ze putte er een grimmige voldoening uit. Dat huis was beneden niveau, maar als de bezetters wachtten tot ze zou instorten, dan konden ze lang wachten.

Het Chinese paviljoen was een gekkigheid van een textielbaron die het voor zijn maîtresse had laten inrichten. Het had opkrullende dakpunten en balkons die door planten werden afgeschermd. De muren en de deuren waren gelakt in gitzwart of in ossenbloed en de donkere kamers waren volgestouwd met porseleinen vazen en ivoren beeldjes. Op bijzettafels lagen albums met foto's van blote paren in gecompliceerde houdingen. In de glorietijd waren er maskerades gehouden en liepen de gasten door het park met bengelende lampionnen aan een stok. Maar de textielbaron was dood, de maîtresse vertrokken; het paviljoen had jaren leeggestaan. Het dak was een zeef, het houtwerk was aangetast door kelderzwam en de verwilderde tuin werd almaar kaler naarmate in de oorlogswinters de bomen werden gekapt. De verwarming werkte niet en Augustijn had allesbranders, de duveltjes uit de bouwbarakken, laten installeren.

Toen ik er aankwam, met mijn volgestouwde hengselmand, probeerde Angelique het vuur in de duveltjes aan de gang te krijgen. Ze leek wel bevroren en ze verstarde helemaal, met het kind aan de borst, als ze iets ongewoons meende te horen. En dan, alsof er zich ondergronds wat roerde, liepen er trillinkjes onder haar linkeroog.

Ik moest wel in overweging nemen wat ze had doorgemaakt, de eigenwijze freule, maar dat was nog geen reden om me nu de bons te geven. 'Sorry,' mompelde ze, half van me afgewend. Waar had ze dat woord opgepakt? Het was niets voor haar. Te makkelijk, een dooddoener. Sorry. Het ligt de jongelui in de mond bestorven. Sorry van hier en sorry van daar. Waarna ze weer vrolijk hetzelfde flikken. Volgende keer vraag ik de hulp of ze niet pardon kan zeggen. Angelique heeft zich nooit geëxcuseerd, dus hoeft ze het op de valreep ook niet te proberen.

Ik heb haast niets meegenomen. De flesjes met lavendelwater en eau de cologne heb ik op het dressoir uitgestald; kerst- en nieuwjaarscadeautjes van de familie, om en om, lavendelwater en eau de cologne. Ze mochten ze allemaal houden. 'Bedien je, het is gratis,' zei ik. Ik zag verwonderd dat Angelique nog kon blozen. Nou ja, schaamte is het begin van het besef.

Toen ik naar Welverdiend kwam, nam ik me voor een fles Arpège te kopen, kon ik ook eens duur uitpakken. 'Geld moet rollen!' zei Augustijn altijd gul. Maar hij gaf om zichzelf in het zonnetje te zetten. En het was wel makkelijk, want Madame had ervoor te zorgen dat er geld in het laatje kwam. Angelique had vele behoeften en de jongens hadden allemaal een gat in hun hand. De appels waren niet ver van de boom gevallen.

Het is er niet meer van gekomen een flesje parfum te kopen – dus heb ik de eau de cologne maar meegenomen. Voor je kunt nooit weten. En nu kan ik er niet bij, de hulp heeft mijn toiletspullen in het badhok gezet. Hoe kom ik daar met mijn lamme poot? Ik verdom het nog een keer op mijn gezicht te gaan. Ben ik niet aan de beurt om op mijn wenken te worden bediend? Juist! Maar zie me hier zitten, op de bel-etage, in de oude salon. Een werkbij die de koningin heeft overleefd. Niemand die weet wat ze met me aan moeten, erger, ik weet het zelf niet meer...

De hulp heeft mijn gebitje gebracht, het is niet stuk, maar het is wel verwrongen. 'We kunnen het laten repareren,' zegt ze. 'Er ontbreekt een tand,' ik doe mijn best om goed te articuleren. 'Wat zegt u?' Luistert ze wel? Op haar witte klompen kleppert ze over het parket. Dat maakt krassen en ze mag wel uitkijken dat ze haar nek niet breekt. Voor geen geld zou ik nog op klompen lopen. Ik zit besluiteloos met het gebitje in mijn handen. Is het nog wel de moeite waard om het te laten herstellen?

De hulp heeft de natte vlek in het beddengoed ontdekt en kijkt bedenkelijk. Een ongelukje? Ik wijs op het glas: 'Het glas is omgevallen.' Ik span me in, maar ik lispel als Goldbergje.

Goldbergje had haar tanden verkocht voor Amerika, nee, niet haar tanden, de gouden kronen. Het leken kleine obussen, maar het was in de mode. Blanche had ze ook. Was ze maar buiten de oorlog gebleven! Of wist ze niet waaraan ze begon? Ze had zich door een vertrouwde klant laten overhalen een zender te verbergen in het peeskamertje. De morgenstond heeft goud in de mond. De wolf heeft het lam opgegeten. Radioboodschappen in code. Ze hield vol dat ze niet wist wat het betekende of waarvoor het moest dienen, en dat ze alles was vergeten. 'Ik heb een gat in mijn kop!' Waarna de ondervragers de meest gemene toespelingen maakten.

Vergeten kan een zegen zijn. Als je alles onthield, werd je gek. Maar ik moet er mijn hoofd bijhouden. Al is het nog zo vermoeiend. Te veel gaat verloren, kleine en grote geheimen, even niet opgelet en hopla, zand erover! Wanneer is Blanche ook echt alles vergeten, wanneer kwam het moment dat het er niet meer toe deed? Was ze er klaar voor, of werd ze uitgeleverd aan de vergetelheid?

Madame herhaalde als er weer eens een engeltje bij was gekomen, meer en meer verbitterd: 'Zand erover!' De zaak was afgehandeld, het kind weggestreept, het verdriet ondergespit. Ik was haar medeplichtige, aan mij hoefde ze niets uit te leggen. Wij wisten wat we aan elkaar hadden. Maar ik klampte me vast, terwijl zij moest loslaten om te overleven.

Na de beroerte liet ze Gods water over Gods akker lopen. Ook letterlijk. Haar binnenwerk was versleten, de baarmoeder verzakt, de blaas lek. Ze kreeg een natte broek als ze moest lachen. Later werd het een gestadig sijpelen.

Arpège, niet langer om te verleiden, maar om de verraderlijke geur te verdoezelen. Altijd fris gewassen, goedgekleed, lekker ruiken. Tot de laatste adem, daar heb ik op toegezien.

De hulp vermoedt dat ik raaskal, maar wat weet dat mens? Staat daar met haar mond vol tanden. En met een pak luiers in haar handen. Voor het geval dat. 'Loop heen!' grom ik. Ik zou zelf heen willen lopen, maar ik zit aan mijn stoel gekluisterd. Gelukkig hoeft Madame het niet meer mee te maken.

Vreemd toch, dat ze zulke ongelukkige voeten had, terwijl ze voor het overige met alles voor de dag mocht komen. Als ze had gehoopt zich al etend vanzelf het paradijs in te werken, is ze danig bedrogen uitgekomen. Lopen werd een kwelling; om de vijf stappen moest ze van schoenen wisselen, en dat was niet langer koketterie. De blaren werden verzweringen; als er een abces uitbrak, heelde de wonde niet. Ik knoeide met mosterdpleisters of behandelde de fistels met de zwarte zalf die Bertje voor zijn achillespees gebruikte. Het leek wel karrensmeer en het hielp niet echt. Met tranen in de ogen verbeet ze de pijn, aldoor hulpelozer met haar kwakkelende gang. Maar we moesten haar in beweging houden voor de bloedcirculatie.

Augustijn liep met Madame aan de arm de laan af, stapje voor stapje. Er was veel liefde aan te pas gekomen om het tempo tussen die twee te regelen. En zo haastig ze ooit waren begonnen, zo traag ging het naar het einde toe. Algauw moest ik bijspringen. We namen Madame tussen ons in en strompelden heen en weer door de laan tot ze verstikt uitbracht: 'Nee, kinderen, zo gaat het niet langer.'

Ze sleepte zich van bed naar divan, maar vond nergens rust. Augustijn volgde haar met het voetbankje, hij zette haar voeten netjes naast elkaar op het kussen en streelde langzaam van haar enkels naar haar kuiten. 'Altijd masseren in richting van het hart,' had de dokter aanbevolen. Madame kreunde zachtjes. 'Het zal wel gaan, chérie,' zei Augustijn liefkozend. Ze keek hem weemoedig aan, maar spreken kostte haar te veel moeite. Ze lag op de divan, wit en grijs, als verbleekt, in de rode kussens die aan haar vlammende haren herinnerden.

Hoe minder ze kon bewegen, des te gejaagder ze werd. Zoals voor een bevalling wilde ze alles op orde hebben. De kasten moesten worden gerangschikt en de voorraden geteld. Het restant rijst en peulvruchten was ruimschoots voldoende voor het volgende beleg, maar Madame was er niet gerust op. Voor Augustijn moesten hemden worden besteld, pyjama's en een ochtendjas. Ze was er niet vanaf te brengen, al had hij kasten vol kleren. 'Zal je goed oppassen, Celestien?' Ik beloofde het in vertrouwen. Het drong niet werkelijk tot me door dat de vraag over het graf heen reikte. Dat het einde onafwendbaar naderbij kwam. Ik legde de doodslakens, die ik voor elke bevalling had moeten wassen en strijken, uit het zicht.

Madame was bang dat ze zou vervuilen en wilde twee keer per dag in bad, als ze me zo gek kreeg. Een extra beurt voor de oksels, tussen de benen deed ze zelf – zolang ze kon –, tussen de tenen ik. Terwijl ik haar voeten verbond, boog ze naar me toe, kreeg het even niet gezegd, maar greep verrassend stevig mijn arm: 'Celestien, stink ik?' Ik bleef het antwoord schuldig. Zij, fluisterend: 'Kun je het al ruiken?' Om de waarheid te zeggen, ja, als het verband eraf ging, kreeg je een weeë lucht in je neus. Fris was anders. Maar ik schudde verwoed van nee, nee en nog eens nee.

Madame liet mijn arm los, staarde me verslagen aan, tikte dan teder tegen mijn wang. 'Arrpège?' gorgelde ze. Ik overhandigde haar het bolle flesje. Ze stipte haar halsputje aan en wreef het parfum achter haar oren en over haar polsen. Toen wees ze naar haar omzwachtelde voeten. Ik liet enkele druppels parfum op het verband vallen. 'Meer!' fluisterend, maar met aandrang. Het flesje hield ze bij zich, krampachtig in de goede hand.

Ik heb het na haar laatste toilet onder het voetkussentje gestopt. Ze vinden juwelen en kookpotten in graven, ook balsem, waarom geen parfum? Ik geloof niet dat de dode die dingen nodig zou hebben in het hiernamaals, het gaat om het gebaar en het zegt iets over diegene die te ruste is gelegd. En het was niet omdat Madame ertussenuit kneep dat ik het mocht laten afweten.

Er was zoveel dat ongezegd was gebleven, zoveel rekeningen die uitstonden. Ik had alles opgezouten voor de dag dat ik haar ter verantwoording zou roepen. Ik kon me niet voorstellen dat Madame er de brui aan zou geven. Zich afwenden van Augustijn, de kinderen aan hun lot overlaten. Dat was niets voor haar. Net zomin als verslagen worden. Ik was als een kind dat ontdekt dat er van de onverbiddelijke moeder een oud wijfje is overgebleven. Wat kon ik haar nog voor de voeten werpen? De onverteerde woede verging tot klacht. Ik mocht met recht lamenteren, zij liet me verweesd achter, en de kinderen, die ons – meer dan Augustijn – met elkaar hadden verbonden, wilden van me af. Ik was hun moeder niet, maar ik was evenmin hun meid. Kun je iets verliezen wat je nooit hebt bezeten? Of je beroepen op iets wat je nooit bent geweest? Ik dacht een schakel te zijn in een onverbrekelijk verbond, maar als het erop aankwam, bleek ik een losse flodder.

Had ik me toch maar een flesje Arpège aangeschaft. Nu zit ik hier onthand. Ik snuffel aan een oksel. Ze zeggen dat ook je reukvermogen achteruitgaat, maar ik heb gezien hoe Augustijn zijn gezicht verborg in de jurken van Madame. En ik kan haar geur wel dromen. Angelique mag zich van kop tot teen met parfum bestuiven, haar Arpège is die van Madame niet. En als de Van Puynbroeckxjes hopen dat de tijd me klein zal krijgen en ik kwijlend in verwarring zal raken, kunnen ze lang wachten. Ik zal alles blijven herhalen, de film terugdraaien, hoe lastig het ook is. En als zij zich afzijdig houden en Bertje blijft talmen met mijn meubels, zal ik ze eraan herinneren dat ik wat beters heb verdiend.

Koude voeten, dat is een oude kwaal, maar nu wrijf ik ook mijn handen als een vrek. Ik kan mezelf niet meer verwarmen. Madame probeerde vergeefs de huid van haar handen glad te strijken. Ze bleekte de bruine vlekjes, want de handen verraden je leeftijd. Een tijdlang sliep ze zelfs met katoenen handschoenen om de ruwe huid te verzachten. Augustijn protesteerde en ik vond de katoenen handschoenen als propjes aan het voeteinde van het bed. Om de handschoenen weer in vorm te krijgen, blies ik ze op. Daar moest Madame hartelijk om lachen, maar ik wist dat er me weer een schreeuwer te wachten stond. Zij behield het moederrecht, en ik draaide ervoor op. En nu ze weg is, willen de kinderen me niet meer kennen. Misschien hadden ze me het liefst met Madame begraven. Het was toch altijd twee voor hetzelfde geld.

Ik zit er maar op te wachten om Bertje de volle laag te geven. Maar ik hoop ook dat Marius de weg hierheen zal vinden, en dat Angelique over haar hart zal strijken. Het is alsof zij me van de besluiteloosheid kunnen verlossen. Ik ben er niet op uit Madame te vervangen, maar ze hoeven niet te doen alsof ze me niet meer nodig hebben.

Wat zit ik hier ook stomweg te wachten? Als zij zich niet om mij bekommeren, hoef ik me toch ook geen zorgen over hen te maken? Zodra ik op mijn benen kan staan, ga ik ervandoor. Dan zullen ze voor de eerste keer niet weten waar ik ben. De beste poets die ik ze kan bakken. 'Wie had dat gedacht van Celestien?' Ja, zo kennen ze me niet. En ze houden er niet van de controle te verliezen. Maar de vogel is gevlogen, en waar ik ben, dat zien we dan nog wel.

■■■

Ik zou door het huis willen dwalen, onzichtbaar, van kamer tot kamer gaan, niet om de bewoners van het laatste uur te bespieden, maar om naar sporen te zoeken van vroeger leven. Een fries, een deurbeslag, een tegeltableau. Het licht dat door glas in lood wordt gebroken of door dezelfde spleten van de luiken valt.

Mon Repos in de winter, met de gordijnen neergelaten en de meubels onder de witte stoflakens, verstild als een grafkamer. Ik was de laatste om in de herfst op mijn tenen – alsof ik bang was slapende honden wakker te maken – het huis te verlaten, maar ook de eerste om het in de lente te bestormen. Triomfantelijk gooide ik de ramen open en trok met een zwaai de stoflakens van de meubels. Alles was er nog, het lieve leventje kon weer beginnen. Ik voelde me als een goochelaar die een witte duif uit zijn hoed tovert, wel wetend dat hij ze eerst heeft verborgen, maar toch gelukkig met zijn kunst en verheugd over de blije verwondering van de toeschouwers. Applaus! Dank u wel, dames en heren.

Eivolle dagen volgden, zomerfeesten, dans en verliefdheden, te veel om op te noemen, er leek geen einde aan te komen. Het was alsof de winter niet bestond, alsof het huis nooit stil was geweest. Ik dacht er vaak aan, in de stad, aan het achtergelaten huis, doezelend in de winterslaap, met de meubels onder de witte lakens. Toen de oorlog uitbrak, dacht ik er nog meer aan, en ik had er willen schuilen met een laken over mijn hoofd getrokken, roerloos en vertraagd ademend, zodat de engel des doods aan mij voorbij zou gaan.

De oorlog werd voorgesteld als een onvermijdelijk gevecht tussen goed en kwaad. Ik ben een simpele ziel, maar ik wist dat het niet zo eenvoudig was, en toen de jongens verhit debatteerden, hoorde ik de doodsklokken luiden. Madame hoorde het ook en Augustijn vreesde voor het ergste, maar hij deed mee aan het debat, dat, hoe hoogdravend ook, ging over wie het voor het zeggen zou hebben. Hetzelfde voor de neuzelende hoge heren, die schipperden en onderwijl hun slag wilden thuishalen. De loeistem op de radio zegde ons dood en verderf aan en niemand kon er wat aan doen, zo leek het. Maar ik zag hoe de jongens trappelden van ongeduld, ik zag hoe Augustijn was vervuld van angstige trots, en dat Madame met de deuren mocht slaan maar dat haar troep niet afzijdig zou blijven. De onvrede moest in bloed worden gesmoord, land tegen land, man tegen man, broeder tegen broeder.

Het was alsof duizenden een geheime oproep beantwoordden of voldeden aan een stille wens. Zingend en vloekend trokken ze ten oorlog, en geen smeekbede of traan die hen tot bezinning vermocht te brengen. Slachtvee, dat was het, en wel van de stomste soort. Runderen die opgewonden naar het abattoir stormden, alles en iedereen vertrappelend en meesleurend in hun hellevaart. De vrouwen, de moeders ook, lieten de mannen gaan, met de dood in het hart, maar ook wegsmeltend van liefde. Niet weinigen kregen een natte broek van het uniform, velen bogen voor de dood als voor een hogere macht. En de sukkels die zich afzijdig wilden houden, die dachten dat het hun oorlog niet was, die waren de eersten om te worden gegrepen. De zondebokken werden bijeengedreven en afgevoerd.

Roerige tijden, zeg dat wel, maar in het huis van de Van Puynbroeckxen was het stil geworden. Geen heftige discussies meer, geen gekissebis. De kampen waren verdeeld, de posities ingenomen. Madame werd niet meer zwanger, maar we dreigden nog meer kinderen te verliezen. Niet aan 'de oude man' – al leek de drift waarmee de jongens zich tegen elkaar opstelden als een koorts die het bloed opzweepte –, maar aan de valse voorstelling van de wereld. Trouw was een veel voorkomend woord, men moest trouw zijn aan zijn idealen of aan zijn soort, maar verder was iedereen vrij om ontrouw te zijn, en elkaar of zichzelf te bedriegen. En de grootste ontrouw was wel die aan het leven. Dat was geen cent meer waard.

Als ik wakker schrok, wist ik dat er iets was, en krampachtig probeerde ik weer in te slapen. Ik hield me zoveel mogelijk op in de keuken, inspecteerde de potten, legde de messen en lepels op orde. Wat je niet aanraakt, kun je niet echt kennen, en alles in die keuken ging dagelijks door mijn handen. Ik zat van de pollepel tot de zwabber vast aan de alledaagse werkelijkheid, maar mijn voorstelling van het leven, en vooral van de liefde, had daar niets mee te maken. Al was die voorstelling er mede schuld aan dat ik trouw bleef aan de pollepel en de zwabber. Vraag me niet hoe dat werkt of hoe ik aan die voorstelling kwam. Zelfs nu kan ik er geen afstand van doen, ook al omdat alles wat ik heb opgegeven dan zinloos zou zijn. De liefde moet boven alles verheven blijven en de zorg is daarvan afgeleid. Mijn keuken, die niet eens mijn keuken was, was toch mijn plek. En ik hoopte vurig dat niemand zich daar bijzonder voor zou interesseren. Ondertussen waren de legers gemobiliseerd, de oorlog kon niet meer worden afbesteld. En ook wij zouden er niet aan ontsnappen.

Het begon met de vreemde eend in de bijt, Davy. Bij het uitbreken van de oorlog viel hij zijn vader in de armen. De grote verzoening, maar een zeer onverstandige. Angelique was zwanger, ze wilde 'zelfstandig' zijn maar dicht bij haar ouderlijk huis blijven. De schoonvader meldde uit Gent dat de ijskasten niet meer verkochten, dat hij alleen was in een veel te groot huis, en dat hij, als het zover was, zijn kleinkind wilde zien. 'Dan komt hij maar hierheen,' knorde Madame. 'Het is zoveel van ons als van hem,' beaamde Augustijn. Het eerste kleinkind werd al betwist voor het was geboren!

Mijn geestdrift was engeltje na engeltje afgenomen, en de schrik zat erin dat de misère zich in de volgende generatie zou voortzetten. Het werd hoe dan ook een huzarenstukje; Angelique had smalle heupen en was bleek van bloedarmoede. Ze had van haar magerte een kunst gemaakt en nu had ze voor twee te eten. Daar zou streng op moeten worden toegekeken. 'Slim,' merkte Reinout op, 'slim om zwanger te worden en uitgerekend van een...' Hij maakte zijn zin niet af. 'Vers bloed kan geen kwaad,' stelde Augustijn. 'Wat wil je daarmee zeggen?' vroeg Madame.

Het bleef een heikele kwestie. Hadden we de engeltjes aan haar of aan hem te wijten? Hoe meer je weet, des te minder je wordt bedrogen, maar zowel Madame als Augustijn was bang voor de waarheid. Zolang ze niet wisten hoe het zat, konden ze het elkaar niet verwijten.

'Vrijen is een spelletje Russische roulette,' merkte Augustijn ooit op. Hij had zich na een engeltje in het kantoor opgesloten. Met de fles whisky bij de hand. Ik spitste mijn oren, ik wist niet wat Russische roulette was, maar ik vreesde dat Augustijn het gokken van zijn vader zou overnemen. Dat was gevaarlijk genoeg. 'Een schot in de roos, daar is maar een fractie van een seconde voor nodig.' Hij verviel in dronken gemijmer en maakte een streng los uit mijn wrong. Die wond hij om zijn vinger, maar mijn haar is steil. Toen hij de streng van zijn vinger schoof, zakte de krul uit. Hij probeerde het nog een keer, met hetzelfde gevolg. Hoofdschuddend gaf hij het op. Ik schonk zijn glas bij en wachtte tot hij snurkte. Voorzichtig viste ik de sleutel van de wapenkast uit zijn vestzak.

Toen hij weer bij zinnen kwam, vroeg ik wat Russische roulette was. Ik verwachtte dat hij er zich van zou afmaken met een grapje, maar hij legde het me met zoveel woorden uit. Ondertussen zocht hij in zijn zakken de sleutel van de wapenkast. 'Die heb ik voor u bewaard,' zei ik en ik legde de sleutel op het bureau. Hij keek verwonderd, probeerde zich te herinneren wat er al dan niet was voorgevallen. Merkte in het algemeen op: 'We zouden niet zoveel mogen drinken.' 'Een ongeluk is vlug gebeurd,' zei ik.

Augustijn gooide me de sleutel toe. 'Laat je niet bang maken, Stieneke.'

Ik stopte de sleutel in mijn schortzak, blij met het vertrouwen, maar ook nieuwsgierig. Zodra ik het huis voor mij alleen had, rende ik naar de wapenkast en maakte haar open. Onwillekeurig deed ik een stap achteruit; de jachtgeweren stonden dof glimmend in het gelid, ernaast hingen de revolvers. Het was beklemmend. Bij een revolver, of was het een pistool, was een zwart lint door de opening voor de haan gestrikt. Ik vermoedde dat dit het 'handwapen' was waarmee de oude mijnheer zich voor het hoofd had geschoten. Ik sloot de deuren van de wapenkast en leunde er met mijn rug tegenaan. Hoe was het mogelijk zulk ongelukstuig in huis te hebben!

Ik bracht de sleutel terug naar Augustijn. Mompelde dat ik bang was hem te verliezen. Ik had hem willen vragen de wapens de deur uit te doen. Maar hij had de jongens leren schieten toen ze nog zo klein waren dat ze door de terugslag achterover tuimelden. Hij had, surprise, ook Angelique met een revolver leren omgaan. Vrouwen bij de jacht, daar hield hij niet van, maar zijn dochter moest zich kunnen verdedigen. Madame en ik waren de enigen die niet met een wapen overweg konden. Zij rekende er ongetwijfeld op dat Augustijn haar zou verdedigen, en ik was al blij dat ik de wapenkast niet hoefde schoon te maken.

Toen de overheid de burgers opriep hun wapens in te leveren, verpakte Augustijn de geweren in oliepapier en begroef ze in de tuin. Gedurende de *drôle de guerre* vergaten we dat of we deden alsof. En ik bleef me voorbij de wapenkast haasten, uit gewoonte, maar ook omdat ik de dreiging die ervan uitging niet van me af kon zetten.

Toen Angelique nog een pril maagdje was, vroeg ze keer op keer om het verhaal van Blauwbaard. Die had zijn bruid de sleutels van de burcht toevertrouwd, met daarbij de verboden sleutel. De bruid kon zich echter niet bedwingen, opende de deur van de torenkamer en ontdekte het gruwelijke geheim van Blauwbaard. Dodelijk geschrokken zocht ze een goed heenkomen. Maar op de verboden sleutel zat vanaf dat moment een bloedvlek die er niet afging, wat ze ook wreef en poetste. Met die vlek was haar lot bezegeld. Angelique luisterde met glinsterende ogen. Was er niets waarmee de bruid die vlek kon wegpoetsen? 'Niets,' beaamde ik met een grafstem. Soms probeerde Angelique het nog door alle poetsmiddelen op te sommen die ze onder de gootsteen vond; van bleekwater tot schuurpoeder. Ik schudde elke keer mistroostig nee.

Toen het me opviel dat ze al een tijd niet meer om Blauwbaard had gevraagd, bood ik aan het verhaal nog een keer te vertellen. Ik vond het zelf ook spannend. Ze bedankte, voelde zich te groot voor flauwe verhaaltjes, ze las nota bene boeken! Dat was een repertoire waar ze me zorgvuldig buiten hield.

'Wat lees je?' 'Niets bijzonders.' Ze klapte het boek dicht. Verboden voor onbevoegden. En voor ongeletterden die er god weet wat uit zouden opmaken.

Zodra ze de andere kant op keek, pikte ik haar boeken. Ik las ze stuk voor stuk en genoot ervan, ook al begreep ik er soms maar de helft van. Ik probeerde de verhalen met haar ogen te lezen en zo heb ik haar ook van binnenuit beter leren kennen. Wat de omgang overigens niet noodzakelijk gemakkelijker maakte. Angelique riep weerstand op, en ofschoon ik haar begreep, of juist daarom, ging ik ertegenin. Een vrouw die niet kan buigen, staat haar eigen geluk in de weg. Dat zei ik tegen haar. Het was onuitstaanbaar dat Angelique overal haar neus instak, zonder iets van zichzelf prijs te geven. Altijd hield ze afstand, altijd was ze zich bewust van zichzelf. Een fiere tante. Daardoor heeft ze veel gemist, al is de trots haar ook goed van pas gekomen.

■■■

Het was alsof het huis in een dichte mist verdween. Duitse soldaten marcheerden zingend door de straten en op de caféterrassen. Nog onwennig, maar zeker van hun zaak.

Bij de kruidenier waren de gesprekken stilgevallen. Niemand zei nog wat buiten de alledaagse dingen; het weer, de prijs van de boter, en dat was al verdacht. 'Ik heb geen opinie,' mompelde de kruidenier. Voor de oorlog was hij vaderlandslievend en na de oorlog werd hij dat weer. Altijd de eerste om te vlaggen.

Augustijn sprak over een 'malaise' in de bouw, ik heb het opgezocht, en me dunkt dat niet alleen de bouw last had van somberheid.

Bertje liep Reinout achterna van de ene politieke bijeenkomst naar de andere. Maar het moet gezegd, Reinout moedigde hem niet aan. 'Dat is grote-mensenwerk, pas jij maar op de oudjes.' Dat kwam erbovenop, dat wij plotseling de oudjes waren. Het was de tijd van de jeugd, voor wie, zingend en marcherend, de toekomst openlag. Zelfs Madame had het niet meer vanzelfsprekend voor het zeggen.

Ik concentreerde me op klussen die ik had verwenst: aardappelen schillen, bedden opmaken, meubels afstoffen. Stom werk, dat alle dagen moest worden herhaald, maar toen alles onzeker werd, bleek het geruststellend.

De laatste grote ruzie brandde los toen Madame me aan Angelique wilde meegeven. Ik zette mijn hakken in het zand. 'Dat hebben ze me één keer geflikt, maar geen twee keer!' 'We zullen je niet tekortdoen,' verzekerde ze. 'Het is niet om het geld,' riep ik kwaad. Madame keek hulpzoekend naar Augustijn: 'Doe eens een goed woordje voor je dochter.' 'Angelique is zwanger, ze heeft geen ervaring met het huishouden en ze krijgt er ook nog een keer haar schoonvader bij.' Hij had vochtige ogen, maar ik balde mijn vuisten in de zakken van mijn schort. 'Dat had ze eerder moeten bedenken.' Of ik niet zag welke beroerde tijden we tegemoet gingen?

Ik vroeg op de man af of ze me niet meer nodig hadden. 'Meer dan ooit, Stientje, meer dan ooit,' zuchtte Augustijn. 'Als ik kon, zou ik zelf meegaan,' betoogde Madame. 'Kijk eens aan,' deed ik schamper. 'Het is maar tijdelijk.' Dat was haar laatste kaart.

De deur vloog open, Angelique had het dispuut kennelijk afgeluisterd. Wit maar vlammend voer ze uit. Ze wilde me niet eens, ze had lang genoeg op mijn gezicht gekeken! Ze zou haar eigen potje koken. 'Pas maar op, je kunt me nog nodig hebben.' Ik voelde me in de hoek gedreven. Ze had een geplisseerd hesje aan, met een Claudine-kraag. Haar buik leek onder haar kin te beginnen. In tegenstelling tot haar moeder stond de zwangerschap haar niet. 'Waarom blijf je niet hier tot na de bevalling?' vroeg ik bedremmeld. 'Daar hebben we het al over gehad,' Madame verloor haar geduld. 'Celestien kan komen helpen als het zover is,' stelde Davy voor. Hij keek met hondenogen naar zijn vrouw. Het zou haar aan niets ontbreken, al was het moeilijk hulp in de huishouding te vinden. Mijn weerstand smolt.

Angelique installeerde zich op de divan: 'Kan ik die niet meenemen?' Nonchalant stak ze een sigaret op. Meteen was ze verzekerd van alle aandacht. Vanzelf dat ze de divan kon meenemen, als ze daar zo lekker op lag, maar was het niet verstandig die sigaret te doven? Ze had een kuchje. Moest ze niet aan het kind denken?

Ze ging overeind zitten en drukte nijdig haar sigaret uit. Niets werd haar gegund, altijd wist men wat het beste voor haar was. Ze had er genoeg van; van haar dikke buik, van Davy, van de oorlog, van ons allemaal. Zij wilde eindelijk een keer leven! Iedereen haastte zich om haar te kalmeren, iedereen stond klaar om haar op haar wenken te bedienen. Behalve ik, naar wie niemand meer omkeek.

Angelique klaagde over migraine en gezwollen voeten. 'Dat is normaal,' zei ik. 'Hoor haar,' grinnikte Madame. Maar ze ergerde zich net zo goed aan de lamlendigheid van haar dochter. Die lag op de divan alsof ze er nooit meer af zou komen.

Toen ze in haar zevende maand was, verloor Davy zijn geduld. Zijn vrouw – het was voor het eerst dat hij haar zo noemde – kon met hem meegaan of kon bij ons blijven. Hij had zijn plicht te vervullen tegenover zijn vader.

Ik verwachtte niet anders dan dat Angelique zou blijven. Ze had na haar trouwen nauwelijks haar eigen woonst vanbinnen gezien. En het leek erop dat ze haar wassende buik aan ons toevertrouwde. Augustijn en Madame wilden niets liever. 'Als het maar gezond is,' klonk het monter. Ik was vervuld van gemengde gevoelens, want moesten we dat allemaal nog een keer doormaken? Anderzijds: een gezonde baby zou ook vreugde en verzoening brengen.

Onverwacht mengde Marius zich in het debat: Davy had gelijk, Angelique moest maar eens duidelijk maken bij wie ze hoorde. Ze was tenslotte een getrouwde vrouw. En de oude man in Gent had ook zijn rechten. Het kwam uit dat hij daar op bezoek was geweest. Dat hij goed geïnformeerd was over de handel in ijskasten. Het soort hout voor het karkas, het metaal voor de ijslade, het opslagvolume. 'Waar bemoei je je mee?' Angelique was nijdig. Davy mompelde verwonderd: 'Dat wist ik niet.' 'Jij weet nooit wat!' bitste zijn vrouw.

Reinout stond bij het raam, zijn vaste plaats, en floot een deuntje. Het liedje was in de mode, maar ik kon er even niet op komen. 'Natuurlijk moet Angelique hier blijven,' Bertje deed ook een duit in het zakje. Beledigd verrees de zwangere van de divan: 'Doe geen moeite, ik ga al.' Davy reikte haar zorgzaam haar jas aan.

Augustijn legde zijn hand op de arm van Davy: 'Laat mij met je vader gaan praten.' 'Alsof dat wat zal uithalen!' Reinout had zich omgedraaid. Bertje beaamde het ijverig, die oude man was een stijfkop, zijn vader kon zich de moeite sparen. Augustijn werd kwaad, het was nog niet zover dat zijn zonen uitmaakten wat hem te doen stond. Het werd stil en het leek alsof alles even stilstond. Hulpzoekend keek ik naar Madame, maar zij had alleen oog voor Augustijn. Brandende liefde, nog altijd, maar ook dankbare onderwerping. De last werd van haar schouders genomen.

Ik ging naar de keuken en zat daar met de vuisten op de tafel te slaan. 'Stien, zotte trien!' riep de papegaai. Dat had Angelique hem aangeleerd. 'Uit mijn keuken, jij!' Ik greep de kooi en pootte ze op de gang. Daar mocht hij het hele huis bijeen krijsen. 'Wat is hier gaande?' vroeg Madame. Achter haar dook het jonge paar op. En Marius, die om kalmte verzocht.

Angelique wierp haar hoofd in de nek en stapte naar de voordeur. Marius hield haar tegen, het was beter achterom te gaan. Ze stond perplex, de achterdeur was niets voor haar. Davy nam haar arm, met zachte dwang: 'Het is beter zo.' Dat herhaalde hij toen hij me een hand gaf. Wat wilde hij daarmee zeggen? En waar leidde hij Angelique heen?

Het zou jaren duren voor ik hem weer zag. Toen was hij zijn molligheid kwijt en ontvleesd tot een karkas. Zonder zijn mooie bruine ogen had ik hem niet herkend. En wat kun je iemand die net niet dood is, nog verwijten?

Toen het jonge paar in de tuin was verdwenen, liepen we naar de voorkamer om ze op straat na te kijken. 'Daar gaat de heilige familie,' spotte Reinout. Ik had mijn weigering om Angelique te vergezellen ongedaan willen maken, maar ik wist dat ze niet zou bijdraaien.

In de gang brak tumult uit, de hond blafte tegen de papegaai. Het deurtje van de kooi was opengesprongen en de papegaai was op de koperen koepel gekropen, waar hij weerstand bood. Elke keer dat de hond naar hem hapte, boog hij, met halfopen, afhangende vleugels, zijn kop. 'Af!' riep Augustijn. Toen de hond niet onmiddellijk gehoorzaamde, schopte hij hem de deur uit. Madame bood de papegaai haar pols aan, maar in plaats van erop te wippen, hapte hij naar haar. Augustijn wrong de kop van de papegaai onder een vleugel en duwde hem in de kooi. De papegaai gaf geen kik meer. Hij zat verfomfaaid op zijn stok en schudde af en toe zijn veren. Toen ik hem zachtjes toesprak, knipoogde hij, en daarbij schoof er een vlies over zijn oog.

■■■

'Hoe minder je weet, des te gelukkiger je leeft,' antwoordde Marius als ik hem wat vroeg. Dat had hij van zijn moeder, die had me ook voor alles en nog wat nodig, zonder dat ik te weten kwam – of te weten mocht komen – waarover het ging.

Na het vertrek van Angelique verschanste Madame zich met Augustijn in het kantoor. Er kwam een advocaat op bezoek, een zwaarlijvige man, met wie ze achter gesloten deuren gedempt overlegden. Ik werd niet veel wijzer, al stond ik uren op de tocht.

Augustijn en Bertje reisden naar Gent, een *va-et-vient*, alleen Reinout hield zich afzijdig. Er werd op de gekste uren gegeten, ik hield dag en nacht het fornuis aan de gang, en redde me met de eieren die Augustijn meebracht. Hij was begonnen gedurende zijn reisjes de boeren aan te doen die hij van vroeger kende. De eieren waren in krantenpapier gewikkeld, dat ik gladstreek om uit te vinden wat er gaande was. Het nieuws werd verdraaid, maar ik had geleerd tussen de regels te lezen. Ik hoefde ook maar een half woord van de Van Puynbroeckxen te horen om te weten wat me te doen stond. Maar ze hielden hun lippen meestal stijf op elkaar. Ik hoorde bij hen, zij nooit bij mij. Als ik wat vroeg, zei Madame: 'Je zult het wel horen als het zover is.' En tot het zover was had ik er het raden naar wat er stond te gebeuren.

Onverwacht belde Herward aan, in stadskledij, met een blok stilton onder de arm. Madame begroette hem ironisch: 'Gelukkig nieuwjaar!' Het was begin oktober. Herward reageerde bedaard: 'Ja, waarom niet.'

De whisky kwam op tafel en het werd een lang palaver. Herward had contacten met oudgedienden van de Groote Oorlog. Die waren bereid wat te ondernemen. Er werd over verbindingslijnen en veilige adressen gesproken. Ik deed alsof ik het niet hoorde, maar mijn oren stonden op scherp. De haven werd geviseerd. Wat zegt Londen? Als je daarop moet wachten. Je kent ze toch, die rokkendragers. Rokkenjagers zal je bedoelen. Met hun jankend doedelzakgepijp. Ze hielden anders wel van een flinke knokpartij. Zeker, maar het was geboden de zaak zoveel mogelijk in eigen hand te houden. Denk aan de toekomst. Na de oorlog moet het anders worden. Niet zoals de vorige keer. Houd een oogje op de communisten. Voorlopig leveren ze goed werk. Papieren hebben we nodig, persoonsbewijzen, rantsoenbonnen. En geld. Veel geld. Ik ken wel een paar adressen. De bank moet betalen. Welke bank? De Nationale, welke anders. Meesmuilend gegrinnik. Het gesprek viel stil, alsof de broers een smeulend vuur hadden opgepord, dat door gebrek aan brandstof weer uitdoofde.

Madame, die nog geen woord had gezegd, vroeg plotseling: 'Wat gebeurt er in geval van nood met Angelique?' Die mocht van Herward met man en aankomend kroost verhuizen naar het kasteeltje. Ze hadden de kamers van de oude mevrouw vrijgehouden. 'Gezonde lucht, volop eten, wat wil je nog meer?' vroeg hij. 'Je kent haar niet,' zuchtte Augustijn. 'Verwend, altijd haar zin gekregen,' concludeerde Herward. Niemand sprak hem tegen. Ten slotte vroeg hij hoeveel geweren Augustijn kon missen. Hij kon ze allemaal krijgen, maar niet de revolvers. Augustijn wilde wat achter de hand houden. Voor het geval dat.

Herward maakte zich op om te vertrekken: 'Als je me nodig hebt, je weet me te wonen.' 'Van hetzelfde,' antwoordde Augustijn. De broers omhelsden elkaar. Ik zag plotseling dat Herward een hoofd groter was dan Augustijn. Bij de deur draaide Herward zich nog een keer om en salueerde losjes: 'Als je me nodig hebt...' Ik vergat het respect: 'Wij kunnen heel goed op onszelf passen.' Herward kneep in mijn wang. 'Pardon, mijnheer,' stamelde ik. 'Naar de keuken, Celestien!' Madame kon eindelijk haar ontevredenheid ventileren. Zodra Herward was verdwenen, wendde ze zich tot Augustijn: 'Daar ga je toch niet aan meedoen?' Hij schudde zijn hoofd, maar hij antwoordde niet.

Toen hij bij het vallen van de avond de spade klaarzette om de wapens op te graven, kwam Marius met de mededeling dat hij zich de moeite kon sparen. Hij had het karweitje al op zich genomen. 'Waar zijn ze?' vroeg Augustijn dreigend. 'Wat niet weet, wat niet deert,' antwoordde Marius pompeus. Augustijn greep hem bij de arm: 'Voor de dag ermee!' Marius scheeloogde in mijn richting: 'In de bezemkast.' Ik was verbluft; de bezemkast stond in de bijkeuken. Dat was mijn domein.

Madame sloeg haar omslagdoek over haar schouders, het was kil voor de tijd van het jaar. Hoeveel Reinout ervan afwist, vroeg ze. Dat heeft me altijd verwonderd, dat zij, die slecht nieuws schuwde, toch alles wist en als het erop aankwam de eerste was om – vaak tegen haar hart in – te handelen. Marius stelde haar gerust, niemand wist ervan, wat Reinout betreft... Augustijn onderbrak hem: 'Hier met die handel!' Madame wilde me naar mijn kamer bonjouren, maar ik volgde Marius naar de bijkeuken. Geweren in mijn bezemkast, dat wilde ik met eigen ogen zien.

Toen het pistool met het rouwlint tevoorschijn kwam, blafte Augustijn: 'Geef op!' Marius hield het wapen vast bij de loop, het was alsof hij het op zichzelf richtte. Dat was tegen de regels, zoveel wist ik er wel van. Augustijn rukte hem het pistool uit de hand, en vroeg om de andere handwapens. 'Die heb ik zelf nodig,' zei Marius stug. De jongen piepten zoals de ouden zongen. Dat was uiterst pijnlijk. 'Geef dat ding aan mij,' voor het eerst hoorde ik Madame smeken. Marius stond zijn vader gespannen aan te kijken. Augustijn wendde zich af en trok het omslagdoek om de borst van Madame. Het was alsof hij haar toedekte. 'Laat het hem,' zei hij schor.

In december werd de zoon van Angelique geboren. Met een keizersnede, ze had eerst uren liggen schreeuwen. De schoonvader kreeg het aan de stok met Madame. Hij verzette zich tegen een ziekenhuisopname en merkte op dat zijn vrouw bij de geboorte van Davy geen kik had gegeven. 'Vanzelf, ze heeft er het leven bij gelaten,' antwoordde Madame nijdig. Daar had hij niet van terug.

Gelukkig was de baby gezond; en het was een zoon! De schoonvader noemde zich gezegend en Davy was apetrots. Maar Angelique verklaarde: 'Dat was één keer en nooit meer!'

De schoonvader schonk haar de gouden halsketting van zijn vrouw. Toen ze echter weigerde haar zoon te laten besnijden, kwam het tot een botsing. Davy kon smeken wat hij wou, Angelique verbande hem uit de slaapkamer en sliep met het kind in haar armen. Ze was niet geschapen voor het moederschap, ze miste de woeste drift van Madame, maar ze had zich voorgenomen het perfect te doen.

'Dat heb je ervan,' zuchtte Augustijn. Ze hadden nauwelijks hun schoenen uitgetrokken of ze moesten alweer naar Gent vertrekken. Ik vroeg voorzichtig aan Madame waarvoor dat besnijden goed was. Om de waarheid te zeggen: ik wist niet wat het inhield. En Madame gaf geen uitleg.

Toen ze thuiskwamen, zag ik meteen dat het goed scheef zat. Madame bestelde een voetbad: lauw water en sodakristallen. Kreunend wreef ze over de knobbels aan haar grote tenen. Augustijn ijsbeerde door de kamer terwijl hij lucht gaf aan zijn verontwaardiging. De schoonvader was een ezel! Eén die vasthield aan achterhaalde gebruiken, die bovendien gevaarlijk waren. Het was om ongeluk vragen. En Davy, die pantoffelheld, bang voor zijn vrouw, beducht voor zijn vader. Proberen de geit en de kool te sparen. Kwam met het verhaal dat Jezus ook was besneden. Hoe moest dat aflopen? Ik hoorde de radeloosheid in zijn woede. 'En wat gaat Angelique doen?' vroeg ik. 'Je kent haar toch,' gromde Madame.

Het slechte nieuws werd ons gebracht door een paardenknecht van Herward. Hij oordeelde het voorzichtiger niet zelf te komen. De Gestapo had een inval gedaan in het pakhuis waar de ijskasten waren opgeslagen. Er waren wapens gevonden. Vervolgens waren ze het huis van de schoonvader van Angelique binnengevallen. De man had zich teweergesteld en was standrechtelijk doodgeschoten. Davy was aangehouden. Het huis verzegeld. 'Het is al goed,' Madame kapte het af. Het was te veel om te slikken. Ten slotte vroeg Augustijn 'Waar is Angelique?' 'En het kind?' Madame verfrommelde haar zakdoekje. 'Dat weten we nog niet,' antwoordde de paardenknecht. Angelique was de straat op gegaan met de kinderwagen. Weg. Niemand wist waarheen. 'We zullen haar vinden, dat is een kwestie van dagen, als het meezit van uren,' verzekerde de paardenknecht.

De regen kletterde tegen de ruiten, er was ook natte sneeuw gevallen. En Angelique was met haar baby op de dool. 'Maak dat je wegkomt,' snauwde Augustijn. Madame liet de paardenknecht uit: 'Laat je ons iets weten?' Ze stopte de man een bankbiljet toe.

Die avond kwam Marius niet thuis. Ik zette zijn bord op de zijkant van het fornuis, maar het bleef onaangeroerd. Augustijn ontmantelde de wapenkast. Hij schilderde de muur, zodat de lichte vlek die de omtrek van de wapenkast aangaf, werd bedekt.

Drie dagen gingen voorbij, en nog altijd geen nieuws. Niet van Angelique, niet van Marius. 'Als ik kan helpen,' bood Reinout aan. Hij tikte een sigaret af op zijn sigarettenkoker. 'Jij?' twijfelde Madame. Hij glimlachte. 'Ik heb me aangemeld.' De stilte was als een vlakte; suizende wind, wijd en zijd niets te bekennen. Reinout keek verveeld naar het plafond. 'Verklaar je nader,' zei Augustijn ten slotte. Geduldig, alsof we achterlijke kinderen waren, begon Reinout het uit te leggen. Hij zou worden opgeleid voor de radio. Hij mocht door heel Europa reizen om reportages over cultuur te maken. Dat was wel wat anders dan soldaatje spelen. Zo'n kans kreeg hij nooit meer. Hij was maar één keer jong, hij kon niet wachten tot de oorlog voorbij was. Ongeduldig draaide hij aan de knop van de radio. Iemand vertelde een mop, waarna als op commando werd gelachen. Nijdig zette Augustijn de radio uit. 'Dat gaat niet door!' 'Dit is niet de vorige oorlog, dit is wat anders,' zei Reinout. Er zou een nieuwe orde komen, met durvers en doeners, de jeugd zou voorop gaan. Reinout had zijn lesje goed geleerd. Madame ging voor hem staan en keek als een meisje naar hem op: 'Heb ik je ooit tekortgedaan?'

Reinout was niet van steen, hij wankelde, wendde zich af. Hij kon zijn moeder niet recht in de ogen kijken, maar hij herpakte zich snel. Persoonlijk had hij zich niet te beklagen, maar het volk had recht op zijn bestemming. 'Welk volk?' vroeg Augustijn. Reinout knoopte zijn vest dicht; het had geen zin hierop door te gaan. Hij had zijn woord gegeven, het contract was getekend.

Het gegeven woord stond hoog in aanzien bij de Van Puynbroeckxen, en ze waren er zuinig op. Maar moest je een verbond met de duivel nakomen? Augustijn argumenteerde dat – in de gegeven omstandigheden – Reinout zich niet aan zijn woord hoefde te houden. Het stelde ook niet zoveel voor.

Dat was tegen het zere been. 'Ik laat me niet kapittelen!' Reinout was machtig mooi, een donkere prins; dat maakte het nog erger. Kapittelen, kapittelen, dat moet ik opzoeken, dacht ik. 'Als je bij de Duitsers in dienst gaat, hoef ik je gezicht niet meer te zien,' zei Madame vlak. Ik schrok. Zond ze haar oogappel naar zijn graf?

Reinout had zijn koffer al gepakt. Hij ging hem halen en kwam de kamer in, met zijn gabardine trenchcoat aan, de slappe deukhoed in zijn hand. Hij keek speurend rond – niemand zei wat –, zette de hoed op, trok hem over zijn voorhoofd en verliet het pand. Wij bleven verslagen achter.

■■■

Het is niet omdat je het gevaar ziet aankomen, dat je het kunt keren. Ik had me in de schaduw van de Van Puynbroeckxen veilig gevoeld. Toen ze in het geweer kwamen, protesteerde ik. Waarom konden ze zich niet gedeisd houden? 'Zeur niet,' snauwde Madame. Buiten marcheerden de laarzen, binnen tikten de klokken. Augustijn versleepte meubels en metselde een deur dicht. Toen ik hem vroeg wat hij uitvoerde, weerde hij me af: 'Niet lastig zijn, Stieneke.' Het huis leek plotseling voorzien van dubbele wanden en geheime kelders. Het was niet langer solide; het was luguber.

Op een avond daalde ik met mijn schoenen in de hand de trappen af, ik wilde weg voor ze ons kwamen halen. Er hobbelden vrachtwagens over de kasseien. Geschreeuw, het slaan van portieren. Ik luisterde tot mijn oren ervan suisden. Ten slotte liep ik in het donker, de armen geheven als een slaapwandelaar, de keuken in. De rug van een stoel, de hoek van de tafel, drie stappen verder botste ik tegen het fornuis. Ik betastte de fluitketel, trok de dop van de tuit en zette hem aan mijn mond. Een flauw fluiten, haast een gepiep, weerklonk. Ik durfde de straat niet op. En ik prevelde: 'Waar ze ook zijn, laat ze veilig zijn.'

Moedeloos sukkelde ik in het donker weer naar boven. In de gang stootte ik mijn hoofd aan de kapstok, de fameuze *porte-manteau.* Een met druiventrossen besneden meubel, voorzien van spiegel, voet- en hoedenplank. Ik wist heel goed waar de *porte-manteau* stond opgesteld, maar ik was zodanig van de kaart dat ik niet had opgelet. Jassen vielen over me heen en het licht floepte aan. Ik worstelde me vrij en hoorde Madame verwonderd zeggen: 'Het is Celestien.' Ze kwam me helpen de jassen op te hangen, en in de verwarring liet ik de dop van de fluitketel vallen. Ik was helemaal vergeten dat ik hem nog in mijn hand had. Wat ik met dat ding wilde aanvangen, midden in de nacht? vroeg Madame. 'Op blazen,' zei ik onthutst. 'Ik zal je wat te drinken halen,' Augustijn legde zijn revolver op de hoedenplank en ik zette het op een brullen. Madame sloeg haar hand voor mijn mond: 'Stil!' Ze hield mijn mond dicht tot ik me uitgeteld neerliet op de trappen. 'Als het niet gaat, moet je het zeggen,' Augustijn pakte de revolver van de hoedenplank. Ik hield hem angstvallig in het oog. 'Is het hierom?' Ik schudde verschrikt mijn hoofd. 'Dat is voor de veiligheid.' Hij kon me nog meer vertellen. Waar wapens zijn, wordt geschoten. Ik wilde zo vlug mogelijk naar bed.

Achter mijn rug hoorde ik Madame nog zeggen: 'Ik hoopte dat het Marius was.' Dat zouden we de volgende jaren net zo hard hopen als we het vreesden.

'Geen vuiltje aan de lucht,' zei hij toen hij doodleuk, met de sleutel in de hand, het huis betrad. We vielen over hem heen, waar kwam hij vandaan, waar had hij uitgehangen? Nergens, hij had gewacht tot de kust veilig was. En Angelique zat bij de hoeren, met de baby. Ze was met de kinderwagen naar het Glaozen Straotje getrokken. Een van de dames had tijdelijk haar boetiek gesloten, en daar wachtten moeder en kind tot er een woonruimte was gevonden. Blanche, dacht ik en voelde een blos naar mijn wangen stijgen. 'Geen onnodige opwinding, het komt in orde,' besloot Marius.

Madame was ziedend: nog liever zocht haar dochter een toevlucht bij de hoeren dan dat ze naar huis kwam! Marius kon maar beter zijn mond houden, hij die zo goed kon zwijgen, nee, ze wilde hem niet meer horen. Waar had ze het aan verdiend: de een na de ander liep in zijn ongeluk. En die man van haar leek aan één oorlog niet genoeg te hebben. 'Ik ben de enige redelijke persoon in dit huis!' brieste ze. Het was een moeilijk moment, maar met die uitspraak ontlokte ze meewarige glimlachjes.

Augustijn verdween met Marius in het kantoor. Dat was de omgekeerde wereld, maar Madame ging hen niet achterna. Ze stapte mompelend heen en weer door de kamer. Op het puntje van mijn stoel wachtte ik op de uitbarsting die niet kwam. Madame schopte een paar keer tegen de tafelpoot en daar bleef het bij.

Toen Augustijn weer verscheen, vroeg hij haar te gaan zitten. Zelf bleef hij staan, en hij rechtte zijn schouders voor hij van wal stak. De jongen had beloofd geen onnodig risico te nemen. Wapens in ijskasten – dat zou niet meer voorvallen. Augustijn hield niet van amateurisme. Voor het overige ging hij akkoord. Angelique kon beter blijven waar ze was, dat wil zeggen, in de woonst die voor haar werd geregeld. Madame sloeg met beide handen op haar knieën: 'Bon, als het zo zit.' 'En dan is er nog iets,' zei Augustijn. Het ging over de Mayers. Die moesten zo vlug mogelijk ergens worden ondergebracht.

Ik begreep dat dit Madame zwaar viel. De soevereiniteit van haar huis kwam in het gedrang. 'Als het niet anders kan,' zuchtte ze. 'We moeten niet te lang wachten,' zei Marius. 'Jij hebt makkelijk praten.' Ik ergerde me omdat hij zo gewichtig deed. Konden de Mayers geen onderdak krijgen bij Herward? Ik zag de ogen van Madame oplichten, maar Marius onderbrak me: 'Mijn oom heeft al te veel op zich genomen.' En plotseling begon hij tegen Augustijn over mijn zenuwen. Die waren kennelijk te zwak. Was het niet beter me naar het land te sturen? Hij kende een boer die om hulp verlegen zat. Had Augustijn hem over mijn nachtelijke escapade verteld? 'Vertrouwen jullie me niet?' vroeg ik. 'Het is geen kwestie van vertrouwen,' oreerde Marius.

Misschien niet, maar als het erop aankwam, gingen vreemde luizen voor. 'Succes met de Mayers,' zei ik. En die boer mochten ze vergeten, ik zou zelf een andere dienst zoeken. De tranen zaten hoog, maar ik moest me sterk houden. Als Angelique weer onderdak had gevonden, kon ik allicht daar terecht. Hoezo, die kon er geen mond bij hebben? Verteerde ik te veel, ik, die voor niets had gewerkt? 'Zolang wij een boterham hebben, heb jij er ook een,' sprak Madame. Een steen viel van mijn hart. De tranen vloeiden nu toch. 'Tjilpkesmuiltje,' monkelde Madame. Ik snoot mijn neus, draalde.

Augustijn keek naar Marius: 'De jongen heeft honger.' En Madame: 'Waar wacht je op, sla een paar eieren in de pan.' 'Zal ik de eiers hier serveren?' vroeg ik ijverig. 'Eieren, Celestien, eieren, en die ga je opdienen,' Marius kon niet nalaten me te verbeteren. 'Is dat nu van belang?' schuddebolde Madame. 'Ze doet het met opzet,' mopperde Marius. Ik had me niet opzettelijk verkeerd uitgedrukt, ik had me in mijn opluchting even laten gaan. 'Pietje precies,' zei ik. Een zuinig lachje speelde om zijn lippen.

In hemdsmouwen schoof hij even later aan in de keuken. We hadden elkaar heel goed verstaan. En ik wist hoe hij zijn eiers wilde hebben: in een omelet en goed gebakken. Hij gruwde van slijmerig of halfrauw; als zijn broers eieren uitslurpten, wendde Marius zich kokhalzend af. Verdrietig dacht ik aan de tijd dat Madame midden in de nacht roereieren bakte en die met Augustijn verorberde. In kamerjas, met een glas rode wijn erbij. Het was voorzeker na het vrijen – ik was zo jaloers dat ik niet kon slapen. Hoe lang was dat alweer geleden?

Terwijl Marius de omelet at, maakte ik wat proviand klaar, maar in zijn haast vergat hij die mee te nemen. Wij konden niets anders doen dan wachten. En bidden en beven. Augustijn was trots op zijn stugge zoon, Madame ook, al liep ze zich te verbijten. 'Ik wil het niet weten,' zei ze als hij over Marius begon, maar ze werd gek van de geruchten. Bij een razzia was een kennis opgepakt. Een andere kennis was verdwenen.

Bij valavond werd het nog stiller in huis dan het al was. De hond trippelde nerveus door de kamers. 'Zijn de gordijnen dicht?' vroeg Madame. En in bed: is de voordeur op het nachtslot? Zijn de luiken vergrendeld? Is de achterdeur dicht? 'Jawel, en als jij nu je mond houdt, is alles dicht,' bromde Augustijn.

Ik heb naar mijn gevoel de hele oorlog geen oog dichtgedaan. Ofschoon Madame het me had verboden, bleef ik door het huis spoken. Het was alsof ik onzichtbaar werd en door de muren kon stappen. Soms kneep ik in mijn arm om te voelen dat ik echt bestond. En haast altijd sloop ik naar de slaapkamer van Augustijn en Madame. Ik opende de deur op een kier, snoof de wat zurige slaaplucht op en bespiedde de slapende echtelieden. Ik verbeeldde me dat ik over hen waakte, maar ik was dodelijk ongerust.

Op een nacht, toen ik zeker wist dat ik iets verdachts had gehoord, ging ik de slaapkamer in. Krampachtig trok ik aan de mouw van Augustijns pyjama. Hij schrok wakker en schroefde zijn handen om mijn nek. Ik duwde hem van me af, maar voelde mijn kracht afnemen. Niet omdat hij me daadwerkelijk wurgde, maar omdat ik me niet verzette. Madame knipte het licht aan: 'Wat voer jij hier uit?' Augustijn liet me terstond los: 'Ik had ons Celestieneke vast,' zei hij verbouwereerd. 'Geen flauwiteiten,' knorde Madame. Haar haren stonden als een wilde kroezelende pruik om haar hoofd. Ik moest ophouden met mezelf en anderen gek te maken. 'Kruip in je nest!' Ze knipte het licht uit en draaide zich op haar zij.

Augustijn gaf me de raad – of de toestemming – om, als ik bang was, het licht in mijn kamer aan te laten. Maar met het licht aan kon ik helemaal niet in slaap geraken. Terwijl mijn blik langs het plafond en de schuine wanden dwaalde, werd ik langzaam zeeziek. De Van Puynbroeckxen waren in oorlog, ik had geen huis meer en wist niet waar te schuilen. Wie weet wat ons nog boven het hoofd hing?

Als redmiddel tegen de waanzin verzon ik een droomwereld. Mon Repos in een tuin waar het altijd zomer was, een kinderwagen onder de bomen, een hond die een kat achterna zat. Vitrages bolden op in de bries en in het huis werd gezongen. Ik deed de ronde door de kamers en alles was kalm, van een beheerste luxe, een en al welbehagen. Het was een beeld waar de tijd geen vat op kreeg.

Ik had nooit in dit huis moeten terugkomen. Mijn verleden ligt in duigen. Mijn land is weg. En wie ben ik nog? Toen ik jong was, wilde ik door het ovale oog van het fronton de wereld bespieden. Ik zou alles zien en niemand zou mij zien. Zo was ik toch een beetje almachtig. Maar ik durfde die hoge ladder niet op. Marius verschanste zich in het kraaiennest om ongestoord te kunnen lezen. Als ik hem riep, hield hij zich doof. Zodra ik weer ter been ben, moet ik eindelijk de grote klim naar het fronton ondernemen. Al heb ik de wereld ondertussen wel gezien. Het heeft me altijd verwonderd dat de wielen van karren en auto's in films achterwaarts draaien, terwijl de voertuigen voorwaarts rijden. Het is alsof je ogen je bedriegen. Maar nu ik zelf voorwaarts snel, terwijl ik achterwaarts kijk, meen ik het te begrijpen.

■■■

Marius streefde de perfectie na. Het was er een die het voor zichzelf moeilijk maakte. En zoals die jongen op zijn taal stond! Terwijl hij geen kik gaf toen hij werd geboren. Ik zie hem nog voor me, met zijn rode kop en zijn kleine vuistjes: één brok gebald verzet. Klappen op de billetjes, warm wrijven, niets hielp. Ik dompelde de boreling onder in het badje met lauw water. En hield hem onder water tot hij van kleur verschoot. Toen ik hem bovenhaalde, sperde hij zijn ogen open, kreet en klapte weer dicht. Ik moest de dwarsligger tot driemaal toe onderdompelen voor hij begreep hoe het er in de wereld aan toeging. En hij heeft er zich nooit bij neergelegd.

Omdat ik het kind in het leven had gezet, mocht ik het een naam geven. Ik noemde hem Marius, naar mijn lang vergeten vader. Augustijn ging meteen zijn stamboom napluizen. De Van Puynbroeckxen hadden wel drie Mariussen in diverse takken van de familie, maar daarom was mijn Marius niet minder uniek. Het verhaal van zijn geboorte maakte hem bokkig; hij kon het niet laten mij dwars te zitten. Op een heimelijke wijze, of door me met taal te vlug af te wezen. Het was een binnenvetter en hij keek alsof hij zijn laatste oortje had versnoept. Knap ventje, daar lag het niet aan. Recht van lijf en leden, donkere ogen, niet zo groot, maar gespannen als een boog. Hoewel de ogen en de kleur van het haar niet klopten – hij was de enige die het rode krullende haar van zijn moeder had geërfd –, leek hij meer op Angelique dan op zijn broers.

Madame was niet op haar gemak met hem. Ze had het gevoel dat Marius haar kritiseerde, ja, dat hij zijn moeder met haar opschik een tikje vulgair vond. Hij ging niet in op haar gebabbel en kon zwijgen als het graf. Hij had zijn bijnaam, 'de zwijger', niet gestolen en dat hij bij gelegenheid 'onze pastoor' werd genoemd, was ook niet voor niets. Marius was nog een jochie toen hij een servet in een vingerkommetje doopte om de rouge van zijn moeders lippen te vegen. De disgenoten lachten, maar Madame was in verlegenheid gebracht. Toen hij wat ouder was, verweet hij Angelique frivool te zijn; dat was ernaast, en hij bedoelde ook niet dat zijn zus lichtzinnig was – het was haar verschijning die hem tegenstond. Toen ze met de struisveren boa van Madame om haar hals, als dat langbenige scharminkel, die Marlene, traag de trappen afdaalde, schold hij haar voor slet.

Angelique kietelde hem met de boa onder zijn neus: 'Ruikt lekker, niet?' Marius hakkelde: 'Troe-la-la!' en nam de vlucht. Als zijn broers hem tartten, zat hij erbovenop. Hij ontwikkelde een geduchte linker en deelde rake klappen uit. Maar met vrouwen was hij zo bleu als maar kan. Terwijl Reinout de ene na de andere schoonheid voor zijn neus wegkaapte, kon hij niet uit zijn woorden komen. Hoewel zijn ontembare krullenbos ook aantrok: de meisjes werden verlegen of keken met grote ogen naar hem op. Zijn gesloten aard maakte hem geheimzinnig, en wat doen vrouwen liever dan het geheim van een man ontraadselen? Marius benutte zijn kansen niet en hij kon behoorlijk bot zijn. Toen een meisje met hem om de meiboom wilde dansen, duwde hij haar van zich af: 'Houd een ander voor de gek!'

Misschien lag het aan het rode haar. Daar heeft hij op school het nodige voor te verduren gekregen. Met twaalf was hij het pesten zo beu dat hij zich kaal liet scheren. De meester trok hem aan zijn oor en zette hem voor het bord te kijk. Toen Augustijn de man daarover aansprak, noemde hij Marius een anarchist. Ik heb nog een tijd geloofd dat anarchisten een kaalkop hadden. Tot Marius me uit de droom hielp, want van alle betweters wist hij het ook nog een keer beter.

Voor zijn plechtige communie kocht Madame hem een geruite pet. Hij weigerde die op te zetten; hij wilde blootshoofds de volle kerk trotseren. Madame trok de pet over zijn oren en gaf hem een duw in zijn rug. 'Waag het niet je pet af te zetten!' Bokkig gehoorzaamde hij. Maar na het feestmaal, toen de gasten zich ontspanden, deed hij, met de pet als bedelnap, de ronde. Hij haalde behoorlijk wat geld op. Madame voelde zich geschoffeerd. Hij kreeg een klets tegen zijn harde kop en werd naar zijn kamer gestuurd. Ik bracht hem toch nog een stuk van de taart, maar hij raakte de zoetigheid niet aan. Hij zat op zijn bed en sprak geen woord. Hij verklaarde zich niet, hij beklaagde zich niet. Hij trok zich schijnbaar terug. Ondertussen beraadde hij zich.

Toen wij het voorval alweer waren vergeten, bood Marius aan in het kippenhok de eieren te rapen. Hij droeg ze naar binnen in zijn pet en legde die, als een vogelnest, ongemerkt in de stoel van Madame. Ze ging erop zitten. Sakkerend waste ze de struif uit haar rokken. Wij konden onze lach niet bedwingen, maar bij Marius kon er nauwelijks een lachje af. Hij was van zijn pet verlost en hij had zijn gram gehaald. Dat was niet om te lachen.

Het rode haar maakte Marius het mikpunt van spot, maar ook

om zijn nadrukkelijke wijze van spreken werd hij geplaagd. Toen hij begon te stotteren kwam Augustijn tussenbeide: 'Laat de jongen uitspreken.' Maar stotteren was in dat nest erger dan stom zijn. Om zich te handhaven, moest Marius zich trainen om vlot te spreken. En dat deed hij, de klok rond, voor de spiegel: 'De kat krabt de krullen van de trap.' Over en over, dat malle zinnetje, tot het erop leek dat hij genoegen beleefde aan de zelfkwelling. En onze tongen dubbelsloegen, want onwillekeurig deden wij mee.

Marius oefende 'de kat krabt de krullen van de trap' tot hij het, zonder haperen, tien keer en aldoor vlugger kon herhalen. Toen hij ons, de een na de ander, had verslagen, knikte hij tevreden. Gerechtigheid was geschied. Hij stotterde niet meer, maar hij bleef zijn woorden wikken en wegen. Geharnast ging hij door het leven.

Alleen in het theater kon hij zich uitleven. Daar werd hij spraakzaam en rolden de woorden zonder haperen over zijn lippen. De moeilijkste rollen eerst en alles uit het hoofd. Onder het motto: 'Ik zal ze krijgen!' Ik herinner me die man, Galileo, of hoe heette hij alweer, die volhield dat de aarde om de zon draaide. Wat is daar zo bijzonder aan, dacht ik, moet je daarvoor iemand voor de rechter slepen? Maar het was een glansrol voor Marius, over het toneel schrijdend in een wijde tabberd, mompelend: 'En toch draait ze eromheen!' Dat moet je kunnen, mompelen voor het voetlicht en toch verstaanbaar blijven. Het theater was Marius' passie – nu vraag ik je, terwijl in het dagelijks leven elk woord vijf frank kostte. De stijfhoofdigheid van die Galileo paste overigens wel bij hem, maar hij wist ook in elke andere rol en in iedere vermomming zichzelf te blijven.

Marius verontrustte zijn moeder en hij verontrustte mij. Dagenlang zwierf hij door de velden, alleen. Als hij thuiskwam, was zijn blik naar binnen gericht. Je kon praten wat je wilde, hij hoorde je niet.

Van Herward, zijn oom, leerde hij de regels van de jacht. Het wild dat hij schoot, hazen en vogels, soms een bok, gooide hij in de bijkeuken en vervolgens keek hij er niet meer naar om. 'De natuur is meedogenloos,' antwoordde hij toen ik hem op het jagen aansprak. Dat had hij uit een boek; ik repliceerde dat hij geen natuur was. Had hij immers niet de rede tot hoogste goed verklaard? Zijn adamsappel schoot op en neer; wat wist ik van de natuur? 'Meer dan jij,' kaatste ik terug. Het was alsof ik hem in zijn onderbroek had gezet. Hij draaide zich op zijn hakken om en sloeg de deur achter zich dicht. Nooit kon een hazenrug of een reebout hem bekoren. Wild moet rood worden gegeten, maar voor hem moest het doorbakken zijn. En ik moest het vlees zodanig versnijden dat het hem onherkenbaar voorkwam. Anders schoof hij zijn bord walgend van zich af.

Hij bleef jagen, en ik wilde graag geloven dat het een voorwendsel was om door veld en bos te struinen, maar ik zag hoe hij onrustig werd als het jachtseizoen naderde. Hoe hij zijn geweer nakeek en vertrok, voor dag en dauw, met die gespannen blik in zijn ogen. Ik zag ook hoe hij uitgeput, maar voldaan, thuiskwam.

Het was niet door gebrek aan jachtgronden dat hij na de oorlog de jacht eraan gaf. Hij was ondertussen niet alleen de jager, maar ook het opgejaagde wild geweest. En hij was, zoals Augustijn het uitdrukte, zichzelf tegengekomen. Toen hij getuigde voor een kameraad die de oorlog niet kon verwerken en die in een banale ruzie zijn tegenstander had afgeknald, was zijn commentaar: 'Je moet op tijd weten te stoppen.' Kennissen vonden hem zeer veranderd, maar dan hadden ze hem nooit goed gekend.

Zolang alles zijn gangetje ging, had je geen kind aan Marius, maar hij was vlug verstoord. Als je hem wat gebood – of verbood – moest je het voorzichtig aanpakken. Eén verkeerd woord en hij ging op zijn strepen staan. En toegeven kon hij niet. Madame zette hem een keer drie dagen op water en brood, maar alles wat ze daarmee bereikte, was dat hij in hongerstaking ging, wel wetend dat hij haar daar behoorlijk mee kon pesten.

Als oudst levende zoon was hij voorbestemd om de zaak over te nemen, maar de bouw interesseerde hem matig; hij zat liever met zijn neus in boeken. Toen hij meedeelde ontdekkingsreiziger te willen worden, glimlachte Augustijn toegeeflijk: dat waren jongensdromen. Marius toonde zich beledigd – wat Augustijn koddig vond, maar drie dagen later lag er een briefje op zijn hoofdkussen: 'Ik ben weg.' 'Klaarblijkelijk,' zei Madame droog. Marius had zijn spaarvarken stukgeslagen en zijn winterjas meegenomen, maar ook Augustijn bleef kalm: 'Die komt met hangende pootjes weer naar huis.'

De dag ging voorbij, en de nacht. Navraag leverde niets op. Madame begon voor een ongeluk te vrezen en ik was er ook niet gerust op. Augustijn deed een beroep op de politie, en Marius werd opgepakt toen hij de grens naar Holland wilde oversteken. 'Wat heeft hij daar te zoeken?' vroeg Madame verbijsterd. De gendarmes brachten Marius thuis als was hij een boefje, maar hij liet zich niet kennen. Hij was op weg geweest naar het Hoge Noorden en daar mocht je niet mee lachen, want het ergste wat hem kon overkomen, was dat hij niet ernstig werd genomen.

Madame gaf de boeken de schuld: die brachten Marius het hoofd op hol. Maar Augustijn gromde: 'Waarom moet hij ook alles letterlijk nemen?' Als Marius las, was het alsof hij op een andere planeet vertoefde: je moest het boek afpakken en dichtslaan voor hij je opmerkte. Hij reageerde geprikkeld of was ronduit kwaad. Wat nu weer? Kon ik hem niet met rust laten?

Ik heb weleens gedacht dat hij in het verzet ging omdat de Duitsers hem lastigvielen. Als de stem op de radio begon te loeien, verbleekte hij, zodat zijn rode kop nog vuriger vlamde. Hij werd niet graag gecommandeerd, en al helemaal niet in een vreemde taal.

Als de soldaten zingend door de straten marcheerden, liet hij de knokkels van zijn vingers kraken. Hem werd geweld aangedaan. Zijn innerlijke orde was verstoord, het was uit met zijn rust. Hij wierp Reinout voor de voeten dat hij het knechtje was van een korporaal die de kluit belazerde. En hoe de bezetters ook dachten hun doel te bereiken, met lepe politiek of brute macht, hij, Marius, zou niet buigen. Laat staan dat hij als een idioot in een menigte 'Sieg Heil!' zou schreeuwen.

'Ik ben geen massamens,' sprak hij soms plechtig. Dat klopte. Hij was een eenzelvig kind, en al heel jong een persoon. Het is hem niet in dank afgenomen. Zijn broers, die zich heertjes waanden, vonden het onuitstaanbaar dat hij altijd het laatste woord moest hebben. En zich aanstelde als een ridder die voor de goede zaak of juiste partij opkwam. Al was Marius nooit een partijganger: zijn persoon kon zich niet schikken. Hij was niet zo charmant als Reinout, en niet zo vlot als Bertje, maar hij was diegene die – met Angelique – nooit een volgeling werd. Daar konden onze helden een voorbeeld aan nemen! Toch had ik hem graag wat minder steil gezien. Wat minder recht in de leer. Ik vreesde dat hij zou gaan lijken op wat hij bestreed. Vooral omdat in een oorlog de methodes waarmee men elkaar bestrijdt, vaak dezelfde zijn. Marius was oprecht bewogen, hij voelde zich verplicht weerwerk te leveren. Om zijn doel te bereiken moest hij echter zijn gemoed onderdrukken. Hij was een gevaarlijke tegenstander, maar een desperate man.

'Hier scheiden onze wegen,' zei hij na de finale ruzie met Reinout. In de gang sloeg hij machteloos zijn vuisten tegen de muur. Ik had hem in de armen willen sluiten, maar gevoeligheid van mijn kant vond hij ongepast. De tranen van Madame maakten hem kribbig en goede raad van zijn vader kon hij missen. Hij ging zijn eigen, eenzame, gang.

■■■

Marius is maar één keer plat gegaan, en wel voor zijn Eliane, de stoeipoes die hem weer aan het stotteren bracht. Ik had stilletjes al gehoopt dat een vrouw hem onder haar vleugels zou nemen. Maar hij had wel wat beters kunnen krijgen dan die mamzel die hem bagatelliseerde.

Ze was opgegroeid in een café en had van jongs af aan geleerd de mannen om haar vinger te winden. Het was ook een natuurtalent, met haar hartvormig gezicht, haar ravenzwarte kapsel, en haar figuur als een zandloper. Het was onbegrijpelijk dat Marius, de zedige, niet meteen de benen had genomen. Maar zij plaatste een bloot been op een stoel en trok, met de punt van haar tong tussen haar lippen, een potloodlijntje dat de naad van de kous moest vervangen. Van de hiel tot ver onder de zoom van haar niet al te lange rok. Hij wist niet waar te kijken en raakte helemaal van slag. Prompt zette hij nog maar een keer zijn leven op het spel. Vanwege de vrijheid en het vaderland, maar ook om indruk te maken op die cafémeid, die voorgaf niet goed te weten wat ze wilde. Ze verstrikte Marius in een kat-en-muisspelletje: de ene dag hield ze van hem, de andere dag niet.

De champagne vloeide rijkelijk in de tingeltangel, waar ze van arm tot arm ging en ook wel op de tafels danste. Marius was een schat, alle mannen waren schatten. Ze was te jong om te trouwen. Hij kon bidden en smeken wat hij wilde. Liep hij kwaad weg, dan pruilde ze, en als hij dreigde het op te geven, haalde ze hem weer aan.

Als ze zich, toen ze eenmaal bij ons over de vloer kwam, verveelde – en ze was vlug verveeld – zakte ze af naar de keuken. Als een kat in een fluwelen velletje, om me heen draaiend, een stukje van de cake verkruimelend, de vingers aflikkend. Was ik niet eenzaam, zo alleen? Had ik nooit aan een man gedacht? Eentje die me flink vastpakte? Miste ik dat niet? Marius was zo serieus, met Bertje kon je tenminste nog lachen. Maar hij was te klein voor haar, ze hield van grote mannen. Augustijn, dat was pas een interessante man! Was het niet gek dat de vader knapper was dan de zonen? 'Wat zeg jij, Celestiiien?' Geen wonder dat Marius gek werd.

'Ik moet dat mens niet,' morde ik tegen Madame. 'Als ik haar eruit kon schoppen deed ik het vandaag nog,' grommelde ze. We vonden Eliane geen aanwinst, maar het was nog altijd oorlog. Het café waar ze haar charmes tentoonspreidde – en waar Marius 'zijn verloofde' had ontdekt –, was een ontmoetingsplaats. Voor het verzet, voor zwarthandelaren en ook wel voor lui die het voor bijltjesdag op een akkoordje wilden gooien. Er ging veel om. Eén ondoordacht woord kon fataal zijn, zwijgen was de boodschap.

Eliane trok het zich niet aan dat vrouwen haar niet moesten, zolang de mannen haar maar niet konden weerstaan. Augustijn vond haar een charmant schepseltje en zij noemde hem 'schoonpapaatje'. Bertje dook op uit de achterkamer toen hij haar kirrend hoorde lachen. 'Mijn zwart beestje,' plaagde ze. En hij toonde zich godbetert gevleid. Nog een geluk dat vader en zoon Mayer zich afzijdig hielden. Die leken eerder van de uitdagende schone te schrikken.

De bezetting zou niet lang meer duren, maar daarom was het in die dagen niet minder gevaarlijk. De verliezers voelden zich in het nauw gedreven. Het leek erop dat ze nog vlug zoveel mogelijk mensen de dood in wilden jagen. Of dat ze tot de laatste man zouden doorvechten, beseffend wat ze hadden uitgevreten en vrezend voor de wraak. Het was een kwestie van tijd winnen, van volhouden.

Wij hoopten dat van uitstel van de trouwerij afstel zou komen. Hij was te serieus en zij te lichtzinnig, het was zonneklaar dat die twee niet bij elkaar pasten. Maar Marius was niet van plan zijn geliefde op te geven – nog afgezien van de roman die door zijn hoofd speelde, lag het gewoon niet in zijn aard. Al kende ik die aard toch niet zo goed als ik wel dacht.

Op een avond bleef het paar wel erg lang op de gang scharrelen en toen ik een kijkje ging nemen, zag ik Marius als een wildeman Eliane tegen de *porte-manteau* duwen. Met een arm achter haar rug gewrongen zodat haar lijf zich spande als een boog. Hij gromde en beet in haar hals en zij rekte zich nog meer, onderwijl haar hoofd heen en weer rollend. Terwijl ze hem zogenaamd afweerde, kantelde ze haar bekken naar voren. Marius hand gleed onder haar rok en Eliane sloeg haar been over zijn dij. Terwijl ze tussen de jassen verdwenen, bonkte de *porte-manteau* tegen de muur op het ritme van zijn stoten.

Ik kreeg het er benauwd van, maar ik durfde de keukendeur niet te sluiten. En ik bestierf het dat iemand uit de salon of het kantoor zou komen. In de gang, als heidenen, foei, dat gaf toch geen pas! Toen Eliane een hoge kreet slaakte, rukte ik uit omdat ik het schandaal wilde voorkomen. Ik trommelde Marius op zijn rug en probeerde hem vergeefs van Eliane af te halen. Jassen vielen over ons heen, maar ik ging blindelings door met slaan. Van ver hoorde ik Madame: 'Wat is hier aan de hand?' Ik was te boos om beschaamd te zijn, maar achteraf was ik dat wel. Ik had geen al te hoge dunk van Eliane, maar dat Marius zo plompverloren tot de daad zou overgaan, dat had ik evenmin verwacht.

Ik ontweek zijn blik en was opgelucht toen hij weer voor onbepaalde tijd verdween. Maar er was toch een snaar geraakt. Als ik de *porte-manteau* afstofte, kreeg ik de kriebels. Het hijgen en bonken echode in mijn hoofd. Vertwijfeld omarmde ik de jassen, mijn verlangen en mijn angst verbijtend.

De hond jankte achter me, maar zachtjes, haast begrijpend. Hij was mager geworden, in de benige kop glommen zijn donkere ogen. 'Ik heb niets meer,' zei ik verontschuldigend. Met een kreun ging hij liggen, de neus op de voorpoten, scheel naar me op kijkend.

De dieren gingen me aan het hart, je kon ze niet uitleggen dat het oorlog was. De hond moest het met restjes doen, voor de papegaai zaaide ik zonnebloemen, maar in de winter moest ik de pitten rantsoeneren. De kater was altijd al een genadeloze jager en het werd ook een drieste dief.

Op een dag kwam hij aanzeulen met een stuk soepvlees – toen ik het probeerde af te pakken, haalde hij klauwend uit. Wat later belde de overbuurvrouw aan; op hoge toon eiste ze het soepvlees terug. 'Wij kunnen geen vlees meer in de soep doen,' zei Madame. 'Wacht tot mijn man ervan hoort!' dreigde de overbuurvrouw, die goed in het vet zat. Haar man en zonen paradeerden in een zwart uniform, omzichtigheid was geboden.

Madame, die flink was afgeslankt, kon zich echter niet bedwingen: 'Vraag hem eens een stuk soepvlees voor ons te organiseren.' 'Gij hebt geen recht van spreken,' riep de buurvrouw. En toen Madame perplex bleef: 'Met uw lekkere zoon.' We zaten er danig mee in de maag; welke zoon bedoelde ze?

Ik hield vol dat ik de kat niet had gezien, maar Madame volgde het vettige spoor op de keukenvloer en vroeg besmuikt: 'Was er nog wat van het vlees te redden?'

Het gebeurde wel meer dat de kat, een onbesneden kater, zich een paar dagen niet liet zien. Na het voorval bleef ik echter onrustig, ik ging de tuin in en riep: 'Kom Cesar, kom,' tot ik er schor van werd. Augustijn veronderstelde dat de kater in een soeppot was verdwenen. Of dat hij in de handen van de welgedane buurvrouw was gevallen. Maar we konden de dame er niet op aanspreken. 'Het is *nur eine katze*,' fluisterde mevrouw Mayer angstig. 'We moeten het niet overdrijven,' beaamde Augustijn. Maar als de hond de oren spitste, vielen we stil. Het was alsof het onheil ons besloop.

Ik zocht mijn toevlucht in de keuken en miauwde om de papegaai te plagen. Hij schudde kouwelijk zijn veren maar gaf geen piep. Waar kon je aan zien hoe oud een vogel is? De papegaai had me dol gemaakt met zijn gekwek, maar toen ik hem daar zo mistroostig zag zitten, haalde ik hem uit zijn kooi. 'De papegaai is onwel,' meldde ik aan Madame. 'Vandaag of morgen liggen we allemaal met onze pootjes omhoog,' voorspelde ze somber.

Het bleef verdacht stil in de keuken. Jarenlang was ik onthaald op een vrolijke kreet of een kwaaie krijs, maar nu lag de papegaai op de bodem van zijn kooi te zieltogen. 'De papegaai gaat dood,' zei ik toen Augustijn kwam vragen waar ik bleef. 'De sakkerse rakker.' Hij boog zich over het groene karkasje en wilde de papegaai meteen begraven. Ik vroeg hem daar nog even mee te wachten. 'Wanneer eten we dan?' vroeg hij. Ik zette de resten van een wildpastei en een pot uienconfituur op een blad. Ik had voor één keer wel wat anders aan mijn hoofd dan een diner op te dienen.

Ik legde de papegaai op een handdoek op de keukentafel. Gewapende vrede, meer was het tussen ons niet geworden. Maar het was geen mooiprater, dat moest ik hem nageven. Ik zat naar de vogel te kijken terwijl mijn gedachten alle kanten op gingen.

Toen kwam Augustijn aan de andere kant van de keukentafel zitten. 'Klaar?' Ik stond stijfjes op en wikkelde de papegaai in de handdoek. 'Het is de gang van de wereld, Stieneke.' Ik kon er geen troost in vinden. De dood, die ons werd aangedaan, maakte ons toch schuldig. En het was alsof de dieren ons vooraf gingen. Ik was kwaad, in het algemeen, maar ook op de Van Puynbroeckxjes. Die wisten het altijd beter. We konden de wereld rustig aan hen overlaten. Zij hadden zich het hogere ten dienst gesteld, wij, arme dieren, moesten alleen maar voor het lagere zorgen. Met duizenden gingen wij eraan, zonder dat we daar iets tegen in konden brengen. Wij waren vervangbaar of inwisselbaar. Terwijl zij zich enig wisten. Twijfelden ze nooit een keer aan zichzelf? Als je zag wat ze ervan terechtbrachten?

In de lente schoten de zonnebloemen weer op, uit zichzelf leek het wel, want ik was vergeten zaden in de grond te stoppen. Ik bond de stengels op en gaf de bloemen water gedurende de droge dagen. Ik zag hoe ze hun koppen naar de zon draaiden en toen ze die topzwaar lieten hangen, sneed ik ze af. Op de vensterbank lagen ze in de najaarszon te stoven; zware kussens vol zwarte pitten. De Mayers aten de pitten, maar Augustijn bedankte. Hij lustte geen vogelvoer, zei hij. Ik verzocht de Mayers beleefd de velletjes van de pitten niet op de grond te spuwen. Daar had ik met de papegaai voldoende last van gehad. Maar ook mijn brandschone keuken stond me tegen. Er ontbrak wat aan.

■■■

Op een avond werd ik in de gang van achteren vastgegrepen. De avondklok was ingesteld, ik had niet verwacht dat Marius zou opduiken. Met zijn hand stevig op mijn mond draaide hij me om, ik sperde mijn ogen open, en toen hij zijn hand weghaalde, kreet ik toch. Zijn haar was zwart geverfd, pikzwart, alsof hij het met kachelpoets had gedaan. Zo vreemd stond hem dat, het kon niet anders dan opvallen.

In de gedempte opwinding bleef Augustijn zijn zoon maar op de schouders kloppen, maar Madame vroeg beverig: 'Wat ga je doen als ze je broek naar beneden trekken?' 'Mijn broek wordt niet meer naar beneden getrokken,' antwoordde Marius koel. Zo kenden wij hem weer.

Het ontspruiten van het schaamhaar was voor de jongens net zo spannend geweest als het eerste dons van het baardhaar. Nog spannender eigenlijk, omdat het schaamhaar zich aan het oog onttrok. En werd de baard geschoren toen het gewas nauwelijks een naam mocht hebben, de intieme beharing werd zowaar gekoesterd. Zoals alle jongens was het drietal danig in de weer met hun piemel, maar dat Bertje en Reinout ook met hun schaamhaar opschepten, was iets nieuws. Marius was te preuts voor de spelletjes van zijn broers; hij weigerde zijn piemel met die van hen te vergelijken of zelfs maar een plukje schaamhaar af te leveren als bewijs dat hij behaard was. De anderen besprongen hem in de badkamer en dwongen hem op zijn rug op de vloer. Bertje zat op de borst van Marius en kietelde hem ongenadig terwijl Reinout zijn broek afstroopte. Marius slaakte gilletjes als een jongejuffrouw; hij kon absoluut niet tegen kietelen. Toen het gekietel de pijngrens naderde, hielden de broers echter beteuterd op. Marius was goed geschapen en met zijn veertien al een hele man. Zijn oksels waren uitgedost met een flinke bos rode haren en om zijn piemel woekerden wilde krulletjes. De broers kregen op slag ook uitsluitsel over wie van hen de grootste had, want dat lid bleek niet noodzakelijk vast te zitten aan de grootste praatjesmaker.

Terwijl Marius ontluisterd zijn kleren bij elkaar graaide, slenterde Angelique de kamer in. Ze trok haar wenkbrauwen op tot twee vragende boogjes: 'Wat moet dat voorstellen?' Marius, in het nauw gedreven, viel uit: 'Kijk naar jezelf, bleke pruim!' Zoals veel mensen met een lichte huid bloosde Angelique vlug. Ze sloeg haar handen voor haar gezicht en trok zich terug. Bij de deur liep ze tegen me aan. Meteen viel ze uit: 'Wat sta jij daar te gapen?'

Ik had zin om terug te snauwen, maar ik hield me in, ze had warempel tranen in de ogen. Besefte ze door de uitval van Marius dat haar broers haar hadden bespied – tot veel, zoniet tot alles in staat om achter het geheim van hun oorsprong te komen? Ik had de snotapen met een natte dweil om de oren geslagen toen ze elkaar voor het tuimelraampje van de badkamer verdrongen. Ik zei er niets van, maar ik zorgde ervoor dat voortaan het tuimelraampje op de knip zat als er iemand van de vrouwelijke kunne een bad nam, al besloegen de spiegels en was het in de zomer te warm in de badkamer. De jongens mochten zich eens afvragen hoe het met mij, of laat staan, hoe het met Madame was gesteld!

Ik kon het niet helpen dat ik daaraan terugdacht toen Marius zich met zwart geverfde haren bij ons meldde. We hadden gehoord dat joodse mannen, bij twijfel over hun staat, de broek moesten laten zakken. 'Je moet wat aan dat hoofd doen,' zei Augustijn, die klaarblijkelijk hetzelfde vreesde. Marius beaamde dat hij van dat zwarte haar af moest en andere kledij aan, zodat zijn signalement niet meer klopte. En honger had hij ook: 'Heb je nog eiers, Stien?' Hij lachte, en het was niet langer een zuinig of een spottend lachje, het was een lachje van begrip of van mededogen. Ik schudde mistroostig het hoofd maar zorgde ervoor dat hij iets te eten kreeg terwijl Madame het bad liet vollopen.

Omdat we niets anders bij de hand hadden om het haar van Marius te ontkleuren, probeerde ik het met bleekwater. Een catastrofe! Hij kreeg oranje kroezen en hij had een soort pannenspons op zijn kop. Augustijn schoor het haar ten slotte kort, met een tonsuur op de kruin. Hij kwam ook aanzetten met de soutane, die hij vroeger als Sinterklaas onder het koorkleed droeg.

Wat vermommingen betreft was Augustijn een meester. Hij verkleedde zich met genoegen en was een indrukwekkende Sinterklaas – zelfs zijn eigen kinderen lieten zich in het ootje nemen. Tot Angelique onder het habijt van de heilige man de rijlaarzen van haar vader herkende. Ze verklapte het geheim aan haar broers, maar die besloten het spel mee te spelen vanwege speculaas en marsepein. Bertje twijfelde; het was mooi om zien hoe hij in bijgelovige vrees de Sint een hand gaf. Augustijn leek nog groter dan hij al was met die mijter. En hij had ook nog een vlasbaard en een karbonkel van een bisschopsring.

Als de Sint met opbollende mantel uitreed, was Bogo II opgetuigd met zadelkleed en kwasten aan de teugels. Twee zwarte Pieten liepen op een drafje achter hem aan, de ene met het boek, de andere met de zak. In elk huis dat ze aandeden, werd het gezelschap op een hartversterkertje onthaald. Toen wij, als laatsten, aan de beurt kwamen, bleken de Sint en zijn knechten aangeschoten. De mandarijnen werden in het rond gestrooid en ik moest op de knieën terwijl een zwarte Piet gebaarde dat ik van de roe zou krijgen. Madame vertikte het te knielen en de ring van de Sint te kussen – ze liep resoluut naar de trap. De heilige man zat haar achterna, maar hij struikelde over zijn rokken. Terwijl hij viel, deed hij nog een uitval naar de benen van Madame, die een paar treden hoger trachtte te ontkomen. Zij boog voorover om de baard van zijn gezicht af te trekken, hij week uit, maar greep toch weer naar haar enkels. Wij trokken partij, de mannen tegen de vrouwen, behalve Marius, die met de vrouwen meedeed.

Uiteindelijk had de Sint Madame te pakken, maar tegelijkertijd trok zij hem de baard af. Alsof hij op slag ontnuchterd was, tastte hij beduusd naar zijn wangen. Madame ontsnapte, en hield de baard triomfantelijk over de leuning van de overloop. Gejoel en gefluit bij de toeschouwers. En we zongen van de maan schijnt door de bomen, en het heerlijke avondje dat was gekomen.

Augustijn bleef nog lang Sinterklaas spelen, maar in ons huis heette het voortaan 'Klaas de baard afdoen'. Zodra hij, met zware tred, naar binnen stapte, probeerde Madame de vlasbaard af te trekken. Hij verdedigde zich met zijn kromstaf en wij zetten in op de winnaar. Dat was uiteindelijk altijd Madame, maar het ging erom hoeveel moeite zij moest doen om de baard te pakken te krijgen, en hoe lang hij hem kon behouden.

Het waren de jaren van de onschuld, maar we beseften het niet. Als het zomer was, dan was het voor altijd zomer, en als het winter was, dan was het voor altijd winter. Het besef van de tijd komt met het verlies, of met de angst voor het verlies.

Terwijl Augustijn de soutane van Marius met een singel opschortte – geen enkele van zijn zonen was hem boven het hoofd gegroeid – haalde ik het deksel van de doos waarin de vlasbaard rustte. Na jaren vergetelheid was de golf eruit; hij was uitgerafeld en leek dunner geworden. 'Daar kunnen we niets mee beginnen,' Augustijn schoof de doos ongeduldig opzij. Sinterklaas leek niet te hebben bestaan, of de herinnering eraan werd lastig gevonden. 'We zouden die baard beter verbranden,' zei Madame. Ze draaide nerveus haar ring om haar vinger.

Ik sloot de doos en drukte ze tegen me aan; bereid om als laatste de baard te verdedigen. 'Wat voor kwaad kan het?' 'Je weet maar nooit wat ze zich inbeelden als ze hem vinden,' zuchtte ze. Ik vroeg niet wie of wat, ik drong niet aan. Ik bracht de doos met de baard naar de zolder, waar ik hem op mijn beurt vergat.

Na de oorlog, toen de schade aan het dak werd hersteld en de zolder opgeruimd, vonden de werklui de doos, waarin kennelijk muizen hadden gehuisd. Het ongedierte had de baard aangevreten en vol keutels achtergelaten. 'Weg met dat ding,' beval Madame en ik moest haar gelijk geven. Augustijn zou nooit meer Sinterklaas spelen.

De soutane misstond Marius niet, al bleef hij een rare pater. Toen Madame even de kamer uit glipte, vroeg ik hem te blijven. Hij kon in de achterkamer, bij de Mayers, het einde van de oorlog afwachten. Waren er al niet voldoende doden? Ik smeekte hem in naam van zijn moeder ons niet ongelukkig te maken.

Hij greep me ongeduldig bij de armen: 'Stien, je hebt me niet gezien!' Daar hoefde hij niet op aan te dringen, niet zien wat ik had gezien was een tweede natuur geworden. Soms lukte het haast mezelf ervan te overtuigen dat mijn ogen me bedrogen. Ik had geleerd me doof te houden en stom te blijven. Marius hoefde me heus de mond niet te snoeren. Maar ik dacht er wel het mijne van. Dat kon niemand verhinderen. Al verbeelden de meerderen zich dat de minderen niet denken, of gebrekkig denken. De gedachten zijn vrij – zelfs diegene die denkt, kan ze niet onder controle houden.

Als ik vreesde dat ik mijn tong niet zou kunnen bedwingen, sloeg ik mijn ogen neer. Bang dat wat ik niet uitsprak in mijn ogen stond geschreven. Toen Marius de baard in de keel kreeg, gebeurde het dat ik ook voor hem mijn ogen neersloeg. In die periode begon hij me Stien te noemen. 'Celestien, voor jou,' zei ik. Maar hij bleef Stien zeggen. Hij wilde niet onder de plak raken. Of door een rok te kijk worden gezet. Hoogmoed komt voor de val, dacht ik vaak achter mijn wimpers.

Toen Marius de soutane aantrok, leek een voorspelling uit te komen: onze zwijger was pastoor geworden. Ik hield mijn ogen neergeslagen. Als ik mezelf moest vergeten om hem te redden, dan moest het maar. Mijn wanhoop liet zich echter nauwelijks onderdrukken. Waarom probeerde Madame haar dwarse zoon niet tot rede te brengen? Omdat ze niet het onmogelijke kon vragen? Komaan, ze deed niets anders! Of waren haar wensen geen bevelen?

Madame schoof een van de beruchte gele enveloppen over het bureau. Die gebruikte ze meestal om de lonen uit te betalen of iets onder de tafel te regelen. 'Op geld staat geen naam,' placht ze te mompelen. Ze kende al te goed de aantrekkingskracht van haar gele enveloppen. Ambtenaren, politiemannen, allemaal bezweken ze voor het kleine profijt.

Toen ze Marius zag aarzelen, beval ze korzelig: 'Pak aan!' Hij mompelde: 'Het is niet voor mij,' en hij stopte met een vlug gebaar de envelop in zijn broekzak onder de soutane. Ik had nog wat noten en een reep chocola. Augustijn gaf hem een handvol rokertjes. Na alle opwinding wisten we plotseling niet meer wat te doen.

Marius knoopte een rij paternosterknoopjes los en liet de haan van zijn revolver klikken voor hij het wapen wegstopte. 'Stien, doe het licht uit,' beval hij. Ik was als versteend en ook Madame verroerde zich niet. Marius wilde zijn vader de hand drukken, maar Augustijn trok zijn zoon aan zijn borst. Madame kwam in beweging en sloeg haar armen om haar mannen. Zo bleven ze even staan. Toen bevrijdde Augustijn zich uit de omhelzing. Hij duwde Marius van zich af. 'Weert u!' klonk het kortaf. Even later hoorden we de achterdeur zacht in het slot vallen.

■■■

Het was alsof we weer uitverkoop hielden, nu zonder dat het wat opleverde. Na Angelique gingen Reinout en Marius de deur uit, en ten slotte ook Bertje, maar geen van allen kwam goed terecht. De oorlog was uitputtend, alledaagse dingen vergden een bovenmenselijke inspanning. We raakten verstrikt in een clandestien netwerk en er waren vele monden te vullen. Madame verkocht haar juwelen; het ging niet van harte, maar als het nodig was geweest, had ze de laatste diamant van de hand gedaan om aan eten te komen. Augustijn was gedurig op stap om te handelen. Vaak vond ik hem 's ochtends in de voltaire, met het hoofd op de borst en de laarzen nog aan. Hij wist van geen opgeven, maar het was duidelijk dat hij uitgeput raakte.

Mijnheer Mayer bood aan om hout te hakken – het scheelde echter niet veel of hij had drie van zijn vingers afgehakt. Mevrouw Mayer kon niet helpen, ze leed aan hartzwakte en in plaats van appelflauwtes kreeg ze oedeem. Junior las zijn ogen stuk; als je zijn hulp inriep, moest je dubbel uitkijken, want hij was zo verstrooid dat hij vergat waarmee hij bezig was. We gaven er de voorkeur aan dat de Mayers in de achterkamer bleven en drongen erop aan dat ze zich stil hielden.

Achteraf, en nu ik hier zelf zit te zitten, weet ik dat dat niet moet zijn meegevallen. Augustijn heeft nog gezocht naar een schuiladres waar Mayer junior meer bewegingsruimte zou hebben, maar de jongen wilde zijn ouders niet verlaten: 'Dan zie ik hen nooit meer terug!'

'Hoe lang gaat dit duren?' vroeg ik. Madame bleef het antwoord schuldig. Hoe het zou aflopen durfde ik al niet meer te vragen.

Toen Bertje werd opgepakt, moest ik de bevoorrading van Angelique op me nemen en kwam Madame er in huis grotendeels alleen voor te staan. Ze mopperde niet, maar ze benijdde me die reisjes wel. 'Ik zit hier tussen mijn eigen muren opgesloten.' Alsof ik voor mijn plezier op stap ging! Ik moest lang wachten op tochtige perrons en beladen als een muilezel grote afstanden te voet afleggen. Dan nog was het een hele toer om niet in de handen van de controleurs te vallen.

In het Chinese paviljoen vond ik Angelique verbeten aan de luierwas. De baby huilde klaaglijk; er zat geen kracht bij, het was alsof hij op taptemelk werd grootgebracht. Ik leerde Angelique – dat had ik van de baker afgekeken – hoe ze de melktoevoer kon stimuleren. Ze had tepelkloven en de tranen rolden over haar wangen als ze de baby aanlegde, maar er zat niets anders op.

De schoonvader had ze in de geschiedenis bijgezet, maar ook over Davy sprak Angelique zelden. Ze gedroeg zich alsof hij haar in de steek had gelaten.

Toen Bertje na een ongenadige ondervraging en een flink pak rammel zich 'vrijwillig' aanmeldde voor het werk aan de *Atlantikwal*, kreeg ze een inzinking. Ik vond haar in het ijskoude paviljoen met de natgeplaste baby in bed. 'Waarom word ik zo gestraft?' vroeg ze huilend. Ik pakte haar hard aan: het kind moest verschoond en gevoed. Het moest uit zijn met dat gejank, zo dadelijk stremde haar melk! 'Je lijkt mijn moeder wel,' snikte ze, maar ik kreeg haar weer aan de gang.

Angelique en Bertje, dat was altijd al iets bijzonders, en in de maanden dat hij voor haar zorgde, waren ze elkaar weer nader gekomen. Hij deed alle boeren aan die ham of aardappelen versjacherden, hij fietste gezwind naar zee om haring in te slaan. Hij had er alles voor over om zich tegenover haar een man te tonen. En zij, in haar halve weduwstaat, een hulpbehoevende en verdwaasde moeder, klampte zich aan hem vast alsof haar kleine broer de redder in nood was. Hij trok bij haar in en zolang het duurde leken ze méér dan verwant. Maar vadertje en moedertje speelden ze niet; de baby stond er buiten. Ook later zou Bertje nooit een bijzondere belangstelling voor zijn neefje aan de dag leggen. Integendeel, hij leek hem de band met zijn moeder kwalijk te nemen. 'Aangenomen dat Davy niet terugkomt...' begon hij toen hij ons kort voor zijn arrestatie bezocht. 'Ja, wat dan?' vroeg Augustijn korzelig. 'Hoe moet het dan met het kind?' vroeg Bertje. 'Komt tijd, komt raad,' sprak Madame. 'Maar dan zit ze er wel mee opgescheept,' mompelde Bertje. 'Wat wil je daarmee zeggen?' vroeg Augustijn. Bertje haalde zijn schouders op. 'Laat het jouw zorg niet wezen,' Madame had geen zin in de conversatie. 'Het is mijn zorg al,' beklemtoonde Bertje. 'Blaas toch niet zo hoog van de toren,' gromde zijn moeder.

Het was duidelijk dat Bertje liep te broeden. Maar de tedere zorg voor zijn zus weerhield hem er niet van het met een boerendochter aan te leggen. Ze was zeventien en kwam vers van achter de koe. Domgehouden, maar goedlachs en heel aanhankelijk. Ze keek tegen Bertje op en was ongeremd als het op vrijen aankwam. 'Ze kende geen schaamte,' liet hij zich ooit ontvallen. Het was voor één keer niet minachtend bedoeld, en dat hij zich voor die uitspraak had moeten schamen, kwam niet bij hem op. Zoals het evenmin bij hem opkwam dat hij zijn grote mond moest houden en in cafés niet opscheppen over zijn broer, niet over de ene, maar ook niet over de andere. En hij had uit zijn doppen moeten kijken als hij met zijn fiets beladen met smokkelwaar naar het Chinese paviljoen fietste. Maar Bertje trok zijn rijlaarzen aan en verbeeldde zich dat hij de koning van de smokkelaars was, de jongste held van de familie, een vrijbuiter die zijn eigen oorlog voerde. Zijn verdachte gedrag vroeg erom dat hij zou worden opgepakt – en toen mocht hij het proberen uit te leggen. Dat hij niets met de schoonvader van Angelique had te maken, dat hij niet wist waar Marius uithing, dat hij niet smokkelde om de winst, maar omdat zijn zus dreigde te verhongeren.

Bertje had zich op Reinout kunnen beroepen, maar hij was bezig zichzelf te bewijzen. Toen de ondervrager een sigaret opstak, haalde hij zijn sigarenkoker met initialen te voorschijn en stak er ook eentje op. Hij presenteerde niet – als de ander geen manieren had, dan hij ook niet. En toen de ondervrager met een handzwaai de sigaret uit zijn mond sloeg, al snauwend: 'Hier wordt niet gerookt!' boog Bertje zich als in een reflex over het bureau en sloeg de man op zijn beurt de sigaret uit de mond: 'En daar ook niet!'

Actie en reactie, dat was een van zijn leuzen, maar hij was zichzelf te vlug af geweest. Hij werd de ziekenboeg in geslagen, en nog een keer, en net zolang tot hij, althans van lijf, was gebroken. Hij tekende een contract om de gevangenis te omzeilen, en nam zich voor bij de eerste de beste gelegenheid de benen te nemen. Wat in nood of onder dwang werd bedongen, had wat hem betreft geen kracht van wet.

■■■

Weer kwam de paardenknecht van Herward aanzetten, met dat gezicht als van een lijkbidder, en deze keer waren we erbij. Toen de bel ging, kreeg ik nauwelijks de tijd om de deur open te maken. De soldaten stormden naar binnen en in een mum van tijd was het hele huis bezet. De vitrine dekte de ingang tot de achterkamer af, maar ik was als de dood dat ze de Mayers niettemin zouden ontdekken. Madame keek me bezwerend aan, en Augustijn mompelde onder zijn snor: 'Ze vinden ze niet.'

Ik hield me vast aan de tafel terwijl de keuken op stelten werd gezet. De Fritz die mijn paspoort controleerde, trok een misnoegd gezicht. Ik was geen lid van de familie, en wat hield dat in: huisbediende? Met stijve passen stapte hij naar de kast met de kookpotten, het leek alsof hij ze telde, en plotseling begon hij de potten en pannen tegen de grond te keilen. Het maakte een hels lawaai en ik kromp in elkaar, maar toen ik de deuken in mijn koperen marmeladeketel zag, trok ik de man aan zijn mouw en schreeuwde: 'Hou daarmee op!' Hij liet de pan vallen die hij in zijn hand hield – ze kaatste af op de punt van zijn laars, maar hij lette er niet op. Hij keek naar mij terwijl hij de mouw van zijn jas afveegde: ik was dus tóch de meid. Vol verachting stapte hij de keuken uit.

Ze namen de hammen en een partij tabak in beslag. En ook een schrift met berekeningen. Het was de geheime boekhouding van Augustijn. Hij werd terstond gearresteerd. Madame reikte hem zijn hoed aan en hij boog zich naar haar over voor een handkus. Het was dat zij die Duitsers geen kijkje op hun intimiteit wilden geven, want voor een kus waren ze nooit verlegen. De handkus was ook een hoofse demonstratie.

Ik had wel vaker mannen een handkus zien geven, zakenrelaties van Madame of vrijers van Angelique, en zelden brachten ze er iets van terecht. Ze zwaaiden met de arm van de dame alsof het een pompzwengel was, ze drukten hun lippen vol op de hand of ze leken aan de vingers te snuffelen. Augustijn echter boog, met rechte rug, hij ondersteunde de hand van Madame alsof ze breekbaar was, zijn snor zweefde erboven: hij beroerde haar niet. Toen hij zich oprichtte, kruisten hun blikken elkaar. Al het respect, alle liefde en het begrip van de wereld lagen erin vervat. Ik trilde van trots en de soldaten waren in verwarring. Ze schreeuwden harder dan nodig was, maar van Augustijn bleven ze af.

Madame kwam meteen in actie: de advocaat werd gebeld, ik werd met een briefje naar de politiecommissaris – een vriend des huizes – gestuurd. De paardenknecht, die bij de inval over de heg van de tuin was gesprongen en weer opdook toen de kust veilig was, moest dringend Herward – of Marius? – contacteren. Madame maakte een pak met een overhemd, ondergoed en een pijp. Toen ik opmerkte dat we geen tabak meer hadden, zei ze: 'Dan heeft hij ten minste wat om op te bijten.' Grommelend rechtte ze haar rug, de Arpège kwam eraan te pas, de rouge en alle opsmuk. Op de toilettafel was het een chaos van potjes en flesjes. Madame trok het jasje van haar mantelpak strak, wierp een laatste blik in de spiegel en liet de voile van haar hoed voor haar gezicht vallen alsof ze haar vizier dichtklapte. In het kantoor griste ze nog vlug een gele envelop mee. 'Pas op de winkel, Celestien!' Verwensingen mompelend stapte ze de deur uit.

Ze was voor twaalf uur vertrokken en voor het vieruurtje was ze nog niet terug. Ik ijsbeerde door het huis. De Mayers moesten nog middageten, maar ik bracht het niet op de achterkamer te openen. Zij, van hun kant, waagden het kennelijk evenmin de vitrine weg te duwen. Angst is niet uit te leggen.

Toen ik de deur uitging, was het om Madame te zoeken, maar ook omdat ik het in huis niet langer uithield. Ik klopte aan bij de politie; bij de Duitsers durfde ik niet. De agenten wisten alleen dat er een smokkelaar was aangehouden. Ze gaven me de raad bij het hoofdbureau navraag te doen. Ik doorkruiste de stad alsof ik door een stoommachine werd aangedreven. Op het hoofdbureau greep de commissaris me bij de arm voor ik wat kon vragen. Hij zou me naar huis begeleiden, de avondklok was immers ingesteld.

Het was een winderige avond en terwijl we met gebogen hoofd door de verlaten straten liepen, probeerde de commissaris me gerust te stellen. Augustijn zou vermoedelijk aan de politie worden overgedragen, men kon hem niet veel meer dan het smokkelen ten laste leggen – en daar waren de Duitsers niet zo erg in geïnteresseerd. In het schrift stonden geen aanduidingen bij de cijfers, het kwam erop aan te bewijzen dat het geen codes waren. Dat was Augustijn wel toevertrouwd. 'Het zal een centje kosten,' besloot de commissaris berustend. Toen ik vroeg hoe de ondervraging was verlopen – je hoorde over folteringen –, grinnikte de commissaris: 'Ze zijn er nog niet overheen.'

Madame had zich aangemeld bij de Duitsers, en in plaats van te smeken was ze flink op haar poot beginnen spelen. Dat ze geen boodschap had aan hun oorlog, dat haar man voor de bevoorrading zorgde, zoals het hoorde, en ofschoon het, alweer door die oorlog, niet simpel was nog een behoorlijk maal samen te stellen. Voor een kilo boter moest je een fortuin neertellen, als er al boter te krijgen was, een schande! Toen de ondervrager ermee dreigde Augustijn voor langere tijd op te sluiten, had Madame instemmend geknikt. Prima, kon niet beter, weer een mond minder. Wie maalde erom dat haar familie naar de filistijnen ging? De bedoeling van de oorlog was toch zoveel mogelijk mensen kapot te maken, of vergiste ze zich?

Er werd overgegaan tot een confrontatie, en zodra Madame haar man in de ijzers zag, viel ze op hem aan. Of hij niet gewoon voor de boterham kon zorgen? Waar had je anders een man voor? Al dat gedoe voor een klont boter of een plak ham! Die, om de waarheid te zeggen, vaak te zout was om te vreten. En hoe haalde hij het in zijn hoofd haar bij zijn zaakjes te betrekken? Had ze nog niet voldoende zorgen? Ja, daar stond hij nu, met zijn mond vol tanden. Een schone mijnheer was hij. Mannen!

Augustijn lachte schaapachtig, verlegen met zijn figuur, leek het. Hij keek bedremmeld naar de ondervragers; als ze nu nog niet begrepen hadden waarom hij altijd op stap was... En dat het niet eenvoudig was deze dame te gerieven.

Madame was op haar best als helleveeg en Augustijn speelde met evenveel overtuiging de pantoffelheld. De commissaris vond het kostelijk, maar ik dankte de hemel dat de ondervragers niet dezelfde waren als de soldaten die Augustijn de hand van Madame hadden zien kussen.

Toen ik die avond het huis betrad, hoorde ik gestommel in de salon. Ik greep het eerste het beste wat onder mijn handen kwam: de mattenklopper. Woest gooide ik de deur open, het was plotsklaps stil, maar in die stilte hoorde ik gejaagd ademen. Onder de ovale tafel ontdekte ik drie verkrampte geesten. Ik vloekte. Mijnheer Mayer kroop onder de tafel vandaan, niet zonder zijn hoofd te stoten, en stak langzaam zijn handen op. Junior hielp zijn moeder onder de tafel vandaan en ook zij staken hun handen op. Met een stijve nek van de spanning keek ik om, maar er was niemand in de gang. 'Wat moet dat?' bracht ik uit.

De handen gingen langzaam omlaag. Junior mompelde dat de

familie in veiligheid moest worden gebracht. Er was haast bij: de Duitsers konden elk ogenblik weer binnenvallen. 'Naar de achterkamer,' gromde ik. 'Jullie brengen ons in gevaar,' jammerde junior. Mevrouw Mayer wilde ook weg, onmiddellijk, waarheen dat wist ze niet, maar alles was beter dan in de val te zitten. Junior maakte het nog erger door voor te stellen om vast wat kleren in een rugzak te pakken. Mijnheer Mayer smeekte zijn vrouw en zoon zich rustig te houden: ze konden nergens heen. 'Naar de achterkamer,' ik zwaaide met de mattenklopper. De Mayers schuifelden me schichtig voorbij. Mijnheer Mayer hielp me met het afsluiten van de achterkamer. 'Excuseert u ons,' zei hij zacht. 'Laat ik jullie niet meer horen!' riep ik vertwijfeld.

Uitgeput liet ik me neer in een fauteuil. Er zat niets anders op dan te wachten – en dat was ondraaglijk. Ik probeerde me te concentreren op geluiden uit de achterkamer, maar ook daar bleef het oorverdovend stil, wat me evenmin beviel. Ik herinnerde me wat Augustijn vertelde over een soldaat die in het vuur was gerend. Hij had zijn uniform opengerukt om zijn borst te ontbloten, onderwijl roepend: 'Hier ben ik! Schiet! Hier ben ik! Schiet dan, klootzakken!' Zonde van dat jonge leven, dacht ik toen, maar ik begon het desperate gebaar te begrijpen. En ik kon alleen maar hopen dat de Mayers geen domme streek zouden uithalen.

Mevrouw Mayer had al eerder gedreigd zich van kant te maken: ze sprong uit het venster of ze knoopte zich op. Waarop Madame kalmpjes: 'Daar heeft u nog alle tijd voor.' Mevrouw Mayer had zich gekwetst teruggetrokken. 'Stel je voor, al die moeite voor niets,' gromde Madame. 'Wie zich tegen zichzelf richt, beseft niet wat hij de achterblijvende aandoet,' sprak Augustijn. 'Of juist wel,' bitste Madame. Ze keek boos naar de commode met familieportretten in zilveren kaders. Daar prijkte ook een foto van de oude mijnheer; besnord en betrest. Een galante huzaar die maar één schot had afgevuurd.

Het voorval was plotseling voltooid verleden tijd. Toen Augustijn, ouder wordend, met weemoed over zijn vader begon te spreken, had dat meer met hemzelf te maken dan met de ouwe die ertussenuit was geknepen.

Madame kwam niet meer opdagen en ik bracht de nacht door op een stoel, met de mattenklopper in de aanslag. Aanvankelijk was ik te kwaad op de Mayers om bang te zijn, maar zachtjesaan kreeg de angst me in de greep. Schaduwen op de muren, gepiep en gekraak, tijd die niet voorbij wilde gaan. En het regende, het regende de godganse nacht. Voor het eerst was ik een nacht alleen, dat wil zeggen zonder de Van Puynbroeckxen, en ik deed het haast in mijn broek.

■■■

Het was al na tienen en ik had de hele ochtend als bezeten gepoetst toen de bel rinkelde. Madame had een sleutel, Augustijn ook. Ik beet op mijn tong. Weer rinkelde de bel. Ik gluurde door het spionnetje en zag Eliane traag om haar as draaien. Ik haalde de ketting van het slot, opende de deur op een kier en siste: 'Wat moet je?' 'Laat je me erin, Celestien?' Ze vroeg het smachtend, maar de vioolblauwe ogen waarschuwden me.

Eliane stapte naar binnen in een zwart mantelpak, met een decolleté dat de scheiding van haar borsten aangaf. Ze had een dieprode mond en een mouche op haar wang. Terwijl ze haar gehaakte handschoenen uittrok, bleef ik maar naar die zwarte stip staren. Het leek me een duivelsmerk.

'Krijg ik niets te drinken?' Ze stak een sigaret op, drentelde door de kamer. Het was alsof ze profiterend van de afwezigheid van de bewoners alles eens rustig wilde bekijken. Bij de commode met foto's bleef ze dralen. Ze pakte een foto op, zette hem weer neer, gluurde naar mij, pakte een andere foto en drukte er een speelse zoen op. Dan hield ze de foto van zich af alsof ze de afdruk van haar lippen op het glas bewonderde. Vervolgens gaf ze hem aan mij: 'Die zou ik maar eens opbergen als ik jou was.' Ze liet zich in een stoel vallen en kruiste haar benen. Uit haar tas haalde ze een zakfles die ze uitnodigend naar me omhoog hield. Toen ik bedankte, zette ze de fles aan haar mond. Na een flinke teug veegde ze de bovenkant af, en stak de fles nog een keer op: 'Zeker weten?'

De foto brandde in mijn hand – die van Marius was voorzichtigheidshalve opgeborgen, wie mocht ze dan wel hebben afgestempeld? Augustijn? In zijn uniform van de cavalerie? Had ik het niet gedacht! Ik probeerde met mijn schort de foto schoon te vegen, maar zonder het te willen smeerde ik het lippenrood uit.

Eliane sloeg me gade van onder haar geloken oogleden en blies de rook van haar sigaret door haar neusgaten. 'Ter zake,' zei de plaaggeest en ze drukte haar sigaret uit. Marius had haar gevraagd langs te komen. Schoonpapaatje zou een tijdje moeten brommen, maar er werd aan gewerkt om hem een invrijheidstelling te bezorgen.

'Waar is Madame?' fluisterde ik schor. Die zou ik vlugger terugzien dan me lief was. Eliane lachte koerend en verslikte zich in haar rokerskuch. Dat bedierf de voorstelling, maar ze klopte luchtig op haar borst: 'Ik kom geld halen.' 'Dat heb ik niet,' stotterde ik. Eliane schudde meewarig haar hoofd en viste een sleutel uit haar decolleté. Toen ze me passeerde, wuifde ze hem voor mijn neus. Was het er een van Madame? In het kantoor stapte ze op het bureau af. Ze wist dus niet waar de safe was, ik herademde. Maar ze probeerde de sleutel op de laden van het bureau tot hij in een slot paste. Toen ze de la opentrok, floot ze zachtjes. Ze had een gele envelop te pakken, haalde de bankbiljetten eruit, likte aan haar vinger en begon te tellen. Ze nam een tweede envelop, woog die op haar hand en stopte hem weer in de la, die ze netjes afsloot. De sleutel liet ze glimlachend in haar decolleté verdwijnen.

'Wat moet dat?' stotterde ik. En hoe kwam ze aan de sleutel? Dat moest ik later maar aan Marius vragen. Ik hoorde de echo van zijn belerende stem: 'Hoe minder je weet, hoe gelukkiger je leeft!' en voelde me buitenspel gezet. Eliane lachte, ze toonde me ook de sleutel van de huisdeur, die had ze met opzet niet gebruikt. Men moest niet denken dat ze kind aan huis was. Zonder gêne schortte ze haar rok op en stopte de enveloppe in haar satijnen broekje.

Ik posteerde me met de mattenklopper voor de deur: 'Je gaat niet weg!' Wiegelend trok ze de rok omlaag, maar de lach was op haar gezicht bestorven: 'Gebruik je verstand!' 'Waar ga je heen?' vroeg ik vertwijfeld. 'Naar de kerk om mijn zonden te biechten!' Ze flapte het eruit. Wat ik ook had verwacht, dat niet. Ik liet de mattenklopper zakken. Terwijl ze naar de deur stapte, maakte Eliane de onderste knopen van haar jasje los. Heupwiegend verdween ze – ze deed geen enkele moeite om een beginnend buikje te verbergen, integendeel, ze pakte ermee uit. Ik gooide mijn schort af en ging haar achterna. Dat was, dacht ik, wel het minste wat ik kon doen. Ik had de indruk dat voorbijgangers me vreemd aanstaarden, maar ik was te zeer op Eliane gericht om me het aan te trekken. Madame beweerde dat een mens veel meer kan dan wat hij zich voorstelt, en het was waar. Elke keer dat Eliane omkeek, drukte ik me tegen een gevel aan of school ik in een portaal. Het was alsof ik voelde aankomen wanneer ze om zou kijken.

Eliane trippelde naar de kerk van de Onbevlekte Ontvangenis. Ik knielde achteraan en zag haar nog net in een biechtstoel verdwijnen. Ik kreeg plotseling een vermoeden en ging in de rij bij de biechtstoel aanschuiven. Eliane had stellig heel wat zonden op haar kerfstok, maar haar biecht duurde niet lang. Toen ze knielde om haar penitentie te voldoen, knoopte ze haar jasje dicht; ze was van haar buikje verlost.

Ik hield de biechtstoel scherp in het oog, en het was welzeker Marius die eruit stapte, in soutane, en gezwind in de zijbeuk verdween. Had hij me gezien, had hij me niet gezien?

Ik staarde naar het hoofdaltaar waar cherubijntjes guitig hun molligheid tentoonspreidden. Over het geslacht van de engelen werd getwist, maar voor mij was het duidelijk dat de cherubijntjes jongetjes waren. Ik kneep mijn ogen dicht en bad: 'Om hemelswil, pas toch op.' Ik zag Eliane de kerk uit gaan, maar ik ging haar niet meer achterna.

In verwarring sjokte ik terug naar huis. Toen ik de hoek van de straat omsloeg, merkte ik twee figuren op die er niet thuishoorden. Ik trok me terug, niet wetend wat te beginnen. Toen ik na wat draaien en keren om de hoek gluurde, stonden die twee er nog, zo luguber als een koppel gieren. Ik haastte me naar de kruidenier – de man leek van me te schrikken, maar ik kreeg hem zover dat hij me een paar uien gaf, al had ik geld noch bonnen op zak. 'Vaste klant, goede klant,' sprak ik als Madame. Met de uien in de hand schelde ik aan – ik had geen sleutel meegenomen – en ik hield mijn vinger op de bel. Ik verwachtte niet anders dan een gierenklauw op mijn schouder, maar de deur zwaaide open en Madame vroeg of ik gek was geworden.

Terwijl ik naar binnen tuimelde, rolden de uien door de gang. Ik raapte er een op, maar toen ik de tweede wilde pakken, liet ik de eerste weer vallen. Madame tikte ongeduldig met haar voet op de vloer. 'Heb je jezelf al eens goed bekeken?' Ik was met ongekamde haren en op pantoffels de straat op gegaan, zo bleek. Stotterend begon ik mijn verhaal af te steken, maar Madame onderbrak me: 'Later.' Ik moest me eerst maar eens opknappen.

In mijn kamer kwam ik langzaam tot mezelf en verzamelde ik moed om bij Madame aan te gaan kloppen.

Ze zat aan haar bureau en zag er afgepeigerd uit. 'Heeft ze het geld afgeleverd?' Hoe wist ze dat ik Eliane was gevolgd? Niet moeilijk, als de halve stad zich afvroeg of er aan haar huishoudster een steekje los zat. 'Ik kan er niet meer tegen,' zei ik schor. 'Ik ook niet,' antwoordde Madame. Had ze Eliane gesproken of Marius ontmoet? 'Ga naar bed, je zult je slaap goed kunnen gebruiken,' haar stem klonk mat. Het was beter dat ik zo min mogelijk wist. Wat ik niet wist, kon ik ook niet verder vertellen. 'Het is altijd hetzelfde liedje,' klaagde ik. Ze vertrouwden me niet. Ze hielden me overal buiten. Alsof ik geen geheim kon bewaren. Ik mocht mijn nek riskeren, maar waarvoor hoefde ik niet te weten. 'Komaan, dat weet je best,' suste Madame.

Half tevredengesteld ging ik naar bed.

■■■

Niets leek nog wat het was of wat het was geweest. De wet was een vodje papier en een mensenleven was geen cent meer waard. Het huishouden raakte ontregeld. Ik woog alles af en rekende me suf. Hoeveel brood hadden we nog en hoe lang zouden we ermee uitkomen? Het kookwater van de aardappelen kon ik voor de soep gebruiken, uit de asla verzamelde ik de sintels. Toch hadden we het gedurig koud en we kwamen los in ons vel te zitten.

We misten onze fournisseur. Madame was onthand, tientallen keren per dag drentelde ze naar het raam: 'Waar blijft die man?' Al zijn zonden waren Augustijn vergeven. Zolang hij in de gevangenis zat, bracht ze de nacht door op de divan, ingepakt tot haar neus, maar met één oog open en een knuppel bij de hand. Het opgemaakte bed stond in de slaapkamer als een verlaten troon. Ik trok nog maar een keer de sprei glad en herschikte de pyjama van Augustijn. De wekker tikte als bezeten.

Ik beloofde mijn leven te beteren, ik brandde een kaars – elke dag een stukje –, ik deed een noveen voor de heilige Rita. Ik had er alles voor over om Augustijn thuis te krijgen. Dan hoefde Madame niet langer de wacht te betrekken. En kon ik ook eens uitspannen.

In de achterkamer werden de uren niet meer afgeteld; de Mayers leken in de situatie te berusten. Vader en zoon zaten met gebogen hoofd aan het schaakbord. Mevrouw Mayer hapte regelmatig naar lucht, haar buik bleef opzwellen. We konden alleen maar hopen dat ze het einde van de oorlog zou halen.

Het was een geluk bij een ongeluk dat Bertje – na die verschrikkelijke winter van '42 – weer opdook. En dat Madame hem in de achterkamer stopte. Als hij over de Siberische kou vertelde, kregen de Mayers het vanzelf warmer, en als hij het spinnewiel aandreef, moesten ze wel bijspringen. Ze raakten danig onder de indruk, maar ik kende Bertje langer; hij kon goed kletsen. Die hiel was heus niet door de wolven aangevreten – maar toegegeven, op het spinnen had ik niets aan te merken. En hij was de eerste die weer naar huis kwam, de kansen leken te keren.

'Nu we zover zijn, mogen we het niet opgeven,' zei Madame. Ze had gelijk, maar hard was het wel.

Angelique moest vaak lang wachten, op het randje van hongerlijden, met haar bleekneusje aan haar slinkende borst. Ik voelde me beschaamd als ik haar op mijn hengselmand zag aanvallen. Madame gaf me altijd een envelop mee, maar ik merkte aan haar zorgelijke blik dat ook het geld op raakte.

Ik keek eens rond in het Chinese paviljoen en stopte een ivoren beeldje en een paar handbeschilderde borden in mijn mand. Ik trok ermee naar de steeg waar alles werd verpatst: wat Madame kon, kon ik ook. Maar misère maakt weinig indruk als je er rijk van kunt worden. De sjacheraars bleken spijkerhard; ze pingelden af tot je toegaf. Ik kende de waarde niet van het ivoor en het porselein dat ik aanbood, maar ik begreep wel dat ik het onder de prijs moest afstaan. We konden er nauwelijks van eten.

Op een dag viel mijn oog op albums met blote foto's, en ik ging ermee naar het Gloazen Stroatje. Daar was het als vanouds een haastig komen en gaan. Ik had weinig aantrek en werd zelfs beschimpt. 'Hoepel op,' riep een van de hoeren, die uit haar winkeltje kwam. Dat had ik al een keer meegemaakt. Stilletjes treurde ik om Blanche, wie zou haar ruimhartigheid nog gedenken? Achter de hoer daagde haar pooier op; wat mocht ik wel in de aanbieding hebben? Ik sloeg het deksel van de hengselmand op en haalde een foto tevoorschijn. De pooier wierp er een taxerende blik op en maakte een afspraak in een café. 'Vuile teef,' siste de hoer toen ik me uit de voeten maakte.

In het café bestelde ik een oxo, maar ik slaagde er niet in de beker zonder morsen naar mijn lippen te brengen. 'Wat is er met jou aan de hand, meiske?' vroeg de kroegbaas. De vriendelijkheid was er te veel aan, snuffend en snotterend vertelde ik de man dat we in de penarie zaten en ik toonde hem de foto's. 'Voor dat soort waar is altijd wel een klant te vinden,' zei hij. En hoeveel had ik gedacht?

De foto's brachten meer op dan de hele Chinese santenkraam, en zolang de voorraad strekte, verkocht ik ze aan de kroegbaas. Het Gloazen Stroatje meed ik voortaan, het was plotseling wat het was: een ontuchtige passage waar vrouwenlijven werden verhandeld. Het kwam me voor dat niet alleen de dood, maar ook het leven Blanche was aangedaan.

Van dat heen en weer reizen kreeg ik een bronchitis. 'Als het niet kan, word je niet ziek', zei Madame bezwerend. Maar ik bleef hoesten, en ze vroeg Eliane naar Gent te reizen. Zelf kon zij kennelijk niet worden gemist. Het leek erop dat ze Angelique meed. Had ze het gevoel dat ze tekortschoot? Of voelde ze zich onmachtig?

Nooit heb ik sterker vrouw dan Madame ontmoet, maar toch verzuchtte ze af en toe: 'Als ik geen vrouw was...' waarbij ze peinzend naar Augustijn keek. Wat stelde ze zich voor? Dat ze als een piraat de zeven wereldzeeën zou bevaren? Of te vuur en te zwaard het kwaad bestrijden? Dat had ik me – na het lezen van jongensboeken – weleens voorgesteld. Misschien wilde Madame alleen maar vrij zijn. Maar ze was met Augustijn voor anker gegaan. Het nest ging voor. Daarom moest haar man het ook naar zijn zin hebben.

Ze vroeg zich weleens af waarom Davy zich eerst en vooral om zijn vader had bekommerd. 'Denk je dat hij niet content was?' Ze bedoelde: met het huwelijk, en meer bepaald met het huwelijksbed. 'Die jongen wist niet wat oorlog was,' antwoordde Augustijn. 'Maar zijn vader wist het wel,' wrokte Madame. 'De eer was ermee gemoeid,' verklaarde Augustijn. 'Wat heeft Angelique daaraan?' vroeg Madame. Er was niet veel dat haar eer te na kwam, ze vond het schermen met eer dan ook danig overdreven.

Voor Angelique was de afwezigheid van haar man een affront. Het effect van haar huwelijk werd erdoor bedorven. Ze was kwaad op de Duitsers, maar ze nam het Davy ook niet in dank af. 'Wacht maar tot hij terugkomt!' Toen de tijd verstreek en er niemand terugkwam, verstomde ze. De twijfel begon te knagen. Het kind was het bewijs dat ze haar plicht had vervuld, maar had ze haar man voldoende liefgehad? 'Wat willen mannen eigenlijk?' vroeg ze aan Eliane. '*L'amour, toujours l'amour*,' lachte die. 'Daar geloof ik niets van,' zei Angelique zuur.

Haar zoontje had blauwe ogen, wij hoopten dat het ook verder niet op de vader zou gaan lijken. 'Dat is beter voor het kind,' verzekerde Eliane. Bitter vroeg Angelique waarom het wicht een vader nodig had, als het er niet op mocht lijken, en het hem hoogstwaarschijnlijk nooit zou kennen. Eliane trachtte haar te paaien door te voorspellen dat het zoontje een stevige man zou worden, dat zag ze aan de naar verhouding grote handen en voeten van de baby. Angelique reageerde smalend: Davy was juist klein en mollig.

'Misschien aardt hij naar zijn grootvader,' opperde Eliane. 'Wat weet jij van mijn vader?' vroeg Angelique. Ze vergat dat er nog een andere grootvader was. Maar ze was nog jaloerser dan Madame als het op Augustijn aankwam. Dat kon ze echter niet toegeven en daarom verklaarde ze kort en goed: 'Er is geen man die deugt!' Eliane lachte haar uit, wat maakte ze zich druk, mannen hoefde je niet ernstig te nemen. De ondeugd kon even amusant als nuttig zijn. En een beetje vrouw wist hoe ze een man naar haar hand kon zetten. Als Angelique zich opmaakte en eèn wat vrolijker gezicht opzette, kon ze een baantje krijgen in het café waar Eliane achter de tapkast stond. 'Om wat te doen?' vroeg Angelique terwijl ze Eliane monsterde. 'Glazen afwassen en tafels poetsen,' antwoordde Eliane zoetsappig.

We waren nog maar net bevrijd of Angelique posteerde zich aan een tafeltje in het café om zich hoogstpersoonlijk door Eliane te laten bedienen. Het waren de dolle dagen; er werd gedronken, gedanst en gekust. Geregeld verdween er een paar naar boven – er werd niet zo nauw gekeken.

Angelique kreeg de kans niet om een drankje te bestellen; ze werd meteen op de dansvloer getrokken. En niet dat ze het dansen had verleerd, maar ze was nog van de wals en de slow-fox. Het wildste wat ze ooit had geprobeerd, was de charleston. Na de eerste verbijstering was er echter iets in haar geknapt of losgebroken. Ze had zich in het gewoel gestort; de quickstep en de jive, maar ook het verhit samenkleven in een twee aan twee geschuifel. De verloren jeugd, de jarenlange spanning, de ontbering en de loerende dood: Angelique liet zich gaan of leverde zich uit.

Eliane had het geamuseerd aangekeken, maar toen Angelique haar rok liet wapperen en haar benen in de lucht gooide voor een French cancan, plukte ze haar van de dansvloer. Ze had haar mee naar haar kamer genomen en haar een jenever toegediend.

Angelique had de hele oorlog uitgehuild en was in slaap gesukkeld. Toen Eliane haar de volgende ochtend een kop koffie bracht, had ze plotseling verteld hoe Augustijn haar de danspassen had geleerd, met haar voetjes op zijn voeten. Als ze bij het draaien uit de bocht ging, of bij een vlugge stap van zijn voet glipte, tilde hij haar op en liet haar over het parket zwaaien. Ze had van de korf zonder zorg bestaan. Was gelukkig geweest zonder het te beseffen. 'En Davy?' had Eliane gevraagd. 'Die kan niet dansen,' antwoordde Angelique. En ze had haar handen voor haar gezicht geslagen.

■■■

Ik moest mijn mening over Eliane bijstellen, maar het ging niet van harte. Zij pelde Marius uit zijn harnas en maakte hem meer mens, maar evengoed dreef ze hem tot wanhoop. Hij vervulde al haar wensen: nylonkousen, een horloge, een bontje. Niets was te goed of te duur voor zijn aanbedene. Zij liet zich de attenties welgevallen, zonder zich tot iets te verbinden.

Met de bevrijding reed Marius, boven op een tank, aan het hoofd van de colonne over de boulevard naar het centrum. In uniform kwam hij zijn opwachting maken. Augustijn huilde van aandoening, hij kon niet wachten met zijn zoon de stad in te gaan. Eliane was van de partij, in haar zwarte mantelpak, aan Marius' arm, delend in zijn glorie. Maar trouwen deed ze nog altijd niet.

In het café was het alle dagen feest en Marius was geen feestganger. Hij zat met een lang gezicht aan de bar, wachtend tot Eliane hem onder de kin zou aaien. Hij zat daar overigens niet alleen te koekeloeren: Eliane had de kerels maar uit te kiezen. En dat deed ze, voor de duur van een dans of voor het legen van een glas. Dan was het: bye-bye!

Het was onmogelijk haar in naam van de liefde te bedriegen; zij was potentiële minnaars altijd een stapje voor. Daar kunnen mannen in het algemeen niet tegen, maar terwijl de anderen het opgaven of kwaad wegliepen, bleef Marius aanklampen. Hij leek te wachten tot Eliane aan hem toe was. Of een keer per abuis ja zou zeggen.

Hij was taai, maar zij kreeg hem eronder. Hij verloor zijn eetlust en beet op zijn nagels. We zagen zijn fort langzaam instorten. Angelique, die een stille bewondering voor Eliane had opgevat, deed een goed woordje voor haar broer. Eliane wimpelde haar af: ze amuseerde zich, dat hoefde Marius toch niet zo tragisch te nemen?

Augustijn betoonde Marius een zekere schroom, iets tussen respect en gêne. De jongen had de Fritzen flink te grazen genomen. Hij had meer dan zijn plicht gedaan. Maar waarom was hij zo verdomd ernstig en zo bleu met vrouwen? De oude mijnheer zou Marius aan een adresje hebben geholpen of een reisje naar Parijs hebben geboekt om hem wijzer te maken, maar Augustijn had niet geweten hoe met zulk aanbod bij Marius aan te komen. Het zag ernaar uit dat de jongen zelf op een vrouw was gestoten, eentje die van aanpakken wist, des te beter – maar net iets voor hem om dan op stel en sprong te willen trouwen! Terwijl de bruid er niet op aandrong, integendeel – overigens een knap dametje, leuke babbel, prima benen. Ze leek niet voor het huwelijk gemaakt, maar misschien was ze wel het beste wat Marius kon overkomen. Hij moest het toch ergens leren. 'Daar kan ik niet aan beginnen,' zei hij toen Madame erop aandrong dat hij Marius het voorgenomen huwelijk zou afraden.

En toen bleek Eliane onverhoeds zwanger. Marius triomfeerde. Maar Madame was op haar hoede: 'Aangenomen dat het van hem is.' 'Zo stom zal hij toch niet zijn,' mompelde Augustijn. 'Hum,' deed Madame.

Op zondagmiddag kwam het paar de bruiloft bespreken. Marius wilde er haast achter zetten, Eliane tikte afwezig de as van haar sigaret. Madame wenkte me om een asbak te brengen, maar ik bleef met gekruiste armen bij de deur staan.

Zodra ik Marius alleen had, vroeg ik hem of hij er niet nog een nachtje over zou slapen. Trouwen kon altijd nog, dat had Eliane zelf gezegd. Of ik een uitknijper van hem wilde maken, vroeg hij. Daar had ik niets tegen in te brengen.

Marius betrok een kamer in het café, om Eliane bij te staan, zo heette het. Een paar dagen later kregen ze ruzie en werd hij als een kleine jongen naar huis gestuurd. Niet Eliane, maar wij zaten met de gebakken peren. Marius sprak niet, at niet, sliep niet. Hij verbrandde brieven en borg zijn uniform op. Ik had niet verwacht dat hij zich als een oud-strijder zou gedragen, maar evenmin had ik verwacht dat hij zich erin zou schikken een burgerman te worden. En toen ik hem de soutane zag ophangen, schrok ik. Zover zou hij het toch niet drijven? Hoe steil hij ook was, ik zag hem liever trouwen. 'Doe er wat aan!' riep Madame na een paar weken.

Augustijn trok zijn beste pak aan en ging Eliane in naam van zijn zoon officieel om haar hand vragen. Welke argumenten hij aanvoerde om haar te overtuigen zijn we nooit te weten gekomen. Ze zei uiteindelijk ja, dat was het voornaamste.

■■■

Op de ochtend van de bruiloft zong Bertje galmend in het trapgat: 'Wie is de vader, wie is de dader?' Augustijn beende de badkamer uit en gooide een beker scheerwater over de reling van de trap. Het volstond dat de juffrouw in positie was. Daar hoefde die snotneus niet de draak mee te steken. Laat staan dat hij zijn broer belachelijk zou maken. Ik viel Augustijn volmondig bij: 'Zorg jij maar dat je het er beter afbrengt!' Soms zou je je woorden willen terugfluiten of bidden dat ze niet mogen uitkomen...

De bruiloft, een formele aangelegenheid, werd in een mum van tijd georganiseerd. Vanwege de gezegende toestand van de bruid, maar ook omdat we vreesden dat ze van mening zou veranderen. Madame ging niet mee naar het stadhuis, ze grommelde dat er weer een in zijn ongeluk liep. Augustijn verloor er zijn geduld bij.

De bruid was een tikje plomp en leek zich in haar positiejurk ongemakkelijk te voelen. Toen ze moest antwoorden op de kwestieuze vraag staarde ze met een benauwd gezicht naar Marius, die een beetje stond te sterven. Zijn haar was bijgegroeid, maar het was streuvelig, hij zou nooit zijn krullenbos terugkrijgen. Hij leek ook ouder dan hij was. Dat stak me. Van de oorlog in het huwelijk; zijn leven leek voorbij voor het goed en wel was begonnen. Marius had geen kans gekregen. Ik had alles voor hem willen overdoen en het beter maken. Hij was niet de zoon die ik me had gedroomd, maar hij was meer dan de anderen de mijne.

Eliane had niet in de kerk willen trouwen; alweer een schandaal. Ik vond het niet zo erg, omdat het huwelijk dan minder bindend leek. En ik was vast niet de enige in de familie die er zo over dacht. Alleen Madame schudde haar hoofd. 'We zijn hem kwijt,' had ze gezegd toen Marius – op vraag van zijn beminde weer in uniform – met het bruidsboeket in de auto stapte. De ogen van Madame waren altijd scherper, of ze kende Marius toch beter.

Het werd een meisje. Om vijf uur 's ochtends bonkte Marius op de deur: 'Word wakker, ik heb een dochter!' Hij gooide zijn hoed in de lucht en zette hem achterstevoren op zijn kop. Een tikje beduusd nipten we van de champagne. We hadden Marius nooit zo uitbundig gezien. En we wensten onszelf voorzichtig geluk. Daar hadden we met een ideale echtgenoot mogelijk ook een modelvader afgeleverd.

Wat het kind betreft mochten we gerust zijn: het was gezond en het kreeg al vlug koperen krullen. Het werd Regina gedoopt en Augustijn was de peter. Hij deed zo mogelijk nog onnozeler dan de vader. Een zilveren rammelaar, satijnen schoentjes, een jasje van konijnenbont – het kon niet op.

Maar de jonge moeder verveelde zich stierlijk. Het huishouden was een sleur, familievisites waren saai. In het begin kleedde ze de baby aan als een pop en besteedde ze uren aan haar toilet. Maar al vlug vond ze er niets meer aan. In ochtendjapon bladerde ze door magazines terwijl ze de as van haar sigaret aftikte. 's Avonds rekte ze zich uit als een kat, maar Marius was de hele dag in het ministerie voor Defensie bedrijvig geweest, hij verkoos thuis te blijven. Eliane mokte en dreigde met scheiding: ze moest wat om handen hebben. Marius verzette zich tegen het openen van een café, maar legde zich uiteindelijk neer bij een sigarenwinkel.

Het werd een luxezaak, waar je ook likeur kon krijgen. Al vlug had Eliane handen tekort. En Augustijn werd – onder het mom dat hij zijn kleindochter ging bewonderen –, een vaste klant. Met een sigaar in de mond en een fles whisky onder de arm kwam hij thuis. Euforisch: 'Ach meisjes, het leven, het leven!' Met open armen alsof hij Madame en mij tegelijk wilde omarmen. 'Laat me met rust,' snibde Madame. Ze goot de fles whisky leeg in de sanseveria. 'Wat doe je nu?' vroeg Augustijn ontnuchterd. Hij wilde mij zijn hoed en jas overhandigen, maar ik stapte demonstratief de kamer uit.

Eliane had niet meer dan sigaren en likeur in de aanbieding, maar dat was al te veel van het goede. Augustijn was in zijn moeilijke jaren. Madame deed gouden zaken met de opbouw, terwijl hij naar het tweede plan werd geschoven. Hij had een zoon in de gevangenis en een zoon in het ziekenhuis, en aan de oudste – die hij 'onze held' was gaan noemen – had hij geen aanspraak. Zijn dochter was niet langer een prinses, maar een zakenvrouw en een verpleegster. Aan dapperheid ontbrak het haar niet, maar Augustijn vond dat zijn oogappel een beter leven had verdiend. En ofschoon Davy het niet kon helpen, nam Augustijn het hem toch kwalijk dat hij zo afhankelijk was.

■■■

Augustijn verklaarde vrouwen te goed voor deze wereld. Ze moesten worden beschermd en vertroeteld. Dat mocht geld en zweet kosten. Als tegenprestatie moesten ze altijd mooi en beschikbaar zijn. En amusant, en koket, en ze moesten lekker ruiken. Ze moesten hem een beetje naar de mond praten. Hij werd verlegen van slordige of slecht geklede vrouwen, en schrok terug van vrouwen die de was deden of naar schoonmaakmiddelen roken. Vrouwen die een grote mond opzetten of het beter wilden weten, waren onaantrekkelijk. Kijvende vrouwen ronduit belachelijk. 'Doe dat schort af, Celestien,' zei hij als ik hem bediende. Als Angelique haar stem verhief, drukte hij met een pijnlijk gezicht zijn oren dicht: 'Krijs niet!' Voor Madame was hij verplicht een uitzondering te maken, al was het maar omdat zij hem met zijn neus op de werkelijkheid drukte en hem voorhield wat zij van mannen verwachtte. Dat ze knap waren en slim en sterk, dat ze goed waren in het bed en in het werk, dat ze minnaars, vaders en kostwinners waren, dus een gevulde beurs hadden, maar ook fris waren en lekker roken. Zo kon ze nog wel even doorgaan, want zij had een hekel aan praatjesmakers die nergens wat van terechtbrachten.

Omdat Augustijn en Madame elkaar liefhadden, en omdat zij elkaar niet konden missen, hadden zij van hun verwachtingen en teleurstellingen een spel gemaakt. Ze kenden ook hun grenzen en respecteerden die. Madame wist wanneer zij zich zwak moest tonen, Augustijn wist wanneer hij sterk moest zijn. De engeltjes hadden hen niet van elkaar vervreemd.

Madame en Augustijn beschermden elkaars schaamte. Dat Madame de zaak voerde, was een teer punt, maar in de oorlog leek dat goedgemaakt: zonder Augustijn waren we verhongerd. Hij had met zijn komedie omtrent de smokkelwaar de Duitsers op het verkeerde pad gezet. Hij had de Mayers verborgen en met Marius samengezworen. Maar hij had niet gemerkt dat Madame verbitterde, dat de pijn om de engeltjes opvlamde toen haar zonen de oorlog als een buitenkans aangrepen en het ongeluk haar dochter trof. Waarvoor had zij zo heftig gestreden? Toch niet opdat de ellende zich zou herhalen? En de oorlog in de intimiteit verder zou woeden?

Madame at zonder dat ze honger had en gaf geld uit zonder er plezier aan te beleven. De wereld stond haar tegen, wij werkten op haar zenuwen. En de spiegel toonde dat zij oud werd. Tijd was de ultieme vijand en hij bleek niet te verslaan.

Toen het politieke gekrakeel werd hervat, kreeg ze het vermoeden dat de vrede al op voorhand was verkocht. En toen ze hoorde dat Reinout zich als vrijwilliger voor de oorlog in Korea wilde melden, raakte ze buiten zichzelf: 'Gaan ze weer beginnen?' 'Maak je geen zorgen, ik maak méér kans om te worden aangenomen,' zei Marius. Hij piekerde er niet over zijn Eliane achter te laten, maar hij ergerde zich aan zijn broer, en hij wilde bij zijn moeder in het zonnetje staan. 'Ik word zot!' riep Madame. 'Hij meent het niet,' ik probeerde haar gerust te stellen. Augustijn vulde aan dat het nog lang niet zover was. Maar 's avonds zocht hij in de atlas naar Korea en hij speculeerde over de kansen om ook die oorlog te winnen.

Madame vroeg me voortaan het bed op te maken op de divan; ze kreeg het benauwd in de slaapkamer. En als ze het benauwd had, kreeg ze nare dromen. 'Als we Reinout en zijn vrouw nu eens uitnodigen op zondag?' opperde Augustijn. 'Ik ga zondag naar Gent,' zei Madame. Dat was te pijnlijk om op door te gaan. Ze gingen gescheiden naar bed, dat was nog nooit voorgekomen.

Wat nu? dacht ik. Ik moest toegeven dat het huwelijk van Augustijn en Madame de rots was waarop ik mijn bestaan had gebouwd. Al die fantasieën over hoe ik met Augustijn mijn bed zou maken, al die verkapte moederdrift – het was met de jaren verstorven. Ja, zelfs onvoorstelbaar geworden. Maar ik voelde me betrokken of medeplichtig.

Ik zat in het donker op de trap. Zou ik Madame een kop warme melk met honing brengen, of bij Augustijn aankloppen om een verdacht geluid te melden? Ik was zo ongerust als een kind van wie de ouders ruzie hebben. Toen het licht op de overloop op de eerste verdieping aanfloepte, ging ik over de reling hangen. Ik zag Augustijn de trappen afdalen, hij ging de salon in, en terwijl ik nog overwoog hoe ik dichterbij kon komen, hoorde ik de stem van Madame uitschieten. 'Laat me met rust!' En even later: 'Niet hier, zeg ik je.' En nog even later begon Augustijn, met Madame in de armen, moeizaam de trappen te beklimmen. Hij was strammer geworden en zij zwaarder. Maar ze volbrachten het. Zodra de deur van hun slaapkamer in het slot was gevallen, kroop ik gerustgesteld weer in bed.

De volgende dag begon Madame verbeten te hamsteren; koffie en rijst, beschuiten en aardappelen. De kelder werd volgestouwd, de schappen gevuld. 'We hebben nog bonen over van de vorige oorlog,' protesteerde ik. 'Maar niet voldoende voor de volgende,' gromde Madame. Ze klaagde dat ze eens te meer de vooruitziende moest zijn. En eens te meer de verantwoordelijkheid moest nemen. Dat de hele, zich uitbreidende familie op haar steunde. Dat was lichtelijk overdreven, maar ik waagde het niet haar tegen te spreken.

■■■

Augustijn was altijd een trotse man geweest en zeker van zijn mannelijkheid. Madame erkende dat en deed er ook beroep op. Hij was – met een knipoog – haar steun en toeverlaat. En zij was de vrouw die zonder aarzelen ja had gezegd en dat gedurig bevestigde. Dat stelde hem gerust. Dat gaf hem voldoening. Ze hield van hem, ze had hem nodig. Maar na de oorlog was Madame in de contrarie: wat hij ook voorstelde, een zaak of een avondje uit, het antwoord was nee. Bracht hij bloemen mee, dan was het: 'Zeker zin om te stoeien, Casanova.' Augustijn toonde zich gekwetst en tekortgedaan. Maar hij trok zich niet terug in zijn kamer, treurend en mijmerend. Hij ging bij Eliane sigaren kopen. En Madame hield hem niet tegen.

Ik kreeg het met beiden te stellen. Als ik Madame wat vroeg, reageerde ze kribbig. Ze had belangrijker dingen aan het hoofd; ik mocht het zelf oplossen. Augustijn liep met zijn hoofd in de wolken. Die was al helemaal niet te spreken.

Op een keer toen ik de kleine dochter van Marius na een wandeling in het park naar huis bracht, verliet Augustijn de sigarenwinkel net toen wij daar aankwamen. Ik wuifde, liet het kind wuiven. Hij wuifde terug en stapte haastig in de auto. Hij vroeg niet eens of hij me een lift kon geven.

Er waren geen klanten in de sigarenwinkel, Eliane bood me een likeurtje aan, maar ik bedankte. Haar haren waren gepermanent en ze had rood gelakte nagels, verder was er niets bijzonders aan haar te merken. Met lood in de schoenen liep ik terug naar het park, waar ik wel een uur op een bank zat. Kijkend naar niets of zonder iets te zien.

In de stem van Madame was een scherpe klank geslopen. 'Waar kom jij zo laat vandaan?' Het was alsof ze mij de uithuizigheid van haar man kwalijk nam. En ze hield me in de gaten. Kwam ik te dicht in de buurt van Augustijn, dan snibde ze: 'Heb je wat nodig? Dan kun je het aan mij vragen.' Toen ik zijn zondagse pak borstelde en de zakken nakeek, voer ze uit: wat had ik in de zakken van haar man te zoeken? 'Ik ben Eliane niet!' gaf ik terug. 'Daar heb je het lef niet voor,' zei ze smalend. 'Als ik u was zou ik daar niet zo zeker van zijn,' mompelde ik. 'Wat zeg je?' Ze stootte tegen mijn borst: 'Herhaal dat eens!' Ik zweeg, vanzelf. Maar ik voelde haar blikken op me wegen. En ik was nog niet uit het zicht of ik hoorde haar roepen: 'Celestien..!' Het was na al die jaren danig overdreven. Maar Madame had het gevoel dat ze aan alle kanten werd bedrogen. Dat haar inspanningen voor niets waren geweest. En ik mocht ervoor boeten.

Van de Mayers waren we af, maar we kregen het met Bertje en zijn vrouw te stellen. Het jonge paar was bij ons ingetrokken, zeer tegen mijn zin, maar hij was gedurig in het ziekenhuis en zij kon niet op eigen benen staan.

Bertje was halsoverkop getrouwd, maar toen hij eenmaal met de deerne zat opgescheept, was hij weer onder de rokken van zijn moeder gekropen. Hij deed zich voor als de schildknaap van Madame en probeerde zich op te werken tot vennoot in de zaak. Hij was gul met cadeautjes – een doos chocolaatjes, een flesje parfum. Terwijl hij zat te slijmen, verdacht ik hem ervan tegen het been van zijn vader te willen plassen.

Het was zogenaamd ook in het belang van zijn moeder dat hij de sigarenkwestie bij Angelique aanhangig maakte. De toestand, zoals hij die afschilderde, was zorgelijk: Eliane maakte zowel Marius als Augustijn belachelijk. Ze kende de knepen om geld uit de zakken van de mannen te slaan. Sigaren en drank, en wie weet wat nog meer; hoeveel moest dat wel niet kosten? Angelique bracht nauwelijks het geduld op om hem aan te horen. Ze had het, och arme, te veel met haar Davy te stellen. Maar ze had het toch voor Eliane opgenomen. Als mannen zich misdroegen, was het altijd de schuld van vrouwen. Marius wist waaraan hij begon, haar vader was oud genoeg om zijn verstand te gebruiken. Het was altijd al een verstokte sigarenroker, en was Bertje zelf ook niet aan de sigaar? Haar hele huis stonk ernaar, en die geur bleef in de gordijnen hangen. Hij mocht gaan. De groeten aan Eliane.

Angelique beschermde indirect Marius, die zich sterk hield, maar zwaar was aangeslagen door de oorlog. Hij kon nijdig uitvallen en als hij zich druk maakte, begon hij weer te stotteren – wat hem nog nijdiger maakte. Toen Augustijn lovend over het verzet sprak, onderbrak hij hem bruusk: 'Hou toch op vader.' 'Maar enfin, dat is toch iets om trots op te zijn!' Augustijn verzekerde zijn zoon dat hij de juiste weg had gevolgd. Daar hoefde hij Marius niet van te overtuigen. Maar alles wat daarbij was gekomen, of wat daar de consequenties van waren, daar hoefde zijn vader de schuld niet voor te dragen. Voor Augustijn kon uitpakken met zijn frontervaringen sprak Marius over liquidaties, over verraad en het omleggen van de verkeerde. Als je aanbelde en de man die kwam opendoen was niet de collaborateur, maar je had al geschoten, want het moest vóór alles vlug gebeuren. 'Er bestaan geen propere oorlogen,' zei Augustijn. Marius had onmiddellijk spijt dat hij zich had laten gaan. 'Laten we erover ophouden.' Augustijn bood hem een sigaar aan, maar Marius rookte geen sigaren. Dat was Augustijn eventjes vergeten.

Als Marius me aansprak, wist ik niet waar te kijken. Kon ik het helpen dat zijn vader zijn fatsoen niet hield? En was het niet aan hem om zijn vrouw in te tomen? Het was toch te voorzien dat de sigarenwinkel een succes zou worden? Maar het was wijzer daar niets over te zeggen. Eliane was voor Marius een wonder waarin hij moest geloven. Zijn kans op een ander leven. Hij was haar onvoorwaardelijk toegewijd. En dankbaar dat ze hem wilde hebben. Je kon haar beter niet te na komen: haar eer was de zijne.

Ik leed eronder dat Marius moest lijden, maar indien hij in de oorlog onverschillig was gebleven, of de onvoorwaardelijke liefde had verworpen, was ik ook teleurgesteld geweest. En hij – dat weet ik zeker – had gedacht dat hij geen knip voor zijn neus waard was.

Angelique, die Davy zag krimpen om wat hem was aangedaan, begreep wat haar broer doormaakte. Ze was hem ook dankbaar. Zodra de kampen werden bevrijd, was Marius afgereisd om Davy te zoeken. 'Ik breng hem thuis,' bezwoer hij haar. Ik kon het niet helpen dat ik erachteraan dacht: levend of dood. We wisten toen nog niet dat er geen doden waren, dat de kadavers in rook waren opgegaan.

Wat Marius thuisbracht was een spook, dat met mondjesmaat moest worden gevoed en waarvoor moest worden opgepast dat het in een onbewaakt ogenblik niet de koelkast plunderde. 'Herkent u mij?' vroeg ik deftig toen ik hem de hand schudde, maar mijn stem stokte toen de ogen van Davy over mijn gezicht dwaalden. 'Ik ben dankbaar als hij kan slapen,' zuchtte Angelique. Bij God, daar had ze gelijk in, je moest van gewapend beton zijn om die uitgebluste blik te verdragen. Davy kwam niet terug van de dood, maar van veel erger.

Ik had gevraagd of Davy mij herkende, maar hij was zelf onherkenbaar geworden. Hij was vel over been, en dat vel was glazig als een overjaarse aardappel. Zijn neus stak als een haak uit zijn gezicht, zijn lippen waren opgetrokken over de tanden. Zonder zijn stem had je gevraagd of er geen vergissing in het spel was.

Drie keer per dag moesten de lakens van Davy's bed worden vervangen; hij transpireerde, en wat erin ging liep er zo weer uit.

Angelique boog zich over zijn geslacht, dat week en verschrompeld tussen de benen lag. De balzak kleefde aan de liezen, en als ze die voorzichtig oplichtte om het schurft te betten, kreunde Davy als een ziek kind. Ik deed zachtjes vloekend de besmeurde lakens in de was.

Het ouderlijk huis van Davy was vrijgegeven en het paar was er weer ingetrokken, ofschoon Madame had gevraagd of dat wijs was. Moest men het verleden niet laten rusten? Maar het huis trof geen schuld en het verleden was present in alles wat zich voordeed. Toen het tegenstribbelende zoontje bij het bed van Davy werd gebracht, tastte Davy naar het kleine handje en fluisterde: 'Mijn vader, als twee druppels water.' Toen hij weer ter been was, schuifelde hij langs de muren en klopte op de deuren. Angelique opende ze: 'Hier is niemand, kijk maar.' Hij staarde in het gat van de deur en keek dan twijfelend naar haar. 'Waarom moest mijn moeder voor mij sterven?' vroeg hij in tranen. Angelique begreep eerst niet waarover hij het had, toen schoot het haar te binnen dat de moeder van Davy bij zijn geboorte was gestorven. 'Dat is jouw schuld toch niet,' zei ze. 'We moeten geen kinderen hebben,' fluisterde Davy, 'veel te gevaarlijk.' 'Je hebt een zoon om voor te leven,' antwoordde Angelique. Toen hij er weer over begon, vroeg ze of al die anderen dan voor niets waren gestorven. Hij leefde, hij had het recht niet het op te geven. 'Ik zal mijn best doen,' beloofde Davy.

■■■

Bertje beweerde dat hij wat in zijn mond moest hebben om zijn maag te kalmeren. Eten was een marteling, hij rookte als bezeten. Ik herinnerde me hoe hij, een kind nog, een sigaar van zijn vader had gestolen en voor zijn broers een rookdemonstratie gaf. Toen Augustijn hem op heterdaad betrapte, verplichtte hij hem de hele sigaar op te roken. Bertje werd misselijk en hing groen over de wc, maar Augustijn grinnikte, hij zou die snotneus leren roken als een man! Toen had Angelique haar broertje nog getroost, en voor zijn achttiende verjaardag had ze hem een sigarenkoker geschonken. Na de oorlog irriteerde Bertje haar. Alsof het niet volstond dat hij als Napoleon naar Rusland was getrokken, was hij ook nog met een boerentrien getrouwd. Dat het weer een keer van moeten was, stemde haar niet milder. Bertje was een maatje te klein uitgevallen en ze liet het hem voelen. 'Kan je vrouw al met mes en vork eten?' Dat was overdreven, maar niet helemaal: ik had het boerinnetje tafelmanieren moeten bijbrengen. Ze propte zich vol als een kind dat tekort was gekomen. Ik moest haar gedurig op de vingers tikken. 'Het moest maar niet zo lekker zijn,' zei ze smullend. Ze kon nergens afblijven en ze spande zich ook nergens voor in. 'Van werken word je lelijk!'

Ik zie haar nog voor me, met haar opbollende bloemetjesjurk tot boven haar knieën. Bang, maar happig. Voor Madame had ze ontzag, maar van mij wilde ze niets aannemen. 'Jij bent hier ook maar in dienst,' liet ze zich ontvallen. Augustijn was haar God en zij aanbad hem op een hinderlijke wijze. Zodra hij het huis betrad, liep ze achter hem aan, het scheelde niet veel of ze was bij hem op schoot gekropen. Hij hield haar af: 'Zo is het wel genoeg, Doortje.' En, steun zoekend bij Madame: 'Wat jij, moeder?' Maar Madame was niet van plan hem een helpende hand te reiken. Had zij haar man te leren hoe hij met vrouwen moest omgaan?

Ik herkende in Dora dingen die ik van mezelf niet wilde weten. Hoe ze vergat waar ze vandaan kwam, hoe ze hunkerde om ergens bij te horen. 'Het is nog maar een kind,' had haar moeder gezegd toen er moest worden getrouwd. Ik had milder voor haar kunnen zijn als ze niet zo onbeheerst was geweest. Om het geringste kon ze lachen of wenen, je wist nooit naar welke kant het zou doorslaan. Het was met haar altijd te zot of te bot. Roken zou ze nooit leren, maar van de drank kon ze niet afblijven. En als ze gepimpeld had, trok ze haar kleren uit of plaste ze in haar broek. Ze kon ook zonder reden halve dagen in bed blijven liggen. Luiheid was voor haar misschien wel de grootste luxe – maar als ze uit bed kwam met een gezwollen gezicht moest je uitkijken. Ze zocht een voorwendsel om ruzie te maken.

De Van Puynbroeckxen verklaarden Dora achterlijk. 'Je kunt je met dat schepsel nergens vertonen,' gromde Augustijn. En Madame, hoofdschuddend: 'Waarom krijgt dat kinderen?' Ik vroeg me stilletjes af waarom de jongens allemaal met een bruid beneden niveau kwamen aanzetten. Waren ze bang van vrouwen?

Toen Angelique op bezoek kwam, hielp Dora haar uit haar jas. Ze roemde haar chic en haar taal. Maar nauwelijks had de dochter des huizes haar hielen gelicht of ze barstte los: wat een pretentieuze trut, met haar bekakte spraak en dat air van heb je me gezien! Maar goed dat ze wat goud had om rond haar magere nek te hangen. 'Stop daarmee!' zei Augustijn streng. Dora staarde hem aan met haar vissenogen, bol en grijsgroen, alle beminnelijkheid vervlogen, en begon te kijven. Het geklaag zwol aan tot een scheldkanonnade die alle proporties te buiten ging. Pogingen om haar te kalmeren hadden het omgekeerde effect. Schuimbekkend riep ze het ongeluk af over Angelique, over Bertje, over alle Van Puynbroeckxen, en ten slotte over zichzelf. Augustijn greep haar bij de arm en deponeerde haar in de kelder. Terwijl ze daar tekeerging, stonden wij elkaar bleek aan te staren. Madame schraapte haar keel en vroeg of we de dokter erbij moesten halen. 'Een flinke pandoering, dat heeft ze nodig,' gromde Augustijn. Madame richtte zich tot Bertje: 'Wat ga je daarmee aanvangen?' Bertje verslikte zich in het hartversterkertje – Elixir d'Anvers – en trok zich terug in de wc. We hoorden hem steunen en gorgelen.

's Anderdaags bracht hij zijn vrouw terug naar de pachthoeve, waar ze tot elke prijs vandaan had gewild. Het werd een vast patroon; als Dora begon te razen werd ze afgevoerd. Na een paar dagen hing ze dan aan de telefoon en beloofde ze 'haar leven te beteren'. Gespeeld verlegen deed ze weer haar intrede en begon bedrijvig het huis te poetsen. Een ramp! Water op het parket, zeep op de spiegels. Glazen en borden tegen de vloer. En ze geneerde zich niet hier en daar wat achterover te drukken.

Toen ik haar verbood het zilver te doen, noemde ze me de

voetveeg van Madame. Alsof het op een lepeltje aankwam. Was het soms mijn eigendom? Ik hoefde me ook niet te verbeelden dat Augustijn een boontje voor me had. Achter mijn rug lachte hij me uit. Ik was niet eens familie. Zonder aarzelen verklaarde ze me buiten competitie. 'Jij hebt hier niets te zeggen!'

De jaloezie maakte haar gemeen, maar toen Eliane op bezoek kwam, was Dora verbluft. Ze staarde naar de rode mond en in het afgronddecolleté. Toen Eliane een sigaret opstak, haastte ze zich een asbak aan te reiken. Eliane blies de rook in een straal naar Bertje; was dit het persoontje waarvoor hij haar hulp had ingeroepen? Bertje grinnikte schaapachtig. De verstandhouding tussen die twee beviel me niet. En wat had hij in de sigarenwinkel te zoeken? Dat was vast niet om Marius een plezier te doen.

Eliane kruiste haar benen in de vleeskleurige nylons en glimlachte toen Dora die houding na-aapte. Ze haalde een sigaar uit een kokertje, stak ze aan met een cederhoutje en presenteerde ze aan Augustijn. Dora toonde zich misnoegd, kon hij dat niet zelf? Augustijn zoog het vuur in de sigaar en rolde ze tussen zijn vingers. 'Eliane doet dat volgens de regelen der kunst,' knorde hij tevreden.

Madame snoof en kneep haar ogen dicht. Ze vond het geval te zot voor woorden. Maar twijfel is een traag werkend gif. Ik wist dat Augustijn niet ontrouw kon zijn, maar ik was er niet meer zeker van dat hij honderd procent trouw kon zijn. Hij gedroeg zich als een kwajongen die een streek heeft uitgehaald. Een babbel en een glas, een sigaar, een moment van verpozen, daar zat geen kwaad bij. 'Maak dat een ander wijs,' bitste Madame. De twijfel vrat aan me. Was het mogelijk dat Augustijn tegelijk zijn vrouw en zijn zoon in de zak zou zetten? Hij die zo op zijn eer was gesteld, kon onmogelijk Marius onteren. Of wilde hij als een oude bok orde op zaken stellen? Madame moest nodig eens met Eliane gaan praten. Toen ik dat voorzichtig te berde bracht, viel ze me in de rede: 'Eliane is wat ze is.' Betekende dat vrijspraak of een hopeloos geval? En was Augustijn ook wat hij was? 'Hij is wat hij is, niks aan te doen, we zullen hem zo moeten verslijten,' gromde Madame.

Toen Eliane voorstelde samen kleren te gaan kopen, ging Dora er gretig op in. Maar ze wilde geen zwart, dat was voor de rouw, of voor als je oud was. Ze zag zich al in rood en geel en alle kleuren die pasten bij een opwindend leven. Ze wilde zich behangen met juwelen en tonen dat ze zich had opgewerkt. Of zoals zij het zei: 'Dat ze ergens was geraakt.'

Haar voornaamste taak had ze al volbracht: ze had een zoon geworpen. Rond en rozig als een big, een beetje te dik, maar dat kwam omdat de moeder overvoerd was. Madame, die vreesde voor een oorlogskindje, had Dora vetgemest. Maar Bertje mocht niet klagen, hij was vader van een stamhouder. Dora werd nadien geduld, maar ze zou nooit wat te zeggen hebben. En er werd op toegekeken dat ze de familie niet in opspraak bracht.

De baby brulde dag en nacht, viel plotseling stil en liep paars aan terwijl de oogjes wegdraaiden. Ik vreesde dat het kind de stuipen kreeg en rolde het in een nat laken. De dokter kon echter niets vinden – het was, scheen het, gewoon een driftig ventje. Dora had de baby overweldigend lief, ze beet hem in de billetjes en kuste zijn dingetje. De pret kon niet op als hij haar bij het verschonen nat plaste: 'O, die kleine deugniet!' Tot de moederliefde haar te hoog ging en zij de baby van zich afstootte. Ze was nog geen twintig, ze kon dat huilen en die luiers niet meer aan. Het kind hield niet van haar. En wat had zij aan een man die invalide was? Dat was goed voor die dooie muis in Gent. En die was tenminste haar eigen baas, haar held moest naar het pijpen van zijn moeder dansen.

Ik wiegde de baby in mijn armen tot hij kalmeerde, maar zodra ik hem in de wieg legde, begon hij weer te brullen. Madame nam het van me over en waggelde met haar kleinzoon heen en weer door de kamer. Bij het raam bleef ze staan en keek aandachtig naar het rode hoofdje. 'Waarom hebben ze jou op de wereld gezet?' mompelde ze. Boven lag Dora in bed te jammeren om haar moeder.

Eliane toonde haar goede hart door Dora drie middagen per

week in de sigarenhandel te laten helpen. Ze zou ook wat aan haar boerse uitspraak doen. Madame was opgelucht dat Dora een paar uur uit het huis was – dat ze een centje zou verdienen was mooi meegenomen. De doktersrekeningen voor Bertje liepen hoog op, maar zodra Dora geld in handen had, gaf ze het uit. En al vlug gebruikte ze haar nieuwe naam om schulden te maken. De clientèle van de sigarenwinkel leek zich met Dora te amuseren, maar zij morde dat ze haar uitlachten. Ze kocht kleren dat het niet mooi meer was, ze besprenkelde zich met de Arpège van Madame, ze verfde haar lippen rood. En nog leek niemand haar ernstig te nemen.

Toen het niet lukte Eliane de kunst van het flirten af te kijken, werd ze achterdochtig. Deed haar schoonzus een liefdeselixer in de drankjes? En waarom moest zij altijd de sigaren aansteken? 'Het is een heks,' verklaarde ze met rollende ogen. 'Dan zou ik uitkijken als ik jou was,' zei Madame. 'Ze bedriegt u!' riep Dora. 'Pas jij maar op je eigen winkel.' Ik wilde de dwaze kont op haar plaats zetten, maar ze draaide het om: 'Pas jij maar op de jouwe!' Ik bleef sprakeloos. 'Ja, daar sta je nu met je mond vol tanden,' spotte Madame.

Hoe was het mogelijk dat die meid ons uit elkaar kon drijven? In de keuken hing ik mijn schort aan de haak. Ze zochten het maar uit. Toen ik de deur uit stapte, liep ik tegen Augustijn aan. 'Waar ga je heen, Stieneke?' 'Even een luchtje scheppen.' Ik sloeg mijn ogen neer. Als ik op iemand kwaad moest zijn, dan was hij het. Maar ik kon het nog altijd niet over mijn hart verkrijgen.

Bertje bezocht de sigarenwinkel als zijn vrouw er niet aan het werk was. Op een dag stond hij oog in oog met een vertoornde Augustijn: 'Heb je niet wat beters te doen?' 'En u?' verstoutte Bertje zich. Augustijn gaf hem een duw: 'Ingerukt, mars!' Bertje ging zich bij Madame beklagen, het was tenslotte ook in haar belang, maar Madame zond hem wandelen. Haar man en haar belang kon hij gevoeglijk aan haar overlaten.

Toen de kassa niet bleek te kloppen, bedankte Eliane voor de diensten van haar schoonzuster. Dora zei er niets van en gebruikte de vrijgekomen tijd om door de stad te slenteren. Marius kwam het melden, met een zuur gezicht, maar zelfvoldaan: 'Je vrouw is niet te betrouwen.' Dora schold Marius uit voor hoorndrager. Augustijn eiste op hoge toon dat ze zich zou excuseren. Tierend gooide Dora alles wat in haar handen kwam tegen de vloer. De koffiekan, de kandelaars, de foto's. De baby brulde erbovenuit. Marius gaf haar een draai om de oren. Dat was te begrijpen, maar de wijze waarop deed me schrikken. Bleek en koud, met de bovenkant van de hand, een klap die Dora deed tollen.

Eliane zou haar man prijzen toen ze haar verstand begon te verliezen en hij haar met roerende zorg bijstond. Nooit had hij zijn stem verheven, nooit een hand tegen haar opgericht. Ik was geneigd haar te geloven, want waarom zou ze liegen? Dat ze echter beklemtoonde dat hij nooit gewelddadig was geweest, was als het uiten van een onderdrukte angst. Toen ik ook Augustijn en Bertje op Dora zag afgaan, besefte ik dat alle drie in staat waren te doden, en dat ook hadden gedaan. Wat mijn vertrouwen danig schokte.

In het nauw gedreven gooide Dora een vaas naar haar belagers. Toen rende ze naar de wieg, greep de baby en stapte er achterwaarts mee naar het raam. Woede in haar ogen, maar ook een uitzinnig tergen. Ik zag Madame als vertraagd en met de armen uitgestoken op Dora toe gaan. De mannen waren blijven staan en de baby huilde niet meer. Voelde hij het wilde jagen van het moederhart? Ik was zonder het zelf te merken dichterbij gekomen, 'Geef het kind aan mij.' Nooit had spreken me zoveel moeite gekost en het was alsof mijn stem van ver kwam. Dora gilde: 'Ik gooi hem door het raam!' Ik herhaalde bezwerend: 'Geef het aan mij.' Dora had zich nog verder teruggetrokken, maar ze begon te huilen. Geluidloos, met open mond, alsof haar tranen een schreeuw waren. Met een uithaal had ik de baby vast. Dora was plotseling zo slap dat ze hem pardoes losliet. Madame nam hem van me over en prompt begon hij weer te brullen. Het was ondanks alles een opluchting.

Dora werd door Augustijn en Bertje onder de armen gegrepen en de kamer uit gesleept. Ze bood geen weerstand, maar liet zich krachteloos hangen. 'Als het kind er maar niets aan overhoudt,' zei Madame terwijl ze de ontroostbare baby wiegde. Toen Augustijn zich weer vertoonde, vroeg Madame: 'Heb je nu je zin?'

■■■

Ik weet meer van ongeluk dan van geluk. Misschien is dat normaal, maar wennen doet het nooit. Er was die acteur die uitriep: 'Stop de wereld, ik wil eraf!' Ik kreeg meteen een hekel aan de man. 'Dat is theater,' zei Madame. Maar ik dacht, eraf, en waar dan heen? Het heeft me altijd verwonderd dat de mensheid maar doorgaat, dat ze het nooit heeft opgegeven.

Natuurrampen, epidemieën, oorlogen, het gaat maar door. Ik zou kinderen moeten hebben, veel kinderen, zodat het geen ramp is als er een paar afvallen. En er altijd wel een overblijft dat niet van de straat geraakt en voor je zorgt als je tandeloos bent. Verkeken kansen, te veel om op te noemen. Als ik met Jan was getrouwd, zou ik nu al heel lang weduwe zijn. Dat is iets anders dan een vrouw zonder man, en een weduwe kan ook best kinderen hebben. Als ze maar niet te attractief is. Was het Bertje die opmerkte dat loslopende vrouwen gevaarlijk zijn? Een man is een man, maar een vrouw moet er altijd wat bij hebben.

Ik was beter non geworden, ik hield van nonnen, al ontbrak er wat aan. Van nonnen wordt ook aangenomen dat ze geen kinderen hebben, van mij niet, ofschoon ik eveneens mijn leven aan iets hogers heb gewijd.

Lang geleden, voor we Mon Repos verlieten, wandelde ik op een avond langs het klooster. Uit de openstaande vensters klonk gezang, hoge vrouwenstemmen in harmonie met elkaar, een zilveren zingen, als van zeemeerminnen. Ik hield mijn stap in, wachtte tot het gezang was weggestorven. De zon ging onder en de avond was als verbloed.

Ze zeggen dat nonnen hun regels in onderling verband krijgen. Maand na maand, discreet en zonder klagen. Vrouwenleed. Geen andere uitweg dan heilig worden. 'Ze weten niet wat ze missen,' lachte Augustijn. Ik wist het wel, maar ik betreur het niet langer.

De hulp wist te vertellen dat het nonnenklooster leegstond. Waren er geen vrouwen meer op overschot? Ik probeerde me voor te stellen hoe ik geweest was, veertien jaar oud, al een meisje of nog een kind, maar alles wat ik weet is dat het klooster te hoog was gegrepen. Mijn moeder moest niet alleen van me af, ze had ook recht op mijn schamel loon. Je betaalde ervoor dat je in het leven was gezet, als het niet aan je moeder was, dan aan iemand anders. Alleen de Van Puynbroeckxjes hebben meer gekost dan ze opbrachten. Het was voor Madame geen luxe al die kinderen te krijgen. Een knappe moeder-overste was ze geweest, met een klooster vol gedienstige nonnen. Maar als Augustijn was langsgekomen, had ze vast haar kap over de haag gegooid.

Ik was als het ware bij de Van Puynbroeckxen ingetreden. En als ze me niet de ezelstamp hadden gegeven, was ik tot het laatst voor ze blijven zorgen. Ik dacht dat ik mijn plaats had veroverd. Al zat het me nog zo dwars dat ze altijd de baas moesten spelen. Van Madame en Augustijn mocht ik het lijden, maar de kinderen deden alsof het hun geboorterecht was. Een duim hoog en het was al: geef hier en doe dat. Gelukkig gaf Madame me rugdekking: 'Doe wat Celestien zegt.'

Ze had het er zelf mee te stellen; eerst probeerden de kinderen hun eigen willetje door te zetten, later probeerden ze de handel over te nemen. Voor moeders bestwil en omdat ze langzamerhand te oud werd. Madame liet zich niet doen, zij had de sleutels, zij ondertekende de orders, net zo goed als dat ze bepaalde wat ze aantrok of wat er op het menu stond. Ze genoot zelfs een beetje van het gevecht om de zeggenschap. 'Die sloebers zullen moeten wachten tot ik mijn ogen voorgoed heb gesloten.' Na de beroerte was het mijn beurt om haar te steunen. 'Je moeder wil het huis niet verkopen.' Of: 'Je moeder wil niet dat je je vader daarmee lastigvalt.' Ik kwam voor haar op, maar ik verschool me ook achter haar. Misschien hebben ze me dat kwalijk genomen.

'Ik zou het klooster nog een keer willen zien,' zeg ik. 'Het is een beetje laat om in te treden,' lacht de hulp. Waarvoor is het eigenlijk niet te laat? Maar het is me om het gebouw te doen. Huizen kunnen over de generaties heen veel levens herbergen. Ik herinner me het klooster als een bakstenen vesting. Bij het uitbreken van de oorlog hadden de Ardenner Jagers achter de dikke muren postgevat. De nonnen hadden bijstand geleverd en gewonden verzorgd. Dappere maagden.

'Als de stenen konden spreken,' verzuchtte Augustijn weleens. Men kan Mon Repos alle namen van de wereld geven en het met vele lagen verf bedekken, het zijn de stenen die het huis vormgeven en het staande houden. Zij getuigen van de klei, van het water, van de opgeslagen zonnewarmte. In een steen overleeft de tijd. Het verwondert me niet dat ze ooit dachten dat mensjes in de ovens van vrouwen werden gebakken.

Als ik in dit huis mijn oorsprong zou kunnen vinden, zou ik er ook vrede mee hebben dat het mijn eindstation wordt. Maar het zal altijd meer het huis van de Van Puynbroeckxen blijven.

'Dat ze het maar vlug afbreken,' zegt de hulp. 'Tegen de vlakte dat oude kippenhok.' In mijn verwarring begrijp ik te laat dat ze het over het klooster heeft. Ik moet oppassen, bij de les blijven. Voor je het weet hebben ze je onmondig verklaard. Madame had mij, maar ik sta er alleen voor.

Ik opper dat men in het verlaten klooster een bejaardentehuis kan inrichten. Voor concurrentie met Welverdiend hoeft de hulp niet bang te zijn; we leven langer en we worden vroeger afgedankt, er komen almaar oudjes bij. 'Uw broodje is gebakken,' zeg ik, maar de hulp lijkt niet tevreden. 'Wat hebt u gedaan in uw leven?' Alsof het al voorbij is. En niet veel voorstelde. Maar ik heb geen zin verklaringen af te leggen. Of te elfder ure mijn bestaansrecht op te eisen. Ik zou mijn leven ook even uit mijn hoofd willen zetten – waar blijf ik echter als ik mijn bestaan begin te vergeten?

Zou Eliane nog weten dat ze leeft? Nu ze zelfs haar dochter is vergeten? Marius bezoekt Eliane elke dag en zij begroet hem onveranderlijk met een dwaas lachje. Het is haar aard die zich niet verloochent. Marius lijdt voor twee, daar was hij altijd al goed in. Als hij mij komt bezoeken, moet ik hem vragen hoe het is begonnen bij Eliane. Het vergissen, het verwisselen, het zoek raken in de tijd. Wat hij al niet met de mantel der liefde heeft bedekt! Toen zij begon te liegen omdat ze aan de waarheid twijfelde. En ze zich tegen hem keerde omdat hij haar dwong de werkelijkheid onder ogen te zien. 'Ik ben je man!' 'Laat ons niet lachen.' Hij gaf zijn loopbaan op om bij haar te zijn. Om haar te kleden en te voeden. Om op het gas en het vuur te passen. En te voorkomen dat zij zichzelf van kant zou maken. Want ze heeft het wel geweten. Toen ze uit het verzorgingstehuis ontsnapte en in haar nachtjapon het water in ging. Op het nippertje werd ze gered.

Zover moet ik het niet laten komen. Ik vraag de hulp wat er gebeurt als je verstand je in de steek laat. 'Dat is niet voor ons,' antwoordt ze. Je wordt ergens anders heen gebracht. Het heeft geen zin om door te vragen, je zou het in voorkomend geval toch niet meer weten. Plotseling wil ik alles weten. Ik ontdek dat je net zo goed aan het ongeluk gehecht kunt zijn. En het zweet breekt me uit wanneer ik bedenk dat er dingen zijn die alleen ik weet. Al dat gebazel over geheimen die mee het graf worden ingenomen. Alsof dat helpt.

'Tijd voor uw middagdutje,' de hulp klapt opgewekt in de handen. Ik protesteer, ik wil dat vreemde bed niet in. Niet omdat ik vrees dat het niet stabiel is, zoals de hulp veronderstelt, maar omdat ik bij mijn positieven wil blijven. Ik zeg dat ik best zittend kan slapen. Hoeveel uren heb ik zo niet doorgebracht, aan de bedjes van de kinderen, of aan de sponde van Madame? Alsof ik het ooit zou kunnen vergeten!

Ik sta de hulp toe me naar de wc te helpen, ik moet wel, met mijn ongelukkige voet. Terwijl ik zo zachtjes mogelijk probeer te plassen, bedenk ik dat dit voortaan mijn dagelijkse wandeling zal zijn: van de stoel naar de pot. Tot ik het bed niet meer uitkom.

De oude mevrouw had zich in haar bed geïnstalleerd, met fotoalbums en likeurbonbons. En, niet te vergeten, haar honden. Niet de minste gêne om zich te laten bedienen. Ik zal het haar niet nadoen, al heb ik om haar bed gevraagd. Zodra ik min of meer ter been ben, maak ik dat ik hier wegkom. Vrij als een vis in het water, wordt er gezegd, maar ik zou een vogel willen zijn. Aan de zee komt ook een einde, alleen de hemel is onbeperkt.

■■■

Ik zou Reinout moeten vergeven dat hij wilde vliegen. Als ik maar lang genoeg naar de wolkenformaties keek, die traag voorbij schoven, begon ik al te zweven. Op mijn rug lag ik, tussen de klaprozen, om het mooier te maken, en de aarde was als een vliegend tapijt. Maar ik had nooit veel tijd om op mijn rug te liggen en allerlei gekkigheid te verzinnen.

Reinout daarentegen had alle tijd van de wereld. Hij fabriceerde vleugels van perkament en varkensblaas en probeerde Marius over te halen voor een proefvlucht. 'Ik heb mijn techniek verbeterd!' Marius voorspelde dat Reinout eens te meer als een baksteen naar omlaag zou vallen, maar Bertje volgde zijn broer enthousiast naar het dak. Toen ze met hun vleugels opdoken achter het fronton, sloeg de tuinman alarm. 'Vlug, voor ze ons van het dak halen!' riep Bertje. 'Ik ga eerst!' Reinout trachtte Bertje bij een vleugel vast te houden, maar deze scheurde af. 'Wat heb je nu gedaan?' huilde Bertje.

Augustijn gaf Reinout ervan langs en verplichtte hem plechtig te verklaren dat hij niet kon vliegen. Bertje was ontroostbaar over het verlies van zijn vleugels. 'Hou daarover op!' zei Reinout boos. Maar Bertje bleef zeuren: 'Ik wil vliegen.'

In de meiprocessie liep ook een engelenkoor, met vleugels van witte veren die fraai gebogen boven hun hoofden uitstaken. Bertje had een mooie knapenstem, en hij wilde zo graag ook een engel zijn, maar Madame liet zich niet vermurwen. 'Bemoei je er niet mee,' zei ze toen ik aandrong. Na de processie bleek Bertje ervandoor met een stel vleugels. Hij had in het lokaal waar de engelen zich verkleedden op de uitkijk gelegen. 'Hoe is het mogelijk?' riep Madame. 'Ik heb geen ogen in mijn rug,' zei de koster kwaad. Madame was radeloos: 'Moet ik de laatste ook verliezen?' 'Ik zal hem wel vinden,' suste ik. Dat ik niet wist wat het betekende kinderen te hebben. Dat hoor ik haar nog zeggen.

Ik vond Bertje op de molenbrug; hij had de vleugels met het tuigje omgegespt en wiekte vrolijk met zijn armen. Het was een vertederend gezicht. Ik applaudisseerde en hij lachte; de lont was uit het kruitvat. Toen ik met mijn kleine engel thuiskwam, rukte Madame hem uit mijn armen. De tuinman kreeg de opdracht de vleugels te verbranden. Het kon haar niet schelen wat de koster ervan zou zeggen. En wij moesten toekijken. De witte duivenveren verkleurden bruin in het vuur en de pennen smolten. De rook sloeg neer, de tuinman moest het vuur aanwakkeren. Het stonk naar verbrande kippen. Reinout keek toe zonder met de ogen te knipperen, maar ik voelde de hand van Bertje zachtjes in de mijne kruipen. Ik vond het ook jammer. Het scheelde niet veel of Bertje had het toch nog tot engel geschopt, toen hij werd opgenomen in het kerkkoor en op kerstdag een solo mocht zingen. Marius zei dat zangknapen werden gecastreerd, Bertje zou een patapoef worden en geen jonkies kunnen maken. De kleine liet zijn lip hangen; castreren was niet leuk, maar hij wilde zich zo graag onderscheiden.

Op kerstdag stond hij in zijn kanten koorkleed voor het orgel en zette loepzuiver in: 'Daar is een kindeken geboren op aard...' Madame pinkte een traan weg en ik kreeg kippenvel. Voorzichtig keek ik om naar het koor en zag Bertje zingend naar de balustrade stappen. Met een verheven snuitje, al bijna heilig, klaar om op te stijgen. De koster had hem nog net op tijd bij de kraag. De muziek brak af en het was de beurt aan Augustijn om kwaad te worden. Hij klom naar het koor en greep Bertje onder de arm. 'Nu is het afgelopen!' Hij was toch al tegen zijn zin naar de kerstdienst gegaan.

Toen Bertje de baard in de keel kreeg, gaf hij het zingen eraan en leek hij zich met zijn aardse staat te verzoenen. Maar Reinout hield vol: 'Wacht tot ik mijn vleugels heb!' Madame sloeg vertwijfeld haar handen in elkaar. 'Ik word piloot!' zei Reinout vastberaden. 'In zo'n vliegende doodskist, geen sprake van,' kreet Madame. 'Als ik groot ben...' begon Reinout. Ik onderbrak hem: 'Eet nu maar eerst je bord leeg.'

Toen ik op een zonnige dag de was ophing, hoorde ik gebrom. Terwijl ik met mijn hand boven mijn ogen de hemel afzocht, kwam Reinout naar buiten rennen: 'Een tweedekker!' Ik begon te wuiven met een kussensloop, Reinout greep een ander stuk wasgoed, Bertje kwam erbij, en met ons drieën stonden we op het weitje te dansen en te wuiven. Het vliegtuig vloog een acht en schoof dan schuin weg; we keken het na tot onze ogen ervan traanden. Droeg de piloot een lederen muts met oorkleppen, had hij een sjaaltje om, en wie had het zien wapperen? Reinout sloeg een arm om mijn middel: 'Als ik piloot ben, mag jij meevliegen!' 'En ik ook, ik ook,' juichte Bertje.

In die eerste jaren was ik nog kind met de kinderen, later werd ik meer hun moeder, maar nooit helemaal. Dat lag niet aan mij – ik verlangde vurig iets helemaal te zijn – maar aan hen. Ik was te veel van het goede. Ik fungeerde als een stootkussen voor Madame. Het broed had liever helemaal geen moeder gehad. Tegen hun vader kwamen ze ook in opstand, vanwege de volgorde in de roedel, maar met hun moeder konden ze zich niet meten. Ze konden ook niet ontkennen dat ze uit haar waren voortgekomen. Ze verhaalden hun ongenoegen dan maar op mij. Ik had niets voortgebracht, ik was toegevoegd, als het erop aankwam: overbodig.

'Je ziet ze vliegen,' zei Madame als ik me beklaagde over het onbehouwen gedrag van de kinderen. Maar ik beeldde me niets in, ik was bereid mezelf te bedriegen. Want ik beklaagde me niet omdat ik hoopte dat de toestand zou worden rechtgezet, ik beklaagde me opdat Madame mijn klacht ongegrond zou verklaren en me zou tegenspreken. Dat deed ze met overtuiging; hoe gewilliger ik was, hoe makkelijker voor haar. Ik smolt als boter als ze me verzekerde dat ik niet kon worden gemist. En de kinderen? Ach, die wisten niet beter. Dat was haast zo goed als worden bemind.

Ik zweefde een beetje tot Madame me bij een meningsverschil weer met beide voeten op de grond zette. Ik had me nergens mee te bemoeien. Of waren het niet haar kinderen? En wat wist ik van het huwelijk? Ik wist überhaupt nergens van, en dat wilde Madame ook zo houden. Voor het gemak en omdat ze zekere ervaringen niet wilde delen. Ze probeerde te voorkomen dat ik mijn vleugels zou uitslaan, dan was ze me kwijtgeraakt, maar er zat ook een vreemde jaloezie achter. Ik mocht niet worden ingewijd in de geheimen van de liefde, ik moest een wereldlijke non blijven. Madame kon niet echt verhinderen dat ik kinderen kreeg, maar ze betrok me zodanig bij haar eigen spruiten dat er geen plaats voor andere overbleef. En van alle mannen die niet wilden deugen, was er één, de hare, waar ik af moest blijven. Als het ernaar uitzag dat ik me met minder zou tevredenstellen, werd de kandidaat meteen afgekeurd. Hij deugde niet, hij was getrouwd, hij had geen geld. Ze voelde zich verplicht me de ogen te openen.

De kinderen giechelden om mijn vermeende aanbidders, maar algauw deden ze als hun moeder. Celestien met een vrijer? Belachelijk! Toen ik dertig was, vonden die snotneuzen mij al veel te oud om verliefd te worden. Het was zelfs een tikje gênant. 'Kan Celestien niet haar manieren houden?' vroeg Angelique. Ik was van hen, en dat moest zo blijven. Alleen Augustijn had begrip voor mijn eenzaamheid: 'Celestien mag toch ook een beetje leven?'

Toen ik Jan leerde kennen, was ik eigenlijk al te oud voor kinderen. Ik was ook te zeer in beslag genomen. Maar voor liefde was ik niet te oud.

Menselijke warmte blijft een wonderlijk ding. Twee armen om je heen in het donker van de nacht. Dat had gekund, als Madame er geen stokje voor had gestoken. 'Wat goeds kan daarvan voortkomen?' Jan had vrouw en kinderen. Daar moest ik mij ver van houden. Zo zei ze dat. Dat ik me er ver van moest houden. Jan had me wijsgemaakt dat zijn vrouw was gestorven. Dat zijn kinderen door zijn zuster werden opgenomen. Een leugen die hem de das omdeed. Madame kwam erachter en ik moest haar gelijk geven. Ik wilde niet bedrogen worden en ook niet bedriegen. Jan had schijnbaar nergens last van. Hij plakte zijn leven aan elkaar met leugens, en het had geen zin hem daarop aan te spreken. Het was niet kwaad bedoeld, hij wilde niemand kwetsen.

Ik was nieuwsgierig hoe zijn vrouw eruitzag, maar ik was er niet op gebrand haar te ontmoeten. Ik hoefde me nergens om te schamen, maar ik nam het haar, tegen alle reden in, kwalijk dat zij zijn vrouw was. De kinderen, daarentegen, die meiden, had ik wel een keer willen zien. Pagekopjes stelde ik me voor, met spillebenen. En een grote mond.

Toen kwam die fatale maandag. Jan was te laat op de bouwplaats gearriveerd en nog niet helemaal nuchter. Hij was haastig langs de stellage naar boven geklommen en geslipt. Augustijn had hem met zijn jas toegedekt. Ik wilde wat voor de weesjes doen, maar Madame was me voor: 'Daar is al voor gezorgd.' Ze hield me ver van alles wat met 'de afhandeling van de zaak' te maken had. Toen de vrouw van Jan het lichaam kwam ophalen, nam zij de honneurs waar en ik werd voor een paar dagen naar Angelique gestuurd. Om me onaangenaamheden te besparen. 'Er is niets onbetamelijks voorgevallen,' stamelde ik. 'Ga nu maar,' zei ze. 'Moet je niet een traan laten voor je aanbidder?' vroeg Dora toen ik draalde. 'Jij gaat subiet naar de keuken!' gromde Madame. En toen Dora aanstalten maakte om te protesteren: 'Laat ik je niet meer horen!' Terwijl Madame de deur voor me openhield, mompelde ze: 'Ze weet niet wat ze zegt.' Mijn ogen waren gezwollen van de ingehouden tranen, maar ik kon of durfde ze niet te laten vloeien.

Het heeft lang geduurd voor ik weer aan Jan durfde te denken, zoals hij was, zoals wij waren. Daarmee heb ik hem tekortgedaan. Maar ik voel me opgelucht dat hij mij nu niet kan zien. Zoals ik hier aan mijn stoel gespijkerd zit. Oud en aan de kant geschoven. Terwijl mijn hart zich zozeer zou willen verheffen. Dat ben ik niet, of dit gebeurt mij niet, denk ik, maar zo is het wel. En er is niemand op wie ik het kan verhalen.

■■■

Het geluk van de Van Puynbroeckxjes was de kroon op mijn werk geweest. Madame en ik hadden ons desnoods het brood uit de mond gespaard voor die kinderen. Gaaf van lijf en leden moesten ze zijn, klaargestoomd voor een gelukkig bestaan. Als zij het lieten afweten waren wij tekortgeschoten. Onze verdienste was hun geluk. Waarom moesten ze ook altijd dwarsliggen? En tegen hun belang werken? Het leek wel alsof ze het aan hun naam verplicht waren. Of dat geluk een gave was die zij niet hadden meegekregen. En van ongeluk is nooit veel goeds voortgekomen.

'Het is de schuld van de oorlog,' zei Madame. En het leek erop dat de oorlog met niets kon worden goedgemaakt. De bouw kwam op gang, er werden auto's aangeschaft en al vlug een televisie. 'We mogen niet klagen,' zuchtte Augustijn. Er klonk berusting in zijn stem, de welvaart kon het chagrijn niet wegwerken. We zaten met een reusachtige kater.

In de oorlog konden we ons geen voorstelling maken van hoe het na de oorlog zou zijn. Het moest beter worden, anders, maar hoe anders? Als de oorlog maar eerst voorbij was, als we het maar overleefden. We sleepten elkaar erdoorheen met het vooruitzicht op later. Toen het eindelijk zover was, hadden we het gevoel dat we de vrede hadden verdiend. De toekomst kon weer beginnen. We zouden eindelijk ten volle van het leven genieten. En onze schade inhalen. Maar de oorlog was een breuk in de tijd; wij waren plotseling van vroeger. We mochten nog even meedoen, maar al vlug werden we stormenderhand voorbijgelopen. Wij waren de oudere generatie, ons werd de schuld van de oorlog aangewreven. Maar de jongere generatie had evenmin wat geleerd.

De Van Puynbroeckxjes likten hun wonden en zaten elkaar dwars. Ze wisten noch met de vrede, noch met de liefde om te gaan. Hoe meer ze bezaten, hoe misnoegder ze werden. En er was altijd baas boven baas. Ik knapte erop af, maar zolang Madame doorging, ging ik ook door. Ik raakte dan ook behoorlijk van slag toen zij haar koffers pakte. Waarheen? Dat wist ze niet, als het maar ver weg was. Ze wilde er ook niemand bij hebben. Augustijn klaagde: 'Wat heb ik misdaan?' Of nog sterker: 'Heb ik wat misdaan?' Hij begreep niet dat hij zich had misdragen – en ook al had hij het begrepen, het was zijn voorrecht te worden getroost in plaats van te worden gestraft. 'Hoe ouder, hoe zotter,' spotte Madame. Hij hoefde er niet mee aan te komen dat de liefde voor mannen anders was dan voor vrouwen. Ze was niet van plan hem een jachtvergunning te geven. Had hij maar twee keer moeten denken voor hij haar ten dans vroeg.

'Jij bent begonnen,' zei Augustijn plagend. Wie had de eerste stap gezet, wie had wie verleid? Ze kibbelden erover als kinderen. Hij kwam van het front, zij van Holland. De Groote Oorlog was voorbij; het zou nooit meer oorlog worden. Overal werd gefeest. In het witte landhuis werd een bal gegeven. Madame was uitgenodigd, maar werd door haar stiefouders te jong gevonden. Ze hadden haar het liefst helemaal van het dansen afgehouden. Het was de bedoeling dat zij de sluier aannam, maar de roodharige freule glipte het huis uit. Ze had door de verlichte ramen van Mon Repos naar de wervelende paren gegluurd en was, meegesleept door de muziek, op het bordes alleen gaan dansen. Augustijn had het dansende meisje opgemerkt en was nieuwsgierig op haar toe gegaan. Zij maakte een buiging, hij vroeg haar ten dans. Van het bordes walsten ze over het grasveld en daar, in de beschutting van de rododendrons, had hij haar gekust, nee, zij had hem gekust, enfin, ze hadden elkaar gekust.

Niemand was gelukkig met de vrijage, behalve de twee betrokkenen. En nooit wordt er zo heftig bemind als na een oorlog. Drie maanden na die gedenkwaardige dans had Madame een mededeling te doen: 'We zijn niet meer alleen.' Om verdere tegenkantingen te ontlopen had het paar de boot naar Engeland genomen.

De oude mevrouw kon er achteraf om lachen, het ging tenslotte niet om een geroofde bruid, en Augustijn had aan zijn verplichtingen voldaan. De stiefouders van Madame daarentegen konden zich maar moeilijk bij het voldongen feit neerleggen en dreigden de losbollige te onterven. 'Het geld zou toch aan het klooster zijn gegeven,' zei Madame luchthartig. In plaats van haar stiefmoeder vroeg ze de oude mevrouw om meter te zijn van Angelique. De stiefmoeder voelde zich gepasseerd en te kijk gezet, want toen ze de volgende gelegenheid wel werd gevraagd, wilde het kind niet leven. Nog één keer vroeg Madame haar stiefmoeder om meter te zijn, en toen het weer fout ging, nooit meer. Ze begon te geloven dat de dorre vrouw ongeluk over haar kinderen bracht. 'Het is mijn bloed niet,' zei de stiefmoeder om zich te verdedigen. Madame vergaf het haar niet.

Met de engeltjes begroef ze ook haar meisjesdromen. In de la van de toilettafel vond ik een boek met de titel *Zij danste maar één zomer*. Dat zette me aan het denken: betreurde Madame die nachtelijke dans op het grasveld? Was het meteen de grote liefde of had ze er niet bij nagedacht? Ik betrok de titel van dat boek niet op mezelf; ik was nog niet aan dansen toegekomen. Of ik verwachtte nog dat ik vele zomers zou dansen. Had Madame ook zulke verwachtingen gekoesterd? Zeker is dat ze moeder werd zoals een boom vruchten draagt, vanzelfsprekend en zonder zich te beklagen, integendeel zelfs, ze liep met haar dikke buik te pronken.

Het ouderschap was een beklonken zaak, maar Madame en Augustijn waren niet langer alleen, en de kinderlast ging aldoor zwaarder wegen. Haast krampachtig bleven ze elkaar aan die eerste dans herinneren en hardnekkig vasthouden aan hun goddelijk moment. De kinderen moesten gelukkig worden als bewijs van hun liefde en als genoegdoening voor hun jeugd. Augustijn sprong óók uit de band omdat zijn nageslacht hem voortijdig oud maakte. Hij had, meer dan wie ook, moeten begrijpen wat Madame het huis uit joeg. Zij was niet zozeer een bedrogen echtgenote als wel een moeder die van haar ankers was losgeslagen. Ze kon veel hebben, de bevliegingen van haar man, zakelijke en huishoudelijke besognes, de hele Duitse armee als het erop aankwam, maar niet de waanzin van haar kinderen. Misschien had ze gehoopt dat ze losgeld had betaald met de engeltjes, dat ze op aarde met een gelukkig kroost zou worden gezegend. Maar je kunt het niet met je verlies op een akkoordje gooien.

▪▪▪

Madame beval me de koffers van zolder te halen. Zij ging op reis. Alleen. Ze wist niet waar ze vandaan was gekomen, ze wist niet waarheen ze ging. Ze was met Augustijn weggelopen, de trek naar de verte zat er diep in. Zwervers konden bij haar dan ook altijd op begrip rekenen. Zelfs de zigeuners die in de keuken hun slag sloegen. 'Ze moeten toch ergens van leven.' Madame had houvast gezocht, kinderen gekregen, huizen gebouwd. Ze had zich willen vestigen. Een stammoeder worden. Toen het nest van buitenaf werd bedreigd, had zij weerstand geboden, maar toen het van binnenuit werd verstoord, begon ze te dolen.

Het trof me dat er altijd een gepakte koffer had klaargestaan. Voor noodgevallen, verklaarde Madame. Als ze halsoverkop zou moeten vertrekken, had ze haar gerief bij de hand. Dat leek bizar, ook al omdat de inhoud van de koffer elke lente moest worden gelucht, gewassen en gestreken, en zo nodig vervangen. Madame had zekerheid verstrekt als moedermelk, maar ondertussen hield ze een koffer achter de hand.

Toen het volk op de vlucht sloeg in '40 zette ze zich schrap. Een schipper op de brug, ze stond het zichzelf niet toe op hol te slaan. In die meidagen kregen we een vrouw in de keuken, voor een glas water, alsjeblieft, ze verging van de dorst. Ze dronk gulzig, het water drupte van haar kin op haar gestreepte bloes. 'Ze komen almaar dichterbij,' zei ze gejaagd. Zij moest weg, verder, voor ze haar te pakken kregen. Ik probeerde haar te kalmeren. Een vrouw alleen, was het niet beter dat ze huiswaarts keerde? Of eerst wat uitrustte? Ze kon zich op mijn bed uitstrekken. Nee, nee, ze moest verder. Het zweet parelde op haar slapen.

Madame gaf haar de koffer en raadde haar aan zo ver mogelijk weg te gaan, en niet halverwege terug te keren. We kenden de vrouw niet. Ik wist haast zeker dat we haar nooit zouden terugzien. De koffer was van marokijn, met verstevigde hengsels en vergulde sloten. Hij bevatte ondergoed, sokken, een rok, een jerseyvest, zeep, zakdoeken en een nagelschaartje. En scheepsbeschuit. We hebben nooit geweten of de koffer over de Pyreneeën is geraakt, of langs de weg verloren is gegaan. 'Ik ben goed aangekomen,' stond er op een prentbriefkaart uit Canada, maar de kaart was van iemand anders.

Ik was de vrouw op de vlucht vergeten, maar toen we Madame naar de trein brachten, stond haar schim op het perron in haar katoenen jurk, met haar sokken boven haar scheefgelopen hoge hakken.

Madame vertrok naar Parijs, daar zou ze verder zien, alle wegen lagen open. Ik wilde iets zeggen, iets wat tot haar zou doordringen, iets belangrijks. Ze bekeek me glimlachend, 'Kom kom, niet zo tragisch.' Ik zou blij zijn dat ik het huis voor mij alleen had. Augustijn schudde zijn zakdoek open en snoot toeterend zijn neus. 'Tjilpkesmuil,' zei Madame met een grimas. We bleven de trein nakijken tot hij uit het zicht was. De sporen waren als lijnen in een handpalm. Toen we het station verlieten, stond de vrouw in de katoenen jurk er niet meer. Dat had ik ook niet verwacht.

'Ze zal vlug terug zijn,' zei Augustijn bezwerend. Hij kon zich niet voorstellen dat Madame zonder hem kon. Hij was haar man, maar hij was ook haar kind. Hij kon haar nog veel minder missen. Hij trok zich terug in de slaapkamer en deed de deur op slot. Hij ging buitenshuis dineren en als ik hem wat vroeg, antwoordde hij met een grauw en een snauw. Het was alsof hij me niet meer kon verdragen. Hij rookte sigaren alsof hij zich in een rookwolk wilde hullen, maar hij ging zich niet meer bij Eliane bevoorraden. Hij sprak de sigarenkist van Bertje aan, en toen die protesteerde, kreeg hij te horen dat hij zijn hele leven sigaren van zijn vader had gepikt. Hij zou niet arm worden van een sigaar meer of minder. 'Zodra ik de operatie achter de rug heb, zijn we hier weg,' zei Bertje. Augustijn blies de rook van zijn sigaar voor zich uit: 'Hoe eerder, hoe liever.' Daarna spraken ze niet meer met elkaar.

Dora had op een avond kort na het vertrek van Madame aan de slaapkamerdeur geklopt, maar Augustijn had niet 'binnen' geroepen. Toen ze bleef kloppen, rukte hij de deur open en vroeg of ze solliciteerde naar een pak op haar billen. Terwijl Dora zich bij me kwam beklagen, bulderde Augustijn: 'Celestien, hou dat schepsel bij me vandaan of ik bega een ongeluk!' Waarna Dora zich gedeisd hield. Dat maakte het leven makkelijker, maar het beviel me niet dat Augustijn zo tegen haar uitviel. Het was alsof het een beetje op mij neersloeg.

Marius kwam langs om de lucht op te snuiven. Ik zat doelloos aan de keukentafel. 'Gaat het niet, Stien?' Ik snifte: 'Dat is toch geen leven.' Komaan, ik moest me herpakken, er waren zoveel manieren van leven. Over Madame hoefde ik me niet ongerust te maken, die kon best voor zichzelf zorgen. Ze had ons gewoon een lesje willen geven. 'Daar is ze goed in.' Hij grimlachte. Zijn moeder deed hem tekort. 'Zij had haar redenen,' zei ik. Eliane had wijzer moeten wezen. Maar zoals gewoonlijk wilde Marius geen kwaad woord over zijn vrouw horen. 'Ga bij mijn ouwe klagen.' Hij zette zijn kraag op en haastte zich de deur uit. Hij was op weg een hoge pief te worden bij de overheid, waar hij kennelijk meer te vertellen had dan thuis.

Ik bleef versuft achter. Liep door het huis alsof ik niet wist hoe de dag door te komen. Kwam ik in de slaapkamer dan wist ik niet meer wat ik er kwam doen. In de keuken waren de simpelste voorwerpen plotseling zoek. Ik had er zelfs moeite mee mezelf ordentelijk aan te kleden. Het was een opluchting dat Dora en het kind wat leven in de brouwerij brachten. Want aan Bertje had je niets, die was van 's ochtends vroeg op de bouwplaatsen. Als hij thuiskwam, viel hij uitgeput op de divan, maar ik had hem in lange tijd niet meer zo monter gezien.

Augustijn bleef mokken. Madame had hem in zijn hemd gezet. Indien ze hem had gevraagd om op reis te gaan, samen weltestaan, had hij grootmoedig ingestemd en de leiding op zich genomen. In hotels en restaurants ging hij voor, hij voelde zich op zijn plaats; terwijl hij werd bediend, werd er ook wat rechtgezet. Augustijn was een seigneur, en als dusdanig was hij aan zet. Madame was zijn kroonjuweel, zij moest voor hem schitteren, maar nooit mocht ze hem overtroeven. Nooit zou hij toegeven dat hij afhankelijk was van haar gunsten. Dat maakte hem onzeker, en zij moest hem vooral zekerheid schenken. 'Een man moet zijn rust hebben,' stelde hij. Daarmee was hij bij Madame aan het verkeerde adres: 'Een beetje leven kan geen kwaad.' Onvervaard was ze met hem weggelopen, het grote avontuur tegemoet. Ze was niet van plan zich te laten intomen of een kleurloos burgerdametje te worden. 'Vandaag begin ik eraan!' schreef de bruid aan haar stiefouders. En: 'Van nu af aan wordt alles anders.' De liefde moest de wereld op zijn kop zetten en de zon doen dansen. Zij zou het leven opnieuw uitvinden. Terwijl hij, eenmaal bedaard, met regels kwam om alles bij het oude te houden. Een kalender met vaste zon- en feestdagen, een dagindeling waarvan niet mocht worden afgeweken. Hij leek modern omdat hij allerlei nieuwigheden invoerde; centrale verwarming, auto's, telefoons. De techniek zou de mens vrijmaken. Dat beweerde hij, maar zo was het niet bedoeld. Mannen vinden dingen uit en bepalen de regels, die erop neerkomen dat alles moet blijven zoals het was, ongeacht wat er wordt uitgevonden.

Augustijn was nog niet zo oud of hij verklaarde al: 'Ik ben nog van voor de andere oorlog.' Waarmee je niet één, maar twee wereldoorlogen moest terug tellen, naar een tijd die trager verliep, naar huizen die voor de eeuwigheid waren gebouwd, naar een levenswijze – *un train de vie* – die een levensbeginsel was. De toon waarmee Augustijn naar die tijd verwees, was vervuld van een zekere trots. Aanvankelijk klonk er ook geen benauwdheid in door over zijn leeftijd – in dat vergane tijdperk verleenden de jaren wijsheid en dwongen ze respect af. Langzaam drong het tot hem door dat hij zichzelf uit de markt prees, dat hij niet alleen oud werd bevonden, maar ook hopeloos ouderwets. En dat Madame haar gang ging, met of zonder zijn goedvinden. Hij had het ernaar gemaakt, maar dat ze de benen nam, lag niet alleen aan hem. Het was de onmacht om de kinderen, die ze niet tot geluk kon dwingen. Hun welslagen zou toch een compensatie zijn geweest voor de engeltjes. 'Ze doen het niet zo slecht, de omstandigheden in acht genomen,' troostte Augustijn. Madame schudde mismoedig het hoofd: 'Ik hoef niet te weten hoe het afloopt.' Waarom weet ik niet, maar dat knoopte ik in mijn oren. Madame treurde niet meer zozeer om wat ze had verloren, ze was beducht voor wat haar nog te wachten stond. Haar reizen waren een vlucht naar voren. Desperaat probeerde ze de tijd voor te blijven.

Madame bleef twee volle weken weg. Toen ze terugkwam, vol energie en beladen met pakjes, zei ze opgetogen: 'Dat ga ik nog eens doen!' 'En dan ga ik mee!' riep Augustijn. 'Als je niet te veel last verkoopt,' monkelde Madame. *En passant* gaf ze hem een aai over zijn bol. Ik bezag het met een schuin oog, maar dat was uit gewoonte. Ik was danig opgelucht dat ze het roer overnam. Augustijn was niet te genieten geweest. Knorrig, ongeduldig en ook nog gierig. Ik moest voor elke uitgave verantwoording afleggen. De man die zo graag goede sier maakte, beknibbelde op het huishoudgeld. Hij noemde het onverantwoord dat ik geen huishoudboekje bijhield. 'Hoe doen jullie dat dan?' Ik toonde hem de sigarenkist waar Madame elke zaterdag een gele enveloppe in deponeerde. En als ik tekort had? Dat kwam haast nooit voor. En als ik overhield? Gaf ik het geld dan terug, of werd het van het bedrag voor de komende week afgetrokken? Het begon me te duizelen. Zorgvuldig telde hij de bankbiljetten die in de enveloppe zaten. Hij hield er een paar achter: er was tenslotte een persoon minder aan tafel.

Zo kende ik hem niet, en als hij zo was, mocht Madame hem hebben. 'Als ik jullie had willen bestelen, was ik allang rijk!' flapte ik eruit. 'Wat moet ik horen?' vroeg hij verbluft. We hadden samen veel doorgemaakt, maar dat gaf mij nog niet het recht een grote mond op te zetten. Hij hield niet van ongepaste familiariteiten. 'Ik ken mijn plaats,' mompelde ik.

Augustijn was nog niet klaar, ik moest 's avonds het verstelwerk ter hand nemen in plaats van boeken te lezen. Daar werd ik maar wijsneuzig van. En dat was tegen mijn eigen belang: vrouwen waren niet geschapen om zich met mannenzaken bezig te houden. Daar werden ze ongelukkig van.

De preek was, over mijn hoofd heen, tot Madame gericht. Augustijn had, omdat er niets anders opzat, de zaak aan haar overgedragen, maar op de bouwplaats wilde hij de baas blijven. Hij bemoeide zich ook niet met het huishouden. Dat ging hem pas interesseren toen hij ontdekte wat eraan gespendeerd werd. Het zweet dat het kostte, telde niet mee. Een beetje poetsen, een beetje wassen, een beetje koken; dat kon je toch geen werken noemen. Wat hem betreft ontving ik ook geen salaris, maar een soort zakgeld, en hij drong erop aan dat ik het niet zou uitgeven.

'Hou het opzij voor later.' Dat had hij dan wel goed gezien. Met wat ik opzij gelegd heb, kan ik mijn zin doen. Ik moet alleen bedenken wat ik wil en leren geld uit te geven. Voor mezelf dan. Ik zou naar Engeland kunnen reizen, maar ik spreek de taal niet. En hoe geraak ik op een schip? Naar Frankrijk kan ik met de trein, tot aan de Middellandse Zee, en ik spreek een aardig mondje Frans. Ik zou naar het casino kunnen gaan, daar heb ik de kleren niet voor, maar die kan ik kopen. Bertje beweert dat alles te koop is, dat is niet waar, manieren bijvoorbeeld, die kun je niet kopen. En hartelijkheid evenmin. Mijn geld verspelen, zoals de oude mijnheer, zou ik niet doen, daarvoor heb ik er te hard voor gewerkt, maar iets moet ik er wel mee doen. Naar Lourdes ga ik niet, na alles wat ik met Madame heb meegemaakt – je mag het niet hardop zeggen, maar ze kwam nog zotter terug dan ze was vertrokken. En ik heb te veel meegemaakt om nog in verschijningen te geloven. Wat zou ik trouwens moeten vragen? Dat Madame terug in het leven werd gezet, dat wij weer jong waren, en Augustijn weer te paard zou zitten?

Ik heb er nooit zo over nagedacht, maar het is waar dat hij, toen Bogo II eenmaal was verkocht en er geen paarden meer waren, niet meer dezelfde was. Of er altijd een beetje misplaatst bijliep met die lange benen van hem. Je moet de mensen zien met de dingen waar ze bij horen, Augustijn op zijn paard, Madame aan haar toilettafel, ik aan het fornuis. En je moet mensen, als ze getrouwd zijn, met hun wederhelft zien. Madame alleen op stap, dat klopte niet. Augustijn alleen in de slaapkamer, dat klopte nog veel minder. En ik, alleen, in Welverdiend, dat is helemáál verkeerd.

■■■

Op zondag was de hele familie uitgenodigd om de thuiskomst van Madame te vieren. Voor de gelegenheid kwamen Marius en Eliane samen met hun dochtertje. Augustijn en Bertje deden alsof er niets was voorgevallen, maar ze ontweken elkaar. Madame zat het aan het hoofd van de tafel spottend aan te kijken. Ik bemerkte plotseling een gelijkenis tussen Madame en Angelique, die net als haar moeder haar hals strekte en tegelijk haar kin omlaag drukte. Het leek wel alsof ze zich opmaakten voor een kopstoot.

We aten lamsbout met flageoletten en gestoofde peertjes. Davy lag met het gezicht naar de muur op de divan. Ik had voor hem en voor Bertje aardappelpuree gemaakt. Geen van twee had veel gegeten. Maar Bertje vocht om te eten, terwijl Davy het met een schuldbewust gezicht opgaf.

De conversatie kabbelde beleefd, dat was niets voor de Van Puynbroeckxen. Ik was nerveus. De kinderen aten in de keuken, en terwijl ik heen en weer draafde, moest ik ook nog proberen de baby van Bertje te kalmeren. Die brulde zich de longen uit het lijf. Ten slotte bracht ik hem naar zijn moeder. 'Kan je die kleine niet stilhouden?' vroeg Angelique. Terwijl Dora met één hand haar bloes begon los te knopen, trok Eliane haar wenkbrauwstrepen samen: 'Vrees je niet je figuur te bederven?' Het was niet kwaad bedoeld, maar Dora barstte los dat Eliane zich te goed voelde om haar eigen kind te voeden, en dat ze liever een man aan haar memmen had. Alle ogen richtten zich op Dora: koud en afwijzend. Een gezwollen borst hing half uit haar bloes, en terwijl ze het hoofdje van de baby ertegen drukte, stond ze op. Haar stoel viel om, ze vluchtte zonder omkijken naar de keuken.

Ik zette de stoel overeind en omklemde de leuning: 'Zijt ge niet beschaamd? Allemaal?' Een tel bleef het stil, toen zei Madame gedecideerd: 'Ge hebt gelijk, Celestien.' Ik had gelijk, maar het haalde niets uit. Ik mocht een kaarsje branden voor mijn gelijk.

Een maand later vertrokken Madame en Augustijn naar de Côte d'Azur, een reisje voor twee, zoals vroeger. Maar het was niet hetzelfde. Augustijn kwam terug met een gezicht van zeven dagen slecht weer. De bediening in de hotels was laks, het eten maar zo zo, de casino's hadden hun glorie verloren, zelfs de Middellandse Zee was niet meer zo blauw. 'Ge wordt oud,' zei Madame. Zodra ze de kans zag, ging ze alleen op stap. Ze had er een goede uitvlucht voor gevonden: ze vertrok op bedevaart.

Tijdens de gezamenlijke reis hadden ze ook Lourdes bezocht, en daar had Madame de geest gekregen. De grot, de kaarsen, het gezang. En de mogelijkheid van een mirakel. 'Neem uw bed op en wandel!' had een priester in extase gebeden. Een van de kreupelen kwam overeind uit zijn rolstoel, zette drie wankele stappen en viel. Maar het volk was uitzinnig. 'Dat is de kracht van het woord,' zei Augustijn afwijzend. Madame echter had met haar eigen ogen een mirakel gezien. Ze reisde van bedevaartsoord naar bedevaartsoord, hopend op verschijningen en genezingen. Ze bad en offerde en probeerde het wonder af te dwingen. Ze had altijd al een hang naar het bovennatuurlijke, met de hoop dat je het lot kunt afkopen en het onherroepelijke afwenden. Als bruid had ze haar huisheiligen meegebracht, Anna voor het huwelijk, Rita voor hopeloze gevallen, Antonius voor verloren voorwerpen. Mettertijd was het een hele verzameling geworden, van Blasius tot Vitus, want elke heilige had zijn eigen specialiteit. Ze moesten geregeld worden gesopt, en als er een straf kreeg, moest ik het beeld naar de kelder brengen of met het gezicht naar de muur draaien. Ik vond de heiligenverering tamelijk dwaas, maar Madame hield vol: 'Baat het niet, het schaadt ook niet!'

Ik nam maar aan dat het erbij hoorde. Voor een bevalling stak ik een kaars aan voor Brigitta, bij huiszoekingen of calamiteiten riep ik de veertien noodhelpers aan, die als tempelwachters stonden opgesteld. Er geschiedde weliswaar geen mirakel, maar ik voelde me sterker. Als Madame per ongeluk haar Christoffel zou zijn vergeten, had ik hem in haar tas gestopt. Maar ze vergat hem nooit, en ze kwam naar huis met medailles en relieken die ze als souvenirs uitdeelde. De flesjes met gewijd water kregen een plaats op de toilettafel. 'We kunnen er weer tegen,' zei ze dan tevreden.

Toen Augustijn eens een scapulier onder zijn hoofdkussen vond, dreigde hij heiligen en aanverwante het huis uit te gooien. 'Dan ga ik ook,' zei Madame. Foeterend over bijgeloof schonk hij zich een glas in en hief het op als voor een toost: 'Een zatte vrouw is een engel in bed!' Madame gooide het scapulier op de grond. Ze schrok er zelf van, raapte het lapje op en kuste het. 'Dat mag je met mij ook doen,' zei Augustijn met getuite lippen. 'Loop naar de pomp!' brieste ze. 'Wie is hier de weglopeer?' vroeg hij.

Madame had geen rust meer, alle voorwendsels waren goed om haar koffers te pakken. Ze drong er niet op aan dat Augustijn haar zou vergezellen, en ook mij bood ze het niet aan. 'We hebben lang genoeg op elkaars gezicht gekeken.' Het kon haast niet anders of Augustijn had het ook gehoord. Hij protesteerde, ze kon hem toch niet weer alleen laten? Hoe moest het dan met het huishouden? Daar zorgde Celestien wel voor. En wat met de zaak? Hij had een machtiging, en Bertje deed niets liever dan de baas spelen. Ik deed een beroep op haar in naam van het kroost, maar dat had een averechtse uitwerking. Niet voor rede vatbaar, al ging het om haar eigen vlees en bloed. Altijd wisten ze het beter. Altijd moesten ze hun wil doordrijven. Ze trok haar handen van hen af. Hadden ze eindelijk hun zin. En ik dan, dacht ik, wat moet er van mij worden? Tot welke heilige kon ik mij richten? Het huis was ook voor mij plotseling te klein.

Ik pakte mijn hengselmand en vulde die met schoon linnen en fijne eetwaren. En weer ging ik op pad: van gevangenis naar ziekenhuis, van kantoor naar sigarenhandel. Lamenterend en zorgend voor de kinderen. Maar een vriendelijk woord kon er van hun kant niet af. 'Je kunt hier niets komen doen,' zei Reinout als ik hem in naam van de familie te spreken kreeg. Hij studeerde, bereidde zich voor op de vrijheid. 'Is mamaatje weer op reis?' vroeg hij. En grinnikend: 'Niet klein te krijgen, die vrouw.' Ik vroeg of ik de groeten mocht overbrengen. 'Dat zul je wel laten.' 'Iemand moet het eerste woord spreken,' knorde ik. Hij lachte zijn onaangename lachje. 'Hou je erbuiten.' Met Bertje was het niet anders. 'Wat kom jij hier doen?' vroeg hij als ik in het ziekenhuis het gordijn voor zijn bed wegschoof. Hij lag tussen de lakens als een gemartelde heilige en ontkende de pijn. De operatie was goed verlopen. 'Maandag sta ik weer op de bouwplaats!' 'Is dat niet te vroeg?' 'Weet jij het beter dan de dokter?' Jammer dat je tong niet is verbrand, dacht ik en klopte het haastig af. Eliane had altijd tijd voor een elixertje, en het dochtertje was een gouden kind. Maar als Marius thuiskwam, klonk het: 'Heb je niets beters te doen?' Het scheelde niet veel of hij zette me aan de deur. Wat moet je dan met al je goede wil?

Angelique was een geval apart. Ze zat aan haar bureau zoals haar moeder, maar ze zat zich daar te verbijten. 'Ga naar Davy, ik heb geen tijd.' Davy zag grijs, hij stonk naar pis, het waren de nieren. Ik stalde de delicatessen voor hem uit: 'Dat is toch veel te veel,' zuchtte hij. 'Het is graag gedaan,' mompelde ik. 'Nu heb ik eten zoveel ik wil, en ik heb geen trek,' glimlachte hij triest. 'Je moet veel drinken,' iets anders wist ik niet te zeggen. Ik kon alleen hopen dat hij wat van de onverzettelijkheid van Angelique zou overnemen. Hoezeer me dat bij haar ook tegenstond.

Angelique had het op zich genomen Davy in leven te houden. Aanvankelijk voerde ze hem lepeltje voor lepeltje. Toen hij begon te schrokken, bepaalde ze de hoeveelheid die hij mocht eten zonder zichzelf in gevaar te brengen. En ten slotte bleef ze bij hem zitten tot zijn bord leeg was. Want toen hij eenmaal op gewicht was gekomen, begon hij met lange tanden te eten. 'Met dit maal hadden wij in het kamp een week moeten uitkomen,' zuchtte Davy. 'Je moet aansterken,' zei Angelique. En Davy deed zijn best voor haar en voor zijn zoon, en om de moordenaars niet alsnog hun zin te geven.

Angelique waakte er ook over dat Davy niet van streek raakte. De krant werd eerst door haar gelezen, bezoekers werden geïnstrueerd waarover ze wel en waarover ze beter niet konden spreken. Ze heropende de zaak van haar schoonvader, maar ze hield Davy ver van alle besognes.

Van op zijn rustbed volgde Davy haar met zijn ogen. 'Angelique had een beter leven verdiend,' zei hij treurig. Ik was verlegen omdat ik hetzelfde dacht. 'Ze houdt van u.' Ik twijfelde er niet aan dat Angelique van haar man was gaan houden. En liefde moet je niet ter discussie stellen. Best mogelijk dat er een dosis schuldgevoel bij zat, maar wat dan nog? 'Ze houdt van u,' herhaalde ik met aandrang. 'Ik wil geen sta-in-de-weg zijn,' zei Davy. 'Pas maar op dat ze u niet hoort,' sprak ik ferm. Er speelde een flauw glimlachje om zijn mond. Hij was met haar getrouwd ofschoon hij wist dat ze niet verliefd was. Hij wilde haar hebben en hoopte dat de liefde zou volgen. Nu het zover was, moest hij niet terugkrabbelen.

'Toen ik ginder verbleef, moest ik eraan denken dat ik mijn moeder niet heb gekend,' zei Davy terwijl hij zijn blik weer op Angelique richtte. Ik was enigszins verontwaardigd, ik had ook wel een moeder willen hebben, maar daarom deed ik het een ander nog niet aan. 'U hebt zelf een zoon,' zei ik. Davy zuchtte en sloot vermoeid zijn ogen. Het vaderschap, dat met de naam werd doorgegeven, leek hem aangedaan. Maar over zijn vader durfde ik niet te beginnen. 'Laat me maar,' zei hij toen ik hem een schaaltje pudding bracht. Moesten de slachtoffers na de oorlog dan harder lijden dan hun beulen? 'Proef er ten minste van,' drong ik aan. Hij nam een hapje: 'Om u een plezier te doen.'

We hadden niets liever gedaan dan de ellende vergeten, maar er moest te veel worden goedgemaakt. Ik begon me meer om Davy te bekommeren. 'Ben je ons beu?' vroeg Madame. Ik durfde het niet toe te geven, maar het was wel waar. Toen de kinderen onderling slaags geraakten, had ik me aan haar kant opgesteld, maar toen zij met Augustijn in onmin geraakte, had ik neiging om eveneens mijn koffers te pakken.

Angelique liet me begaan, Davy had hulp nodig, en zij had haar handen vol met de zaak. Hij kon niet iedereen om zich heen hebben, maar mij leek hij te vertrouwen. Met een lang gezicht vroeg Angelique of ik ook haar man probeerde in te palmen. Ik wilde antwoorden dat ik nooit een vinger naar haar vader had uitgestoken, maar ze zag er zo miserabel uit dat ik volstond met: 'Ik heb altijd mijn plicht gedaan.' 'En meer dan dat,' zei ze chagrijnig.

Davy lag schijnbaar gelaten op het rustbed. Hij was echter aan een lange zoektocht door de geschiedenis begonnen. De boeken stapelden zich op – wat hij ook zocht, hij kon het blijkbaar niet vinden. Ik las met hem mee, maar algauw duizelde het me. Verhalen verwezen naar andere verhalen, het was een mikmak van voorspellingen en vervloekingen, een aaneenschakeling van gruwelijkheden, te erg om waar te zijn. Ik drong erop aan dat Davy zichzelf zou sparen. Dat hij het onbegrijpelijke zou laten rusten. Of ík het dan begreep, vroeg hij. Ik bleef het antwoord schuldig. Twee wereldoorlogen hadden me niet wijzer gemaakt, of moest ik ervan uitgaan dat moord en uitroeiing erbij hoorden. Dat niet het leven, maar de dood voorop stond. 'Ik zal u een kop bouillon brengen,' mummelde ik. Zelfs in de donkerste dagen van de oorlog had ik me niet hulpelozer gevoeld. Maar Davy moest eten om aan te sterken. We konden het ons niet veroorloven het op te geven.

Op een keer verwonderde Davy zich erover dat hij zich lotsverbonden voelde met mensen die hem vreemd waren. Dat meende ik te begrijpen. Ik begon te vertellen over de oude mijnheer en de oude mevrouw, van Augustijn en Herward, van Madame en de engeltjes, en zo altijd maar verder tot ik bij zijn zoon uitkwam. Davy luisterde geboeid, maar hij had zijn zoon nooit als een loot van die stam gezien. 'De jongen staat daarbuiten,' zei hij. 'Hij heeft ook een moeder,' protesteerde ik. 'Ik zal de laatste zijn om dat te ontkennen.'

Zorgelijk vroeg hij me het jongetje bij hem te brengen. 'Hoe heet je?' 'Michiel,' fluisterde het kind. 'En hoe nog meer?' Geen antwoord. Michiel stond met neergeslagen ogen voor het rustbed. De afzondering had hem geen goed gedaan. Het was een eenzelvig kind. In de oorlog had hij bij zijn moeder geslapen, en dat was na de oorlog zo gebleven. De jongen verborg zich ook zo vaak hij kon onder haar bureau, waar hij zich aan haar voeten onledig hield met zijn collectie prenten van vlinders en insecten. Van zijn vader had hij eerst niet willen weten, en ook toen hij niet meer bang voor hem was, bleef hij zo ver mogelijk bij hem vandaan.

'Wel?' vroeg Davy. Michiel verstopte zijn gezicht in mijn rok. Het was hem aangeleerd de familienaam van zijn moeder te gebruiken, en hij had er moeite mee dat te veranderen. 'Jij heet om te beginnen Micha,' zei Davy, 'en je achternaam is...' Het kind begon zachtjes te snikken. 'Laat hem maar,' zei ik. 'Hij moet weten wie hij is,' protesteerde Davy. 'Daar komt hij vlug genoeg achter,' mompelde ik.

's Avonds bracht ik de jongen naar zijn onbeslapen bedje. Hij spartelde heftig tegen en weigerde ook Micha te worden genoemd. 'Dat ben ik niet!' 'Nu moet je eens goed luisteren,' zei ik, maar hij begon te hijgen en naar adem te snakken. Geschrokken droeg ik hem naar het bed van zijn moeder, waar hij dadelijk kalmeerde.

Zo ging het een paar avonden, tot ik mijn moed in mijn handen nam en Angelique aansprak. 'Dat kan zo niet blijven duren.' Ze zuchtte: 'Hij is nog zo klein.' 'Je houdt hem klein,' knorde ik. 'Waar bemoei je je mee?' zei ze, maar het klonk zwak. 'Hoe lang moet Davy nog op dat rustbed slapen?' vroeg ik. Ze begon te blozen. Mompelde dat het beter was voor zijn gezondheid. 'Maak dat een ander wijs,' zei ik.

Toen Madame informeerde naar de gezondheidstoestand van Davy, flapte ik eruit dat de echtelieden niet bij elkaar sliepen. 'Gaat hij achteruit?' vroeg ze geschrokken. Nee, maar het ging ook niet vooruit. Ik verwachtte dat ze naar Gent zou vertrekken om orde op zaken te stellen, maar in plaats daarvan pakte ze haar koffers en ging op bedevaart. Naar Fatima, naar het Onbevlekt Hart van Maria. En dat deed ze voor Davy! 'Daar zal hij veel mee gebaat zijn,' sneerde Augustijn. 'Steek jij maar een kaars aan voor je dochter,' bitste Madame.

Het kwam zo uit dat Augustijn en ik samen naar Gent reisden. Ik was opgelucht dat ik weg kon, maar ook nerveus voor wat ons te wachten stond. De treinreis was als een gestolen uur; tussen vertrek en aankomst was ik even nergens. Augustijn hielp me in het voertuig, we zaten aan het raampje tegenover elkaar. Ik vermeed zijn voeten, maar als hij ging verzitten, met zijn lange benen, en me per abuis aanstootte, ging er een schokje door me heen. Toen hij op de gang een sigaar ging roken vroeg een vrouw of zijn plaats vrij was, ik schudde mijn hoofd en wees naar de gang. 'Uw man,' begreep de vrouw. Ik verbeterde haar niet. Ze ging glimlachend aan de andere kant van de gang zitten. Oude liefde is als oud zeer.

Angelique liet ons even wachten, haar manier om aan te geven dat het bezoek ongelegen kwam. Augustijn werd boos, maar hij vroeg toch diplomatiek Micha te logeren. Toen ze dat afwees, beval hij de jongen naar school te sturen. Hij hing te veel aan de rokken van zijn moeder. Zo werd het nooit een kerel. 'Dat komt van haar!' Met priemende ogen begon Angelique zich te beklagen over dienstbodes die overal hun neus in staken. Ze ontzegde me de toegang tot haar huis. 'Ik doe het toch maar om goed te doen,' wierp ik tegen. 'Loop heen!' brieste ze. Waardig zei ik dat ze niet het recht had zo tegen me uit te varen. 'Wat weet jij van wat er tussen man en vrouw omgaat?' Haar stem sloeg over. 'Meisjes, gedraag jullie een beetje,' bromde Augustijn.

Davy kwam de kamer in, leunend op zijn wandelstok. Angelique raakte nodeloos van streek. Hij zou zijn zoon zelf voorbereiden op de school. Zo kregen ze de kans elkaar beter te leren kennen. Hij liet zich neer naast Angelique en greep haar hand. Vervolgens richtte hij zich tot mij; ik mocht ervan overtuigd zijn dat zij me zeer genegen waren. Angelique bedaarde, verbeet haar tranen. 'We moeten ons tijd gunnen,' besloot Davy met zachte stem. 'Ik kan hier niet veel uitrichten,' mompelde Augustijn. Hij zette zijn hoed op en vertrok. Zo bleef ik alleen achter. Ik stopte Micha in zijn bedje met hoge spijlen, hij huilde alsof hij gevangen werd gezet, maar ik gaf niet toe. Angelique liet zich niet zien. Ik stopte mijn oren dicht en bad om tijd.

■■■

De hulp meldt dat er deuren zijn die klemmen en niet meer afgesloten kunnen worden. Welverdiend staat een beetje krom. Een gevolg van de aardbeving, maar de deur van deze kamer kan nog helemaal dicht. De hulp laat die echter openstaan, zodat ze in het voorbijgaan een oogje in het zeil kan houden. Ik heb haar uitdrukkelijk gevraagd de deur dicht te doen, haar bezworen dat ik niets nodig heb. Ik heb te lang mijn deur niet kunnen afsluiten. De Van Puynbroeckxjes liepen mijn kamer in en uit, zoals ze mijn leven in en uit zijn gelopen. Zonder enige gêne, en alsof het hun goed recht was. Ik heb altijd gedacht dat de vrijheid begon achter een gesloten deur, nu denk ik, zoals Madame, dat vrijheid begint als je kunt gaan waar je wilt, en de deur achter je kan dichttrekken.

Ik heb mijn geblesseerde voet op het parket gezet, het is als een ding dat niet bij me hoort. Toen ik probeerde erop te steunen, schoot er een pijnscheut doorheen. Dus blijf ik braaf zitten, al voel ik een vage druk op de blaas. Ik vrees het moment dat ik de aandrang niet zal voelen en ik het in mijn broek doe. Madame was zo lek als een mandje na al die bedrijvigheid in het kruis, maar ik zou niet weten hoe ik eraan kom.

Bespeur ik in de chemische bloemengeur van Welverdiend ook niet de geur van oudewijvenpis? Het lijkt erop dat de neergang van het huis aan mijn afgang is gekoppeld; ik hoop dat de luiers me worden bespaard. Het is tijd om uit te breken en alles achter te laten. Maar het is alsof de tijd als een val is dichtgeklapt, en ik ben moe. Vroeger was ik ook moe, maar het was een deugddoende moeheid. Ik had gedaan wat ik kon, morgen weer een andere dag. Nu ik niets om handen heb, is de vermoeidheid als een verlamming, waar je neerslachtig van wordt. Ik moet iets bedenken, maar ik weet niet waar te beginnen.

Nu ik na een hazenslaapje mijn ogen opsla, voel ik me opgesloten. Ik wil graag uit het raam kijken, maar ik ben aan mijn stoel gekluisterd. Op de vensterbank ligt de glazen sneeuwbol met in zijn binnenste de grot van Lourdes. Ik zou de bol willen schudden om het te laten sneeuwen en het kleine wonder te kunnen aanschouwen, maar de ramen lijken plotseling zo ver. Al zie ik best dat de marmeren vensterbanken glansloos zijn. Ze moeten worden afgewassen met zeep die lijnolie bevat. Zijn er niet voldoende vrouwen in huis? Of wachten ze tot de kaboutertjes bij nacht het werk opknappen? Ik begin er niet aan, ik heb zogenaamd eervol ontslag gekregen.

Je kunt met het huishouden geen naam maken, meer dan een voetnoot in de geschiedenis ben je niet. Misschien zou mijn soort de boel wat meer de boel moeten laten. Eens kijken hoe lang de praatjesmakers het zouden uithouden. Ik zal wel bij de *petite histoire* horen. Met mijn potten en pannen. Mijn dweilen en poetslappen. En mijn gezeur. Als ik niet oppas, ben ik al vergeten voor ik ben begraven.

Toch heb ik mijn deel bijgedragen. Er bestaat weinig of niets dat zichzelf in stand houdt. Mijn werk mocht worden gezien. En laat niemand beweren dat ik er aanleg voor had of dat ik het graag deed.

Het was wel een genoegdoening dat de Van Puynbroeckxen voor hun natje en hun droogje op mij waren aangewezen. Bij het vooruitzicht van een fijn diner wreef Augustijn zich in de handen: 'We zullen de innerlijke mens eens versterken.' En hoe had de uiterlijke mens erbij gelopen zonder mij? Ik hoop maar dat Augustijn niet gaat vervuilen. Angelique moet er toezicht op houden. Zonder Madame, en zonder mij, is hij verloren.

Ik zou kunnen telefoneren, hem vragen hoe het gaat. In de hal hangt een telefoon die je tegen betaling mag gebruiken. Maar dan moet ik de kamer uit, de trappen af. De telefoon kan defect zijn, of je moet in de rij je beurt afwachten. Ik wil niemand ontmoeten en geen geklets aanhoren. Nog minder wil ik mijn leven uitleggen. Ik weet toch hoe dat gaat, een beetje opscheppen, een beetje klagen. Het mooier maken dan het was. Van de werkelijkheid kun je maar een glimp opvangen.

Het telefoonnummer ken ik uit het hoofd, maar wie zal de telefoon opnemen? Wat antwoord ik als Angelique deftig zegt: 'U bent verbonden met het huis van...'? Dit is het oude huis? Met Bertje zou ik geen complimenten maken: 'Hier spreekt Celestien.' Maar wat zeg ik als het Augustijn is? Kom me halen? En als zijn stem dan beeft? Of hij weet niet wat te zeggen? Dat kan ik ons beter besparen. Ik heb vroeger met de gedachte gespeeld hem een brief te schrijven. Daarin zou alles staan wat ik niet kon zeggen. Maar ik wist niet hoe te beginnen.

Toen ik eens argeloos een zin begon met 'Ik en Angelique', werd ik door Madame prompt terechtgewezen. Ik kwam altijd op de tweede plaats. Dat moest zij nodig zeggen. En de kinderen dan, ikke en nog een keer ikke. Er was geen speld tussen te krijgen, ze hadden altijd een wederwoord paraat. Ik had mijn beurt af te wachten en ik moest beleefd blijven. Alsjeblieft. Dank u wel. Moge het u wel bekomen. Hoog tijd om daar een streep onder te trekken. Augustijn spreekt alsof het gedrukt staat, maar ik zal ertegen ingaan. Dat hij zich laat beminnen zoals hij zich laat bedienen. Want dat hij het niet geweten zou hebben, allee, dat gelooft hij toch zelf niet? Madame in het bovenste laatje en ik het onderste. En hij van kop tot teen verzorgd. Dat moet je als vrouw eens proberen. Het lijkt wel alsof mannen compartimenten in hun hoofd hebben, om van hun hart maar te zwijgen. En o wee als ze zaken en liefde niet gescheiden kunnen houden. Of ook een keer alles tegelijk moeten doen.

Terwijl ik erover zit te dubben of ik Augustijn toch nog een brief zal schrijven, valt mijn oog weer op de glazen sneeuwbol met de piepkleine madonna. Maar daar valt geen hulp van te verwachten. Alles begrijpen, alles vergeven. Altijd lachen, immer tevree. Ik heb er schoon genoeg van. Maar ik blijf naar de sneeuwbol kijken. En dan verschijnt Augustijn, jong en knap, in zijn uniform, met zijn rijlaarzen, maar vervolgens zie ik hem oud en beverig in zijn sjamberloek, op pantoffels. Het is een pijnlijk mirakel, mijn gemoed schiet vol. Waarom heeft hij mij ook laten gaan, kon hij geen mededogen opbrengen, hij, die geen enkel kind de deur heeft gewezen?

Het was bij ons vaak de omgekeerde wereld. Madame maakte van haar hart een steen, schopte Reinout de deur uit en leed daar onnoemelijk onder. Ze deed het omdat ze hem niet kon pardonneren en niet langer kon vertrouwen. De band werd echter nooit verbroken, ze bleven elkaar van ver volgen. Ze hadden allebei hun spionnen en hun afgezanten. Ze lieten indirect boodschappen overbrengen. Maar tot een verzoening kwam het niet. Daarvoor had er een wonder moeten gebeuren. Het was alsof er zich tussen die twee een averechtse liefdesverhouding afspeelde. Of een geheime competitie, waarbij de een niet voor de ander kon onderdoen.

Augustijn hield Reinout voor dat hij niet het recht had zijn moeder zo te pijnigen. Tegen Madame zei hij dat het onnatuurlijk was dat een moeder haar zoon verstootte. In een kwade bui voegde hij eraan toe dat ze ook hem tekortdeed. 'Alsof ik er een vrijer op na houd,' grinnikte Madame. Reinout stond meer tussen hen dan de engeltjes, die al zo lang verloren waren, maar die altijd beminnelijk bleven. Met Reinout kon je moeilijk medelijden hebben.

Het is mijn zoon niet, dacht ik. Maar de vragen bleven me kwellen. Waar was het fout gegaan? Wat had ik verkeerd gedaan? Ik heb geprobeerd het uit mijn hoofd te zetten, maar door dit gedwongen stilzitten komt het allemaal weer tot leven.

Ik zie Reinout langs de trapleuning naar beneden glijden of op het dak staan om weg te vliegen. Een wildebras, een knappe kerel, een zoon waar elke moeder trots op had kunnen zijn. Je mag de stervenden niet beliegen, maar ik blijf erbij dat het goed was dat we Madame zijn einde hebben bespaard. Als ik daarvoor ergens op het matje word geroepen, zal ik de schuld op mij nemen. Of had ik haar van haar laatste ziekbed moeten laten opstaan, met haar kapotte voeten, voor een confrontatie met dat verminkte lijk?

Ik heb Reinout ook niet meer gezien, het was Augustijn die hem identificeerde. Bertje, die hem vergezelde, hoorde de stem van zijn vader breken: 'Is dit mijn zoon?' Ik had Augustijn in zijn jas geholpen bij zijn vertrek; toen ik bij zijn thuiskomst de jas aannam was het dezelfde man niet meer. Hij leek wel gekrompen. Stom liet hij zich naar de voltaire leiden. Ik bracht hem een glas whisky, maar hij raakte het niet aan. Hij vroeg om alleen te worden gelaten. 'Ik zal het haar later zeggen,' zei hij schor. 'Waarom zouden we haar dat aandoen?' vroeg ik. Madame lag op de divan, het liep af met haar, en deze keer zou Reinout haar niet tot leven kussen. Toen ik de kamer betrad, hief ze haar goede hand op: 'Waar..?' Voelde ze het onheil aan? Ik zei dat Augustijn in de voltaire in slaap was gevallen. Ik moest het herhalen. Vermoeid sloot ze haar ogen. 'Laat hem slapen,' mompelde ze. Toen ik weer bij Augustijn aanklopte, was de deur op slot. Ik slofte naar de keuken, zat op mijn vertrouwde stoel en probeerde niet aan Reinout te denken. Maar het was alsof ik door de mare werd bereden.

■■■

Reinout had een kans gemaakt als hij de oorlog had kunnen afzweren of voor één keer voluit had durven beminnen. 'Een sterk karakter,' zei zijn advocaat. Ik ben zo vrij daaraan te twijfelen. Knap, ja, en slim, maar sterk? Dat zijn diegenen die weten hoe ze moeten overleven. Die zichzelf niets wijsmaken en hun fouten kunnen toegeven. Reinout hield krampachtig vast aan zijn voorstelling van de wereld en verbeeldde zich nog altijd dat hij iedereen te vlug af was. Hij was klaar voor de revanche, hij zou het succes desnoods afdwingen.

Augustijn ging hem afhalen aan de gevangenis; ik vergezelde hem in plaats van Madame. In de grote poort ging een klein deurtje open en Reinout stapte naar buiten met een tekenmap onder zijn arm. Hij stak zijn hand uit naar zijn vader voor een handdruk, maar hield hem met dat gebaar tegelijk op afstand. Geen gevoelsuitbarstingen. Voor mij lichtte hij even zijn hoed op. 'Kom je mee naar huis?' vroeg Augustijn. Reinout wierp een schuine blik op de hoge gevangenismuren: 'Het is tijd om mijn vrouw met een bezoekje te vereren.' Het klonk alsof hij orde op zaken wilde stellen. 'Heb je geld nodig?' Augustijn reikte naar zijn binnenzak. 'Laat maar zitten.' Reinout bedankte er ook voor dat Augustijn hem naar zijn bestemming zou brengen. 'Ik neem wel een taxi.' 'Wat zeg ik aan je moeder?' vroeg Augustijn ongerust. 'Dat ik nog leef?' Hij lachte kort, en gaf een teken aan een taxichauffeur die op een vrachtje wachtte. Voor hij instapte, greep hij zijn vader bij de arm: 'Bedankt.' En tegen mij: 'Kijk niet zo sip.'

De taxi hobbelde weg over de kasseien. Augustijn schudde een witte zakdoek open en snoot toeterend zijn neus. 'Wat zeggen we aan Madame?' vroeg ik. En toen hij niet antwoordde: 'Het is niet aan haar om de eerste stap te zetten.' Hij aarzelde: 'We gaan koffiedrinken in het Keizershof.' Het vooruitzicht met Augustijn koffie te drinken, in het Keizershof nog wel, zou me op een ander moment gelukkig hebben gemaakt. Maar toen we in het ouderwets deftige koffiehuis aan een tafeltje zaten, sloeg ik mijn ogen neer. Ik begreep dat Augustijn uitstel zocht, dat hij Madame niet onder ogen kon komen. Als het slecht ging, had hij altijd behoefte aan een zekere luxe. 'Wat had mijnheer gewenst?' vroeg de kelner. Augustijn bestelde koffie en keek me weifelend aan: 'Wil je er iets zoets bij hebben?' Ik bedankte. Terwijl de kelner zich verwijderde, zei Augustijn mistroostig: 'De jongen heeft talent, hij zou het ver kunnen schoppen.' Ik wist wat hij dacht.

In de oorlog had Augustijn de gewoonte om met zijn hoofd bij de radio naar Radio Londen te luisteren. Maar op een keer zat hij zo – met zijn oor dicht bij de luidspreker – naar de binnenlandse zender te luisteren. Het ging over moderne meubelen en Reinout was aan het woord. Toen Augustijn me opmerkte, draaide hij vlug de knop om. Ik schikte zwijgend de kopjes in het dressoir. 'Verstand voor tien, en dan zo mislopen.' Er klonk verdriet en gekwelde trots in zijn stem. Reinout had zijn karakter tegen, maar dat kon ik niet zeggen zonder Augustijn een verwijt te maken. Hij had altijd gefoeterd tegen de opvatting dat je de wil van een paard moet breken om het tam te krijgen. Het africhten moest geduldig en met kennis van zaken gebeuren. Men moest respect opbrengen voor de aard van het paard. Ik was ook tegen de zweep, maar had hij Reinout niet strakker aan de teugel moeten houden? Had hij de aard van dat wilde veulen niet onderkend, of was hij ervoor teruggeschrokken? Zwijgend dronk Augustijn zijn koffie en ik mijn koffie verkeerd.

We konden Madame niet lang ontwijken, ze stond bij de *portemanteau* met haar hoed in de handen. Het was niet duidelijk of ze hem op of af wilde zetten. 'Ewel?' Augustijn keek me hulpzoekend aan, maar ik wist ook niet wat te zeggen. Hij schraapte zijn keel. 'Hij gaat voorlopig daar inwonen.' 'Bon.' Madame plantte haar hoed op haar hoofd, pinde hem nijdig vast met de hoedenspeld en stapte grommelend de deur uit. Ik stelde me voor dat ze Reinout zou opzoeken, maar dat was ijdele hoop. Ze was schoenen gaan kopen.

De volgende zondag kwam de halfbroer van Reinouts vrouw op bezoek, met het zoontje, dat als een zoenoffer werd gepresenteerd. Madame keurde het kind, een stevig ventje, rosblond, maar met bruine ogen. Ze knikte: 'Celestien, twee couverts extra!' De kleine wilde niet bij de andere kinderen zitten, hij klom op de schoot van de halfbroer en klampte zich vast. De man ontfermde zich over hem, terwijl hij excuses brabbelde. Fransje had zwakke darmen, hij kon niet alles eten. 'Hier eten wij wat de pot schaft,' zei Madame bars. De kleine blies zijn wangen op en perste; zijn ogen kleurden zwart. De lucht die hij verspreidde, bedierf de geur van mijn soep. Over de tafel werden veelbetekenende blikken gewisseld. 'Helemaal zijn vader,' stelde Angelique vast. Micha kneep giechelend zijn neus dicht, en Madame beval me Frans – ze sprak de naam met enige nadruk uit – te verschonen. Toen ik me doof hield, stond de halfbroer op en strompelde met zijn vrachtje naar de badkamer.

De pappige rentenier was het tegenbeeld van Reinout. Nooit zou hij zich over een heikele kwestie uitspreken, laat staan dat hij enige actie zou ondernemen. Bang om zich aan koud water te branden. Toen hij met Madame het herstel van zijn eigendommen besprak, besloot hij te wachten met de werken tot de oorlogsschade werd uitbetaald. Zij wees hem erop dat hij dan lang kon wachten, en dat een lek dak het hele huis aantast. Het was toch niet zo dat hij er de middelen niet voor had. De man zuchtte zorgelijk en sprak de woorden uit die hem onsterfelijk maakten: 'Kapitaal moet kapitaal blijven!' Maar hij liet zich genadig overhalen om in te vallen bij het kaartspelen. Als hij won, streek hij haastig zijn winst op; als hij verloor, klaagde hij dat er vals werd gespeeld. Dat zette kwaad bloed bij Augustijn. Hij noemde de halfbroer, die klein van gestalte was, Mijnheertje Penning. Een bijnaam die hij nooit meer kwijt zou raken.

We begrepen niet dat Reinout bij Mijnheertje Penning introk. Hij kon zich een eigen woonst veroorloven – hij werd algauw een veelgevraagde meubelontwerper –, maar het kwam uit dat zijn vrouw niet wilde verhuizen. Zij had de villa van de halfbroer ingericht en was gesteld op haar comfort. Ze hield zich afzijdig, maar wist blijkbaar op een slinkse wijze haar wil door te zetten. Je kon je afvragen waarom ze – zonder dat wij ervan wisten – met Reinout was getrouwd. Ze was hem nooit gaan bezoeken in de gevangenis en ze hield zich ook ver van het atelier. Angelique merkte op dat de vrouw zich beter had laten scheiden toen ze er, na de oorlog, de kans toe kreeg. Voor Augustijn was scheiden een vies woord, en ook Madame hoorde het niet graag, maar Angelique had er een handje van om onaangename waarheden te verkondigen. 'Waarom moest hij ook met die huisjesslak trouwen?' mopperde Augustijn. Dat bracht Angelique aan het lachen, wat zeldzaam was in die dagen. Maar niemand lachte met haar mee. Augustijn had de vraag gesteld die ons allen bezighield.

■■■

De vrouw van Reinout was wit en week en even plat als breed. Ze had een kleurloze stem en maakte een afwezige indruk. Maar van haar loomheid, gespeeld of niet, leek een zekere aantrekkingskracht uit te gaan. Ze had meerdere aanbidders gehad, met wie ze bevriend was gebleven. Met geld was ze eveneens bij de pinken; ze beheerde de huizen van haar halfbroer en liet zich daarvoor een percentage van de huur betalen. Zij haalde hem ook over om in het atelier van Reinout te investeren. Daarmee kocht Mijnheertje Penning het recht op huiselijkheid: het kapitaal moest ook renderen.

Als Reinout thuiskwam, vond hij geregeld zijn vrouw bezig met de manicure van de halfbroer. Vanzelf dat die aan het hoofd van de tafel zat en bepaalde wat er op het menu stond. 'Over het verleden spreken we niet meer,' had hij grootmoedig gezegd. Maar hij liet geen gelegenheid voorbijgaan om Reinout erop te wijzen dat hij dankbaar mocht zijn. Had hij niet voor zijn vrouw en kind gezorgd toen hij het ongelukkigerwijs liet afweten? Had hij hem niet opgenomen en de middelen verschaft om zijn talent te ontwikkelen? Mijnheertje Penning profiteerde op zijn eigen geniepige wijze van de oorlog.

'Daar komt moord van,' voorspelde Angelique. Geen van ons kon zich voorstellen dat Reinout zich boetvaardig zou onderwerpen aan de tirannie van de halfbroer. We begrepen evenmin waarom hij het arrangement van zijn vrouw aanvaardde. Het was dat ze samen een kind hadden, een andere reden konden we voor dat huwelijk niet bedenken. Reinout had veel mooiere vrouwen gekend, vrouwen die alles voor hem over hadden. Bertje beweerde dat Reinout was getrouwd om van het gedoe af te zijn. Was ze zwanger? Welnee, Reinout was met andere dingen bezig. Hij wilde van het gedoe af. 'Hoezo?' vroeg Augustijn. Ja, hoor eens, Bertje had geen zin om het uit te leggen. Maar hij begreep wel dat zijn broer niet als een driftige haan de wijfjes het hof wilde maken en het nog minder verdroeg door hen op de kop te worden gezeten. In het huwelijk kregen die dingen hun plaats. 'Zo hebben wij hem niet grootgebracht,' zei Augustijn gekwetst. Madame voegde er vol overtuiging aan toe: 'Zo is hij niet.' Nee, dacht ik, maar hoe is hij dan wel?

De zeldzame keren dat ik Reinout in die jaren ontmoette, was hij steeds gehaast. Het was nog altijd een knappe vent, maar hij had iets om bang van te worden. Zijn olijfkleurig gezicht met de smalle lippen en de ogen als gloeiende kolen drukten verachting uit. Het leek wel of hij tekort was gedaan en brandde van ambitie om dat recht te zetten. Hij had nooit tijd, luisterde met een half oor terwijl hij met een sigaret op zijn sigarettenkoker tikte. Hij nam een trek, wierp de sigaret op de grond en trapte ze uit met een draaiende beweging. 'Vertel de rest maar later.' Het onderhoud was afgelopen. Hij sloeg zijn kraag op, stopte zijn handen in zijn zakken en liep weg. Ik keek hem na en zag hoe hij vlug om zich heen spiedde voor hij de hoek omsloeg. Hij was achterdochtig en voortdurend op zijn hoede. En hij werkte alsof hij demonen moest bezweren; vaak bracht hij de nacht door in het atelier. Al vlug werden zijn ontwerpen bekroond en verwierf hij een paar patenten. In een krant werd hij geciteerd: 'Ik kan alles doen met hout.' Zo kenden wij hem weer.

Ik herinnerde me de houthakker die, lang geleden, de bomen in de tuin van Mon Repos kwam snoeien. Hij toonde me de nerven en de overgroeide wonden: 'Hout leeft,' zei hij. Je moest het respecteren, de groei niet hinderen maar leiden. Alleen de wilde loten en het dorre hout mochten worden gesnoeid. De man sprak met liefde over de bomen die hij had geplant en die hij zijn zonen zou nalaten. Hij had het over de toekomst, maar het klonk weemoedig.

Bij de eerste gelegenheid vroeg ik Reinout of hij zich de houthakker herinnerde. Dat deed hij niet, en hij voegde eraan toe dat bomen niet meer zo oud werden. Zodra ze kaprijp waren, werden ze geveld. Ik voelde me ongemakkelijk. Verbeeldde hij zich dat ook het hout zich naar hem moest schikken? Dan was hij wel heel hardleers.

Thuis keek ik in de spiegel van de porte-manteau, het licht in de gang was mild, maar ik zag toch de rimpels in mijn voorhoofd en om mijn mond. Wie zou daar nog geduld voor opbrengen? 'Waar heb jij uitgehangen?' vroeg Madame toen ik de kamer binnenkwam. 'Ik heb uw succesvolle zoon gesproken,' zei ik. Er kwam een verdrietige trek op haar gezicht. 'Dat hoef ik niet te horen.'

Bertje was de enige vertrouwde van Reinout, hij bezocht hem ook in de villa. Hij spotte met Mijnheertje Penning, maar scheen het goed te kunnen vinden met de vrouw van Reinout. 'Ze is niet van de kwaadste.' 'Wacht tot je broer ervan hoort!' dreigde Dora. 'Ga het hem maar vlug vertellen.' Bertje grinnikte. Dora had een heilige schrik van Reinout, ze zou hem nooit aanspreken. Machteloos schold ze op dat lelijke wijf en die pielepoot met zijn centenbuik. Maar de inzet van de oorlog die in de villa op uitbreken stond, was niet de vrouw, maar het kind.

Het leek Reinout niet te deren wat zijn vrouw met haar halfbroer bekokstoofde, op zijn zoon liet hij echter zijn rechten gelden. Het moest uit zijn met hem Fransje te noemen, dat was geen naam voor een jongen. Tegenover de verwennerij stelde hij een soldatenregime. Vroeg uit bed, met koud water wassen, op tijd aan tafel. Hij had geen geduld met tranen en verdroeg het niet te worden tegengesproken. Gehoorzamen en vlijtig zijn, daar kwam het op aan! Als Frans iets mispeuterde, sloot hij hem op. Hij mocht het rustig in zijn broek doen, als hij maar wist dat hij een nacht in zijn eigen vuil zou liggen. Mijnheertje Penning was geschokt, zijn vrouw noemde Reinout een bruut. Zodra hij zijn hielen had gelicht, werd de jongen bevrijd, vertroeteld en overladen met cadeaus.

Na elke ruzie werd er een gewapende vrede gesloten, die echter meteen werd verbroken wanneer Reinout zich met zijn zoon bemoeide. Vervolgens gaf hij er de brui aan, aanvaardde buitenlandse opdrachten, en was soms maandenlang afwezig. Ondertussen werd Frans hoe langer hoe ongezeglijker. Hij at alleen wat hem beviel, hij pestte zijn klasgenoten en gooide – omdat hij een race had verloren – zijn nieuwe fiets in het kanaal. Maar zijn moeder vergaf hem al zijn fratsen, en Mijnheertje Penning bleef zijn onbehoorlijke gedrag 'verschonen'.

Toen Frans twaalf werd, wilde Reinout hem in een kostschool onderbrengen. 'Hij moet onder toezicht worden gesteld!' Zijn vrouw dreigde ermee zich te laten scheiden. En aan wie dacht hij dat de jongen zou worden toegewezen? Mijnheertje Penning deed ook een duit in het zakje – de jongen was zijn oogappel, hij verdroeg het niet dat hij zou worden opgesloten. 'Wie is hier eigenlijk de vader?' riep Reinout getergd. Zijn zoon, die niet langer een Fransje was, toonde dat onvervaard: 'Gij hebt hier niets te zeggen!' Reinout gaf hem een klap, en toen zijn vrouw zich over haar zoon wilde ontfermen, kreeg zij er ook een. Waarop Frans zijn hoofd frontaal tegen de muur sloeg.

'Wat moeten we nu beginnen,' jammerde Mijnheertje Penning toen hij de jongen bij ons bracht. Ik haastte me de verbandtrommel te halen. Augustijn stelde vast dat Frans een gebroken neus had. 'Nu is het genoeg!' Voor Madame er iets tegenin kon brengen was hij de deur uit. Bertje ging hem achterna, maar Madame hield hem tegen: 'Eerst de jongen.' Het liep al tegen middernacht – Frans lag, met het hoofd gestut, met open mond te snurken – toen Augustijn stil binnenkwam. Hij overhandigde me een bebloede zakdoek, en voor ik die kon wegmoffelen, riep Bertje: 'Wat is er met mijn broer gebeurd?' 'Hij is in doktershanden,' zei Augustijn. Toen hij zag dat Madame haast onderuitging, stond hij op, sloeg zijn arm om haar heen en leidde haar naar de divan.

Reinout was met zijn dolle kop naar het atelier getrokken, had de zaagmachine aangezet en was begonnen een plank kersenhout te bewerken. Wat er precies was misgegaan, wist Augustijn niet, maar Reinout was er de duim- en wijsvinger van zijn linkerhand bij ingeschoten. Madame greep naar haar hals alsof ze in ademnood verkeerde. 'Is hij erg geschonden?' 'Het had erger kunnen zijn.' Augustijn probeerde haar te sussen. Dergelijke ongelukken behoorden tot de risico's van het timmervak. En het waren, geluk bij ongeluk, vingers van de linkerhand. Wat hij er niet bij vertelde, was hoe hij Reinout had gevonden, grommend als een gewonde wolf. Hij had de afgezaagde vingerkootjes in de kachel met houtkrullen gegooid en zijn geknotte hand in zijn hemd gewikkeld. Toen Augustijn hem wilde helpen, had hij zich heftig verzet; Augustijn had hem zowat het ziekenhuis moeten in slaan.

'Ga hem bezoeken.' Hij vatte Madame bij de kin. Ze trok haar hoofd weg. 'We moeten eerst voor de jongen zorgen.' 'Reinout is verminkt!' Bertje smeekte. Madame strekte haar rug: 'Dat heeft hij zichzelf aangedaan.' Ze ging naar het kantoor en sloot de deur. Later zette ze zich aan de toilettafel en poederde haar behuilde gezicht. Ze vulde mijn hengselmand met kaas, druiven, noten en chocolade. 'Celestien, ga naar hem kijken.' Ze ging aan haar bureau zitten en begon in de papieren te rommelen.

Reinout droeg een zwart hoesje om zijn gemutileerde hand. Het leek op de ooglap van een piraat, maar hij verstopte zijn hand niet en bediende zich handig van de resterende vingers. 'Je moeder heeft me gestuurd,' zei ik en zette de mand op tafel. Hij lichtte een deksel op: 'Ze weet toch dat ik geen melkchocolade lust.' 'Wat zeg ik haar?' vroeg ik verongelijkt. Hij stak zijn zwarte knuist op: 'Dat ik nog altijd een vuist kan maken.' Ik klapte de hengselmand dicht. 'Niet boos worden, Stientje.' En plagerig: 'Wil je het zien?' Ik maakte dat ik wegkwam.

■■■

De veertien dagen die Frans bij ons doorbracht zouden ons heugen. Omdat het neusverband hem hinderde, trok hij het los. We lieten het opnieuw aanleggen, maar zijn neus stond voorgoed scheef. Hij was er nog trots op ook en verkondigde aan ieder die het horen wilde dat zijn vader zijn gezicht had geschonden. 'Mijn ouwe is een beest!' Frans wilde acrobaat of bokser worden, en onder het voorwendsel dat hij zijn neefje bokslessen gaf, mepte hij deze een bloedneus. Augustijn sloot Frans op in de logeerkamer: 'Eén scheve neus in de familie volstaat!' Frans ontsnapte, klom op het dak en sprong vandaar op het plat van de garage. Hij brak zijn been, en met het gips om zijn stijve poot had hij niets beters te doen dan me te treiteren. Als ik hem zijn eten bracht, gooide hij de melk om of prikte met de breinaald – die ik hem had gegeven om onder het gipsverband te krabben – in mijn billen. Toen ik hem aan zijn oor trok, dreigde hij zijn gevoeg op de divan te doen. Ik haalde er Augustijn bij, die hem zijn krukken aangaf en naar de wc commandeerde. Als een zielige invalide hinkte hij de kamer uit.

De vrouw van Reinout kwam haar lekkertje ophalen. Ze plengde een traan voor de scheve neus, maar vroeg tot onze stomme verbazing: 'Wat moet ik nu met hem beginnen?' Of ze dat niet met zijn vader moest bespreken, vroeg Augustijn. Zijn vader? Waar was die toen ze hem nodig hadden? En het geduld van haar halfbroer raakte ook een keer op. Het was tenslotte al een man op jaren.

Ik had Frans naar de maan gewenst, maar toen ik hem met zijn scheve snuit naar zijn moeder zag staren, kreeg ik met hem te doen. Madame en Augustijn zaten er ook mee in hun maag. 'Kom ons vlug opzoeken,' zei Augustijn toen hij hem bij het afscheid een hand gaf. Frans grinnikte en krabde met de breinaald onder het gips. Hij kon het niet helpen, wij konden het niet helpen. Madame bestelde een copieus diner, Augustijn legde de kaarten voor een spelletje patience. Het paste niet bij hem, net als dat schransen Madame niet stond.

Reinout installeerde zich helemaal in het atelier, Bertje pendelde heen en weer tussen hem en zijn vrouw. 'We krijgen dat wel in orde,' zei hij gewichtig. 'Je had advocaat moeten worden,' sneerde Madame.

Op een zondag stond Mijnheertje Penning weer op de stoep. Hij had een witte poedel aan de lijn, die door onze herder op gegrom werd onthaald. Mijnheertje Penning veegde zijn ogen af en trilde haast zo erg als de poedel. Hij schoof niet mee aan en hij nam ook zijn plaats niet in bij het kaartspelen. 'Bang dat de speelduivel u te pakken zal krijgen?' gnuifde Augustijn. Maar het was

Frans die Mijnheertje Penning de duivel aandeed. Hij spijbelde en stal geld. Wat hij hem ook schonk, een horloge, een bandopnemer, het was nooit genoeg. En als hij hem voorzichtig probeerde in te tomen, zette hij een grote mond op: 'Gij hebt mij niet te commanderen.' Hij was ook onbeschoft tegen zijn moeder, en zij was, ten einde raad, eveneens naar het atelier getrokken.

Ondertussen zette Frans met een stel schavuiten het huis op stelten. Wij keken vragend naar Bertje, maar die concentreerde zich op zijn kaarten. 'Het wordt mijn dood,' jammerde Mijnheertje Penning. 'Die jongen moet aan de leiband,' gromde Augustijn. Ik vreesde dat hij ons met Frans zou opzadelen en protesteerde: 'Daar begin ik niet aan.' 'Jammer toch niet altijd op voorhand.' Madame was geërgerd. Maar Mijnheertje Penning zat nog met een groter ei; hij meende dat zijn halfzus zwanger was. Hoe moest het dan met hem? Het geschreeuw van een baby kon hij er echt niet bij hebben. Het was ook niet eerlijk tegenover Frans, die zou, eventueel, de erfenis met de nieuweling moeten delen. Madame kalmeerde Mijnheertje Penning: een baby – dat was toch niet het einde van de wereld? Hij moest wat vertier zoeken, bijvoorbeeld met de hond gaan wandelen. Mijnheertje Penning jammerde dat zijn benen niet wilden. Madame keek minachtend naar de poedel en liet een taxi bellen.

'En nu gij,' zei ze tegen Bertje toen Mijnheertje Penning was verdwenen. Bertje was verveeld, ja, de vrouw van Reinout was zwanger, nee, het was niets om beschaamd over te zijn, maar die oude stond in de weg. De vrouw van Reinout had haar zinnen op de villa gezet. Reinout had Mijnheertje Penning een suite in een verzorgingstehuis aangeboden; hij wilde echter de villa niet verlaten. 'Het is nog altijd mijn huis,' had hij gezegd. Niemand die dat betwistte, maar dat samenwonen deugde niet. 'Blij dat je het inziet,' zei Augustijn. Bertje maakte voortdurend plannen om een huis te laten bouwen, maar ondertussen bleef hij mooi met zijn aanhang bij ons wonen. 'Dat is toch niet hetzelfde.' Bertje verslikte zich prompt in een stukje cake. Hij mocht niet praten als hij wat in zijn mond had. Ik bracht hem een glas lauw water, maar hij kreeg de cake niet doorgespoeld, de rubberslang moest eraan te pas komen. Hij voerde de foltering zelf uit, we hoorden hem kokhalzen toen hij de slang naar binnen duwde. Madame drukte haar zakdoekje tegen haar mond. Ik had met Bertje te doen, maar ik was ook boos, al liet ik het niet merken.

Mijnheertje Penning kon het alleen met Frans niet aan. Hij ging uitgeput naar een verzorgingstehuis en verhuurde de villa; verkopen deed hij vooralsnog niet. Het kapitaal mocht niet lijden onder de huiselijke twist. Reinout draaide op voor de kosten van het verzorgingstehuis en hij betaalde ook huur voor de villa. Het was niet in orde, maar het was geregeld.

Augustijn plaagde me met de gemiste kans: Mijnheertje Penning was een goede partij geweest. 'Wat zou Celestien met dat heerschap moeten?' spotte Madame. Ik bedacht te laat dat ik haar toch een beetje ongerust had kunnen maken. Toen ik de hond uitliet, herinnerde ik me ook de witte poedel, maar ik vroeg niet waar hij was gebleven. Honden worden niet oud.

Omdat de aanstaande moeder haar rust moest hebben, werd Frans toch op kostschool gedaan. Toen hij afscheid kwam nemen, ging Augustijn door de knieën. Hij wierp een snelle blik op Madame, en vroeg Frans of hij bij ons wilde intrekken. 'We zijn al met te veel,' wierp Bertje ertussen. 'Dan is het tijd om plaats te ruimen,' zei Augustijn. Dora liep rood aan. Ik hield mijn hart vast. Madame ging voor Frans staan en monsterde hem: 'Als je vader het goedvindt, ben je welkom.' 'Ik ben liever bij de andere jongens,' zei Frans met een nasale stem. Madame knikte: 'Ga dan maar naar de andere jongens.'

Bij Reinout werd een dochtertje geboren. Een welgeschapen kind, dat misschien te veel moest goedmaken, maar we waren er gelukkig mee. Augustijn meldde zich aan als fiere peter en kwam onthutst thuis. Reinout en zijn gade overlegden nog of ze het kind wel zouden laten dopen. 'Wanneer werkt hij in het atelier?' vroeg Madame. Bertje protesteerde, ze kon toch niet achter de rug van

Reinout op kraamvisite gaan? 'En als hij onverwacht thuiskomt?' 'Pfff,' deed Madame. Ze ging zich voor de toilettafel opmaken en ik pakte mijn hengselmand en vulde die met lekkernijen.

De kraamvrouw lag in een kanten nachtjapon tussen bloemenruikers en fruitmanden te pruilen. Ze klaagde over de zware bevalling die ze had moeten doorstaan. Ze was ook niet meer de jongste. Madame lachte haar uit; zolang je bedrijvig was, werd je niet oud. We kregen te horen dat Reinout er liever een zoon bij had gehad. 'Als het maar gezond is,' zei Madame. Toen ze zich over de wieg boog, werd ze een ander mens. 'Het is helemaal Angelique. En hoe gaat het heten?' Ze vroeg het alsof het om een bijkomstigheid ging. 'Hij wil haar Marguerite noemen, maar als ik mijn zin krijg, wordt het Chantal.' Madame straalde – haar eigen naam, de enige die ze niet van iemand had hoeven lenen –, de vrouw van Reinout maakte geen enkele kans. Madame maakte haar gouden halsketting los en legde die voorzichtig om het halsje van de baby. 'Dit heb je van mij gekregen, Marguerite,' fluisterde ze. Ze veegde haar ogen af met haar zakdoekje. 'Pas even op het kind, Celestien.' Terwijl de kraamvrouw bedrukt de goede raad van Madame aanhoorde, tilde ik de baby uit de wieg en zoende de knuistjes. Zachtjes, maar aldoor luider begon ik te zingen: '*Si tu veux, faire mon bonheur, Marguérite, Marguérite… si tu veux… Marguérite donne moi ton coeur…*' Het was het liedje uit de soldatentijd van Augustijn en ik was altijd jaloers geweest als hij het zong voor Madame, maar toen verheugde ik me met haar. Het kindje glimlachte onbewust, het leek inderdaad op Angelique, maar het had de donkere ogen van haar vader en van haar grootmoeder, die kordaat met haar voet de maat van het lied stampte.

Ik zong in blind geloof, de kleine Marguerite moest en zou leven en gelukkig worden. Ik zong ook om niet aan het verleden te denken. De enige keer dat ik Madame met haar eigen naam had aangesproken was na het zoveelste engeltje, toen ze alle besef had verloren en malende door het huis liep. 'Wat heb ik misdaan?' 'Waar is het nu?' 'Waarom hebben ze het mij afgenomen?' Ik greep haar bij de schouders, dit moest ophouden, de anderen hadden ook recht op leven. Madame ontweek mijn blik, maar ik schudde haar door elkaar: 'Marguerite!' Ze verstarde, schudde haar hoofd, trachtte haar oren dicht te stoppen. Ik had haar aangesproken met haar naam; de enige die haar Marguerite mocht noemen was Augustijn, maar nood breekt wet. En Madame leek weer bij haar positieven te komen, al verkoos ze te doen alsof ze me niet had gehoord.

Ik had tevreden moeten zijn dat het trucje met de naam werkte, maar het zat me dwars dat Madame deed alsof we elkaar niet nader waren gekomen. Ik was zelf bedreven in het doen alsof ik mijn naam niet had gehoord, en ik had weleens wat anders willen horen dan Celestien, zonder voor of na, ook tegenover vreemden. En ik lachte zuurzoet als de kinderen er een lolletje van maakten en mijn naam verbasterden. Toen Bertje ons aanmeldde in Welverdiend gebruikte hij mijn familienaam, en die klonk me zo vreemd in de oren dat het was alsof het om iemand anders ging. Mijn naam was met mijn papieren opgeborgen toen ik het witgepleisterde landhuis betrad, voortaan behoorde ik tot de familie Van Puynbroeckx, hun naam stond voor de mijne garant. Nu steekt het me dat ik mijn naam zo makkelijk opgaf, het voelt aan alsof ik na mijn moeder ook mijn vader verloochende. En mezelf te min vond.

■■■

'Het is gevaarlijk goed,' monkelde de baker toen ze me indertijd Angelique zag wiegen. Ik kan het me nog maar moeilijk voorstellen, maar er was een tijd dat ik me door om het even wie had laten bezwangeren. Nou ja, door om het even wie is overdreven, maar de aandrift om een kind te krijgen was er zeker. Toen Madame begon op te zwellen en zo traag manoeuvreerde als een geladen schuit. Toen kreeg ik ook zin. En als het wichtje naar mijn borst zocht of op mijn knokkels sappelde, voelde ik mijn lijf samentrekken. Madame kon het niet goed verdragen dat ik moederde over haar broed, maar ik denk wel dat ze me vertrouwde. Het was ook gedeeld geluk.

Toen kwam het eerste engeltje, en voor we van de slag waren bekomen, het tweede. Het werd een zwarte reeks. De levenden konden het niet goedmaken, het was met niets goed te maken. En Madame stond me niet toe het ongeluk met haar te delen. Dat was te kostbaar. De kinderen hadden het ook knap lastig met een moeder wie het ergste al was overkomen. Hun tranen werden weggelachen, hun pijntjes weggewuifd. Madame mat het leven af aan de dood, daar was weinig tegenover te stellen.

Weer op straat vroeg Madame me of ik Margueritje goed had bekeken. De vraag of ik geen verdachte verkleuringen had opgemerkt kreeg ze niet over haar lippen. Ik stelde haar gerust: 'Meisjes zijn taaier.' En ik beaamde dat het wichtje op Angelique leek, de oogjes erbuiten gelaten. 'Dat kan nog bijtrekken.'

Madame hijgde en moest om de tien stappen blijven staan. Toen ze mijn bezorgde blik zag, mompelde ze: 'Het is mijn korset, ik ben te strak ingesnoerd.' Om 'uit te blazen' hield ze halt bij een tearoom. Ik had mijn bekomst van zoetigheid, maar ik moest meedoen. Terwijl we op de bestelling wachtten, zat ze te grommelen. 'Blijft na een bevalling twee weken in bed liggen.' Ze keek me niet aan; het was alsof ze het tegen zichzelf had. 'En dan wil ze het kind niet laten dopen.' 'Wat kwaad kan het?' 'Is er ooit een kind aan doodgegaan?' 'Hij gunt Augustijn het peterschap niet, en mij zal hij nooit vragen meter te zijn.' Hij – de naam van Reinout sprak ze sinds de oorlog niet meer uit, ze had het over hem of hij. Dat irriteerde me en zette me soms op het verkeerde been, maar er was niets aan te doen.

Ik had nooit gemerkt dat ze een doop zo belangrijk vond. Toen Angelique haar zoon kreeg, had ze alleen opgemerkt dat het verstandiger zou zijn het kind te laten dopen 'vanwege de omstandigheden'. Maar Micha was noch besneden, noch gedoopt. Hij moest maar op zijn eigen manier zalig worden.

Madame werkte haar *Sacherpunt* naar binnen en riep de dienster voor een tweede ronde. Het was alsof ze me plotseling opmerkte: 'Eet je bord leeg, of is het niet goed genoeg?' En weer voor zich uit: 'Dat klaagt maar, en heeft twee gezonde kinderen. Hoeveel heb ik er niet moeten afstaan?' Ze richtte haar gebaksvorkje op mij: 'Heb je ze zonder wijding laten gaan? Vooruit, spreek op!' De dames, die, al snoepend, druk met elkaar hadden zitten praten, vielen stil. 'Ten eerste zijn ze allemaal gedoopt, in geval van nood boven de teil, en ten tweede…' Ik wilde zeggen dat de engeltjes ordentelijk waren begraven, zoals ze overigens heel goed wist. Maar het schoot me te binnen dat ik een brief had onderschept waarin werd gemeld dat het kerkhof zou worden geruimd. Om de kerk zou een parkeerplaats worden aangelegd. Graven die niet onder het eeuwige eigendom vielen, zouden worden geruimd, de andere herschikt.

'Dat kunnen we beter voor ons houden,' had Augustijn gezegd. Nog dezelfde avond sloot hij zich op in de salon, met de whisky bij de hand. Toen ik hem met een zoet lijntje naar bed wilde lokken – 'Madame laat naar u vragen' – begon hij over de oorlogsgraven. Hoe sommigen van zijn makkers wel drie keer waren opgegraven. Ze waren in de grond gestopt waar ze 'voor het vaderland waren gevallen'. Na de oorlog werden ze opgegraven, geïdentificeerd en herbegraven tot ze plechtig op een soldatenkerkhof konden worden bijgezet. Voor de nabestaanden was het een kwelling, maar uiteindelijk hadden de doden een plaats gekregen en kon men treuren. Augustijn had het ook bij Madame gezien, dat vastklampen aan een grafsteen, maar die kerkhofbezoeken hadden haar geen goed gedaan. Wat had het voor zin zout in de wonden te wrijven? En wat zou er na al die jaren van de engeltjes overblijven? Wij, dacht ik, wij zijn overgebleven.

Ik verdacht Augustijn ervan dat hij de engeltjes wilde verdonkermanen, maar ik gaf hem gelijk dat we Madame er beter buiten konden houden. Ze meed het dorp waar we gewoond hadden als een pestplaats. Een kleine kans dat ze erachter zou komen.

Terwijl ik in de tearoom tijd trachtte te winnen, herinnerde ik me plotseling dat ook het graf van mijn moeder was geruimd. Ik had geen concessie op de grond, maar ik had er ook niets voor gedaan om het graf in stand te houden. 'En ten tweede?' Madame gaf me een prik met het vorkje. 'Ik dacht aan mijn moeder,' zei ik. Ze trok het vorkje terug, maar het haakte in de wol van mijn vest. Voor ik het kon lospeuteren, gaf ze er een ruk aan en trok een lus uit het breiwerk. 'Koop een ander vest,' zei ze bot.

Het drong tot haar door dat we werden aangestaard. Zaten de dames er soms op te wachten dat ze hen ook zou trakteren? Geschrokken keek het gezelschap voor zich. Er weerklonk ijverig getik van lepeltjes en vorkjes. 'Betaal jij maar.' Madame legde een bankbiljet op tafel en werkte zich tussen de tafeltjes naar buiten.

Toen ik haar inhaalde met het wisselgeld bleef ze staan. 'We moeten Frans vragen of hij in de vakantie bij ons komt logeren.' Ik protesteerde: 'De jongen hoort bij zijn ouders.' Madame zette zich in beweging, maar even later bleef ze weer staan. 'Als ze hun verstand maar eens wilden gebruiken.' Toen ik bleef zwijgen, greep ze mijn arm: 'Zeg hem dat hij voorzichtig moet zijn.' Had ze het over Frans of over Reinout? 'Nee, zeg maar niets.' Over Reinout, daar had ik niet aan hoeven te twijfelen.

Ik liep achter haar aan, en terwijl ik naar haar schommelende gang keek, herinnerde ik me hoe zwaar ze was geweest van Reinout. Op het laatst kon ze haast niet meer bewegen. Hij werd in mei geboren, na een nacht worstelen. Het was een stuitligging, en het scheelde niet veel of Madame was naar het ziekenhuis gebracht voor een keizersnede. Augustijn had het vervoer al geregeld, maar zij verzette zich; ze zou dat wurm er zelf uit persen. Ik zocht tussen de weeën mijn toevlucht bij het raam en zag de maan tussen de wolken schuiven. Achter mijn rug lag Madame te kreunen. Waar was dat lijden goed voor? Ik begreep de schepping niet.

Toen de baby eindelijk was uitgedreven, had hij een paarsrode kleur. De dokter gaf hem met een veelbetekenende knik aan de baker, die hem vlug doopte. Ik zette het kamerscherm voor het bed, Madame sloeg niet eens haar ogen op. Maar Augustijn greep het wicht en legde het op haar borst. Een eindeloze minuut bleef het stil; ik vreesde dat we zowel moeder als kind zouden verliezen. Toen slaakte Reinout een kreet en Madame richtte haar hoofd op. 'God zij geloofd,' zei de baker. Waarop Reinout langdurig een keel opzette en ook Madame begon te huilen. Opluchting alom. En tussen die twee de onverbrekelijke band van hen die samen over de dood hebben gezegevierd. Geen mens kon daartussen komen. Ik heb het ook niet geprobeerd, ik sloot me eenvoudigweg aan bij de adoratie van Madame. Het kind dat zijn kont naar de wereld had gekeerd, leek ons door de goden gezonden. Zo gaaf, zo gezond, zo vinnig. Als ik 's nachts naar zijn wieg trippelde, vond ik daar vaak Madame, die kirrend onzin uitkraamde. Dat had ze bij geen van de anderen gedaan.

Voor Reinout zette Madame haar werk opzij, en voor hem kon er ook altijd een lach af. Hij bracht haar al jong geschenken: een tekening, een bloem. Toen hij wat ouder was: een sjaal, een doos poeder. Zijn moeder moest de mooiste zijn. Ik geloof niet dat hij ooit een andere vrouw het hof heeft gemaakt; ze liepen hem achterna of ze vielen hem toe.

Toen hij veertien of vijftien was, beloofden Madame en Reinout elkaar nooit te zullen sterven. Een belofte die met een zoen werd bezegeld. 'We gaan allemaal dood,' zei Augustijn, die een tikje gepikeerd was. Toen de twee anderen hem verstoord aankeken, voegde hij er terugkrabbelend aan toe: 'Als onze tijd is gekomen.' Reinout was ervan overtuigd dat hij het eeuwige leven had, en Madame zou de laatste zijn om hem af te vallen. Later zei ik tegen Angelique dat het anders was gelopen als de oorlog er niet tussen was gekomen. 'Als het de oorlog niet was geweest, dan wel iets anders,' antwoordde ze.

Reinout was onze grootste hoop en werd ons grootste verdriet. In de jaren dat we de oorlog achter ons lieten of er een verhaal van maakten, leek het hem voor de wind te gaan. Hij maakte naam, zijn meubels werden in de beste zaken verkocht. Hij kon zich het een en ander veroorloven. Toen Mijnheertje Penning na lang soebatten van zijn halfzus het grote huis verkocht, kocht hij het, om het dadelijk weer te koop aan te bieden. Hij had zijn oog laten vallen op een groot stuk bos; daar wilde hij een ultramoderne woning laten bouwen. Wij wachtten met enige spanning af aan wie hij de opdracht zou geven. Bertje ging met hem over de plannen praten. Voor familie kon hij het schikken met de kostprijs. Maar Reinout koos voor de concurrentie. 'Het is niet persoonlijk,' zei hij tegen Bertje. Hij had niet de intentie zijn broer tekort te doen, het was Madame die hij wilde treffen. 'Daar zal geen zegen op rusten!' Madame schrok er zelf van en sloeg een hand voor haar mond. Voor de huisheiligen moesten vlug kaarsen worden aangestoken.

Onder het voorwendsel dat de nieuwe Chevrolet moest worden ingereden, gingen we een paar maanden later naar het huis van Reinout kijken. Een betonconstructie met veel glas en houten panelen. Er was nauwelijks een steen aan te pas gekomen. 'Moet dat een huis voorstellen?' vroeg Augustijn. Ook Madame leek voor een keer te twijfelen aan de moderniteit. 'Je kan er dwars doorheen kijken!' Alsof Reinout het huis aan het oog wilde onttrekken, liet hij er een metershoge omheining omheen plaatsen. Zijn vrouw, die al eerder te horen had gekregen dat ze zich niet moest bemoeien met de bouw of de inrichting van het huis, klaagde over de eenzaamheid in het bos, en over de omheining die van het huis een gevangenis maakte. Reinout zei koel dat ze niet verplicht was daar te wonen, en voor zijn dochter had hij al een eersteklas kostschool op het oog.

Marguerite groeide op tot een aanvallig meisje, en hing – met de logica dat liefde toevalt aan diegene die haar niet verdienen – aan haar vader. Ze had ook een bewondering opgevat voor haar grote broer, die ze haast nooit te zien kreeg.

Frans vervreemdde van ons. Augustijn schreef hem zo nu en dan, en Madame had voor hem, zoals voor alle kleinkinderen, een spaarboekje geopend. Als hij meerderjarig werd, zou hij over een mooi sommetje beschikken. Maar Frans kon, zoals een echte Van Puynbroeckx, zijn tijd niet afwachten. Hij had nog maar een halfjaar kostschool voor de boeg, toen hij de kas van de sportclub leeghaalde en wegliep. Reinout plaatste een advertentie in de krant en liet overal naar hem zoeken. Hij dreigde de kostschool een proces aan te doen. Na een week begonnen wij te vrezen dat Frans naar zee was getrokken, maar toen hij werd gevonden, lag hij te slapen in het bos, in het houten speelhuisje van zijn zus. Marguerite had hem dekens bezorgd en bracht hem eten.

Reinout sloeg zijn zoon niet, hij probeerde tot een vergelijk te komen: Frans kon studeren of hij kon aan de slag in het atelier van zijn vader. Op voorwaarde dat hij zich zou gedragen. Frans koos voor werk in het atelier – een paar maanden van vallen en opstaan, toen brak de finale ruzie uit. Reinout gaf Frans een mep. Frans sloeg niet terug, maar zwoer dat hij zich nooit meer door zijn vader zou laten commanderen. Hij liep weer weg, en deze keer voorgoed. Na acht maanden stuurde hij zijn zusje een foto van een soldaat in het uniform van het Vreemdelingenlegioen.

Het leek wel alsof er iemand was gestorven. We zaten in een bedrukte stemming aan tafel nadat we het nieuws gehoord hadden. Madame en Augustijn gingen vroeg naar bed. Toen Dora de televisie aanzette, draaide Bertje vlug de knop om. Ik wist niet waar ik met mezelf moest blijven. Hadden we Frans maar in huis genomen! Misschien hadden we met de zoon meer kunnen bereiken dan met de vader. In ieder geval stonden we bij Frans in de schuld.

De vrouw van Reinout kwam afscheid nemen met het dochtertje. Ze zei het niet, maar ze zou later nooit meer een voet over onze drempel zetten. Marguerite haalde de foto van Frans uit haar tasje. Madame haastte zich naar het kantoor; ze had plotseling een dringende zaak te regelen. Augustijn poetste zijn brillenglazen voor hij zich over de foto boog. Hij sprak geen woord, schoof de foto van zich af, legde zijn bril op de tafel en liet zich op de tast in de voltaire zakken. Ik zag de oude soldaat voor mijn ogen instorten. Zelfs de herinneringen aan de heldhaftige jaren in de loopgraven zouden nooit meer dezelfde zijn. Hij, de officier van eer, had uiteindelijk een huurling voortgebracht.

Ik nam Marguerite mee naar de keuken en vroeg haar of ik de foto – die ze als een kleinood in haar tasje had teruggestopt – mocht zien. Zonder zijn scheve neus had ik Frans niet herkend.

Zijn gezicht leek anoniem onder die hoge pet. Hij keek strak voor zich uit. De zware schouderstukken met de afhangende franjes deden aan de paradekleding van een dorpsfanfare denken. Dat uniform maakte van Frans een onwezenlijke figuur, haast net zo vreemd als de naam die hij had aangenomen.

'Als hij in Algerije sneuvelt, is het jouw schuld,' had de vrouw van Reinout gezegd. Hij had zijn schouders opgehaald: 'In het legioen zullen ze hem tenminste discipline bijbrengen.' De vrouw van Reinout ging apart wonen, Mijnheertje Penning kocht een appartement voor haar, dicht bij het verzorgingstehuis. Zo konden ze elkaar alle dagen zien.

Marguerite werd tot onze spijt op kostschool gedaan. Toen Madame en Augustijn een brief van haar kregen, gingen ze haar bezoeken. Bij thuiskomst ging Madame met haar schoenen aan op de divan liggen. 's Avonds hoorde ik haar achter de slaapkamerdeur zeggen: 'Hij zal ons het kind niet toevertrouwen.' 'En anders zal de vrouw er wel een stokje voor steken,' antwoordde Augustijn. Het bleef even stil. Toen riep Madame: 'Celestien, kruip in je nest!' Ze gaf zich niet meer de moeite er zelf uit te komen.

Op een dag zag ik Mijnheertje Penning en de vrouw van Reinout in de stad arm in arm langs de uitstalramen schuifelen. Ze leken zeer om elkaar bekommerd. Reinout had het ernaar gemaakt, maar ik vroeg me toch af hoe zijn vrouw de voorkeur kon geven aan die muffe rentenier. En ofschoon er nooit wat aan de hand was geweest, had ik het gevoel dat ik de dans was ontsprongen. 'Het huwelijk is een schoon ding, maar het moet marcheren,' zei Madame.

■■■

Ik zet me af met de handen op de leuningen van de stoel, zak echter krachteloos weer omlaag. Ik druk mijn geblesseerde voet op de vloer alsof ik de ene pijn met de andere wil bedriegen. Vastbesloten bijt ik op mijn lippen, tel tot drie en sta op. Neem uw krukken op en wandel, denk ik, en grimmig: ik moet hier weg of het wordt mijn dood.

De parketvloer nodigt uit om een walsje te draaien. Ik zal het wel laten, maar ik zou het graag nog een keer proberen. We dansten in de grote salon, in deze kamer, met de parketvloer in visgraat gelegd, hoe kon ik het vergeten. De tafel en de stoelen waren opzij geschoven, de tapijten opgerold. We hadden een grammofoon en platen met Weense walsen. Augustijn liet Madame rechts- en linksom draaien; een lust om te zien. We stonden allemaal mee te wiegen. Toen was het de beurt aan Angelique, een en al gratie, en ten slotte vroeg Augustijn ook mij ten dans. Ik hing in zijn armen onder het toegevende oog van Madame, maar ik bracht er niets van terecht. Augustijn raadde me aan hardop de maat te tellen, en terwijl ik zwoegend mijn best deed, had Madame Reinout bij de hand genomen. Ze zetten traag in, maar draaiden aldoor vlugger. Augustijn en ik werden gedwongen plaats te maken. Madame en Reinout keken elkaar strak in de ogen en walsten de hele kamer rond, tot ze in het midden van de parketvloer om hun as tolden. We hielden onze adem in, maar de muziek werd met een kras afgebroken. Marius stond bij de grammofoon en vroeg vergramd: 'Moet er iemand een been breken?' Madame giechelde en Reinout bleef haar op de plaats ronddraaien, tot Bertje hem aan zijn hemd trok. 'Stop!' Reinout deed nog een kwartslag, liet Madame los en greep Bertje beet voor een dolle polka. 'Stelletje boeren,' riep Marius. Maar Madame gaf handenklappend de maat aan. Angelique zat met wiebelende benen op de vensterbank. Augustijn stak monkelend een sigaar op. Waren wij gelukkig? Ja, wij waren gelukkig. Ik wil het niet mooier maken dan het was, maar waarom zou je verder willen leven als je niet die hang had naar geluk? Of weemoed naar gelukkige momenten?

Ik schuifel over het parket als een kreupele schaatser, maar ik verbeeld me dat ik dans. Reinout had niet zo neerbuigend hoeven doen over dansen, ik zei nog tegen hem: 'Wil je vrouwen behagen, laat ze lachen en vraag ze ten dans.' 'Hier spreekt de ervaring,' grinnikte hij en hij knipte met zijn vingers. Hij hoefde maar te knippen en de meisjes boden zich al aan.

Augustijn beweerde dat je een man kon herkennen aan de wijze waarop hij met zijn paard omging, het zal wel, maar ik had hem willen zeggen dat je een man leert kennen in de wijze waarop hij met vrouwen omgaat. Is hij neerbuigend of trouweloos, bevreesd om zich te verbinden of simpelweg een bruut, dan zal hij in zijn andere betrekkingen geen eervol of betrouwbaar man zijn. Augustijn zou me geamuseerd hebben aangekeken: kijk Stieneke gevat uit de hoek komen. Maar als ik hem al een keer van antwoord diende, zei hij afkeurend: 'Ben je bij Madame in de leer gegaan?' Of hij beklaagde zich gespeeld wanhopig dat hij door twee vrouwen op de kop werd gezeten. '*A votre servis, Mesdames!*' Hij had al voor hetere vuren gestaan. 'Een man moet moedig zijn,' zei hij zelfverzekerd.

De jongens waren gedurig bezig hun mannelijkheid te bewijzen, tegenover Augustijn, tegenover elkaar, tegenover de wereld. En vooral tegenover de dood. Die moesten ze recht in de ogen kijken. Heldhaftig sterven leek belangrijker dan fatsoenlijk leven. Had hun vader zijn mannetje niet gestaan, vier jaar in de modder aan de IJzer, waren dat niet zijn heroïsche jaren?

Dat viel niet te betwisten, maar juist daar in de loopgraven had Augustijn de dood afgezworen. Zijn moed om te leven had hij bewezen toen hij zijn roodharige vlam kuste, zijn vuurproef had hij doorstaan aan haar kraambed en zijn bijstand geleverd met de kinderen; engeltjes en duiveltjes gelijk. Hij had ook de overname van het bedrijf gedragen als een man. Hij hield van Madame, hij zorgde voor Madame, hij kibbelde met Madame, hij had Madame nodig, maar geen moment was hij bang voor Madame.

Dat kan van de jongens niet worden gezegd, en ze hebben het geen van allen makkelijk gehad met vrouwen. Wat voor wijsheden ze al niet verkondigden, nog voor ze een vrouw hadden aangeraakt! Vrouwen waren eropuit hen afhankelijk te maken en op een slinkse wijze aan de ketting te leggen. Ze veranderden je vrienden in rivalen, en je kon er, vanwege van dattum, nooit bevriend mee geraken. Er bleef altijd de vraag wie dit verrukkelijke, maar o zo verraderlijke schepseltje zou bezitten. En de knagende onzekerheid of ze helemaal van jou zou zijn.

'Het lijkt wel of ze niet weten hoe ze eraan moeten beginnen,' merkte Augustijn verwonderd op. Zo vrij en uitgelaten ze als kinderen waren geweest, zo schuw en stug werden de jongens in hun apenjaren. Een meisje ten dans vragen was een te zware opgave. Ze lummelden wat aan de bar of troggelden hun vrienden mee naar een hoek waar ze, half opscheppend, half dreigend, de politiek bespraken.

Angelique, die dol was op dansen, wachtte vergeefs tot haar broers haar zouden presenteren. Op een keer was ze het zo zat dat ze op haar eentje begon te dansen, maar geen van de jonge helden die op haar toe durfde te stappen. Het was haar vader – hij kon het niet langer aanzien – die haar opving. Waarop Madame prompt Reinout uitnodigde. Hij probeerde eronderuit te komen; zijn vrienden zouden hem uitlachen. 'Je vrienden zijn een stelletje angsthazen,' zei Madame. En terwijl ze afkeurend naar Marius en Bertje keek: 'En je broers zijn niet veel beter.' Ze legde de arm van Reinout om haar middel: 'Durf je wel?' Dat liet hij zich niet zeggen, en terwijl ze rondzwaaiden, riep Madame: 'Vooruit Celestien, pak er ook een!' Toen Marius me zag aankomen, nam hij de benen; ik danste dan maar met Bertje. Hij kon geen maat houden en trapte gedurig op mijn tenen. En hij hield krampachtig zijn hoofd afgewend, schuw van mijn boezem, die op zijn ooghoogte gevaarlijk dichtbij was. 'Mijn memmen zullen je niet bijten,' gromde ik. Met een hoofd als een boei liet hij zich over de dansvloer leiden, maar zodra de muziek ophield, rende hij weg.

Aanvankelijk viel het me niet zo op, maar gaandeweg stoorde het me dat de jongens me als vrouw negeerden. Celestien, dat was vis noch vlees, een huisnon, die werk verrichtte waar zij zich te goed voor vonden. Toonde ik me koket, vonden ze me belachelijk; had ik een vrouwenkwaaltje, dan meden ze me, en dat ik amoureus zou zijn was helemaal te gek. Van hun vader hadden ze dat niet, die was attent en gaf me geregeld een compliment.

Toen ik na een ruzie met Madame aankondigde dat ik mijn eigen huishouding wilde inrichten, keek Augustijn me getroffen aan: 'We zouden je danig missen, Celestieneke.' In de slaapkamer begon hij erover tegen Madame: 'We moeten Celestien wat vrijer laten.' 'Om wat te doen?' vroeg Madame. 'Ze verkijkt haar kansen,' zei Augustijn. 'Wat komt ze tekort?' Madame klonk kriegel. 'Het is toch haar goed recht,' drong Augustijn aan. 'Als de juiste zich aandient, hoeft ze het niet te laten,' zei Madame. Daarna bleef het stil.

Ik lag in bed en probeerde me de man voor te stellen met wie ik zou trouwen. Het bleef er een zonder gezicht, maar het had geen haast, en ik had mijn handen vol met de kinderen.

Er waren dagen dat Madame me met een zekere aandacht bekeek, ze voelde zich wel bezwaard, vermoed ik. 'Zou je naar het circus willen?' Ik had een hekel aan het circus. 'Als het moet.' 'De kinderen zullen het leuk vinden.' Ja, Reinout de trapeze en Bertje de olifanten, maar Angelique en Marius vonden er ook niets aan, de grootste circusliefhebber was Madame. Als ik ongelukkig werd van de clowns die op kleine harmonica's trieste wijsjes speelden, of de stoelen onder elkaars achterste weghaalden, zat zij met de hele tent smakelijk te lachen. Het grootste plezier beleefde ze aan de voorstelling van de dierentemmer. Vooral als de man leeuwen en tijgers met een knallende zweep aanzette om door een brandende hoepel te springen. Toen een dierentemmer zijn hoofd in een leeuwenmuil stopte, ging ze drie keer na elkaar kijken – je kon maar nooit weten of de leeuw zijn geduld zou verliezen. 'Heb je die tanden gezien?' En die dierentemmer was nog wel een knappe man. 'Dat zijn toch allemaal trucjes,' zei Augustijn. Hij ging nooit naar het circus, en ik zou er ook niet vrijwillig naartoe zijn gegaan, maar Madame liet niet af: 'Celestien moet een verzetje hebben.'

Zo ging het met alles, ik mocht naar Charlie Chaplin gaan kijken, met de hele familie, en het scheelde niet veel of ik miste Greta Garbo, omdat Madame keelpijn had. Die ene keer dat ik naar een kermisbal mocht, alleen, kwam ze – net toen ik een danspartner had gevonden – aanzetten om te kijken of ik me 'een beetje amuseerde'. En zodra het de beurt was aan de dames om een heer uit te nodigen, kaapte ze mijn *beau* en wervelde met hem weg. Allesbehalve verlegen: 'Zo moet je dat doen, Celestien.' Dat heb ik haar betaald gezet op het bal van de burgemeester, waar ik op een bijgeschoven stoel aan de tafel van de familie zat. Alle attenties waren voor Madame en Angelique, niemand die mij ten dans vroeg, ik leek wel onzichtbaar. Maar zodra de orkestleider aankondigde dat het aan de dames was om uit te nodigen, stond ik op, streek mijn rok glad en vroeg Augustijn ten dans. 'Zeer vereerd,' zei hij galant, en hij leidde me over de dansvloer zonder erop te letten dat ik op zijn tenen trapte. Door die dans met hem had iedereen me gezien, en nauwelijks zat ik weer op mijn stoel, of een cavalier vroeg Augustijn of ik vrij was. Ik ging van arm tot arm en voelde mijn wangen gloeien, maar met elke dans ging het een beetje beter. Algauw begon Madame over haar gezwollen voeten te klagen, ze had weer van die hoge pumps aan, en ze durfde ze niet onder tafel uit te schoppen omdat ze bang was die ondingen niet meer aan te krijgen.

Rond middernacht blies Madame de aftocht, en het was vanzelfsprekend dat de hele troep met haar naar huis ging. Maar Augustijn zei dat ik best nog wat kon blijven: 'Voor die ene keer dat Celestien zich vermaakt.' 'Alleen? Geen sprake van!' knorde Madame. 'De jongens zijn groot genoeg om haar te begeleiden.' Augustijn reikte Madame haar stola aan. 'Mij best,' zei Reinout. Marius stemde zwijgend in. Toen Angelique vroeg of ze ook mocht blijven was Madame onvermurwbaar; haar dochter ging braafjes mee naar huis. Deze keer protesteerde Augustijn niet. 'Maak het niet te laat, het is morgen weer vroeg dag,' zei Madame tegen me.

Zodra ze weg waren, voelde ik me onzeker; ik keek naar Reinout, maar die stak zijn zoveelste sigaret op. 'Zullen wij eens dansen?' vroeg ik aan Marius. Hij knikte stug, maar voor hij kon opstaan bood zich een cavalier aan. 'Ga je gang,' zei Marius. Ik voelde me ongemakkelijk, had moeite om de maat van de muziek vast te houden en keek bij elke draai naar de tafel waar Marius en Reinout zaten. 'Jij bent ook niet veel van zeggen,' zei mijn danspartner. Ik had niet eens gehoord dat hij me wat vroeg. En toen hij me tegen zich aan trok, leunde ik achterover. Bij de volgende kandidaat mompelde ik dat ik moe was. Ik repte me naar Marius, misschien was het toch beter naar huis te gaan. 'Zodra mijn broer zijn pretje heeft gehad,' bromde hij. Reinout danste met een donkerharig meisje dat zich blijkbaar niet liet afschrikken door zijn hautaine houding. Ik zat aan de tafel, nipte van de limonade en voelde me weer onzichtbaar worden.

Met lood in de schoenen liep ik die nacht tussen Reinout en Marius naar huis. Het was een warme zomernacht, en het was een heerlijke wandeling, maar ik kon er niet van genieten. Onder een lantaarn bleef Reinout staan: 'Wat is er?' Ik had, me dunkt, tranen in de ogen. 'Tjilpkesmuil!' Reinout boog, legde zijn arm om mijn middel en leidde me al dansend naar het midden van de verlaten straat. 'Een twee, drie; een twee drie.' Ik verwachtte dat Marius ons tot de orde zou roepen, maar na het even te hebben aangezien, tikte hij Reinout op de arm en danste met me verder tot we aan de straathoek kwamen. Ik hijgde en verzwikte haast mijn voeten op de hobbelige kasseien, ik vreesde dat ik mijn zondagse schoenen zou ruïneren, maar ik haalde diep adem en liet me gaan. Ik had met die knappe jongens van me de hele nacht door de straten willen dansen. Het kan toch niet waar zijn dat zij die nacht zijn vergeten. Als hij mij zo helder voor ogen staat.

■■■

Ik ben door de hele kamer geschuifeld: van een-twee-drie en een-twee-drie. Ik kan nog walsen, en nu zou ik niet meer verlegen zijn. Het irriteerde me wel dat toen ik mijn geblesseerde voet optilde er een grijze stoflaag op het verband zat. Er wordt hier met de Franse slag gepoetst.

Het parket moet nodig worden afgekrabd en opnieuw in de was worden gezet. Ik zal er de hulp op aanspreken, de kamer moet worden opgeknapt voor de meubels worden gebracht. En laat ze er niet mee aankomen dat het niet meer de moeite waard is. Niet opgeven! Doorgaan! Dat waren de wachtwoorden van de

Van Puynbroeckxen, en al hielden zij zich er niet altijd aan en streefden zij hun doel voorbij, het was toch hun levenshouding. Daarom was het een veeg teken dat Madame zich begon af te vragen of het nog de moeite waard was de kamers te laten behangen of de keuken in de verf te zetten. 'Kosten op het sterfhuis!' Hetzelfde als Augustijn een vervallen herenhuis wilde restaureren.

Toch heeft Madame zich, zolang ze kon, verzet tegen het malen van de tijd. Ze begon ook met de eeuwigheid te marchanderen. 'Ik ga me er nog twintig jaar bij vragen,' zei ze als ze op bedevaart vertrok. Dat werden er tien, daarna vijf. Er werden kaarsen ontstoken en beloftes gedaan. Het was een loven en bieden om tijd te winnen. Toen ze verlamd op de divan lag, telde ik angstig de dagen af. Op den duur was elk uur gewonnen.

Ik had met Madame geleefd, het kon niet anders of ik zou met haar sterven. Ik hoopte dat het zou gebeuren bij het invallen van de nacht, alsof ze ging slapen, en niet bij het ochtendgloren, als ze nog eenmaal bijkwam. Ze begroette elke dag, het was sterker dan haarzelf. Maar ik geloof niet dat ze nog een keer opnieuw had willen beginnen. En ik word al moe bij de gedachte. Maar ik verzet me ertegen dat ik opzij word geschoven. Ik hoef die meubels niet om – vijf voor twaalf – mijn bestaan opnieuw in te richten, en nog minder wil ik mijn grafkamer passend meubileren. Ik wil tonen wie ik ben, en om te beginnen wil ik van deze tweedehands rommel af. Mon Repos is ontluisterd, het biedt niet langer de troost van dingen die de tijd doorstaan. Vanzelf dat ook de bewoners broos en sterfelijk zijn.

Ik heb de oude mevrouw alleen oud gekend; dat betekende echter niet dat zij al voorbij was. Zij droeg haar jaren als een verdienste en niet als een tekort. Zij wist hoe het hoorde en liet zich niet met minder tevredenstellen. 'Daarvoor ben ik niet zo oud geworden!'

Het is alsof er in mijn binnenste een bosbrand woedt en ik door spijt en woede word verteerd. Ik wil de Van Puynbroeckxjes eraan herinneren hoe het hoort, maar ik weet me niet langer verplicht. Als alles, van toilettafel tot bed, zijn plaats heeft gekregen, maak ik mijn revérence.

De Engelse wals is, wat mij betreft, meer geschikt dan dat geschud en gehos dat ze tegenwoordig dansen noemen, maar als ik bij het raam aanbeland, ben ik toch buiten adem. In de tuin staan nog bomen van toen, zoals de ouderwetse apenverdriet, donkergroen en geschubd als een pantserdier, maar waar is de kat gebleven, die van toen of die van nu, wat maakt het uit. Als ik naar het fronton zou kunnen klimmen, zou ik over de boomtoppen heen kunnen kijken, en over het dorp met zijn dunne torenspits, naar het vlakke land dat daar toch ook nog moet zijn. Ik zou zo ver kunnen kijken dat het zicht vervaagt en hemel en aarde elkaar raken. Opgaan in de dingen, jezelf verliezen om vrede te vinden. Ik probeer het me voor te stellen. Maar ik was nooit onthecht, en ik wil zo lang mogelijk bij zinnen blijven. Ik ben er evenmin op uit in een andere gedaante terug te komen – dat was wat de Sikhs geloofden; als ze volgens de regels leefden en dapper sneuvelden, zouden ze in een andere gedaante weer hun entree maken. Wat helpt dat als je niets had geleerd of als je je niets kon herinneren? Moest je dan maar als tijger gelukkig proberen te zijn? Want dat was wat ze wilden, die Sikhs, zei Augustijn, als machtige tijgers de jungle onveilig maken. Terwijl zelfs ik op de televisie heb gezien hoe tijgers worden opgejaagd en genadeloos afgemaakt. Ze moeten dankbaar zijn als ze in een dierentuin worden opgesloten of in een circus mogen optreden. En in welke gedaante komt de tijger terug, nadat hij een jager heeft doodgebeten? Ja, daar denken die Sikhs liever niet aan, hoe hun wedergedaante zal reïncarneren. De huiskat is familie van de tijger, maar ik ben zo vrij te veronderstellen dat er geen Sikh is die in de tweede graad als poes wil terugkomen en op muizen jagen.

De apenverdriet staat een beetje scheef, hij is blijkbaar aan het wegzakken. De drassige ondergrond verteert alles, van wortels tot beenderen. Stel je voor dat je terugkomt als een stekelige boom, een boom die geen bloesems draagt en onderaan al begint te rotten.

Had Madame ooit wat anders dan zichzelf willen zijn? En Augustijn? Hij zag zijn gevallen kameraden geregeld terugkomen –

op een keer, toen hij zich stond te scheren, verschenen er in de spiegel drie soldaten van zijn compagnie die op orders wachtten. Hij herkende ze alle drie, en ergerde zich nog aan die ene, die nooit geleerd had behoorlijk te salueren. Het was alsof hij tegen zijn voorhoofd tikte om aan te geven dat zijn bevelvoerder gek was. 'Ze horen dood te zijn,' zei hij met het scheerschuim op zijn kin. Want ze deden hem altijd weer de Groote Oorlog aan.

Augustijn zocht vertwijfeld vrede in de armen van Madame, en na haar dood probeerde hij soelaas te vinden in de geur die nog in haar kleren hing. Hij wilde dat ik voor haar zou blijven dekken aan tafel en deed 's avonds stilletjes de deur van het slot. Ik vroeg me af hoe dat in het echtelijk bed moest aflopen. 'Mama is gestorven,' zei Angelique met nadruk. 'Wat?' vroeg Augustijn verstrooid. Niemand kon de plaats van Madame innemen, maar ik wist beter dan wie ook hoe ze de dingen gedaan wilde hebben. Ik wist ook hoe het met Augustijn was gesteld. De kinderen zagen hun ouders als ouders en wilden ze ook niet anders zien. Maar ik wist van andere en vorige levens.

'Laat hem maar doen,' zei ik. 'Hij moet het leren toegeven,' antwoordde Angelique. Ze droeg een zwart zijden bloes en een zwarte rok met een krijtstreep; het parelsnoer was de enige concessie. En ook dat had meer met klasse te maken dan met koketterie. Ze had de rouw aangenomen als een habijt en zich in haar weduwenstaat gepantserd. Mevrouw Rozenstajn, geboren Van Puynbroeckx. Het was een eretitel en een aanklacht. Haar verdriet was exclusief, het was uitgesloten dat ze nog een keer zou trouwen. Ze hield Davy in leven door er zichzelf en de wereld gedurig aan te herinneren dat hij dood was. Dat kwam haar ook goed uit; ze was haar eigen baas en dat wilde ze zo houden. 'Zwart komt altijd van pas,' zei ze toen ik opmerkte dat zwarte kledij oud maakt. Ze mocht zeggen wat ze wilde: zwart was een lastige kleur, je zag er elk vlekje of pluisje op. Het was echter alsof Angelique geen stof aantrok, ze was altijd vlekkeloos. Als een zwarte zwaan schoof ze schijnbaar onberoerd door het volk. Om haar heen vielen de gesprekken stil. Ze werd altijd aangegaapt vanwege haar allure, maar haar onberispelijke verschijning maakte ook kopschuw. 'De mensen zijn bang van jou,' liet ik me ontvallen. Haar gezicht verstrakte: 'Ze kunnen me beter vrezen.' En toen: 'Ben jij ook bang van mij, Celestien?' Ik? Bang van haar? 'Laat me niet lachen!' zei ik kwaad. En ziedaar, de zon brak door de wolken. Angelique lachte. Dat had ze wat meer moeten doen, ze dreigde een hartkwaal te krijgen van het onderdrukken van haar gevoel. Ik was jandorie bang voor het moment dat ze haar beheersing zou verliezen.

Het was lang geleden dat ik Angelique had zien lachen, en toen droeg ze geen zwart, want ze was weer zwanger. Bertje was verongelijkt: 'Dat doet ze om gelijk op te gaan met Reinout.' En dat Davy het nog een keer zou klaarspelen, dat had hij eerlijk gezegd niet verwacht. 'Jij bent jaloers,' gromde Madame. Augustijn toonde zich bezorgd, was het niet te veel voor Angelique, ze had een frêle gestel. 'Ik heb het toch ook voor mekaar gekregen,' zei Madame. 'Ja, maar ik was de vroedvrouw,' monkelde Augustijn. Ze lachten als twee boeven die een complot hadden beraamd.

Toen Angelique op bezoek kwam, was ze helemaal in blijde verwachting. Glimlachend, haar haren opgestoken als Grace Kelly, in een wijdvallende roze mousselinen jurk. Niet te geloven dat dit de vrouw was die had gezworen nooit meer moeder te worden. Ook Davy leek op te leven, hij hoopte op een meisje, een dochtertje dat de twee kanten van de familie zou verzoenen. 'Als het maar gezond is,' zei Madame. Bruusk boog ze zich over Micha, die met zijn brilletje als een kleine geleerde over een boek zat gebogen. 'Wat lees je daar?' En voor hij kon antwoorden: 'Moet jij niet buiten spelen?' Micha klapte gehoorzaam zijn boek dicht. 'Hij ziet zo bleek,' knorde Madame. Ze keek naar mij alsof het mijn schuld was. 'Het hoeven niet allemaal halve wilden te zijn,' gaf ik terug.

Angelique kwam bij me in de keuken; kon ik een handje toesteken als het zover was? 'Ik vraag niet liever,' zei ik. Of ik nog wist hoe ze vroeger tegen haar zin in de keuken kwam om te leren koken. 'Dat kan ik nog altijd niet.' 'Je wilt niet,' zei ik. Ze lachte: 'Ook waar.' Ik zette de bokaal met kandijsuiker op tafel – daar had ze, ondanks haar hongerkuren, altijd een zwak voor gehad. 'Nu hoef je niet op je lijn te letten.' Ze stopte een stukje suiker in haar mond, zoog erop alsof ze weer tien jaar of daaromtrent was en streek met haar hand over haar buik. 'Voel je al leven?' vroeg ik. Ze glimlachte en legde mijn hand op de welving. Ik voelde alsof ik met mijn handpalm kon luisteren. Hops, een trilling, en nog een keer, hops. Angelique bloosde en ik veegde mijn ogen droog. Het leek wel de grote verzoening.

Bij het afscheid stak Madame haar dochter de fameuze gele envelop toe. Angelique steigerde; ze kwamen niets tekort. 'Aanpakken,' zei Madame. Het was voor het kind. Onwillig stopte Angelique de envelop in haar tas. Davy hielp haar in de auto alsof ze breekbaar was; hij kwam nog even terug omdat hij zijn hoed had vergeten. 'Proficiat,' zei ik toen ik hem de hoed aangaf. We wuifden de auto na tot hij uit het zicht was verdwenen.

De volgende dagen liep Madame te neuriën en te monkelen. Ik zocht breipatronen bij elkaar en zat met de bril op het puntje van mijn neus te priegelen aan mutsjes en sokjes. Ik had kuikentjesgele wol gekozen, dat was voor beide geslachten goed. 'Celestien is weer bezig,' lachte Madame, maar ze was net zo opgewonden. We waren ervan overtuigd dat Angelique het er goed vanaf zou brengen.

Toen, op een avond, rinkelde de telefoon. Madame en ik aarzelden, Augustijn nam hem aan. Angelique had, in haar achtste maand, voortijdig weeën gekregen en het kind was dood geboren. Davy wist zich geen raad, of Celestien meteen kon komen? Augustijn stond nog met de hoorn in de hand toen het gesprek al was afgelopen. 'Het was een jongetje,' zei hij toonloos. Madame bleef zitten waar ze zat, minutenlang, toen sprong ze op, pakte de fruitschaal en sloeg die stuk op de tafel: 'Het is niet waar!' De fruitschaal – zwaar kristal van Val Saint Lambert – spatte uit elkaar, het marmeren tafelblad spleet in twee.

'Je kunt de tijd niet terugdraaien,' zegt de hulp wanneer ik over Mon Repos begin. Dat weet ik beter dan zij, maar wat zou ik er niet voor over hebben om even aan vroeger te denken zonder het vervolg te kennen. En dat de herinnering aan geluk even erg schrijnt als de herinnering aan ongeluk, zo niet erger.

■■■

Toen ik aarzelend de slaapkamer betrad, trok Angelique het laken over haar hoofd. Ik liet haar begaan en begon de babyuitzet in een grote kussensloop te stoppen. Toen ik achter mijn rug een gesmoorde kreet hoorde, liet ik de kussensloop vallen en liep stijfjes op het bed toe. Angelique hield het laken krampachtig over haar hoofd getrokken en kermde. Daar had ze één keer zonder voorbehoud haar hart en schoot opengesteld en ze onderging het lot van haar moeder. Ze voelde zich verraden door het leven, gestraft voor niet begane zonden, beroofd en in de steek gelaten. Het was met niets goed te maken. De genadeslag. Ik hield haar omvat met laken en al, maar wist er niets tegenin te brengen. Behalve dat het niet de schuld van Madame was.

Davy zat prevelend heen en weer te wiegen, urenlang, heen en weer. Ik telefoneerde naar Antwerpen en Augustijn kwam Micha halen. 'Hoe is het ermee gesteld?' vroeg hij in de gang. En ik: 'Hoe gaat het met Madame?' We beantwoordden elkaars vragen niet. Een blik volstond.

Augustijn probeerde met Davy praten en toen die maar bleef schommelen, greep hij hem bij de schouders. 'Hoor je wat ik zeg?' Davy keek hem wezenloos aan. Waarop Augustijn hem niet erg zachtzinnig door elkaar schudde. 'U was daar niet, daarginds, daar.' Davy staarde naar een punt in de verte, fluisterde: 'U hebt het niet gezien, niet geroken.' Augustijn liet hem los: 'Je mag daar niet aan toegeven.' Streng.

Hij haalde Angelique uit bed, trok haar een ochtendjas aan en leidde haar naar de salon: 'Kom, meisje.' Ze stond als een zoutzuil midden in de kamer. De lichtblauwe ochtendjas was aan de kraag en de mouwen afgezet met zwanendons dat zachtjes trilde, maar dat was dan ook het enige wat aan haar bewoog. 'Help je vrouw,' beval Augustijn. Davy nam Angelique bij de arm en bracht haar naar de sofa. Daar drukte hij haar neer en schoof een kussen achter haar rug. Vervolgens ging hij in een fauteuil zitten. De echtelieden vermeden het elkaar aan te kijken.

'Zorg dat Angelique voldoende beweging krijgt,' zei Augustijn toen hij vertrok. Hij had Micha stevig bij de hand: 'En in Antwerpen gaan we naar de dierentuin, daar zit het vol wilde beesten.' Micha antwoordde niet, maar Augustijn deed alsof hij het niet merkte: 'Wat zeg je, kerel?'

Toen ik na twee maanden weer in Antwerpen aankwam, vroeg Micha schoorvoetend: 'Wanneer moet ik weer naar huis?' 'Zodra je vader weer op de been is.' 'Wat kom jij hier doen?' vroeg Madame. 'Ik kon daar niets meer uitrichten.' 'Nonsens,' gromde ze. Het lag op mijn tong dat ze dan zelf maar eens in Gent moest gaan kijken, maar ik slikte het in.

Er ontbrak wat aan het huis, maar ik kon er niet onmiddellijk de vinger op leggen. Het was pas toen ik de heilige Rita met haar gezicht naar de muur zag staan, dat ik opmerkte dat de andere heiligen ontbraken. Ik was wel zo voorzichtig om niet aan Madame te vragen waar ze waren gebleven. Een dag later moest ik in de kelder zijn. Daar lagen de heiligen in stukken en brokken aan de voet van de trap. Iemand, en wie anders dan Madame, had ze van bovenaf aan gruzelementen gegooid. Ik veegde de resten bij elkaar en schudde ze in een zak, met een benauwd gevoel in de borst – als het maar geen ongeluk bracht. Maar wat kon ons nog overkomen? Hadden we niet alles al gehad? Toch had ik het hart niet om de resten van de huisheiligen met de vuilniskar mee te geven. Ik wachtte tot Madame haar middagdutje deed. Toen schudde ik de zak leeg in de tuin, achter de rabarberplanten. Terwijl ik het gips onderschoffelde, keek ik telkens schichtig naar de ramen van het huis. Het was alsof ik bang was op een misdaad te worden betrapt.

Madame ondervroeg me; over het gedrag van Angelique, over de nieren van Davy, over de staat van het bedrijf en over het huishouden, tot het eten toe. Maar ze gaf me niet de kans enige verklaring af te leggen. 'Commentaar kunnen we missen.' En over het doodgeboren kind vroeg ze niets. Ze schommelde van haar toilettafel naar haar bureau en van haar bureau naar de eettafel. De dokter waarschuwde voor een te hoge bloeddruk, maar zij snoof minachtend: 'Dokters!' En pastoors, en advocaten, en notarissen. Ze had er haar buik van vol. Bankiers, nog van dat soort! Als de metselaars hun loon kwamen ophalen, liet ze jenever en Pernod aanrukken, en dan werd er in het kantoor almaar luidruchtiger gepraat en gelachen. 'Zijn ze weer schunnige moppen aan het tappen?' zei Augustijn afkeurend.

Toen ik eens in de slaapkamer het bed opsloeg voor de nacht, kwam Madame – na een sessie met de metselaars – lichtelijk beschonken uit de badkamer. Ze ging aan de toilettafel zitten en begon met de potjes te rommelen. Ik probeerde voorzichtig de aftocht te blazen toen ze de poederdoos liet vallen. Een geurige wolk verspreidde zich over het Perzische tapijtje dat aan haar voeten lag. Ze vloekte. 'Jij daar, ruim dat op!' 'Zo laat ik me niet aanspreken,' zei ik. Ze schrok: 'Pardon.' En toen: 'Kom hier, Celestien.' Ik kwam schoorvoetend naderbij. 'Zijn wij slechte mensen?' Ze pakte een haarborstel op en klopte met de vlakke kant in de palm van haar hand. 'Zal ik koffiezetten?' Ze schudde van nee. 'Zou je zo goed willen zijn het tapijtje uit te kloppen?' Haar stem klonk schor. Ze had blijkbaar een krop in de keel. Ik knielde en rolde het tapijtje op, maar ik hield zijdelings de haarborstel in het oog, want ze sloeg er hoe langer hoe harder mee in haar hand. En jawel, plotseling haalde ze uit, ik kon nog net de klap ontwijken. 'Wat hebben ze met het kindje gedaan?' Och God, ik kreunde inwendig. Daar gingen we weer, alles bleef zich herhalen, terwijl je niets over kon doen. Het was niet rechtvaardig.

Madame kwam half overeind, viel weer neer op het taboeretje. Zonder het antwoord af te wachten begon ze tussen de flesjes en potjes koortsachtig naar iets te zoeken. Plotseling, alsof haar iets inviel, draaide ze zich om: 'Ga weg.' Moord in haar ogen. Het was zo erg als in haar zwartste dagen. Haastig verliet ik de slaapkamer en stond op de gang aan de deur te luisteren. Toen ik niets hoorde, werd ik ongerust. Zo langzaam als ik kon, drukte ik de kruk van de deur omlaag en opende haar op een kier. Madame had de zitting van de taboeret opengeslagen en er een pakje doodsprentjes uitgehaald. Ze schoof de spullen op de toilettafel opzij, een en ander viel eraf, maar zij leek het niet op te merken. Als een kaartlegster begon ze de prentjes uit te leggen. Zachtjes sloot ik de deur.

Bij de huiszoeking had de *soldateska* het taboeretje omver geschopt – uit de zitting puilden fijne *dessous.* Of de heren haar ondergoed in beslag wilden nemen, vroeg Madame. Stampvoetend had het schorem de slaapkamer verlaten, nog even de tred inhoudend voor de zilveren kandelaars die aan weerszijden van de pendule op de schoorsteenmantel stonden. Die hadden ze wat graag in beslag genomen, maar het huis was voorzien op rovers. Op strategische plaatsen, achter een klok, of onder een heilige, lag een envelop die ze diskreet in hun zakken konden laten verdwijnen. 'Dan hoeven we er geen woorden aan vuil te maken,' zei Augustijn. Maar hij verlangde wel een reçu als er spullen werden meegenomen. Het Derde Rijk – Madame bestond het om te vragen hoe het de twee vorige was vergaan – werd toch niet vertegenwoordigd door een stelletje ordinaire dieven?

'Je mag ze houden,' zei Madame toen ik de *dessous*, gewassen en wel, op het bed legde. Ik stopte mijn handen in de zijden broekjes en spande ze op, ze waren te klein geworden voor de derrière van Madame; ze had ze vermoedelijk bewaard als een zoet aandenken. Ik kon er evenmin iets mee aanvangen, want ik was net zo goed uitgedijd, al herinnerden de broekjes mij eerder aan eenzame nachten. In het taboeretje werd – dacht ik – voortaan naaigerief bewaard voor kleine reparaties. 'Daar heb je niets te zoeken,' zei Madame als ik er iets uit wilde halen. Ze zou die knoop zelf aannaaien. Maar ondertussen had ze als een broedse kip boven op de doodsprentjes van de engeltjes gezeten.

'Je weet er nooit het fijne van,' had Rosa gezegd, 'zij mogen alles van jou weten, dat is hun goed recht, maar jij wordt, als het erop aankomt, buiten hun zaken gehouden'. En ze gaf me nog een keer goede raad: 'Het is wijzer je van de domme te houden.' Maar zij had nooit echt met de Van Puynbroeckxen geleefd. Ik wilde hun duidelijk maken dat ik aan hun kant stond, en dat ik hen begreep. Dat was echter te dichtbij voor hun gemak. Ze hielden me op afstand. Dus liet ik ze voelen dat ik wist wat er aan de hand was.

Toen we de kasten opruimden, had ik opeens *brassières* en broekjes in mijn handen. Ik hield een broekje op: 'Zullen we die spulletjes aan Angelique geven?' Madame rukte me het broekje uit de hand: 'Houd je daarbuiten!' De volgende dagen loerde ze op een gelegenheid om me op mijn plaats te zetten. 'Celestien, is de tafel gedekt?' Na een korte inspectie: 'Waar zijn de servetten?' Ik overhandigde ze haar. 'Weet je nu nog niet hoe het hoort?' Ik keek even toe hoe ze de servetten vouwde en naast de borden legde en zei toen: 'Die moeten andersom.' Ze gooide de servetten nijdig op tafel: 'Weet je het soms beter?' Het was makkelijker geweest Madame haar zin te geven. Maar waarom moest ik altijd de wijste zijn? Waarom was alles wat de Van Puynbroeckxen overkwam groter of erger?

Angelique wilde niemand zien of kon niemand onder ogen komen. Dat duurde net zo lang tot Madame haar eigen misère opzij zette en naar Gent vertrok. 'Het moet afgelopen zijn met die flauwekul.' Ze was niet van plan voor het verdriet van haar dochter te wijken. 'Gaan we naar de boten kijken?' vroeg Micha. Hij werd het nooit moe de schepen gade te slaan die de Schelde op en af voeren. 'Jij gaat naar huis,' besliste Madame – voor de drommel; het joch had toch een vader en een moeder! Micha keek Augustijn smekend aan. 'Volgende keer.' Hij liet zijn kleinzoon node gaan, maar Madame was vastbesloten.

Toen ik me klaar wilde maken voor de reis, kreeg ik te horen dat ze me niet kon gebruiken. Zeker, zo zei ze dat: 'Jou kan ik daar niet bij gebruiken.' Het was iets tussen moeder en dochter, of voor moeders onder elkaar. 'Ik ben alleen goed om het vuile werk op te knappen,' mokte ik. Zodra ze de deur uit was, stapte ik op het taboeretje af; daar zou ik eens vlug korte metten mee maken. Maar toen ik het openklapte, bleek het leeg. Ik zocht koortsachtig in de laden van de toilettafel, niets, in de linnenkast, ook niets, onder de matras; de doodsprentjes waren onvindbaar. Ik kon niet geloven dat Madame ze had verbrand of weggegooid – ze had ze ergens verstopt, maar waar? 'Ben je iets kwijt?' vroeg Augustijn toen ik rusteloos de kasten doorzocht. En toen ik ook achter en boven op de kasten ging kijken: 'Je lijkt Madame wel.' 'Het zal uitkomen,' gromde ik, 'op den duur komt alles uit.' 'Dat is een magere troost,' zei Augustijn meewarig.

Toen het met Davy bergafwaarts ging, kwam Micha weer bij ons wonen. Angelique had hem in Gent naar de trein gebracht en Augustijn zou hem in Antwerpen afhalen. 'Celestien, trek je jas aan, dat die jongen zich welkom weet.'

Vastberaden stond hij even later onder de hoge stationskoepel aan zijn sigaar te trekken. Toen Micha uit de trein stapte, had hij hem meteen bij de kraag: 'Dag kerel, gaan we naar de wilde beesten?' De dierentuin was vlak naast het station gelegen, maar Micha vroeg: 'Gaan we ook naar de boten kijken?' 'Alle dagen, wat je maar wilt,' monkelde Augustijn. 'En met Celestien, je kent Celestien nog wel, gaan we ijs eten.' We brachten de koffer van Micha naar het bagagedepot. De man die de koffer aanpakte keek van mij naar Micha en vervolgens naar Augustijn. Hij schreef met krijt een nummer op de koffer en overhandigde Augustijn het reçu: 'Dat is er ook geen van u,' hij wees met zijn kin naar Micha. 'Daar zou ik maar niet zo zeker van zijn,' zei Augustijn. Hij speurde naar een asbak, toen hij hem niet vond, drukte hij zijn sigaar uit op de met zink belegde balie. Voor hem was het een klein kunstje om over een generatie heen te stappen en zijn hoop op de volgende te richten.

Voorspoed had men ons na de oorlog beloofd. En dat kregen we ook, maar niemand was tevreden. Als je in de oorlog wat tekort had, kwam dat door de omstandigheden, na de oorlog had je het aan jezelf te danken. En ook diegenen die al vlug welgesteld werden, waren malcontent; het kon altijd groter en beter.

De wederopbouw legde Madame geen windeieren. Ze had zich na een tiental jaren kunnen terugtrekken, maar ze wilde het heft niet uit handen geven. Wat zou ze zitten niksen! Ze verstond de kunst niet om haar dagen te vullen, zoals Augustijn, voor wie het indelen van zijn tijd een gebod was.

Hoe gejaagder de buitenwereld werd, des te kalmer Augustijn zich toonde. Als het grut op de bovenverdieping de radio hard zette en boven zijn hoofd tamboerde, keek hij even naar de kroonluster waaraan de kristallen tranen trilden en boog zich weer over zijn krant. Madame zette zich schrap: 'Dat is toch geen muziek meer!' Ze zou het nooit toegeven, maar de kleinkinderen waren te veel van het goede. Ze had graag de oma gespeeld, maar ze voelde er niets voor om nog een generatie groot te brengen. Ze was haar vertrouwen in de toekomst kwijt. Alles wat ze in haar kinderen vreesde of afkeurde, leek in de kleinkinderen terug te komen. En ze had er geen greep meer op.

Twee wereldoorlogen hadden een einde gemaakt aan het rijk der volwassenen. In de Groote Oorlog was de jeugd voor de bijl gegaan. Augustijn vertelde dat er in Engeland bordjes voor de ramen stonden met: 'Een zoon aan het front in Vlaanderen!' 'Twee zonen aan het front in Vlaanderen!' De vaders, die zelf niet meededen, bewezen enthousiast hun vaderlandsliefde met het bloed van hun nakomelingschap. Eigen fabrikaat tenslotte. En leren doet men blijkbaar niet als het op het bloed aankomt, want wie traden er in de Tweede Oorlog aan: de zonen van de vaders die aan de loopgraven waren ontsnapt! Het was alsof de oorlog zich van vader op zoon voortplantte, je hoefde maar naar de Van Puynbroeckxjes te kijken, die ook in het leger gingen om hun vader de loef af te steken.

Achteraf werden er krokodillentranen gestort en stichtende verklaringen afgelegd. Maar voor God, vaderland of partij: de jonge bokken waren afgeschoten, de kudde was uitgedund, de orde leek hersteld. Er kon weer twintig jaar worden gehandeld en gewandeld.

Bij de volgende uitbarsting speelde de oorlog zich niet meer af op het slagveld, niemand werd gespaard, er vielen meer burgers dan soldaten, maar de voorhoede werd nog altijd gevormd door de jeugd. Om succesvol te zijn, moest de oorlog ook altijd groter, meeromvattend en gruwelijker worden. In de Groote Oorlog werden gasgranaten afgeschoten – gas werd algemeen een smerig wapen gevonden, maar in de Tweede Oorlog werd het *à volonté*, zij het een tikje stiekem, ingezet om hele wagonladingen te vergassen. De zaak werd afgehandeld met atoombommen – één klap: *und Schluss damit*, nee, twee klappen – waarvan men zwoer dat men ze nooit meer zou gebruiken. Waar hadden we dat eerder gehoord? Wie kon ons vrede garanderen?

Ik overdrijf niet als ik zeg dat we ons na '45 geen dag veilig hebben gevoeld. Onder de vooruitgang school een malaise. En het werd ons voor de voeten geworpen dat wij de wereld zo onbehaaglijk hadden gemaakt. Want wij hadden de oorlog weliswaar niet gewild, maar we hadden hem ook niet kunnen tegenhouden. Al onze principes, en al onze leuzen, werden onecht bevonden. Dat had zijn uitwerking, de jongere generatie liet zich niet meer opjutten en zonder morren de dood in drijven. Zij wilde zich amuseren, genieten van alles wat er maar te krijgen was. Ze had haast, want het leven was vluchtig, en werken kon altijd nog. Wat zou je je druk maken?

Augustijn verbeet zijn lach toen Benjamin, de zoon van Bertje, aankondigde dat hij 'zijn eigen' wilde zijn, maar Madame was verbolgen, of Ben maar eens wilde uitleggen wat hij daarmee bedoelde. Ze was namelijk niet van plan voor de kosten op te draaien. Wij hadden eerder meegemaakt dat Marius wereldreiziger wilde worden, of Reinout ontdekker, maar wat ze zich ook hadden voorgenomen, ze wisten dat ze hun dromen ook zelf zouden moeten waarmaken. Met uitzondering van Micha, die zich in de boeken had teruggetrokken, had de volgende lichting rijkeluiswensen: kleren, auto's en reizen, het kon niet op, en geen die zich het hoofd brak waar de poen vandaan moest komen.

Ik stond aan de kant van Madame, want ik had er ook last van dat de nakomelingschap alles voor gegeven nam. Kleren op de hanger, eten op tafel, kamer aan de kant – dat was niet meer dan normaal. In plaats van minder kreeg ik veel meer werk. We hadden machines, zeker, maar iemand moest ze bedienen. Er kwam een poetsvrouw om me bij te staan, maar meer niet. Werk, simpel maar noodzakelijk werk, was blijkbaar onbetaalbaar geworden. 'Hoeveel verdien je eigenlijk?' vroeg Bertje toen Madame weer eens op bedevaart was. 'Dat gaat jou niets aan.' Maar ik raakte van slag; werd ik te duur gevonden? 'De verdienste van Stientje is niet in geld uit te drukken,' zei Augustijn. Ik was gerustgesteld en Bertje keek op zijn neus.

Madame had altijd gemopperd dat het geld niet op haar rug groeide, maar ze honoreerde me. Ze nam een deel van het werk op zich en als het nodig was meer dan een deel. De kinderen hadden een broertje dood aan huishoudelijk werk, Angelique zowel als de jongens, maar ze brachten respect op, en als ze vergeten hadden me te bedanken, zou Madame, of Augustijn, hen eraan hebben herinnerd dat je niet arm wordt van dank u te zeggen.

De jongste lichting verklaarde me gek: rondom de klok van dienst zijn! Je leven lang het vuile werk van een ander opknappen! En ze piekerden er niet over een handje toe te steken. Hadden ze trek, dan aten ze, uit de koelkast, hadden ze dorst, dan dronken ze, ook uit de koelkast. Ze gingen en kwamen zoals het hun uitkwam. En waren ze platzak, dan leenden ze. Augustijn schoof weleens wat af, maar bij Madame moesten ze niet proberen van geld een lolletje te maken. Kregen ze hun zaakjes niet voor mekaar, dan zakten ze af naar de keuken: 'Maandag krijg je het terug, Celestien,' zo vertrouwelijk alsof we maatjes waren. En het was uitkijken, want het verschil tussen mijn en dijn was klein; ze leenden desnoods uit de huishoudkas.

Ik verloor mijn geduld: 'Hang je jas op!' 'Trek je schoenen uit!'

'Blijf daar af!' Ik hoorde zelf hoe schel mijn stem klonk. 'Jij moet nodig een keer van bil gaan,' zei Ben. Ik moest wat? En de snotneus was nog geen veertien!

Ik ging mijn beklag doen bij Madame: 'Ze lachen me uit in mijn gezicht!' 'Misschien zouden we het huis moeten verkopen.' Madame zuchtte. Als we kleiner gingen wonen, waren we meteen van de woelige inwoners af. Ze trommelde met haar vingers op het bureau: hoe moest het dan met de zaak? Ten slotte: 'Dat kan ik hem niet aandoen.' Augustijn in een flat? Hij was niet eens over de verkoop van Mon Repos heen geraakt. Haar blik gleed langs de wanden, bleef hangen bij de foto's van de oude mijnheer en mevrouw – haar stiefouders hadden nooit een plaats gekregen. 'Het is maar de vraag of we het met twee gewoon zouden worden.' Ik slikte, mompelde dat ik niet veel plaats nodig had. Ze trok een ooglid op, keek geamuseerd en tegelijk verdrietig. 'We zijn altijd met te veel of met te weinig, wat is dat toch, Celestien.'

En week later was ze op weg naar Italië, alleen. Het was een soort mirakeltoer, waarbij niet alleen bedevaartsoorden werden aangedaan, maar ook lieden werden bezocht die verschijningen hadden of van de duivel waren bezeten. Die werd dan met veel vertoon uitgedreven. En er was een vrouw die de stigmata van Christus had, en, me dunkt op vrijdag, uit haar wonden bloedde. 'Ik zou niet mee willen, al werd ik ervoor betaald,' zei Augustijn. 'Ieder diertje zijn pleziertje,' Madame grijnsde. Italië was mooi, de keuken niet te versmaden en de schoenen zeer elegant. Toen ze terugkwam, had ze een contract afgesloten met een firma voor keuken- en badkamertegels. Keramiek, handbeschilderd, geglazuurd of geëmailleerd. 'Nu we erbovenop zijn, kunnen we ons weer op kwaliteit toeleggen.' Augustijn mocht zich bekommeren om de verkoop en de plaatsing van de tegels. Het was een cadeautje. Voor mij had ze een grote zijden sjaal meegebracht, ik bedankte haar ervoor, al wist ik niet goed wat ik met die uitbundig bedrukte doek moest beginnen. Ik schikte hem ten slotte op het tafeltje in mijn kamer en zette er een kruik op.

Madame kwam nooit op mijn kamer, of, als ze toch wat had, klopte ze aan. Maar na die reis liep ze door het hele huis alsof ze grote inspectie hield. Ik volgde haar op de voet. Wat zou ze niet in orde vinden? 'Loop toch niet altijd achter mijn gat,' gromde ze. Toen ze de trappen beklom, ging ik haar toch weer achterna. Ze gooide mijn kamerdeur open, bleef op de drempel staan en snoof de lucht op: 'Naar wat ruikt het hier eigenlijk?' 'Naar zweet!' zei ik bits. Haar oog viel op de sjaal en de kruik: 'Van wie heb je dat geleerd?' Van Angelique? Dat had ze al gedacht.

Op de zondag erna werd, zoals gebruikelijk, de thuiskomst van Madame gevierd met een diner. Ze was lastig, kwam voortdurend vragen of we voldoende visfilets hadden, of het gebraad tijdig klaar zou zijn, en niet te rood of te doorbakken – rosé alsjeblieft. Toen ze, helemaal opgedoft en geurend naar Arpège, een laatste kijkje in de keuken kwam nemen, werd ze onwel. Ze liet zich neer op een stoel en veegde wezenloos het zweet van haar gezicht. Ik zette het raam open, de geur van de parfum en die van het gebraad verdroegen elkaar niet. Madame hijgde en probeerde krachteloos haar bloes open te maken. Ik hielp haar en verfriste haar gezicht met water. Plotseling doopte ze haar handen in de teil die voor haar op tafel stond. Haar kanten manchetten werden nat, maar ze leek het niet op te merken en schepte het water met beide handen, die ze, terwijl het water wegvloeide, ophield als een bekken. Ze herhaalde dat een paar keer. Ik keek met een lichte paniek naar de soep, de vis, het gebraad, de groenten, enfin, naar mijn hele koninklijke maaltijd en vroeg of ik het diner moest afbestellen. 'We gaan toch geen eten weggooien.' Ze veegde haar handen droog aan haar rok en duwde zich af van de tafel. De deurbel rinkelde, een keer, twee keer. Madame hield haar hoofd schuin: 'Laat ze maar even wachten.' Ze was nog bezig de trappen op te klimmen toen ik – om een einde te maken aan het belgerinkel – de deur openmaakte. De jonge garde stormde naar binnen, maar ik versperde de trap. 'Naar de salon, Madame moet haar toilet nog maken.'

Het zondagdiner was altijd een bezoeking, bij elke gang deed ik een schietgebedje. Als de hoofdschotel zonder al te veel stekelige opmerkingen was gepasseerd, was er nog het dessert, en als we dat haalden zonder dat er openlijk ruzie uitbrak, moesten we nog door de koffie met likeur en de pralines heen. Dat was het moment dat de politiek ter sprake kwam, een dispuut dat meestal eindigde met slaande deuren. Het was dan ook niet voor niets dat Madame bij de soep aankondigde dat ze de reissouvenirs na het eten zou uitreiken. Je kon niet tegelijk doen alsof je blij was met een presentje en elkaar figuurlijk op het gezicht slaan. De kleinkinderen kregen gewijde gouden medailles, en toen Madame ze sip zag kijken, merkte ze fijntjes op dat de medailles niet alleen een geestelijke waarde hadden. Toen kregen Marius en Bertje het toch nog aan de stok, waarop Angelique zei dat het haar te druk werd en de aftocht blies. 'Dit is de laatste keer,' zwoer Madame, maar dat had ze al eerder gezegd. Ook Augustijn had er alles voor over om de familie – schijnbaar eensgezind – om de tafel te krijgen. Geen van twee zou een kind, Reinout uitgezonderd, of een kleinkind, of de aanhang van de een of de ander, buiten de deur hebben gehouden.

Mijn mening werd niet gevraagd, en ik sakkerde wat af, maar als het erop aankwam, kon ik evenmin nee zeggen. Als het erop aankwam had ik zelfs Reinout met open armen ontvangen – Madame mocht alle gelijk van de wereld hebben, maar hij hoorde ook bij ons. We waren niet verantwoordelijk voor wat hij uitvoerde, en eenmaal de oorlog voorbij en de straf uitgezeten, had ze over haar hart moeten strijken. Misschien was hij dan bijgedraaid of niet zo gruwelijk aan zijn einde gekomen. Dat heb ik haar vanzelfsprekend nooit gezegd, ik durf het nu pas voor mezelf hardop te denken, maar het was ook een reden om zijn dood te verzwijgen. Ik, en allicht ook Augustijn, wilde het haar besparen dat zij zich schuldig zou voelen. Of nog meer schuldig zou voelen, want dat ze het aan zichzelf weet dat hij in zijn ongeluk liep, is zeker. Ze had hem niet voldoende ingetoomd omdat ze hem al te zeer liefhad. Eens te meer werd ze in haar moederliefde bedrogen.

■■■

'Het lijkt hier wel de zoete inval,' mopperde Bertje. En Dora: 'Alsof we nog niet voldoende aan ons hoofd hebben.' Madame antwoordde spottend, maar beheerst: 'Pas maar op dat je je niet overwerkt.' Dora was niet uit bed te krijgen, en hoe meer ze erin lag, des te nukkiger ze werd. Mogelijke verwijten voorkwam ze door meteen ruzie te maken. De vlagen van bedrijvigheid werden zeldzaam, een knoop aannaaien was al te veel gevraagd. 'Dat kun je ook in een potje krijgen,' zei ze, toen ze me mayonaise zag maken. Het was maar goed dat ik Benjamin voedde, anders was hij verhongerd.

Dora was een lastpost, maar ik had ook met haar te doen. Bertje hield haar dom en liet haar vervolgens voelen dat ze dom was. 'Dat was er weer mooi naast!' Hij hield haar ook aan de lijn, voor elke cent moest ze bedelen. 'Gedaan met potverteren!' Als ze wat mispeuterde, strafte hij haar: ze moest binnenblijven of ze werd naar haar moeder gebracht. 'Dat zal je leren!' Hij hield haar eronder, maar het resultaat was dat Dora helemaal onhandelbaar werd en het hem bij gelegenheid betaald zette. 'Verslik je maar niet!' smaalde ze als ze hem kwaad had gekregen. Ze vervulde geen enkele plicht, was ongesteld wanneer het haar schikte. Kwam het toch tot een bijslaap, dan haalde ze haar gram door luid en klaar te laten horen dat ze niet voldaan was. 'Het was weer van: één, twee, drie: boem!' Wat zou ze de hemden van Bertje strijken of zijn schoenen poetsen? Wat zou ze zich gedragen als er bezoek was? '*Mon ku!*' zei ze. En wij ons maar afvragen waar ze dat vandaan had.

Dora zette een grote mond op, maar ze was onzeker, en hoe angstiger ze was, des te harder ze riep. Waarop ze prompt werd afgevoerd. 'Ze doet het zichzelf aan,' zei Augustijn. Maar ik herinner me nog goed hoe we met ons allen naar het vuurwerk voor de tiende verjaardag van de bevrijding gingen kijken. Er was een massa volk op de been, Dora klampte zich vast aan Bertje, bang dat ze verloren raakte. Toen het begon te knallen, kromp ze in elkaar, en terwijl de hemel werd verlicht door vuurpijlen en uit elkaar spattende ruikers die als een regen van gensters neerdaalden, begon zij te gillen. Dat viel eerst niet op, omdat de toeschouwers bij elke ontploffing 'Oh!' en 'Ah!' riepen, maar toen Dora verwilderd dekking zocht, hield Bertje haar hardhandig tegen: 'Boem!' Dora gilde alsof ze werd vermoord.

'Zie je niet dat ze bang is?' vroeg Madame. Bertje lachte, hield Dora in een houdgreep en riep bij elke knal: 'Boem!' Augustijn vond het te gortig worden. 'Breng haar naar huis.' En toen Bertje maar bleef lachen en spotten: 'Celestien, waar wacht je op?' Ik moest Dora door de straten slepen, in elke portiek wilde ze schuilen. Toen ik haar eindelijk thuis had, huilde ze als een kind. Al die gekte voor wat vuurwerk, we hadden in de oorlog wel wat anders meegemaakt. Ik probeerde Dora gerust te stellen, maar ze drukte haar handen tegen haar oren.

De volgende dag bleef ze in bed, ze was weer eens ongesteld. En toen ze na drie dagen, met een gezwollen gezicht, tevoorschijn kwam, was ze nog altijd niet te spreken. Toen ik haar aanzette om zich te kleden – ze bleef maar in haar kamerjas lummelen –, voer ze uit. Wat had ik haar te commanderen? Het was niet omdat ik voor de Van Puynbroeckxen kroop dat zij naar hun pijpen zou dansen. Dan ging ze nog liever in haar blote niks de straat op. Ze trok haar kamerjas uit, en de nachtjapon was zeker gevolgd, als Madame haar niet had bevolen op te houden met dat spektakel. Dora trok de kamerjas over haar schouders en kroop mokkend weer in bed.

In het nietsdoen was ze volhardend, het was alsof ze in staking ging. Alleen voor haar zoon getroostte ze zich moeite. Het mocht Benjamin aan niets ontbreken. Maar de jongen keek al vlug op haar neer. Buitenshuis wilde hij haar niet kennen. En van haar zoon slikte Dora alles. Zijn misprijzen leek haar een teken van zijn superioriteit. Hij was zo knap, zo slim, hij zou het nog ver brengen. 'Als we niet oppassen gaat de snotneus het zelf geloven,' mopperde Madame. Toen Dora, per abuis zo leek het, nog een dochter kreeg, was Madame opgelucht. Maar Dora stalde het kind bij haar moeder: haar zoon was een opstap, maar met een dochter kon ze niets beginnen. Bertje was het voor één keer met haar eens. Zijn zoon was zijn naamdrager: hij zou de zaak – als hij die maar eenmaal in handen had – voortzetten. Onder geen beding zou hij aanvaarden dat een vrouw iets te zeggen kreeg; Madame volstond.

Het zat hem ook dwars dat Angelique de groothandel van haar schoonvader uitbreidde; naast koelkasten leverde ze allerhande huishoudelijke apparaten. En ze voegde haar naam toe aan de firmanaam. 'Dat is belachelijk!' zei Bertje. Het zou voor verwarring zorgen; zo dadelijk zou men nog denken dat hij, of wij, koelkasten en wasmachines verkochten! 'Het is toch geen schande,' zei Augustijn. Hij stuurde klanten naar Angelique, en ging haar – als Davy naar het ziekenhuis moest – ook persoonlijk helpen. Bertje zag die vertrouwelijkheid met lede ogen aan: wat voerde zijn zus in haar schild, en als zij niets heimelijks voorhad, dan zijn vader wel, of allebei. Bij zijn moeder moest hij niet met zijn zorgen aankomen. Die vroeg prompt of hij zich niet om zijn dochter moest bekommeren, of zijn zoon manieren leren, of zijn vrouw uit bed schoppen. Waarover zouden ze het het eerst hebben? Voor de zaak wist Bertje op voorhand wat haar antwoord zou zijn: hij moest zijn tijd afwachten. Maar hoe lang kon dat nog duren, en hoeveel kapers waren er op de kust? Bertje kende geen rust. Hij zat aan tafel de plezantste te spelen, maar hij hoefde het niet te proberen een hap van het aangebodene tot zich te nemen. Hij zou zich gegarandeerd verslikken en de rest van de dag gorgelend op de wc doorbrengen.

Eigenlijk kwam het goed uit dat Dora met haar kuren voor afleiding zorgde. Over haar kon iedereen het eens zijn. 'Ze is onmogelijk,' stelde Augustijn vast. Dat klonk op den duur zelfs een tikje geamuseerd. Maar verder viel er niet veel te lachen. Als Marius mee aanzat, vond hij altijd wel een reden om over de grote afwezige te beginnen. 'Het zijn altijd de verkeerden die met de poen gaan lopen.' Hij sprak over geld om het niet over talent te hoeven hebben. Indien Reinout op een zolderkamer was verkommerd, had Marius zich grootmoedig getoond, maar dat zijn broer naam maakte als meubelontwerper, dat pruimde hij niet. Een stoel was bedoeld om op te zitten, niet om naar te kijken. Hij had op een blauwe maandag architectuur gestudeerd, hij kon het weten. Maar het stak hem dat hij geen huizen had ontworpen, geen flatgebouwen had opgericht, geen teken van grandeur zou nalaten.

Hij besloot een boek te schrijven over de oorlog en legde stapels dossiers aan, maar het schrijven wilde niet opschieten. Zijn gezicht werd almaar langer. 'Wat heb je tekort?' vroeg Madame. Marius was opgeklommen in de hiërarchie van het ministerie, hij was echter niet zijn eigen baas. En de waardigheid van het ambt lag gevoelig. De sigarenhandel werd opgedoekt; dat was een zorg minder geweest als Eliane niet vreemd was gaan doen. Als ze ging winkelen wist ze niet meer wat ze nodig had en kocht dan om het even wat. Het kon net zo goed een teddybeer als een bontmantel zijn, en Marius moest vervolgens de spullen terugbrengen. Of ze betaalde een leverancier met een briefje van duizend in de veronderstelling dat het maar honderd was. Soms werd het te veel teruggeven, maar al te vaak werd er van haar verwarring geprofiteerd. Aanhankelijk als ze was, meende ze op straat een oude klant te herkennen en nam een wildvreemde mee naar huis om hem een sigaar te geven of een borrel te serveren. Over wat zich in huis afspeelde, zweeg Marius, maar het was duidelijk dat hij het grootste deel van de huishouding op zich moest nemen.

Regina, Marius' dochter, kwam soms wekenlang bij ons logeren. Het was een aanminnig meisje; Augustijn noemde haar Reintje of Roodkapje, vanwege haar rode haren. Hij was altijd even gek met haar, en zij wist altijd waarmee ze hem een genoegen kon doen. 'Ze lijkt op mij,' monkelde Madame. Van haren allicht, maar niet van karakter, dacht ik. Zo gelijkmoedig als die kleindochter was Madame nooit geweest en zou ze nooit worden. Regina was ook de oogappel van haar vader; als ze bij ons logeerde liep hij haast alle dagen even aan. 'Dat is nog eens een vader,' Madame keek schuins naar Bertje. 'Hij heeft ook niets anders dan een dochter,' antwoordde Bertje. 'Je bent jammer genoeg niet de enige die niet naar zijn dochter omkijkt,' gromde Madame. Marius viel haar onmiddellijk bij: Bertje moest zich schamen. Hoe lang had hij zijn dochter niet gezien? En over Reinout zou hij maar beter zwijgen... Waarop Madame zich gekwetst afwendde. Zij mocht een toespeling maken op haar onverbeterlijke zoon, maar van een ander verdroeg ze het niet.

'Ik ken *main kind nicht mehr*,' zuchtte mevrouw Mayer bij een van haar zeldzame bezoeken. 'Wat heeft hij nu weer uitgehaald?' vroeg Madame verstrooid. Ze dacht waarschijnlijk aan haar eigen nest, junior was niet van het soort dat iets zou uithalen. 'Hij is weg,' mevrouw Mayer begon te huilen. 'Zomaar weg, naar Israël, met die vrouw van hem die geen kinderen krijgt.' 'Wat heeft hij daar te zoeken?' vroeg Madame. Mevrouw Mayer begon nog harder te snotteren. 'Jullie kunnen hem toch gaan bezoeken?' suste Madame. Nee, dat ging niet. 'Israël is een stoffig land,' besloot mevrouw Mayer. Dat amuseerde madame: 'Hoor je dat, Celestien?' Maar mevrouw Mayer hield vol, het was een stoffig land, junior kreeg vast weer last van zijn astma.

'Als hij maar niet van wat anders last krijgt,' zei Augustijn toen Madame hem gnuivend het gesprek met mevrouw Mayer vertelde. 'Junior is toch geen figuur om oorlog te voeren,' schuddebolde Bertje. 'Jij kunt het weten,' spotte Madame. 'Ik was daartoe gedwongen!' verdedigde Bertje zich. 'Warempel.' Madame begaf zich naar het kantoor. Als Bertje haar volgde, konden ze het werkschema voor de volgende week doornemen. Dan was dat ook geregeld. Maar hij moest zich vooral niet gedwongen voelen. Augustijn zette zuchtend de televisie aan.

Ik begrijp niet dat ik in die jaren niet ben weggelopen. Het was niet alleen omdat ik Madame niet in de steek kon laten of dat ik gehecht was aan Augustijn. Er was een zekere afstand tussen ons gekomen, hij werd meer bij de zaak betrokken, thuis hing er altijd wel een kind om hem heen. Het was alsof hij met zijn kleinkinderen pas goed vader was geworden. Ik zag met weemoed hoe hij zich met Micha over een boek boog, naar het gekwetter van Regina luisterde en Benjamin hielp met zijn schoolwerk. Wat zou ik hem die vaderliefde kwalijk hebben genomen, maar ik heb me later nooit meer zo oud gevoeld. Het leek alsof we maar wat aanmodderden, alsof de tegenstellingen niet meer te overbruggen waren en elk moment een fatale ruzie kon uitbreken. Het was een opluchting als de televisie aan kon, al ergerde ik me omdat de familie er als konijnen voor een lichtbak gefascineerd naar zat te kijken. 'Er gaat een wereld open,' zei Bertje pompeus. Wat mij betreft hadden ze hem om negen uur alweer dicht mogen doen. Moord en doodslag, ziektes en catastrofes, niets werd ons bespaard. Het leek wel een voorstelling van de tien plagen van Egypte.

Ik bleef misschien ook bij de Van Puynbroeckxen omdat ik geen groot verschil zag tussen wat er bij ons omging en wat er in de buitenwereld gebeurde.

■■■

Ik hoor stappen op de gang en schuifel haastig naar mijn stoel, de hulp mag niet weten dat ik alweer kan lopen. 'Goed nieuws, men gaat uw meubels brengen.' Ze moet de groeten doen van die aardige man aan de telefoon. Er had ook een mevrouw gebeld om te vragen of alles in orde was, en bij de directrice had nog iemand naar me geïnformeerd. De hulp vist een briefje uit haar zak, wacht even, ze heeft de namen opgeschreven. 'Men is u niet vergeten!'

Ik slaak een zucht. De sloebers, hebben ze toch een beetje in de piepzak gezeten. Wat mij betreft had die aardbeving best wat zwaarder mogen zijn. Bedolven onder de stenen van Welverdiend, het zou een mooi einde zijn geweest. Dat meen je niet, zegt mijn innerlijke stem, maar ik meen het wel. Ik bedoel dat het me niet meer kan schelen. Het is geen gelukkig moment als je tot het besef komt dat het je niet kan schelen of je leeft of niet, en je blijft nog een hele tijd doen alsof – het gaat, zeg je tot jezelf, tenslotte niet alleen om jou. Al vallen er veel af, er blijft er toch altijd één over voor wie je het doet. Tot blijkt dat die ene je ook niet nodig heeft. Dan moet je het wel onder ogen zien dat je komedie speelt. En dan is het *sauve qui peut*, redden wie zich redden kan.

Het is maar goed dat een mens bang is, angst houdt je in leven. De Van Puynbroeckxjes waren niet bangelijk aangelegd, je kon er zowat alles van verwachten. Als ze zich in een onmogelijke positie hadden gemanoeuvreerd, legden ze plechtig het laatste restje angst af. Daar stonden ze dan, ze konden niet anders. Dat noem ik niet moedig; moed is doorgaan als het afgelopen is. Verder leven met je ongeluk en er anderen niet de duivel mee aandoen. De Van Puynbroeckxjes meenden zich veel, zo niet alles, te kunnen veroorloven omdat ze zwaar door het lot, of door de geschiedenis, waren getroffen. Desnoods schoven ze de schuld op het bloed, alsof er een dodelijke cocktail door hun aderen vloeide. Maar als er al van schuld kan worden gesproken, dan was die door de engeltjes ruimschoots ingelost.

Ik ben zonder veel omhaal op aarde gezet, en ik kon nergens aanspraak op maken. Niemand was me iets verschuldigd. Naar gelang ik echter meer bij de Van Puynbroeckxen betrokken raakte, werd ik deelachtig aan hun geschiedenis. En als je bij een hond slaapt, betrap je zijn luizen; ik ging me ernaar gedragen. Ik was niet bang, nee, nee, ik was niet bang. Ik hield mijn hoofd recht, wat er ook gebeurde. Bij gelegenheid wist ik het ook beter. Maar ik liet me wel commanderen, dat was pijnlijk. Dus wendde ik voor dat de volgzaamheid schijn was, een beleefdheidsvorm of goedgunstigheid van mijn kant, stiekem deed ik mijn zin. Tot ik het niet meer hoefde te verheimelijken, omdat ik mijn terrein had veroverd.

Madame en Augustijn commandeerden uit ouder gewoonte, ze wisten dat het niet nodig was, en dat ik de opdracht in ieder geval op mijn manier zou uitvoeren. Wij hoefden het niet eens te zijn om tot een vergelijk te komen. Met de kinderen lag het moeilijker, Augustijn had gelijk dat je altijd meer last hebt van de tweede in bevel, maar ik meende hen voldoende te kennen om niet bang te zijn. Angelique vond het een nobele gedachte dat althans iemand van de clan in het oude huis terugkeerde. Op het moment dat ze me eruit werkten, hoorde ik er eindelijk bij! Maar wat ze ook verzint, ik werd hier niet gestald omdat de schatten me een lang leven toewensen.

De hulp blijft kleppen over de man aan de telefoon. Toen ze had gevraagd of ze mankracht moest organiseren om de meubels naar boven te dragen, had hij smakelijk gelachen. Daar zou hij wel voor zorgen, bovendien kon hij ook zijn mannetje staan. Of het mijn zoon is, vraagt de hulp. God beware me, Bertje, een zoon van me! Maar het roert me toch, en ik vraag haar of ze wat over mijn ontwrichte voet heeft gezegd. Dat heeft ze, en toen had hij gevraagd om welke voet het ging. De hulp kijkt me vragend aan, maar ik houd mijn mond. 'Ik zal u dan maar laten rusten,' zegt ze een tikje beledigd.

Wanneer ze de meubels zullen brengen? Van de week nog, maar wanneer precies kan – ze spiekt op haar briefje – Albert niet zeggen, hij zal telefoneren. Overigens, de andere bellers willen me ook komen bezoeken. Ik forceer een glimlach: 'Als het maar niet te druk wordt.' 'We zullen u moeten opknappen,' zegt de hulp. Ze drukt zich ongelukkig uit, maar ze meent het goed. Ik strijk mijn haar glad. 'Donderdag komt de kapper, een vriendelijke jongen, zal ik uw naam op de lijst zetten?' Ik knik. Wat voor dag is het eigenlijk? Ik ben op een vrijdag geboren, dat is het weinige dat ik ervan weet, maar het is – vis of geen vis – toch een bijzondere dag gebleven.

Ik sta de hulp toe me naar de wc te brengen. 'Dan bent u weer even gerust,' zegt ze. Hoeveel oudjes worden er in Welverdiend dagelijks op de wc gezet? Zodat iedereen weer even gerust is? Boven de witte tegels zie ik een overblijfsel van de fries die rondom de salon was aangebracht als een markering tussen de muren en het plafond. Zouden de kinderen nog weten hoe die fries eruit heeft gezien? Ik hoef maar een ding te zien, of wat er van overblijft, en herkennen en herinneren vallen samen.

Als een braaf wijfje laat ik me weer in de stoel zetten. Laat ze maar denken dat ik me in de toestand schik.

■■■

Madame accepteerde dat haar de dood werd aangezegd, maar de aftakeling verdroeg ze niet. Ze liet zich naar de toilettafel brengen en probeerde krampachtig met haar goede hand haar haren te kammen. Ze was meisjesachtig verlegen als Augustijn haar zag sukkelen met haar opschik. Hij leek het niet op te merken, en genoot van de vrouwelijke rituelen die niet voor de ogen van mannen zijn bestemd. 'Maak haar maar mooi, Celestieneke.' Zijn vrouw verloor haar schoonheid en haar kracht, maar hij bleef haar zien als het meisje met de rode haren dat in haar eentje op het bordes van Mon Repos danste. Op het laatst van haar leven leek alles vergeten wat er na dat moment was gekomen. Je zou voor minder jaloers worden, maar ik benijdde Madame niet langer.

Hoeveel keer heeft ze me niet gevraagd, gejaagd en stamelend, of ik ervoor zou zorgen dat ze er mooi bij zou liggen? De goede hand wees naar de toilettafel, een beetje rouge, een vleugje poeder, vergeet het parfum niet. Toen Angelique kwam helpen, zag ik paniek in de ogen van Madame, de hand plukte nerveus aan het laken. Ik vroeg Angelique of ze de kamer zou verlaten terwijl ik het toilet van haar moeder verzorgde. Toen ze zich er toch mee wilde bemoeien, heb ik haar kordaat de deur gewezen. Madame had recht op haar fatsoen, en Angelique hoefde zich niet sterker voor te doen dan ze was.

Ze ging van haar stokje toen Madame haar laatste adem uitblies, alsof de navelstreng toen pas werd doorgesneden en ze te laat ontdekte hoezeer ze met haar moeder verbonden was geweest.

Het verwonderde me dat Madame, toen ze hulpeloos werd, niet wenste dat de kinderen haar zouden bezoeken. Ze had de foto's – met uitzondering van het portret van Reinout – om zich heen verzameld en wees ze aan. Augustijn of ik noemde dan de geportretteerde bij naam, en Madame knikte of glimlachte, een enkele keer hief ze haar vinger alsof ze een standje wilde geven. Maar als de kinderen op visite kwamen, werd ze nerveus, ze trok de plaid hoog op en had meer moeite met spreken. 'Ja ja,' 'Bedankt,' 'Tot ziens,' was alles wat ze ten slotte nog uitbracht. Na het afscheid liepen de tranen steevast over haar wangen, ze veegde ze weg met het dwarse gebaar van een kind.

Als Bertje binnenwipte, schudde ze geïrriteerd haar hoofd; over de zaak wilde ze niets meer horen. Ze wees op haar borst, hoe was het met zijn slokdarm? Veel te mager was hij, haar ogen bedrogen haar niet. Waar was, help me, Celestien, waar was – ik toonde haar een foto van Dora – ja die, waar was ze? Bertje moest alweer weg, druk, altijd druk.

Marius was de enige bij wie Madame kalm bleef. Hij was karig met woorden maar pakte haar lamme hand, bewoog de vingers en knikte. Daar kwam heus weer leven in. Denk je? De vragende, hoopvolle blik van Madame. Marius wist het zeker. Maar dan bracht Madame haar goede hand naar het voorhoofd. Ik hoefde er niet tussen te komen, Marius wist wie ze bedoelde. 'Ze weet van de wereld niet meer.' Marius zei het zoals het was en Madame begreep dat. Ze keek naar de foto van Eliane en schudde mistroostig haar hoofd. Marius moest haar groeten overbrengen. Dat was geen teken dat Madame ook haar verstand dreigde te verliezen, ze was ervan overtuigd dat zij, indien ze er maar de kans toe kreeg, zou doordringen in de schemertoestand van Eliane, en wie weet, haar zou terughalen.

Ze had de kinderen niet kunnen behoeden voor hun dwaasheden, maar ze was er nog altijd van overtuigd dat zij wat krom was recht kon buigen. Ze was daar niet alleen van overtuigd, ze voelde zich ook verplicht. Ze leed onder haar falen, veel meer dan ze toonde, en nog het meeste naarmate ze het kind inniger liefhad.

Ik zal Marius altijd dankbaar zijn dat hij het voortaan vermeed met haar over Reinout te spreken. Hij, de tekortgedane, moet meer dan wie ook hebben geweten hoe Madame van Reinout hield en hoezeer ze hem betreurde. Jazeker, betreurde, ze had hem al jaren voor hij stierf verloren. Ze was er niet op uit zich nog een keer tot leven te laten kussen, maar ze rekende ook niet meer op hem.

Reinout had zich uit de openbaarheid teruggetrokken en leefde alleen in het bos. Om voorbij de omheining te geraken, moest je een uitnodiging krijgen, en daar was hij zuinig op. Het leek erop dat hij mensenschuw was geworden. Bertje ontmoette hem, een enkele keer, als hij in de stad moest zijn. En dan moest hij op eieren lopen, want Reinout verdroeg niet dat het gesprek te persoonlijk werd. Toen Bertje zich verplicht voelde over Frans te spreken – die had zijn tijd in het legioen uitgediend, maar wij wisten niet waar hij was of wat hij uitvoerde –, had Reinout koudweg gezegd: 'Ik ken geen Frans.' Over zijn dochter: 'Dat gaat.' Hij had een school in Zwitserland uitgezocht, en met haar verjaardag stuurde hij een passend geschenk. Voor zijn vrouw gold: 'Geen commentaar.' En bij de begrafenis van Mijnheertje Penning – we hoorden dat hij in zijn slaap was vertrokken – liet hij verstek gaan.

Reinout leek geen manieren meer te hebben. En van zijn befaamde charme was niet veel meer te merken. Hij schrikte zelfs zijn kleine broer af. Voor de heikneuters die op de magere gronden om het bos varkensfokkerijen hadden opgezet, was hij als een weerwolf. Maar Bertje wist ook te melden dat er een vrouw was, een zekere Edith, die zich in een rood sportautootje – een MG! – verplaatste. Bertje was er zeker van dat voor haar de poort van de omheining ook zonder uitnodiging openging. Reinout was dus toch geen echte kluizenaar geworden. Op zichzelf was dat goed nieuws, maar Augustijn vond het niet nodig Madame over die Edith te berichten. 'Wij zullen daar toch niets aan veranderen.' Het was beter de zaak te laten rusten.

Achteraf gezien – en ziet men ooit iets, tenzij achteraf – vind ik dat we Reinout te vlug hebben opgegeven en Madame te veel hebben ontzien. Als iemand Reinout uit zijn isolement had kunnen halen, was zij het. Het zou haar heel wat hebben gekost, maar sinds wanneer hangt er een prijskaartje aan moederliefde? We hadden Reinout in ieder geval niet alleen in dat treurige bos mogen laten zitten. Sparren, die waren aangeplant voor mijnhout, met een dikke laag verdroogde naalden eronder, die de bodem verstikten zodat er buiten varens en bramen niets kon gedijen – dat was voldoende om iemand neurastheniek te maken. De buren verklaarden dat er uit het huis van Reinout nachtenlang woeste muziek weerklonk, zo hard dat ze vreesden dat het dak eraf zou vliegen. Wat het op een nacht ook deed. Het rode sportautootje was die middag nog gesignaleerd, de dame aan het stuur, zonnebril en sjaal, onbekend. Ze had geclaxonneerd, eerst nog met vrolijke stoten, maar toen de poort gesloten bleef, langer; ten slotte had ze haar hand op de claxon gehouden, tot je oren ervan gingen tuiten. Het was duidelijk dat ze boos was, ze had het autootje zo wild gedraaid dat de afdruk van de wielen diep in de mulle grond waren gedrukt. Tegen de avond weerklonk uit het huis weer die woeste muziek: *tu-tum-tumtu-tum-tu-tum-ti…* aldoor harder, tot de konijnen het bos uit vluchtten. Een buurman had nog tegen zijn vrouw gezegd: 'Na tienen bel ik de politie, die kwibus mag de artiest uithangen, een werkende mens heeft recht op zijn rust.' Hij had het dan toch niet gedaan, vanwege het gedoe, en verdorie, hij kon zichzelf wel voor de kop slaan, had hij het maar gedaan! Even voor twaalf knalde het, zo hard alsof het munitiedepot de lucht in ging, en toen de rook optrok was de omheining geslecht en het huis een rokende ruïne. Niet te geloven dat daar nog iemand levend was uitgehaald, maar de *pompiers* vonden Reinout, geblakerd, edoch, levend.

Bertje wist al van de ontploffing voor Augustijn de krant opsloeg, hij was meteen naar het ziekenhuis geijld. Augustijn werd zo wit als een lijk toen hij in de krant onder Reinouts naam een foto ontdekte van de puinhoop. Schoonheidsfoutje van Bertje om zijn vader niet in te lichten, Augustijn verfrommelde de krant en zakte in elkaar. Hij sloeg niet om, viel niet achterover, maar verschrompelde voor mijn ogen. 'Papa,' kreet Angelique. Ik vreesde dat Augustijn nog voor Madame de geest had gegeven.

Angelique schoof een kussen onder het hoofd van haar vader en gaf hem klapjes op zijn wangen. 'Papa!' Ze had de stem van een klein meisje. Toen Augustijn kreunde, struikelde ik naar de telefoon om de dokter te bellen. Onderwijl had Angelique de krant vast, en zonder haar blik af te wenden van wat zij zag, stapte ze langzaam achteruit tot ze op de divan neerzeeg. 'Wie heeft hij daarmee willen straffen?' vroeg ze toonloos.

Toen Bertje thuiskwam van het ziekenhuis trok hij driftig de knoop van zijn das los. Hij greep Dora bij haar pols en plantte haar in een stoel: 'Hier blijven, jij.' Zijn gezicht was zo scherp als een mes. De dokter, die inmiddels was gearriveerd, dacht dat Madame in uiterste nood verkeerde, maar toen hij Augustijn zag, begon hij gealarmeerd zijn borstkas te beluisteren. Augustijn duwde hem van zich af en richtte zich tot Bertje: 'Spreek op!' 'Hij leeft nog, maar…' De stem van Bertje stierf weg. 'Celestien, mijn hoed.' Augustijn probeerde op te staan. 'Doe dat niet!' Bertje hield zijn vader tegen. 'Het is mijn zoon!' Augustijn smeekte. 'Hij is buiten bewustzijn, het heeft geen zin.' Angelique viel hem bij: 'We moeten aan moeder denken.' Op het gezicht van Augustijn verscheen een grimas van smartelijke twijfel. De dokter gaf hem een injectie. 'Is er nog wat aan te doen?' fluisterde Angelique. Bertje schudde zijn hoofd. Angelique wendde zich tot de dokter: 'Kunt u mijn moeder even bezoeken? Celestien zal u begeleiden.' Ik hield de kamerdeur open, mompelde: 'U kent de weg,' en sloot de deur. Ik was van de kaart, maar zo makkelijk liet ik me niet wegsturen. 'We moeten ons verstand gebruiken,' zei Angelique. Ze stelde voor dat zij met Bertje in het kantoor de 'details' zou bespreken, maar Augustijn ging rechtop zitten: 'Voor de dag ermee.'

De explosie was veroorzaakt door butaanflessen die door rubberslangen met elkaar waren verbonden. Reinout was overdekt met brandwonden, tweedegraads, derdegraads, hij had geen oogleden meer, geen lippen, van zijn neus was een stomp overgebleven, van de handen waren vingers afgerukt en zijn voeten… Bertje vloekte. Ik schonk een glas water uit de karaf en morste de helft. Dora piepte dat ze naar de wc moest. Het was van de zenuwen. 'Denk erom dat je niets aan mijn moeder zegt' – de dreigende toon van Bertje was geen bluf.

De dokter bevestigde even later dat we Madame het slechte nieuws beter konden besparen. 'Daar is niemand mee geholpen.' Ik kneep in mijn wangen voor ik de slaapkamer betrad, Madame lag in een doezel, ik aarzelde om haar wakker te maken en ging naast het bed zitten. Alsof ze mijn aanwezigheid bespeurde, sloeg ze haar ogen op, haar lippen bewogen. 'De hond was weggelopen,' zei ik om de heisa te verklaren. 'Bertje heeft hem teruggebracht.' Ze keek me niet begrijpend aan. Welke hond? Ik had nooit tegen haar gelogen, een leugentje om bestwil uitgezonderd, en ook dat had ik vlug opgegeven. Het had geen zin, ze keek dwars door me heen. Maar nu moest het. Reinout had niet het recht haar dood te verstoren.

Ik sloeg het dek op en begon het verband van haar voeten te halen, zo voorzichtig mogelijk, maar het deed toch pijn, ze kreunde. 'Pardon,' fluisterde ik.

's Avonds verscheen Marius als een wrekende engel. Hij gooide de krant op tafel: 'Wat is dit voor een theater?' De tremor in de hand van Augustijn was zo erg dat zijn kopje tegen het schoteltje tikte. 'Men krijgt de dood die men verdient,' zei Angelique preuts. 'Geldt dat ook voor je moeder?' Ik kon me niet langer inhouden. En voor ze kon repliceren of iemand me wat had gevraagd: 'Zo spreekt men niet over een mens die nog boven de aarde ligt.' Ik wist niet wie me die woorden in de mond legde, Rosa, of mijn bloedeigen moeder, maar ze klonken antiek.

'Dood? Voorzover ik het hier kan lezen, is hij zelfs daar niet in geslaagd.' Marius sloeg op de krant. Ik nam het kopje van Augustijn aan, toen Bertje opsprong en uitriep dat Reinout een aansteller was. Hij had hem bedrogen en in de steek gelaten. Zijn leven was verwoest. Hij sloeg zijn handen voor zijn gezicht en begon hartstochtelijk te snikken. Ik voelde me misselijk worden: wiens leven was er daadwerkelijk verwoest? Maar Bertje zwoer dat het was afgelopen, hij wilde Reinout niet meer zien. Marius draaide zich om en vroeg misprijzend: 'Hoe oud ben jij eigenlijk?' 'Laat hem,' zei Angelique. Marius begon uit te leggen dat Reinout onder de strafwet viel, vernieling en poging tot doodslag, we mochten dankbaar zijn dat er niemand anders in het huis was. 'Had hij geen hond?' vroeg Augustijn onzeker. De enige die daarop kon antwoorden, was Bertje, maar die zat te rillen alsof hij koorts had. 'Heb toch niet zoveel compassie met jezelf,' gromde ik. 'Gij moet zwijgen.' Bertje sloeg op tafel. Ik hapte naar adem. 'Celestien moet juist niets.' Augustijn kwam moeizaam overeind, maar toen hij stond, rechtte hij zijn schouders. 'Respect alsjeblieft.'

Beteuterde gezichten, ook Angelique.

De volgende dagen zijn als een grijze plaat in mijn hoofd. We aten en we sliepen zelfs, maar alsof het buiten ons om ging. Al onze inspanningen waren erop gericht Madame kalm te houden. Augustijn las haar voor – het was niet zeker of ze er iets van meekreeg, maar ze werd rustig van zijn stem. Ik verzorgde haar en haar lichaam leek mijn handen te vertrouwen. Ze was altijd bevreesd geweest in vreemde handen te vallen. Toen ze aan de sukkel geraakte, vroeg ze me onverwacht of ik me haar stiefmoeder herinnerde. Ik was op mijn hoede. Knikte alleen maar. Madame keek naar me alsof ze me taxeerde. Gesteld dat zij op een dag niet meer, niet meer… zou ik dan zorgen dat het waardig geschiedde? Het liep me koud over de rug. 'Dat zou mijnheer nooit goedvinden,' stamelde ik ten slotte. Ze glimlachte: 'Je houdt van hem, nietwaar?' Ik aarzelde, knikte. 'Hij heeft sjans,' zei Madame met een zekere trots. En toen: 'Hou je ook van mij, Celestien?' 'Jawel.' Ze lachte kakelend. 'Dat kwam er vlot uit!' Ze liet het netelige onderwerp rusten, maar drong er nog eens op aan dat ik haar niet aan onbekenden zou uitleveren. En dat Augustijn haar niet zou zien voor ik haar mooi had gemaakt. Ik beloofde het, en zij wees me in de la de cassette met de gouden napoleons. 'Die hebben we nog lang niet nodig,' mompelde ik. 'Doe niet onnozel,' zei Madame.

De dokter zei dat het van haar hart afhing hoe lang het nog zou duren. En terwijl ik bij haar waakte, hoopte ik dat Reinout het niet al te lang zou volhouden. Ik had het onredelijke gevoel dat Madame niet vóór hem kon sterven. En haar lijden had al te lang geduurd. Ik keek naar haar ingevallen gezicht, dat streng stond, en vroeg me af wat Reinout tot het uiterste had gedreven. En ik moest me beheersen om niet te kreunen als ik me voorstelde hoe hij de butaanflessen met elkaar had verbonden terwijl de muziek almaar luider klonk. Bertje had me verboden hem te bezoeken, en ik greep dat aan om niet naar het ziekenhuis te gaan. Ik durfde niet. Liet de beker aan me voorbijgaan. Liet hem sterven zonder bijstand. Het was niet goed te maken en het doet nu nog meer pijn dan toen. Maar we hadden allemaal een klap op ons hoofd gekregen. Angelique beheerde het huishouden, maar vermeed het me aan te spreken. Ik vroeg haar ook niets. Wapenstilstand.

Het was de politie die kwam melden dat Reinout bij het ochtendgloren was gestorven. Ze hadden hem niet meer kunnen ondervragen. Bertje maakte zich op om naar het ziekenhuis te gaan en zijn broer officieel te identificeren. Maar Augustijn zei kort: 'Dat doe ik.' Ik hielp hem met zijn jas, gaf hem een schone zakdoek en reikte zijn hoed aan. Angelique stond al te wachten, maar Augustijn schudde zijn hoofd: 'Jij ook niet.' Hij stapte rechtop naar de taxi, maar toen ik hem even zag wankelen, trok ik mijn jas aan: 'Een ogenblikje.' De taxichauffeur hield uitnodigend de deur van de taxi open, Augustijn draaide zich half om. 'Zal het gaan, Celestieneke?' Ik knikte, en hij hielp me instappen. Toen de taxi wegreed, stonden Angelique en Bertje met verbeten gezichten op de stoep. Alweer iets wat ze niet konden vergeven. Waarover ze de grieventrommel zouden roeren. Dat ze me betaald zouden zetten. Het kon me geen donder schelen. Ze deden maar. Ik voelde me buiten hun bereik.

In het ziekenhuis moesten we afdalen naar de kelderverdieping, ze hadden hem goed weggestopt. In de gangen weergalmden onze voetstappen als in een tunnel. Voor de deur van het lijkenhuis stond een rechercheur, alsof ze vreesden dat de geest van Reinout de benen zou nemen.

Toen Augustijn naar binnen stapte, nam hij zijn hoed af. Ik zat op een bankje dat zo hard was dat ik het door mijn billen voelde. Boven de deur hing een grote ronde klok waarvan de secondewijzer met een sprongetje verder wipte. Ik trok mijn handschoenen uit, vinger per vinger. Ik deed er alles voor om niet naar die klok te kijken. Eeuwig altijd, altijd eeuwig, deed mijn hart. Ik luisterde zo ingespannen dat mijn oren ervan begonnen te suizelen.

Toen Augustijn even later naar buiten kwam, hield hij de zakdoek – een grote hagelwitte – voor zijn mond. Alsof hij een vuistslag in zijn gezicht had gekregen. De rechercheur volgde hem met zijn hoed. Ik nam hem aan, haalde er de deuk uit en duwde hem weer in model. Augustijn greep mijn arm alsof hij mij wilde begeleiden, maar hij kneep zo hard en leunde zo zwaar, dat ik het bijna begaf. Maar ik beet op mijn tanden en we stapten afgemeten de lange gang door.

Reinout haalde nog een keer de krant, maar nu ging het over wat hij als ontwerper had gepresteerd. Zijn oorlogsverleden werd als een jeugdzonde afgedaan. Terwijl ik het las, had ik het gevoel dat het over iemand anders ging. Of dat Reinout iemand anders was geworden. Hij kreeg geen graf, hij werd verast, dat had hij zo gewild, en geen van ons die hem nog zou tegenspreken. Zijn vrouw en Frans kwamen niet opdagen, Marius zag 'er het nut niet van in', en Angelique vond het niet opportuun bij de verstrooiing van de as aanwezig te zijn. Uiteindelijk waren alleen Augustijn en Bertje – de laatste nog altijd wrokkend – present. Ik bleef bij Madame. En ik voelde me niet op mijn gemak. Ik vreesde dat ze bij zinnen zou komen en me ter verantwoording roepen. 'Het is voor uw eigen bestwil.' Ik herhaalde in gedachten wat zij mij talloze keren had toegevoegd. En ik loog er nog achteraan dat Reinout niet had geleden, dat het een ongeluk was, en dat hij haar nog had laten groeten. Alsof zij met een been in het graf nog mijn gedachten kon lezen. Ondertussen werd hij verstrooid op de wind, weggeblazen, om in kleine deeltjes ver van ons neer te dalen.

Augustijn en Bertje brachten een knappe jongedame mee naar huis: Marguerite; die zich Margriet liet noemen, dat was meer bij de tijd. Goudblond, een open gezicht, bruine karbonkelogen. Ik kreeg het te kwaad en Angelique staarde haar aan alsof ze een verschijning was. Augustijn wilde Margriet, die hij overigens Marguerite bleef noemen, naar het ziekbed van Madame voeren. 'Is dat verstandig?' vroeg Angelique. 'Het zal haar een wereld van goed doen.' Augustijn aarzelde niet.

'Ik ben het, Marguerite,' zei het meisje om Madame een genoegen te doen. Madame verroerde zich niet, maar toen Margriet zich over haar heen boog en het nog een keer herhaalde, gingen haar ogen half open. De goede hand schoof zoekend over het laken, het meisje pakte de vingers vast en bracht die naar haar lippen. 'Marguerite,' als een zucht vlood de naam uit de mond van Madame.

■■■

Daar te liggen en nergens meer heen te kunnen. En langzaam onder onze ogen weg te kwijnen. Dat moet Madame zwaar zijn gevallen. Ik vermoed dat ze er de voorkeur aan had gegeven ver van ons, op reis, onverhoeds te bezwijken. Als Augustijn haar vroeg om voorzichtig te zijn, zo alleen in den vreemde, lachte ze. En als hij aandrong: wat zou er gebeuren als haar wat overkwam? 'Dan krijg je me thuisbezorgd in een mooie kist!' Het was om te plagen, maar het was haar goed uitgekomen. En ik hier dan, terug naar af, alles herkennend en toch niet thuis.

Als ik stappen op de gang hoor, verstijf ik. Afgemeten, korte klop op de deur, dat is Marius, kittig getik van hoge hakken, dat is Angelique, zij klopt drie keer aan de deur en wacht dan nog even, de vlugge hinkepink is Bertje; die staat al in de kamer voor je ja of nee kunt zeggen. Daar kreeg ik het altijd al van op de zenuwen.

Reinout zou ik niet horen aankomen, zoals hij liep, soepel als een indiaan. Wat heeft hem door het hoofd gespeeld, die avond, en de dagen daarvoor? Of was hij er eindelijk in geslaagd niet meer te denken?

Bertje kwam met de mededeling dat Reinout nog 'Edith' had gefluisterd. Augustijn werd boos: 'Vertel geen fabeltjes.' Maar Bertje zwoer dat hij de waarheid sprak. 'Waarom heb je die vrouw niet opgezocht?' vroeg Angelique. 'Ik veronderstel dat ze de krant kan lezen,' antwoordde Bertje hooghartig. 'Niettemin,' Augustijn veegde zijn lekkende oog af. 'We zijn haar niets verschuldigd.' Bertje was nooit iemand iets verschuldigd. 'Edith hoe?' vroeg Angelique terwijl ze het telefoonboek vastgreep. 'Daar ga je toch niet aan beginnen!' schrok Bertje. 'En waarom niet?' vroeg ik scherp. Ik had hem in de gaten gehouden, hij wist meer, wilde het niet loslaten, maar moest erover opscheppen. Het beviel hem niet dat Reinout, toen hij zichzelf uit de weg had geruimd, niet meer alleen van hem, maar weer van ons allemaal was. De dood had de familiebanden hersteld. Dat doorkruiste het verhaal dat hij in zijn hoofd had en waarin hij de hoofdrol speelde. 'Als je die vrouw gaat opzoeken, doe ik Benjamin wat aan!' riep Dora. 'Niet zo hard!' Angelique deed de kamerdeur dicht. Benjamin lachte, hij was allang niet meer onder de indruk van de dreigementen van zijn moeder. Als ze al iemand wat aandeed, was het zichzelf. En als ze aan iemand een hekel had, dan niet aan hem, maar aan zijn zus, de dochter die er te veel aan was. Dora was langzamerhand goed gek, maar dom was ze niet, ze had Bertje door. Edith was een uitdaging, zijn kans om zich de meerdere van Reinout te tonen, of zich – ietwat laattijdig – tegenover hem te bewijzen. Ik vroeg me af wat Bertje met zijn vrouw zou beginnen als hij haar niet meer bij haar moeder kon stallen. 'Als iemand met die dame gaat praten, dan ben ik het,' morde Augustijn.

Margriet kwam de kamer in, er ging een stille kracht van haar uit, een gelijkmoedigheid die rustig maakte. 'Waarover hebben jullie het?' 'Wij spraken zomaar wat,' zei Augustijn. Dora kon zich niet bedwingen en riep: 'Ze hadden het over het lief van je vader.' 'Edith?' vroeg Margriet. Ze glimlachte, mijn god, dat gezicht, die lach; Reinout, zestig jaar terug in de tijd, ik was niet de enige die het zag. Ten slotte vroeg Angelique: 'Ken je haar?' Met het naturel van de jongere vertelde Margriet dat Edith niet de eerste de beste was, maar een bekende modeontwerpster, en dat zij – toen Reinout het afhield – contact met haar had opgenomen. Edith had haar zelfs een baan aangeboden, maar Margriet had andere plannen.

Wij zaten als kinderen te luisteren. Edith, dat was liefde geweest, het late geluk van Reinouts leven. Zij had hem bewonderd. Bewonderd? Ja, vanwege zijn creaties. En omdat hij nog een echte man was. Ze had moeite voor hem moeten doen. En toen had hij het verknoeid. Margriet schudde het hoofd, treurig. Hoezo, verknoeid? Reinout had Edith helemaal voor zich willen hebben, exclusief, in dat huis in het bos. Hij wilde met haar trouwen. Dat kon natuurlijk niet. Zei Margriet. Augustijn vroeg verstoord, op een toon van gaan ze weer beginnen: 'En waarom niet, als ik vragen mag?' Het was niet vanwege het leeftijdsverschil, of omdat de moeder van Edith joods was, daar ging het niet om, het was dat zijzelf ook iemand was, en niet zonder haar werk – haar kunst, zei Margriet – kon. Of het om het ontwerpen van stoelen en tafels ging, of om jurken en jassen, dat maakte geen verschil.

Reinout had aangeboden in het bos ook een atelier voor Edith te bouwen, zodat ze bij hem kon intrekken. Ze mocht naar hartelust tekenen en stoffen uitzoeken. Maar Edith had haar eigen woning en een *salon de couture.* Dat was haar leven. Reinout kon het niet aanvaarden, en Edith kon het niet opgeven. 'De stommeling.' Angelique fronste haar wenkbrauwen: 'Heeft hij het daarom gedaan?' Nee, dat geloofde Margriet niet. Ofschoon Reinout Edith die dag had opgebeld om hun afspraak af te zeggen. Als reden had hij opgegeven dat hij zich op een opdracht moest concentreren. Dat was kinderachtig, en zij was toch gegaan, maar Reinout had haar niet binnengelaten. 'Dat meen je niet,' zei Angelique, maar ze had evengoed kunnen zeggen dat het regende. 'Die arme vrouw,' zuchtte Augustijn. Ik hield van hem, zoals hij, als het erop aankwam, zijn eigen kommer opzij kon zetten. Uit een ooghoek zag ik dat Bertje er verslagen bij zat.

'Weet ze het?' vroeg Angelique aarzelend. Ja, vanzelf dat Edith het wist, ze was zelfs naar het huis, of wat ervan overbleef, gaan kijken. Nee, Reinout had ze niet meer gezien, ze hadden niemand van buiten de familie bij hem toegelaten. 'En mijn vader had het niet gewild,' zei Margriet. Ze had hem zelf ook niet meer gezien, toen ze in het ziekenhuis aankwam was Reinout al overleden en de dokter raadde het af. Ze wist niet of ze er goed aan had gedaan zijn raad op te volgen. 'Het is beter hem te herinneren zoals hij was,' zei Augustijn. Margriet glimlachte aarzelend. Wist ze wel hoe haar vader voorheen was?

■■■

'Begrijpt hij wat hij heeft uitgehaald?' Angelique zat zich op te winden. 'Dat heeft hij nooit gedaan,' zei ik, en ik dacht aan Madame. Bitter, bitter als gal in mijn mond. 'Hij was ongelukkig,' mompelde Margriet. 'Alsof dat een reden is.' Angelique nam me de woorden uit de mond. 'We zullen ermee moeten leven,' Bertje sprak als een die de last op zich neemt.

Margriet vermoedde dat Edith er niet op was gebrand de familie nader te leren kennen. Wat had het ook voor zin? Ik verwachtte dat Angelique zou protesteren, maar ze zweeg. Ik, voor mij, had die vrouw graag een keer gezien, ze was Reinout toch na geweest. Ze had hem gekend zoals wij hem niet kenden.

'Wat zijn jouw plannen?' vroeg Augustijn aan Margriet, en voor ze kon antwoorden: 'Blijf je een tijdje bij ons?' Margriet glimlachte verontschuldigend, ze ging eerst maar eens wat reizen, haar vader had haar een mooi bedrag nagelaten. Bertje vroeg wanneer Margriet haar vader had ontmoet, hij wist daar niets van af. 'We hielden contact.' Zo open Margriet over Edith had verteld, zo diskreet bleef ze over haar eigen relatie met haar vader. Ik keek naar het meisje, eigenlijk al een vrouw, en ik zei dat reizen het beste was wat ze kon doen. De wereld zien, mensen leren kennen. Dat had Madame ook altijd gedaan.

'Ja ja,' Bertje kapte het af. Waar bemoeide ik me mee. Eens te meer was ik over een onzichtbare grens gestapt. Hij kwam met de mededeling dat hij zelf op reis ging: naar Lourdes, om een belofte van zijn moeder na te komen. 'Wat moet dat?' vroeg Augustijn. En Angelique: 'Dat kun je niet menen.' Dora was er als de kippen bij: 'Ik ga mee op reis.' 'Jij gaat zolang naar je moeder,' gromde Bertje. En hij besloot: 'Benjamin gaat mee naar Lourdes.' Mannen onder elkaar, met de auto, één dag, hoogstens anderhalve dag, en hij stond voor de grot. Zeker met de Standard, de Engelse sportwagen, het laatste speeltje dat hij zich had aangeschaft. Het stuur zat links, aan de verkeerde kant, maar dat mocht de pret niet drukken.

Angelique viel uit; op reis gaan, met de drukte in de zaak, en Madame die op haar uiterste lag, was hij gek geworden? Bertje hield vol dat zijn moeder had beloofd naar Lourdes te reizen, en nu ze haar belofte niet kon nakomen, ging hij in haar plaats. 'Sinds wanneer ben jij een pijpenkop?' vroeg Angelique. Ik hield mijn mond, maar ik had het zien aankomen.

Elke zomer vertrok Bertje op reis, hij reed kriskras door Europa: twee, drie uur na elkaar, dan plassen, drinken – eten sloeg hij over als het even kon – en hij jakkerde weer verder. Zo ging het van 's ochtends zes tot acht uur 's avonds. Alsof hij altijd ergens als eerste moest aankomen of door de duivel achterna werd gezeten. Ik begreep niet dat Dora erop gebrand was om dat mee te maken. En als Bertje al een keer halt hield was het altijd bij een kerk, bij voorkeur een kathedraal, of bij een bedevaartsoord, waar hij in de geur van brandende kaarsen en dapper zingend zienderogen zalig werd. 'Een makkelijke manier om van je zonden af te komen,' schamperde Marius. Maar hij wist zich – door de toestand van Eliane – met handen en voeten aan huis gebonden.

Bertje liet zich door niets weerhouden; een paar dagen later reed hij om vijf uur 's ochtends de straat uit, in de muisgrijze auto met open dak, Benjamin als een schildknaap naast hem. Het leek wel of ze op kruistocht vertrokken. Angelique achtte het geraden Madame 'niet op de hoogte te stellen', maar Augustijn dacht dat het nieuws over de reis naar Lourdes haar goed zou doen. Beloftes moet men nakomen. Toen hij zich over Madame boog, moest hij twee keer herhalen dat Bertje naar Lourdes was vertrokken. Ze hief haar hand, liet die weer vallen en zuchtte: '*A quoi bon?*' Had Augustijn een wonder verwacht?

Angelique ging een middag uit om een luchtje te scheppen. Ik was te moe om me daarover te verwonderen. En ik profiteerde van haar afwezigheid om mijn haar te wassen. Bertje en Benjamin op reis, Dora bij haar moeder, Angelique de deur uit, het huis was stil, bijna vredig. Voor het avondeten telefoneerde Angelique dat ze wat later thuis zou zijn. Het was niet nodig het eten warm te houden, ze ging in de Paon Royal souperen. Was haar moeder rustig? 'Wat had je gedacht?' vroeg ik, maar ze had al opgehangen. Ze was me geen rekenschap verschuldigd. En het was wel zo beleefd dat ze me verwittigde.

Het eten smaakte me niet en Augustijn zat aan tafel voor de vorm. Zodra ik had afgeruimd, drentelde hij naar het raam. Daarna ging hij Madame lastigvallen. 'Ze sliep net,' zei ik verwijtend. 'Heeft Angelique gezegd hoe laat ze het zou maken?' En hij liep weer naar het raam. Dat hij zich niet één keer met mijn gezelschap tevreden kon stellen en het nooit bij hem opkwam dat ik hem ook een keer nodig had.

Het liep al tegen elf toen Angelique aan kwam zetten, de hond blafte, verrast door de vreemde lucht die ze meebracht. Parfum, likeur, sigaretten en wat nog meer, ze was in ieder geval opgewonden. 'Waar kom jij vandaan?' vroeg Augustijn. Angelique schoot in de lach: 'Ik ben geen achttien meer!' Ze deponeerde grote winkeltassen, zwart met gouden opdruk, op de divan en schopte haar schoenen uit. 'Zal ik de kleren ophangen?' ik scheeloogde naar de tassen. Angelique gaf me haar jas aan en bestelde een groot glas bronwater. 'Ik sterf van de dorst!'

Ik repte me naar de keuken, en toen ik terug in de kamer kwam hoorde ik Augustijn nog net vragen: 'Hoe nam ze het op?' Goed, heel goed, Angelique had in de *salon de couture* haar naamkaartje afgegeven en Edith was meteen naar beneden gekomen. Elegant, maar niet opzichtig, eerder sportief in een witte flanellen broek en een zijden bloes. Een zekere klasse. En de salon, waar de modellen werden gepresenteerd, eenvoudig maar chic, net als de paskamers in zachte tinten. Angelique zuchtte verheerlijkt. Het was juist zoals ze het zelf zou hebben gedaan.

Ze opende een van de tassen en haalde er een jurk uit in chiffon, met een onderjurk van tafzijde. Zwart, maar bepaald geen rouw. 'Wanneer ga je dat dragen?' vroeg ik. Angelique wuifde mijn opmerking weg, het was niet zozeer om te dragen, maar om van te genieten. Ze hield de jurk op: 'Kijk eens, wat een schoonheid!' 'Dat geeft nu geen pas,' zei Augustijn. Angelique liet de jurk vallen en viste uit een andere tas een zwart jasje met kleine witte noppen: 'En dit? Puur mohair!' Ze drukte het jasje verliefd tegen haar wang. Augustijn verloor zijn geduld, zijn hoofd stond niet naar kleren en hij kon geen zwart meer zien. Angelique schudde de overige tassen leeg op de divan en graaide in de kleren: 'Deze bloes is helemaal mijn stijl, en die rok...' Ze wendde zich tot Augustijn: 'Dat had ik ook gekund, als men het me niet had verboden.' Ze was boos en triest, maar ze zei *men*, en niet *mijn vader*. Augustijn was verbouwereerd: 'Je doet toch geen slechte zaken.' 'Koelkasten en wasmachines,' kreet Angelique, 'wat heeft dat met mij te maken?' 'Dat was toch niet te voorzien,' mompelde Augustijn. Angelique liet de kleren voor wat ze waren en liep met een korte snik de kamer uit.

Augustijn raapte de jurk op en drapeerde hem over het hoofdeinde van de divan. 'Celestien...' 'Ik ben al bezig,' zei ik kribbig, en ik begon de kleren bij elkaar te doen. Mooi spul, en duur, dat was er ook aan te zien. Net iets voor Angelique om die Edith op te zoeken en haar neus in andermans zaken te steken. Die kleren had ze ook gekocht om iets duidelijk te maken. Ik betrapte me erop dat ik almaar vaker 'Wat heeft het voor zin?' mompelde. Werd ik oud? De eenvoudigste manier om je leven zin te geven waren kinderen, maar die van ons verknoeiden het. Dat je ook zin aan het bestaan kunt geven door iets te maken begreep ik wel, een gave mag je niet ongebruikt laten, maar wat had Reinout eraan dat er een stoel naar hem werd genoemd?

'Zijn ontwerpen getuigen van visie,' dat was de kortste lijkrede die men kon bedenken, maar voor Marius was dat al te veel. Hij liep te kniezen, zat met zijn ongeschreven boek in zijn maag. Wat moest hij eigenlijk bewijzen? En had Angelique haar roeping gemist? Ik zag met lede ogen hoe ze – opgewonden en wrokkig – dure potloden en allerhande papier insloeg. Wat moest dat worden?

'Heb ik haar tekortgedaan?' vroeg Augustijn een paar dagen later aan Madame. Ik was verontwaardigd, was het nodig haar met de kuren van Angelique lastig te vallen? 'Hoe?' vroeg Madame. Augustijn begreep niet wat hem werd verweten of wilde het niet begrijpen: 'Ik heb toch alleen maar goed willen doen.'

Angelique mokte, ze sprak nauwelijks met haar vader, en over Edith kwamen we niets meer te weten. Ik probeerde me Reinout verliefd voor te stellen, was het zoals Marius met zijn Eliane? Maar als Reinout echt van Edith had gehouden, was hij dan niet aan haar wensen tegemoetgekomen? Marius had zich toch ook bij die sigarenwinkel neergelegd. Ik geraakte er niet uit, en Augustijn liep met zijn ziel onder zijn arm.

Op een avond, nadat Angelique koeltjes goedenacht had gewenst – in het algemeen: 'Goedenacht, allemaal' – vroeg hij mij nog even te blijven. Ik was ontroerd. Het was zo lang geleden dat hij me iets persoonlijks had gevraagd. Hij leek wel vergeten dat ik in zijn donkere uren aan zijn voeten had gezeten. Maar eens te meer ging het niet om mij. 'Wat wil ze nu eigenlijk?' vroeg hij. Alsof ik door mijn geslacht opeens een deskundige inzake Angelique was. Ik haalde mijn schouders op. Zij had zelf iets willen worden, iets anders dan wat het leven van haar had gemaakt, maar dat wist Augustijn. 'Ze was altijd apart,' zei ik voorzichtig, en toen kwam het er toch uit: 'Ze had meer in haar mars.' Augustijn betwijfelde of Angelique gelukkiger zou zijn geworden als ze zich met 'frutsels' had beziggehouden. 'En daarbij,' zei hij dwars, 'ze had alles om een man gelukkig te maken.' 'Amen,' besloot ik. Hij keek me verbaasd aan: 'Ben jij ook kwaad op mij, Celestieneke?' De oude boef, hij wist hoe hij me moest aanpakken. Ik voelde het bloed naar mijn wangen stijgen. Hij glimlachte: 'Of had jij ook wat anders willen doen?' Ik haalde diep adem: 'Ik had in ieder geval een man gelukkig kunnen maken!' Augustijn zweeg, de klokken tikten vlijtig. Ten slotte schraapte hij zijn keel: 'Dat spijt me.' Het is allang goed, voor mij hoeft het niet meer, dacht ik. Toen ik al bij de deur was, vroeg hij of ik Madame wilde klaarmaken voor de nacht. Ik knikte, zonder me om te draaien, en ging.

Terwijl ik Madame een schone nachtjapon aantrok, liepen de tranen over mijn wangen. Ze kreunde toen ik haar neerlegde, alles aan haar lijf deed haar pijn, maar toen ik haar toestopte, erop lettend dat het dek niet te strak zat, streelde ze me onbeholpen over mijn wang. 'Niets van aantrekken,' kwam er moeizaam uit. Ik veegde mijn tranen af en glimlachte. En zij, voorzover het ging, glimlachte ook. Een leven lang had ze me op de kop gezeten, maar ik kon haar niet afvallen. Geen seconde heb ik me triomfantelijk gevoeld omdat zij eerst ging, mijn geweten is gerust, ik heb haar tot het einde bijgestaan. Augustijn zal voor zichzelf moeten zorgen, dat komt ervan als je niet over je schaduw kunt springen. Hij had maar te spreken en ik was gebleven.

■■■

De voetstappen in de gang hebben het getik van de klokken vervangen. Stap, stap. Ik krijg het er benauwd van, schuifel zo vlug ik kan naar het raam. Voor het eerst komt de tuin me klein voor, ingebed, een besloten hof. Vroeger waren de beukenhagen een beschutting tegen de wind, daarbuiten was nog het land, nu is alles dichtgeslibd. Vlak naast de haag is een huis gebouwd, een 'Normandische villa' – maar goed dat Madame het niet kan zien –, en aan de overkant staat een bankfiliaal met getinte ramen. Zonder ongelukken kun je haast de straat niet oversteken, de auto's gieren voor het hek door de bocht. Waarom altijd zo haastig? Maar dat zou je Bertje moeten vragen.

Ik heb zijn pennenmes bij mijn toiletspullen gestopt. Daar zou ik strepen mee in de muur kunnen kerven, als in een heuse gevangenis, vier rechte strepen en één diagonaal eroverheen. Zodat ik de dagen kan tellen, maar doet het er wat toe hoe lang ik hier zit of hoe lang ik hier zal zitten? Dat is de vraag die niet hardop wordt gesteld, hoewel het in Welverdiend de vraag der vragen is.

Ik begrijp nu dat Reinout bang was, dat hij door angst werd verteerd. In die angst werd hij onverhoeds door de liefde gegrepen; zijn verdediging kalfde af, hij heeft getracht die liefde te kooien – angst alweer, dat die mooie vogel zou gaan vliegen, en dat hij alleen zou blijven, overgeleverd aan zijn demonen. De oorlog, zijn zoon, wie weet, het verlies aan scheppingskracht en de naderende ouderdom. Kon hij geen soelaas vinden in de kinderjaren, of hebben die herinneringen hem nog meer gekweld? Ik zal het nooit weten, maar wat ik wel weet, is dat het onverteerbaar is wat hij zichzelf heeft aangedaan, en dat hij ons daarmee ook dodelijk heeft getroffen. Augustijn zei: 'Dat zou niet mogen kunnen.' Alweer tranen in mijn ogen, maar het is niet het moment om te gaan zitten huilen.

Ik heb binnen de muren geleefd en me daar niet slecht bij gevoeld, en uitgerekend hier, in het huis van al mijn dromen, voel ik me opgesloten. Weet ik niet wat te beginnen, zit met mijn duimen te draaien. Ik had altijd tijd tekort, nu heb ik er te veel. Maar vroeger leek de tijd oneindig en nu is hij plotseling beperkt. Tenminste, míjn tijd, want toen ik hier weer binnenstapte, werd ik uit de algemene tijd gezet. Ik hoef me niets meer aan te trekken van de klok, maar alsof alles behekst is beginnen de kerkklokken te luiden.

Elf uur 's ochtends, het kan voor een bruiloft zijn of voor een begrafenis, het is niet uit te maken of de klokken vrolijk of triest klinken, maar voor mij luidt de stormklok, zo bonst het in mijn hoofd. Ik wil het raam openen als me te binnen schiet dat het vergrendeld is, ik zal er de hulp op aanspreken. De salon moet worden gelucht. Eten en slapen in dezelfde kamer, foei! Niet te verwonderen dat de lucht bedompt is. En de gordijnen moeten worden weggeschoven, zodat het daglicht vrijelijk kan binnenvallen. Zonder licht is er geen verschil tussen dag en nacht en dreigt een mens van de wijs te geraken.

Stoute kinderen werden gewoonlijk in het donker opgesloten. Augustijn moest daar niets van hebben, hij gaf het grut liever een draai om de oren. Madame, die door haar stiefmoeder ter stichting in de kelder op haar knieën werd gedwongen, had in het duister doodsangsten uitgestaan. De sprieten van de aardappelen die leken te bewegen, het zachte knagen van een rat. Madame had besloten nooit meer bang te zijn. Het was haar rode haar dat aanstoot gaf. Die wilde krullenbos, die haar stiefmoeder er voortdurend aan herinnerde dat dit kind niet het hare was, wat ze in haar hart ook niet wenste, maar voor de buitenwereld, en voor haar zielenrust, moest Madame haar bloedeigen dochter lijken. 'Vuurtoren!' riepen de schoolkinderen Madame achterna, en bij een kibbelpartij scholden ze haar uit voor 'vreemde luis'. Haar dubieuze afkomst was een publiek geheim. Madame ging haar kwelgeesten te lijf – 'er zat niets anders op' – en rukte zoveel mogelijk peper-en-zoutharen uit.

Op een dag had de stiefmoeder de krullen van Madame afgeknipt en haar schedel met een tondeuse bewerkt – als die dame wat deed, dan deed ze het grondig, maar hier was hartstocht in het spel. Toen het kleine meisje haar kale hoofd in de spiegel zag, huilde ze, maar veel voldoening had haar stiefmoeder er niet van. Een geschoren hoofd betekende ziekte of luizen; dat was geen aanbeveling voor een handel in veren. 'Dat doe je een kind niet aan,' besloot Madame. Ze zou haar kinderen geen angst aanjagen om ze klein te houden, ze moesten onbevreesd opgroeien en recht uit hun ogen kijken.

Met die opvatting hebben de Van Puynbroeckxjes hun voordeel gedaan. 'Hou ze aan de lijn, Stieneke,' monkelde Augustijn, die nog met de broekriem had gekregen – de ouwe mijnheer was een kwaaie, maar zelf was Augustijn nooit zonder genade. Hij rekende, zei hij, op het gezond verstand.

Madame pronkte met haar rode haren, en bij elk roodkopje dat ze voortbracht, kraaide ze victorie. Bij de eerste knipbeurt stopte ze een lok in een envelop en schreef er de naam van het kind op, met de datum, en – alsof ze vreesde dat de haartjes zouden verkleuren – ook nog: goudblond, rosblond, of *einfach* rood. Ze bewaarde die enveloppen zo zorgvuldig alsof ze haar waarmerk bevatten.

Na de oorlog, toen de kaalgeschoren vrouwen en meisjes spitsroeden moesten lopen, ontstak ze in woede en sloeg er met haar paraplu op los. Marius – godzijdank in uniform – had haar in veiligheid moeten brengen, want het scheelde niet veel of Madame was door het schorem gegrepen en op haar beurt kaalgeschoren. Een vrouw had nog vlug naar haar gespuwd: 'Rooie teef!' Twee dagen later was Madame nog niet bedaard, maar bang, nee! En als ze al bang was, dan stierf ze nog liever dan het te tonen.

Ze had de angst in haar buik, maar ze verdrong dat holle gevoel met de liefde, en toen de vruchten van de liefde bitter bleken, at ze haar angst op. Borden vol, zeven gangen als het moest, en 's nachts wanneer de angst haar het bed uit joeg, in de keuken, alles wat ze maar kon verstouwen. Tot ze versuft – want verzadigd was ze nooit – weer naar bed sloop, waar ze haar angst lag te verbijten. Altijd moest in de slaapkamer het spaarlampje branden, het donker joeg haar de stuipen op het lijf. Voor de heiligen liet ze kaarsen branden, en later ook lampjes, dag en nacht, als glimwormen.

Toen ik op de televisie zag hoe in een tropisch land mensen voedsel offerden voor een dikbuikig beeld, begreep ik dat Madame haar heiligen met brandende lampjes zoet hield. Nooit meer bang zijn, dat was haar streven, en haar innerlijke angst was zo groot, dat gewone stervelingen haar geen angst meer konden aanjagen.

Nog zie ik haar een diamant tegen het licht houden en om en om draaien, zodat de steen schitterde. Ze kon er maar niet genoeg van krijgen. Een diamant was waardevol en mooi, maar het belangrijkste was toch dat die steen het licht kan opvangen en weerkaatsen. Als het aan Madame had gelegen, had ze haar huis uit diamanten opgetrokken.

■■■

Achter de verwarming heb ik een fles whisky verborgen, maar ik kan er niet bij, de fles is – mogelijk door de aardschok – omlaag geschoven. Om me heen kijkend zie ik naast de deur een paraplu – regende het toen ik hier aankwam? Dat ben ik helemaal vergeten. Die paraplu hoort niet in de salon, maar het is een uitkomst.

Ik schaats over het parket, oefening baart kunst; het gaat al heel wat vlotter. Nu nog de fles zonder breken helemaal omlaag duwen. Een moeilijke bevalling, het zweet breekt me uit. Vervolgens moet ik op mijn buik om de fles onder de verwarming vandaan te halen, en net heb ik haar in het vizier, als ik stappen op de gang hoor. Daar lig ik languit en ik ben niet in staat een twee drie rechtop te krabbelen. Wat zeg ik als ze me hier zo vinden? Laat het alsjeblieft de hulp zijn en niet een van de kinderen. Vreemde stappen; ze gaan mijn deur voorbij. Ik blijf van de schrik nog even onbeweeglijk liggen, dan een laatste inspanning, hup, ik heb de fles beet. Mijn lach verbijtend sta ik op. Krakende wagens lopen het langst. Nu nog een glas, met een fles kun je niet klinken. Ik moet me met het glas uit het badhok behelpen, lauwe whisky met een tandpastasmaak, maar vooruit: 'Gezondheid!' Ik tik het glas tegen de fles. Op ons, dat hebben we dubbel en dik verdiend.

Ik weet opeens wanneer Bertje met de meubels zal komen, na

werktijd: vrijdagavond inladen, zaterdag voor dag en dauw vertrekken. Zodat hij geen tijd verliest en mij met de inboedel kan overvallen. In de namiddag inspectie van Angelique, kijken of alles een goede plaats heeft gekregen, *en passant* duidelijk makend van wie die spullen zijn. Zou Augustijn er een brief bij hebben gedaan, of groeten? Niet aan denken, al zie ik hem misschien nooit meer. Marius verschijnt op zondag, ook heel vroeg, zodat hij daarna Eliane kan opzoeken. Hoeveel jaar houdt hij dat al vol? Ik geloof niet dat ze kinds is, ze heeft gewoon haar dagelijkse verstand verloren. 'De oorlogsjaren waren mijn beste jaren,' zei ze ooit. Daarna werd het allemaal gewoontjes. Moest ze de tijd zien door te komen.

Haar dochter was een vaderskind, je hoefde die twee maar samen te zien, ze begrepen elkaar zonder woorden. Regina had de wijsheid van kinderen die al vroeg geduld moeten opbrengen. Toen Eliane zich opmaakte als een heiden, waste zij haar moeders gezicht, en zij zorgde er ook voor dat ze decent gekleed was, want Eliane stalde haar arme borsten uit en trok veel te korte rokken aan. Ze dacht dat het weer 1946 of daaromtrent was. 'Eliane verdomt het om oud te worden,' zei Madame. Dat wilden we graag geloven, en we konden er begrip voor opbrengen. Hoewel je toen veel later oud werd.

De lengtes van de rokken zijn wel vaker op en neer gegaan. Het verschil was dat ze eerst korter werden vanwege de schaarste, daarna langer vanwege de weelde en toen zo kort dat de meisjes zowat met hun kont bloot liepen, maar dat had ook met weelde te maken. 'Te veel vrijheid,' zei Augustijn misnoegd. Ik vond het komiek dat die meisjes onder hun korte rokjes parmantig hoge laarzen droegen. Angelique was kritisch: 'Je moet er het figuur voor hebben.' 'Zuurpruim!' Het was mijn beurt om haar uit te lachen, maar ze keek me spottend aan: 'Is het dat wat je denkt?' Ik was ontwapend, wat verborg ze nu weer achter haar uitgestreken gezicht?

Toen wij ons afvroegen of de verzorging van zijn vrouw Marius op den duur niet te zwaar zou vallen, zei Angelique: 'Eliane is bij Marius veel tekort gekomen.' Augustijn stak een sigaar op en hulde zich in een rookwolk. 'Hij is nu eenmaal zo,' de stem van Madame klonk verdrietig. Ik wilde protesteren, voelde echter dat ik maar beter mijn mond kon houden. Het was ook niet simpel om me de jongens als minnaars voor te stellen, en wat ik ervan had gezien, maakte het evenmin simpel. Van Augustijn wist ik dat hij een goede amant was, ik was zelfs een beetje meer dan een ooggetuige. Hoe was het mogelijk dat zulke vader zulke luizige vrijers afleverde? Of hadden de jongens hun vuur aan de glorie opgebrand? Maar Augustijn was toch ook een held? Waarom konden zijn zonen zich dan in de liefde niet heldhaftig gedragen?

Ik herinnerde me – zeer tegen mijn zin – hoe ik het op een goede dag zat werd dat Dora de hele dag in bed lag. De kamer moest worden opgeruimd en het bed verschoond, maar er was weinig kans dat zij haar handjes zou laten wapperen. Vastberaden gooide ik de deur open, schrok me een aap en trok haar weer dicht. Maar het was al te laat, het tafereel stond op mijn netvlies gebrand. Dora, in een biggetjesroze korset, met haar billen en haar poes er half onderuit, duwde Bertje, die voor haar op de knieën zat, met haar voet op zijn schouder omver. Ze lachte hem uit: 'Wie is er nu de baas?' Ik kon het gezicht van Bertje niet zien, gelukkig. Maar ik dacht er het mijne van toen hij – nadat hij het bedverkeer eraan had gegeven – een pilarenbijter werd. Een die de jeugd benijdde en de zon niet in het water kon zien schijnen. Dora had lak aan zijn vroomheid: 'Je ogen zijn weer groter dan je buik!' Bertje zou haar die nederlaag nooit vergeven. Hij liet bovendien Dora boeten voor al de zonden van Eva. En er stond een legertje mannen klaar om hem bij te vallen.

Maar Marius hield oprecht van zijn Eliane, hij werd wanhopig toen ze hem niet meer kende. Vooral in het begin, toen zij het zelf nog wilde verbergen en koket giechelde: 'Natuurlijk ken ik je,' en vervolgens de naam niet wist of even koket vroeg: 'Moet ik jou dan kennen?' Marius vocht voor een plaats in haar hart, maar als hij haar te nadrukkelijk ondervroeg, werd ze kribbig. 'Ik ken jou niet!' Of ze noemde, om er vanaf te zijn, zomaar een naam. Als hij haar tegensprak: 'Max, welke Max, ik ben het!' werd ze kwaad. 'Ga weg!' Regina moest haar vader kalmeren, en zij had het vlug opgegeven haar moeder tegen te spreken. Toen Eliane haar wantrouwig begon te vragen wie zij was, antwoordde ze kalm: 'Ik ben je dochter, mam.' De zorg voor Eliane verbond Marius en zijn dochter nog meer, hij was echter zo wijs haar wat verder van huis, in Brussel, te laten studeren: 'Ik wil haar niet binden.'

Voor Marius hoef ik me niet te generen, maar die fles whisky zou hem niet bevallen. Eliane is een keer betrapt toen ze in een slijterij een fles had gestolen – ze was zich van geen kwaad bewust en wilde de opgeroepen politieman een glas uitschenken. Ze had altijd een zwak voor mannen in uniform gehad; als ze ongezeglijk was hoefde Marius maar zijn oude uniformjas aan te trekken en ze werd meteen charmant.

'Zeelucht,' had de dokter voorgeschreven, en Marius bracht zijn vrouw naar een sanatorium aan zee. Eliane holde op een drafje met open armen naar het water. Maar ze kon slechts in het sanatorium blijven zolang ze zichzelf niet bevuilde. 'We moeten een grens trekken,' had de verpleegster gezegd.

Waar zou in Welverdiend de grens worden getrokken? Zodra ik aan plassen denk moet ik naar de wc, van stromend water krijg ik ook aandrang, en als ik bij de zee kwam moest ik *sofort.*

Ik had stiekem in het water willen plassen, maar verder dan pootjebaden heb ik het nooit gebracht. De kinderen zwommen als dolfijnen, daar hoefde ik me niet druk over te maken. Augustijn stond met zijn commandofluitje in de branding en floot ze terug als ze zich te ver in zee waagden. Ik hield mijn hand boven mijn ogen en deed alsof ik naar de einder tuurde. Hij droeg een marineblauwe zwembroek met een witte ceintuur. Op de linkerdij was een wit met rood ankertje genaaid. Als hij merkte dat ik naar hem keek, spatte hij met water, en ik rende, zo hard ik kon, met mijn rokken opgeschort door de golven. Maar nat werd ik toch.

Als er een schip aan de horizon verscheen – eerst klein, dan groot en weer klein – zag ik dat de aarde inderdaad rond was. Het moet van bovenaf een sneeuwbol lijken, met piepkleine landschappen en blauwe vlekken voor de zeeën. Het beviel me dat er aan de aarde geen begin of geen einde was.

Als ik me omdraaide, zag ik Madame onder haar parasol in een strandstoel zitten, zij baadde niet in zee. Al vertelde ze dat Augustijn haar als bruid in zijn armen de zee in had gedragen, en toen ze kibbelden had hij haar met al haar rokken in het water laten vallen. Ze kon er smakelijk om lachen, want ze had hem omver getrokken, en toen hadden ze met z'n twee in de zee gelegen. In de krant werd eens een bericht afgedrukt over een paar dat het in zee had gedaan, bij nacht en volle maan, heel romantisch. Ze waren echter betrapt door de zeepatrouille en voor de rechter geleid. 'Alsof het een misdaad is,' Augustijn snoof. En Madame: 'Heeft de politie niet iets beters te doen?' Ik dacht, is het water niet te koud, je hebt zo een kou op de blaas te pakken, maar ik zei niets.

's Avonds gingen Augustijn en Madame nog een eindje wandelen, terwijl ik op de kinderen moest passen. Ik stond op het balkon van het hotel en keek ze na tot hun kleren lichte vlekken waren. Nu denk ik dat ik toen gelukkig was, of in ieder geval niet al te zeer ongelukkig.

■■■

Ik zou zo graag nog een keer de zee zien en de zilte lucht opsnuiven, goed voor de longen, voor de eetlust, voor alles. Maar ik zal me met de hemel tevreden moeten stellen en die zien als een omgekeerde zee, met de jagende wolken als golven. Zoals de zee onpeilbaar diep is, zo weids is de hemel. Daar komt waarachtig ook geen einde aan. Op naar het fronton, om door het sleutelgat van God te loeren en alle ballast van me af te gooien. 'Vlieg, zwaluw, vlieg,' of hoe ging dat liedje alweer?

Een laatste blik op de salon; als ik krijt had zou ik op de vloer de contouren van de meubels kunnen tekenen, dan hoefden ze daar alleen maar te worden neergezet, maar het zou zonde zijn van die witte krijtstrepen op het parket. Franse eik en massief hout, daar komt het op aan. Het bed van de oude mevrouw zal hier weer voldoende ruimte hebben.

Madame heeft er nooit in willen slapen, niet omdat de oude mevrouw er – zeer tegen haar zin – in was gestorven, maar omdat het zowat de wieg van het geslacht was. Ofschoon de oude mevrouw niet de fouten van het bloed konden worden aangewreven, koesterde Madame een wrok tegen het monumentale bed. Ze liet het in de logeerkamer zetten, en daar stond het in al zijn gebeeldhouwde pracht, als een dinosaurus in een te krap bemeten museum voor voorwereldlijke monsters. Er is in dat bed geminnekoosd, er zijn kinderen in gebaard, er werd uiteindelijk ook in gestorven. Het heeft zijn tijd uitgediend.

Marius vertelde fantastische verhalen over de dinosaurussen, maar wat ik ervan heb onthouden is wat vaststaat: ze zijn uitgestorven.

Ik heb van de Van Puynbroeckxjes moeten horen dat ik niets voortbracht en zou verdwijnen zoals ik op de wereld was gekomen; uit het niets, in het niets. Daar zal ik ze aan houden, en wel zo dat ik aan hun betweterij ontsnap. Ik heb mijn aandeel gehad in wie ze zijn, eens kijken wat ze er zonder mij van zullen terechtbrengen.

Zonder meid zitten is taai ongerief. Om te beginnen het onderhoud van dat bed; het houtsnijwerk moet met een harde borstel worden schoongemaakt, weer in de was gezet en opgewreven. Om het bed behoorlijk op te dekken moet je eigenlijk met twee zijn, maar ik moest het alleen klaren. Ik liep er wel vier keer omheen om de lakens netjes in te stoppen, en om de sprei glad te krijgen moest ik er op het laatst overheen kruipen. Een slordig opgemaakt bed is geen gezicht, maar de kinderen trokken zich niets aan van mijn gezwoeg. De jongens speelden piraat in het bed van hun stammoeder, ze tuigden het op als een schip, met een bezemsteel als mast en een laken als zeil, en voeren ermee over denkbeeldige wateren, of beter nog ze vlogen ermee door de lucht! Bertje loeide als de wind, vol overgave, 'oeoeoe', Marius hield de mast en het zeil, en Reinout sloeg de donskussens – die kwamen nog van de stiefmoeder van Madame – uit, dat de veren in het ronde vlogen. Angelique, gewoonlijk met beide voeten op de grond, liet zich meevoeren als een prinses, in haar batisten nachtjapon, leunend tegen het hoofdeinde. 'Wie gaat dat opruimen?' riep ik vertwijfeld – maar wat hield ik van mijn klavertjevier. Als zij gelukkig waren, was ik ook gelukkig. En dat bed kon – net als ik – tegen een stootje.

Het bakbeest heeft vanzelfsprekend nooit in de salon gestaan, net zo min als de toilettafel, en ik hoor hier ook niet. Mijn plaats is in de keuken, in mijn kamertje hierboven, of in de schaduw van Madame, dat is: overal en op alle plaatsen. De helpende hand, zoals dat wordt genoemd, al was ik wel wat meer. In haar schaduw heb ik ook aan de zijde van Augustijn gestaan, ik hield van hem met heel mijn hart, en hij hield van me zoals het kon. Waar het wringt zijn die apekoppen, die mij, hun tweede moeder, geen recht doen. Ze zullen me niet hulpeloos zien, dankbaar voor wat meubels en een vriendelijk woord, al dan niet achteloos gesproken. Dat is te makkelijk. Zij mogen dan kampioenen zijn van de onaangename verrassingen, nu zal ik ze er ook eentje bereiden. Ik heb altijd mijn plaats gekend, maar als zij me geen recht doen, ben ik vrij om mijn gang te gaan.

■■■

Ik heb de blikken van sommige kennissen van Madame wel gezien, vol compassie, en dat toontje gehoord; een en al medeleven. Was de juffrouw haar hele leven in dienst geweest? En nooit getrouwd? Was dat niet eenzaam, zo alleen? Ze hadden het over mij, maar wilden er Madame mee treffen – alsof ze er een huisslaaf op na hield. Die prudente lui waren niet eens beleefd. Of is het geen gebrek aan manieren om boven het hoofd van een aanwezige persoon te spreken? 'Celestien is nooit alleen geweest,' knorde Madame, en ik was er haar dankbaar voor dat ze het niet toestond dat ik werd beklaagd. Ik ben ook nooit alleen geweest, zelfs als ik op vleugels ga zal ik niet alleen zijn. Daarboven fladdert de rest van de compagnie, ook Herwardje, die van het water is opgestegen, dat kan niet anders, de aard verloochent zich niet.

De paraplu is zwart en degelijk, een herenparaplu, ik zou hem als wandelstok kunnen gebruiken. Nadat die Engelsman, wapperend met een vodje papier, vrede – in onze tijd! – had beloofd, weigerde Augustijn voortaan een paraplu te gebruiken. Terwijl de paraplu, regen of geen regen, tot zijn uitrusting behoorde. 'Die magere Engelse haan,' grommelde hij. Het vredesakkoord was het papier niet waard waarop het was geschreven, dat had Augustijn goed gezien. Een jaar later was het raak. Onze tijd was opgebruikt. En het komt me voor dat wij na de oorlog nergens meer tijd voor hadden. Altijd hollen en vliegen! Ik had traag willen leven, alles zorgvuldig willen doen, tijd overhouden. Als ik in mijn bed lag, probeerde ik de dag te overdenken, maar ik viel meestal in slaap voor ik halverwege was. Ik kreeg nog wel een keer de kriebels, maar ik was veelal zo moe dat het er niet van kwam. Je kunt alles verleren als je het niet onderhoudt, ook het genot. Van mezelf was ik het allang beu, en ik kwam niet meer in de verleiding het eens met een ander te proberen. Met Augustijn was het anders geweest, het was echter ook een levenslange strijd, hij en Madame. Nu hij eens, dan zij weer boven. Het was oppassen om er niet al te zeer bij betrokken te raken, maar het hield er wel de spanning in.

Madame had paraplu's bij de vleet, ze werden voor de gelegenheid uitgezocht en moesten bij haar kleren passen. Er waren hele kostbare bij, met ivoren handvatten in de vorm van een draak of een vogelkop. Als er een balein knapte of het scherm versleten raakte, moest ik de paraplu voor herstel naar de winkel brengen. Ze was eraan gehecht als een ridder aan zijn zwaard, en ze gebruikte de paraplu's niet alleen om zich tegen de weergoden te beschermen, maar ook om – als ze het nodig vond – op een kop te tikken of in een kont te prikken. Ze kon er echter ook heel koket mee draaien of elegant op leunen. Angelique deed het haar na, vanzelfsprekend, maar Marius bestond het om een paraplu als valscherm uit te testen. Gelukkig sprong hij van de keukentrap, maar hij hield er toch een verstuikte pols aan over. Zijn broers gebruikten de paraplu's dan weer als floret, en schermden ermee van de hal over de trappen, zoals ze in *De drie musketiers* hadden gezien. En Madame, die Marius na zijn sprong van de keukentrap nog een dreun met de geknakte paraplu had gegeven, deed jolig mee aan de parade. '*En garde!*' Angelique stond er beteuterd naar te kijken, Madame had altijd iets aparts met de jongens. Het waren toch haar mannetjes.

Benieuwd wanneer Bertje zijn mes zal missen, hij gebruikt het om appels te schillen, hard fruit kan hij niet meer eten, maar hij zet zijn wil door en vervolgens verslikt hij zich weer. Dat de oogstappeltjes zurig zijn, proeft hij niet, zijn smaakpapillen zijn foetsie. Ik hoor hem al vragen: 'Celestien, waar is mijn mes?' Ik ben er dan niet, maar ook als ik er was, zou ik me doof houden. Hij werkt me op de zenuwen. Altijd het haantje de voorste en nu ook nog de baas. Nog vlugger pratend dan hij denkt. Als je hem hoort, sta je versteld van de wijsheden die hij verkondigt, maar het venijn zit in de staart; het moet en het zal slecht aflopen. Iets anders zou hij niet verdragen. Al zijn grapjes zijn bitter. Niet voor niets heeft hij zijn tong in vitriool gedoopt. En hij zou die nog liever afbijten dan ook eens zijn ongelijk toegeven. Madame doorzag hem, maar ze sloot haar ogen voor zijn zwakheid. De grootste fout die we konden maken.

Tegenwoordig oreert Bertje over de Amerikanen die Vietnam bombarderen, terwijl die fanatieke monniken zichzelf in de fik steken. Gek zijn die lui, gelijk heeft Bertje, maar wat kun je beginnen tegen mensen die hun leven op het spel zetten? Of die om zelfbehoud vechten? Op de Russen zitten we nog altijd te wachten, ooit moet het ervan komen, de Rode Horden die op ons afstormen; maar dan vroeg Augustijn, puffend aan zijn sigaar: 'Wat dacht je van het gele gevaar?' Zat dat er vervolgens ook niet aan te komen? Dat werd nog dringen.

Bertje boos, had hij de wereld in kaart gebracht, en daar zat zijn vader hem besmuikt uit te lachen. Wie kon weten hoe het met de Russen was gesteld, als hij het niet was, de man van 'naar Moskou heen en weer, in één jaar en drie dagen', zonder er te geraken, wel te verstaan. Was ergens in de sneeuw blijven steken en aan de grond vastgevroren. Had zich van die ijzige moeder aarde moeten losrukken. Niet zonder averij, als hij te dicht bij het vrouwelijke kwam, werd hij kwetsbaar en dreigden zijn krachten hem te ontvlieden. Een soort fatale betovering; niet minder dan hekserij. Hij was onder zijn moeder gesteld, om de goedkeuring van zijn zuster moest hij hengelen, zijn vrouw kreeg hij weliswaar gek, maar helemaal eronder kreeg hij haar niet. En dan heeft hij nog ergens een dochter die in het vrije opgroeit, geen katje om zonder handschoenen aan te pakken, heb ik me laten vertellen. Bertje, alweer zegezeker, verbeeldt zich dat hij het wicht mores zal leren. Dat moeten we nog zien. Korte rokjes, laarzen, goed gebekt. Eens kijken of hij haar verkocht krijgt.

Toen zijn zoon kwam overbrieven dat zuslief was gaan betogen tegen de oorlog in Vietnam – waar Bertje ook tegen was, al was het maar omdat hij de Amerikanen niet kon uitstaan – ontstak hij in een Franse kolere. Zijn dochter? Op straat demonstreren? Zonder zijn toestemming te vragen? Hij verslikte zich ernstig en moest naar het ziekenhuis worden gebracht om zijn slokdarm vrij te laten maken. Een ware foltering, wanneer zal hij een keer gaan begrijpen dat hij zichzelf nog het meeste straft? Nooit?

Al die mannen die zichzelf tekortdoen omdat ze zo nodig de baas moeten spelen. Dan is Augustijn wijzer geweest, hij heeft nauwelijks een nacht alleen moeten slapen. Toen een zakenrelatie hem een *gentleman* noemde, stak hij zijn wijsvinger op: 'En een *lady's man*!' Ik heb het nog maar een keer nagetrokken, en ja, dat ging wat Augustijn betreft samen, maar voor Bertje waren het tegengestelden. Alsof het voor een heer van stand te min was om zich met een vrouw af te geven.

Met mij dacht hij het makkelijk te hebben, ik was nu eenmaal de dienstmaagd, maar hoe zou ik van die keutel onder de indruk zijn gekomen? Dan had hij een man moeten zijn, en zich niet alleen zo voordoen. En wat zou ik aan hem verantwoording afleggen? Hij deed het voorkomen alsof ik er niet toe deed, maar hij heeft me ook naar Welverdiend gebracht omdat hij me niet kan commanderen. Ik ben en blijf de plaatsvervangster van zijn moeder. En ook de meiden zijn niet meer wat ze zijn geweest. De onderdanigheid is uit de mode.

Bertje deed er alles voor om jeugdig over te komen, maar tegelijk gedroeg hij zich als een oude bok. Het waren niet alleen de vrouwen die zich moesten overgeven, ook de jongeren moesten hem respect betonen. En aan zijn bezit mocht niet worden geraakt. Je had zijn verbijsterde gezicht moeten zien toen de televisie verslag uitbracht van de studenten die in Parijs de auto's van hun vaders attaqueerden. Kostelijk, gewoon kostelijk. Ik heb onmiddellijk zijn bord met pap weggenomen. De pap was opgeklopt met room, fluweelzacht, maar ik nam geen risico, ik wilde niet weer drie dagen worden geconfronteerd met zijn ellendige gehijg en gekuch. En dan dat lijkbleke gezicht en die bebloede zakdoeken als hij uit het ziekenhuis werd thuisgebracht.

Hij haatte de ambulance. Toen een taxichauffeur hem weigerde te vervoeren vanwege mogelijke schade aan de bekleding – bloed is nog lastiger uit te wissen dan wijnvlekken –, moest hij er echter wel gebruik van maken. Maar in- en uitstappen deed hij zelfstandig, de ziekenbroeders kregen hem niet op de berrie. 'Ik lig nog niet met mijn pootjes omhoog!' De ziekenbroeders hadden respect voor zo'n patiënt, dat maakte deel uit van Bertjes ongeluk, dat hij respect afdwong om de verkeerde dingen en daar prat op ging.

Het waren niet alleen de studenten die Parijs op stelten zetten, ook in de arbeiders was de geest van de revolutie gevaren – wat Augustijn hoofdschuddend aankeek, waar moest het heen als studenten en arbeiders de handen in elkaar sloegen? Toen de studenten begonnen te roepen dat de verbeelding aan de macht moest, schoot hij echter in de lach. En Bertje ook, een zeldzame keer waren vader en zoon het eens, verbeelding; daar moest je de middelen voor hebben. De studenten zouden wel eieren voor hun geld kiezen. Toekomstige bedrijfsleiders en advocaten. Flat in het zesde arrondissement, een buitentje in de Provence. Het geld op de bank, de filosofen op de boekenplank. En de arbeiders, die moesten arbeiden, anders waren ze in geen tijd platzak. Er moest worden gegeten, de auto moest worden afbetaald, en het huis, als ze het konden opbrengen. Dat liet niets aan de verbeelding over.

Moet je bevreesd zijn van een revolutie die een lente duurt? 'Ga ze dat in Praag eens vragen,' sneerde Bertje. Want ook daar had er een – een student! – zichzelf in de fik gestoken. Zo waren de Russen toch nog gekomen, had Bertje weer een keer gelijk gekregen, want Boedapest was evenmin vergeten. 'Eens kijken hoe lang die kozakken dat volhouden,' gromde Augustijn.

Ik heb het hamsteren van Madame overgenomen. In Rusland stonden de mensen half verhongerd voor de winkels aan te schuiven. Dus stouwde ik ook maar weer eens de kelder vol. 's Avonds dronken we een slaapmutsje – 'op de bom!' – maar het smaakte niet. En Dora had een kwaaie dronk, er kwam gegarandeerd ruzie van. 'Wodka is in Rusland wat hier jenever was: een plaag!' Augustijn schudde afkeurend zijn hoofd. Als hij moest kiezen, dan had hij liever het volk in de kerk dan in de kroeg.

We kwamen de lenterevoluties door in onze stoelen, voor de kijkkast, die je moest vertrouwen – je zag het spektakel tenslotte met eigen ogen, maar ik had, net als Madame, het gevoel dat we voor het lapje werden gehouden. Komt dat zien, komt dat zien! Maar buiten het beeld, onmiskenbaar, de lijkengeur.

Voor ze haar ogen sloot, trok Madame het besluit: 'Het potje staat op het vuur, eerdaags zal het finaal overkoken.' Tot zolang moest ik het maar zien te redden met het huishouden.

Ik kreeg het danig op mijn heupen en besloot grote schoonmaak te houden. Van de kelder tot de zolder, vloeren geboend, plafonds afgewassen, stofnesten onder handen genomen. Al was het het laatste wat ik deed, ik zou de boel niet verslonsd achterlaten. Ik joeg iedereen uit bed en uit mijn keuken. De kat sprong op de kast, de hond kroop piepend onder de tafel. 'Celestien heeft weer poeier in haar kont,' grinnikte Augustijn en Madame beaamde het monkelend. Ze keken er niet van op, maar ik stond klaar om een heuse binnenskamersrevolte te ontketenen.

Bertje was de druppel die de spreekwoordelijke emmer deed overlopen. Toen hij het buitenshuis niet voor het zeggen bleek te hebben, ontpopte hij zich tot huistiran. Dora was de eerste die in zijn handen viel, maar naar gelang de krachten van Madame afnamen, begon hij zich op mij te richten. Ik moest alles op tijd en stond doen en voor alles verantwoording afleggen. Wat hij met Madame niet had hoeven te proberen, of nooit voor elkaar had gekregen, legde hij mij op. Augustijn pruttelde tegen, maar hij was eerst en vooral met Madame begaan en had bovendien met zichzelf te doen. Wat moest er van hem geworden als zij er niet meer was? Hoe kon ze hem zo in de steek laten?

Ik stond er alleen voor. En Bertje ging zo ver mij onmondig te verklaren. 'Celestien kan niet voor zichzelf instaan, we moeten haar ergens onderbrengen.' Alsof ik een loslopende hond was die naar het asiel moest worden gebracht. Mijn spaarcenten zou hij voor mij beheren, ik hoefde maar het formulier van de bank te ondertekenen. 'Een formaliteit,' zei hij. Dat kon hij op zijn buik schrijven. 'Daar zet ik mijn naam niet onder!' Plotseling had mijn naam ook gewicht. Bertje was verbluft: 'Vertrouw je me niet?' Ik: 'Om de duvel niet!' Hij dreigend: 'Zoals je wilt.' En ik weer: 'Ik zal eens een boekje over jou opendoen!' Hij haalde zijn schouders op, wat had ik eigenlijk in te brengen?

Maar ik bezit nog het balboekje van Angelique, het heeft een rood omslag en is verguld op snee. Zij liet het achteloos slingeren, en ik vond het te mooi om weg te gooien. Ik gebruikte het als huishoudboekje en begon met op te schrijven wat we nodig hadden, vervolgens maakte ik een inventaris van de keuken- en de linnenkasten. Toen ik daarmee klaar was, stak ik het potlood achter mijn oor en verscheen met het balboekje in de aanslag voor Madame. Ze keek me aan met een blik van wat zullen we nu beleven, maar ik ging onverdroten door met alles op te schrijven.

Toen het balboekje vol was, pikte ik een kasboek uit de voorraad, en het duurde niet lang of Madame gebruikte mijn aantekeningen als geheugensteuntje. Wat hadden we alweer genoteerd? Dat de schoenen van de jongens bij de schoenlapper moesten worden opgehaald? Een ravage, wat die met hun schoeisel uitrichten! Wat stond er op het menu voor zondag? De familie at haar de oren van de kop! Zoals zij bondig commentaar leverde, zo schreef ik mijn bedenkingen op. De Van Puynbroeckxjes lachten erom: 'Celestien schrijft al onze zonden op!' Augustijn werd er ongemakkelijk van: 'Waar is dat voor nodig, Celestieneke?'

Toen hij bij het uitbreken van de oorlog allerlei paperassen verbrandde, vroeg hij ook om mijn schriften. Ik protesteerde, maar hij bladerde er met stijgende verwondering doorheen: 'Daar staat toch onze hele huishouding te boek!' Zonder pardon gingen de schriften op de brandstapel, maar het balboekje had ik verstopt. Zodra de oorlog voorbij was, begon ik weer alles op te schrijven, maar ik hield mijn aantekeningen buiten het bereik van de familie. Ik heb ze met mijn testament bij de notaris gedeponeerd. Met de hartelijke groeten van Celestien! Ik wed erom dat Angelique niet het hart heeft de schriften te laten verdwijnen, en als ze toch in de verleiding komt, dan zal de verleiding om haar broers ermee te confronteren nog net iets sterker zijn.

Ik hoorde Bertje verontwaardigd het geval van de geweigerde volmacht aan Angelique voorleggen. Hij had aangeboden de zorg voor mij op zich te nemen, en dat had ik afgeslagen, zeggende dat ik hem niet vertrouwde! Waar had ik nog geld voor nodig, als ik van top tot teen verzorgd kon gaan rentenieren? Als hij zo'n aanbod kreeg, zou hij blindelings tekenen. 'Wat gaat jou het geld van Celestien aan?' vroeg Angelique pinnig. 'Waar heeft ze het überhaupt voor nodig?' Bertje liet niet af. Hij had uitgerekend wat ik zoal opzij kon hebben gelegd, ik, die mijn hele leven kost en inwoon had genoten. Dat moest een mooi sommetje zijn, wat toch – je kon het keren of draaien – door de familie op tafel was gelegd. Celestien had geen rechtstreekse erfgenamen, was het zo onredelijk dat het geld zou worden teruggestort? Ik trapte de deur open: 'Zodat jij het in je zak kunt steken!' Angelique bleef kalm: 'Dan kun je beter in mijn zaak investeren, Celestien.' Bertje vertrok zijn gezicht, hij kreeg zo langzamerhand de grimas van een hartvreter. 'Verslik je niet!' zei ik. Dat was tergend, toegegeven. Angelique kon het niet laten Bertje te plagen: 'Je kunt het geld ook over de balk gooien, Celestien.' Bertje staarde ons aan alsof we een draak met twee koppen waren. 'Ik heb ervoor gewerkt; ik zal erover beschikken,' besloot ik waardig. Angelique grinnikte: 'Dat vreesde ik al.'

Het debat leek gesloten. Maar toen het testament van Madame werd geopend, vroeg Bertje wantrouwig aan de notaris: 'Waarom moet zij' – kin in mijn richting – 'daarbij aanwezig zijn?' De notaris knikte me bemoedigend toe: 'Mevrouw is ook een betrokken partij.' Bertje keek op zijn neus. Wat kende hij zijn moeder slecht. Had hij haar niet altijd onderschat? En zoals hij met mij wilde afrekenen – hardleers, dat is wel het minste wat je ervan kunt zeggen.

Hij heeft me opgeborgen, maar het muisje zal nog een staartje krijgen. Laat hem maar met het bed van zijn grootmoeder sjouwen, met de toilettafel van zijn moeder, ik lach me een kriek. Mij heeft hij niet en mijn poen nog minder.

Zwaaiend met de paraplu zet ik mijn voeten met de hielen tegen elkaar en zak zowaar ook nog door mijn knieën: '*En garde!*' Langer dan een minuut houd ik het niet vol, krakende rug, pijnscheuten in de nauwelijks geheelde voet.

Toen Angelique geen schermlessen mocht volgen, zoals haar broers, trok ze zich mokkend terug in haar kamer. Ik loerde door het sleutelgat en kreeg een strontje op mijn oog, maar het schouwspel was de moeite waard. Angelique, in haar hemd, keek in een boek dat opengeslagen op haar bed lag en zette zich vervolgens, met een paraplu van Madame in de aanslag, in de uitvalspositie. '*En garde!*' Ze attaqueerde, trok terug, attaqueerde weer. Het gevecht met de onzichtbare tegenstander leek op een dans, en zij geleek met haar golvende gouden haren en haar ranke armen en benen op een bloedmooie, wrekende engel.

■■■

Met de paraplu in de hand leg ik mijn oor tegen de deur te luisteren. Ik kan elke stap, hoe gedempt ook, waarnemen. Dat is de vrucht van de ervaring. Ik zou een eersteklas insluiper zijn. Soms had ik het gevoel dat ik onzichtbaar werd, zo kon ik ongemoeid door het huis van de Van Puynbroeckxen scharrelen. Dat gevoel moet ik dringend oproepen, al wil ik door te verdwijnen deze keer wel de aandacht op me vestigen. Het lijkt erop dat ik met Bertje verstoppertje wil spelen, maar het is ernst, en ik zal hem niet helpen, zoals vroeger, toen hij, met een blinddoek om, zijn zus of broers trachtte te vinden. Ik verbood hem om vals te spelen, en onder de blinddoek uit te gluren, maar ik hielp zoveel ik kon door: 'Koud!' of 'Warm!' te roepen, naargelang hij van zijn doel afdwaalde of dichterbij kwam. Nu mag hij zoeken wat hij wil, hij zal me niet vinden.

Om de trap naar de bovenste verdieping te bereiken moet ik de gang door, dat wordt spannend, ik heb me lang niet meer zo goed geamuseerd. Ik draai me nog een keer om, vlug, alsof ik achter mijn rug iemand in de salon wil betrappen. Maar de kamer is leeg als een geroofde grafkamer in Egypte, waar de goden katten- of hondenkoppen hadden, en waar al die kunstschatten in de graven werden gevonden. Die Egyptische koningen namen hun hele hebben en houden mee in het graf, dat werd verstopt en verzegeld, want vanzelf dat de schatten rovers aantrokken en geleerden de graven begonnen op te sporen om de zaak te verklaren.

Toen er eens een koningsgraf werd geopend reisden ook de

koning en de koningin naar Egypte. Ze wilden erbij zijn als de grafkamer werd geopend, hoewel de kranten berichtten over de vloek van de farao die de grafschenners zou treffen. De koningin was een kleine vrouw, veel magerder dan Madame, maar ook voor geen centje bang. Zij is oud geworden; de koning, die is, helaas, in de Ardennen van een rots gestort.

Augustijn geloofde niet in een ongeluk, en het was ook niet de wraak van de farao: 'Nee, nee, daar zit wat anders achter.' Zijn held, de ridderkoning naar wie hij zijn zoon had genoemd, kon niet stomweg van een rots vallen. Hij hield Bertje zijn lichtend voorbeeld voor: 'Stel je voor dat de koning je nu zou zien', of: 'Denk je dat de koning nu trots op je zou zijn?' Bertje kreeg een hekel aan de ridderkoning, en probeerde te ontkomen aan het toezicht van zijn vader, die als plaatsvervangend vorst leek op te treden. Zijn halve leven heeft hij geprobeerd Augustijn eronder te krijgen, en het lijkt erop dat hij daar eindelijk in is geslaagd. Of hem dat veel geluk zal brengen? Ik durf er niet eens aan te denken, uit vrees dat ik inderdaad het ongeluk over hem zal afroepen. Augustijn was streng, ook wel een tikje kinderachtig, maar uiteindelijk mild. De liefde maakte hem toegevend. Waarom kan Bertje niet aan zijn gelukkige jaren terugdenken, zoals ik, en daar ook milder van worden?

Van Augustijn kan ik geen afscheid nemen, en mijn liefde voor hem kan ik niet betreuren; dat gevoel heeft mijn leven vervuld. Ik weet ook dat hij mij liefheeft, op een andere wijze dat ik hem liefheb, iets minder verhangen, en altijd na Madame, maar net zo trouw. Als het erop aankomt, verkies ik dat hij mij mist en ik het niet hoef mee te maken, zoals met Madame, dat hij voorgoed zijn ogen sluit. Dan zou ook voor mij alles voorbij of *hin* zijn. '*Ach, du lieber Augustin*,' zing ik zachtjes. Hij moet me niet horen, want hij houdt niet van dat lied. 'Wat is daar lollig aan?' Maar dat soort liedjes is hardnekkig, de melodie wil me niet uit het hoofd, en hoe ging het alweer verder, '*Stock ist hin?*' Madame hield vast aan haar voorraden, maar ze was vrijgeviger dan Augustijn – als hij benepen deed, schamperde ze: 'Denk je dat je het gaat meenemen?' Augustijn wilde echter niets achterlaten, hij wilde niets verliezen, niet met lege handen staan. En zeker niet voor de idioot van de compagnie doorgaan. 'Ik ben je *lieber* niet!'

Op de lichtstralen in de salon dansen stofdeeltjes, dat herinnert me aan de oogstmaand toen de salon er ook verlaten bij lag. Iedereen was op het veld, de oogst had nog zijn belang, uitheemse vruchten waren zeldzaam, we moesten van de eigen opbrengst leven. Als het noodweer dreigde, leende Madame haar meiden uit om voor de storm opstak de oogst binnen te halen; ze deed zelf ook mee, dat wil zeggen: ze zeulde manden aan met beboterd brood en koude koffie, of fluitjesbier voor de liefhebbers. Augustijn werkte samen met de mannen om de graanschoven met de riek naar de wagen op te steken – dat vereiste kracht en handigheid. De boerenjongens lieten de fijne mijnheer zweten, maar Augustijn liet zich niet kennen. Terwijl aan de horizon de eerste bliksems hun nijdige krabbels maakten en de donder begon te rommelen, dreef hij het tempo op. 'Hop, laat zien wat jullie kunnen!' Hij klauterde op de opgetaste graanschoven en stond daar hoog op de wagen, met zijn hemd open, terwijl hij het zweet van zijn gezicht wiste en schuin opkeek naar de dreigende hemel. Ik keek naar hem op en vergat even mijn angst voor het onweer.

We haalden het graan altijd tijdig binnen, voorzover ik me herinner is er geen oogst verloren gegaan. Als het onweer losbarstte, scholen we in de schuur; de paarden, die geduldig hadden gezwoegd, panikeerden van de donder en de bliksem en moesten aan de teugel in de stal worden geleid. Ik was zeker zo bang en kroop bij elke donderslag dieper in het hooi, maar Augustijn had niet graag dat we in de graanschuur schuilden. Eén blikseminslag volstond om de schuur in lichterlaaie te zetten, dat had hij als kind meegemaakt, hij bracht ons liever onder in de hoeve, en toen dat een keer niet lukte, zochten we onze toevlucht in de paardenstal.

De paarden drongen tegen elkaar en hinnikten, dat maakte het natuurspektakel nog schrikwekkender. Augustijn wreef de paarden droog en praatte met ze alsof het mensen waren: 'Kalm jongen,' 'Brave meid.' De paarden bedaarden, en ik ook, hoewel ik rillend tegen de muur drong. Als de regen neerplensde, loodrecht en zwaar, was het ergste voorbij.

De boerin ging rond met de fles jenever, maar Augustijn hield zijn jas als een baldakijn boven het hoofd van Madame en ze doken met de armen om elkaar de regen in. Halverwege het erf bleven ze even staan en Madame riep ongeduldig: 'Celestien, waar blijf je?' Ik liep, nog altijd een beetje beverig, op een drafje achter hen aan.

Met de kermis werden er tafels neergezet op de erven of in de boomgaarden. Augustijn en Madame gingen altijd groeten – mee aanzitten deden ze niet, maar een stuk rijstevla voor Madame en een borrel voor Augustijn, om op de oogst te drinken, dat namen ze graag aan. Ook in Mon Repos werd het oogstfeest gevierd, iets minder uitbundig dan op de hoeves, waar het zingen werd ingezet met '*Ach, du lieber Augustin*', wat voor Augustijn de pret bedierf, vooral als in koor: '*Geld ist hin*,' werd gezongen. Dat sloeg op de belabberde toestand van zijn bedrijf, maar als het '*Rock ist hin*', werd aangeheven, trok hij weer bij. Wat rokken betreft mocht elke boerenkinkel hem benijden. Trots legde hij zijn arm om de leest van Madame. Zij zong, om hem te plagen, ook '*Lieber Augustin*', en van hem weglopend – zodat hij haar achterna kon zitten – '*Rock ist hin*.' En wat een vreugde als hij haar rok te pakken kreeg.

Op het laatst, toen zij niet meer kon zingen, zong ik het lied in haar plaats. Haar ogen werden nat van weemoed en haar lippen bewogen prevelend mee: '*Ach, du lieber Augustin*.'

Als op het oogstfeest de muzikanten met de harmonica's arriveerden om zang en dans te begeleiden, was '*Lieber Augustin*' voor ons het sein om op te stappen. Het kon wel weer voor een jaartje. Ik treuzelde nog vanwege het dansen, maar Augustijn bedankte met een geforceerde glimlach voor het zingen en wendde zich tot Madame: had ze Celestien niet nodig voor het diner? Madame had plotseling haast, de gasten zouden weldra aankomen. 'Een andere keer,' zei ik blozend tegen een boerenzoon die me om een dans vroeg.

Een paar uur later bediende ik de stadslui die al vlug tipsy werden van de buitenlucht. De mannen trokken hun jasjes uit en vertelden schuine moppen, de vrouwen slaakten gilletjes: 'Een wesp! Een wesp!' In de keuken deed ik azijn op een schone zakdoek en droeg Angelique op het kompres naar de dame te brengen die, half bezwijkend, deed alsof ze een doodsteek in haar arm had gekregen. Angelique deed met een lang gezicht wat haar was opgedragen, terwijl haar broers met zwaaiende armen tussen de gasten renden. *Ach, du lieber Augustin*; alles voorbij, alles *hin!*

Dat je niets kunt meenemen, have en goed moet achterlaten, is onvermijdelijk, erger is dat je ook je herinneringen moet achterlaten. De kinderen zijn mijn getuigen, ik heb hun leven meegeleefd en zij het mijne. Ze konden me niet harder treffen dan door te beweren dat ze iets niet meer wisten – vooral Bertje is een kampioen in het vergeten. Ik kan echter niet geloven dat al onze vreugde, al ons verdriet, door de tijd wordt uitgewist. Alsof het niets was. Alsof ik niets was. Dat is toch onzin. Mijn leven is in het hunne ingebed, en op een goede dag duik ik op in een gebaar, een woord, een verhaal.

'*Me voilà!*' zeg ik als ik voor de spiegel sta. Elke lijn, elke rimpel, elk kreukje in mijn gezicht is een teken. Dus: hop met de geit, en niet getreurd om de salon, mijn geest huist in de keuken, wat toch het hoofdkwartier van de huishouding is. Zelfs de slaapkamer moet het tegen de keuken afleggen, want zoals Rosa zei: 'Van de liefde kun je niet leven.' Ik word nog altijd triest van haar gezegdes, en als ik erover nadenk, klopt dit ene eens te meer niet. Ik heb geleefd van het werk van mijn handen, maar zonder liefde had ik het niet volgehouden. Voor Madame en Augustijn was de slaapkamer het hoofdkwartier, het kantoor het bruggenhoofd, maar alweer, zonder liefde hadden zij het fort niet gehouden. En hoe had Rosa het anders met haar Sjarel klaargespeeld? We spraken al lachend over de liefde, of we spraken er helemaal niet over, het leek te hoogdravend, maar wat maal ik er nog om, ik zeg het zoals het is, of waar het op staat. Daar kan alle rotzooi van de wereld niet tegenop. Dat kan Bertje, en hij nog het minst van al, niet voor mij bederven.

■■■

Voorzichtig nu: met de paraplu als wandelstok, en niet te vlug, mijn voeten moeten kunnen volgen. Mocht de hulp onverhoeds opduiken, dan leer ik zogenaamd weer lopen. Daar kan niemand wat tegenin brengen. Hoewel, de hulp moedigt me aan om actief te zijn, en tegelijk wil ze me aan mijn stoel vastbinden. Weet wat je wilt, denk ik, maar dat geldt ook voor mezelf.

Met de deur op een kier spied ik door de gang, niemand, de gang lijkt langer dan hij is, maar ik haal de trap. Bovenaan moet ik gaan zitten; die pijn in mijn voet, dat is geen kattenpis.

Ergens zwaait er een tochtdeur open, de luchtstroom strijkt langs mijn benen. Gerinkel van kopjes, een rolwagentje wordt door de hal geduwd. Ik kan nog terug, even, heel even, kom ik in de verleiding me bij de gang van zaken neer te leggen en weer in de salon onder te duiken. Maar ik hoor Bertje al grapjassen met de hulp – de snaak kan heel charmant zijn tegen vreemden –, zit Celestien daarboven als een vleugellamme eend te wachten op haar meubeltjes? Dat zal ik mezelf besparen. Het medeleven van Angelique kan ik ook missen, doorbijten nu, Marius kan heel goed op zichzelf passen. 'Het is aan mij,' riepen die sloebers als ze meenden dat ze voor iets in aanmerking kwamen. Welaan, nu is het een keer aan mij.

Het pennenmes van Bertje zit in mijn zak, ik heb een appeltje meegenomen. Stil maar, mijn hart, je krijgt wat je begeert. '*Ach, du lieber Augustin*', weldra is ook het '*Madl hin*'. Het meisje, weet je nog, veertien en zo groen als gras, maar op slag verliefd. Een adoratie die je je hebt laten aanleunen tot ik een oude tante was, of is dat laatste je niet opgevallen? Ben ik altijd Celestieneke, dat pronte meisje, gebleven? Laten we het daar maar op houden, treuren kan altijd nog. Toen je Madame moest laten gaan, heb je mij ook losgelaten – waren wij zo nauw met elkaar verbonden dat je de een niet zonder de ander kon zien? Je moet je trouw maar op je dochter overdragen en voortaan naar haar pijpen dansen. We hebben haar goed opgeleid, je zal niets tekortkomen, en ze zal er ook op toekijken dat wij niet worden vergeten.

Vergeef me als ik stilletjes lach. Ik heb je altijd met u aangesproken, dat hoeft nu niet meer. Na zoveel jaar trouwe dienst mag ik me enige vertrouwelijkheid veroorloven. Ik ken jou ook beter dan jij mij. *Ach, du lieber Augustin!* Wat zit ik hier onwijs te zingen. Mooie stem had je, ik krijg er nog rillinkjes van, maar je begrijpt, nu moet ik verder. 'Laat ik u niet weerhouden,' zei je als iemand afscheid nam. Dat klonk zoveel deftiger dan: 'Doe wat je moet doen', of: 'Doe wat je niet laten kunt.' Ik heb je ook nooit 'Hoepel maar op' horen zeggen. Ik zou de woorden niet vinden om hoofs afscheid te nemen: 'Met uw verlof, mijnheer,' laat ons niet lachen, wat kan ik nog zeggen na alles wat tussen ons is omgegaan. Dat ik u bemin? Hoor je, daar verandert de toon, en bovendien wist je dat al. Laat me dus maar gaan, ja, laat het maar.

De bovenste gang is smaller en ook lager, dat komt me goed uit, want ik moet nog de kippenladder naar de zolder op.

Terwijl ik moed verzamel, valt mijn oog op een stichtelijke prent van Maria Hemelvaart aan de muur. In Mon Repos hebben nooit stichtelijke prenten aan de muur gehangen, ook niet op de verdieping van de meidenkamers. Familieportretten, ja, jachttaferelen, stillevens, of luchtige schetsen van lieden die een herdersuurtje genoten, maar de huisheiligen daargelaten werd er geen vroomheid geafficheerd. Ik ben haast persoonlijk beledigd, en de prent van Maria Hemelvaart doet me aan Madame denken – het is verdikkeme een tweede natuur geworden dat ik altijd eerst aan Madame denk, hoewel de Moeder Maagd op de prent niet op haar lijkt: donkerblond onder haar blauwe sluier, ik zou het net zo goed kunnen zijn, die door de engelen naar de hemel wordt gevlogen. Ik zie me al op de wolken, omringd door de engeltjes, van mijn welverdiende glorie genieten. Het is nog een dogma ook, hoe onwaarschijnlijk de voorstelling mag lijken, maar de dingen hoeven niet waar te zijn opdat je erin zou geloven. Die verheven blik van Maria is overdreven, en wat doet die halvemaan daar onder haar voeten, heeft dat met de regels van de vrouwen te maken? Het lijkt wel een grote banaan – die schilder moet een rare kwast zijn geweest. De verbijsterde apostelen om het gapende graf, dat is wel goed getroffen, de jongens zouden net zo kijken, maar waar is Maria Magdalena; bij het lege graf van Jezus? Of is Angelique helemaal niet present? Het zou haar niet bevallen als ze geen rol kreeg toebedeeld, maar ik lach erom, want al is Angelique geen vrolijke weduwe, ze heeft altijd verduiveld goed geweten wat ze wilde, heeft zich nooit op de kop laten zitten en is altijd haar eigen weg gegaan. Zij hoeft geen rol meer te spelen. 'Die komt er wel,' zei Madame, die haar dochter een lastpak vond, maar haar toch ook een beetje benijdde. Want één ding is zeker, Angelique hoeven we niet te beklagen.

Ik moet hier niet te lang blijven zitten, zo dadelijk duikt de hulp op en weglopen kan ik vervolgens vergeten; de kilte maakt mijn benen nog strammer dan ze al zijn.

Voor ik het goed en wel besef, reik ik naar de prent van Maria Hemelvaart, ik kan er maar net bij, gelukkig heb ik de paraplu bij de hand. Ik duw ermee tegen de onderkant van de prent, die naar boven schuift en vervolgens voorover kantelt. Ze schampt af op mijn schouder en komt met een bons op de loper terecht. Een versleten tapijt, het bordeauxrood is er helemaal afgelopen, dat moet ik wel vaststellen, terwijl ik de prent met de afbeelding tegen de muur zet. Laat de hulp zich maar afvragen hoe dat ding daar komt. 'Ik zie dat niet meer,' zei ze toen ik klaagde over het foeilelijke bankgebouw aan de overkant. En over het razen van het verkeer: 'Ik hoor het niet meer.' Je vraagt je af of ze nog wat voelt. Ik raakte van slag als iets voortijdig werd afgebroken of nodeloos werd vernield. Het leven leek een beetje minder waard, en het wende nooit. De hulp besloot dat je 'met de tijd moet meegaan'. Als dat geen hopeloze onderneming is! Ik wilde haar niet beledigen, maar ze kwam me met haar gedweeheid tamelijk ouderwets voor.

De prent staat halverwege de gang, tussen twee deuren, ik twijfel welke deur die van mijn kamertje is, maar het mijne of dat van Rosa – het is al gelijk. Een smal ijzeren bed, onder de schuine wand de planken die als ladekast dienst deden, indertijd met een bloemetjesgordijn ervoor. Bij Rosa was het precies hetzelfde. *Ach, du lieber Augustin*, dat gaat niet voorbij, en toch is alles *hin*. Ik geef me niet de moeite de deur te sluiten, weet nog goed dat ze toch niet op slot kan.

Op de ladder moet ik me met de handen aan de treden vasthouden, het lijkt wel of ik in een fruitboom wil klimmen, de paraplu zit danig in de weg, maar ik hang hem, als was het een mand, terwijl ik klim elke keer een tree hoger; ik heb hem nodig om het zolderluik open te krijgen. Het zweet lekt van mijn gezicht als ik de punt van de paraplu in de hoek van het luik zet – ik duw wat ik kan, maar er komt geen beweging in dat vervloekte ding. Ik klim nog een trede, hoger kan niet meer, en druk ook met mijn hoofd, maar het luik zit muurvast. Ik kan wel huilen en durf niet omlaag te kijken, dan val ik zeker, al mijn benen gebroken, als het al niet erger is, mijn hart bonst in mijn ribbenkast, maar ik kan, nee, ik wil niet terug.

Langzaam ademen, rustig maar. Ik haak de paraplu over een trede en tast in mijn zak naar het pennenmes van Bertje, verkeerde zak, dat kan niet missen, de andere, ach, daar is het. Ik moet een trede omlaag zodat ik meer ruimte krijg om het mes tussen het slot te wringen, een keer, twee keer, mijn arm verkrampt, ik laat hem even hangen, zodat het bloed weer gaat stromen.

Terwijl ik met prikkende ogen van het zweet opkijk, zie ik plotseling de trekhaak, met een ring die je achteruit moet halen om het slot te ontgrendelen. Waarom heb ik dat niet eerder gezien of vooraf bedacht? Uitgeput leun ik tegen de ladder. Beneden roept een vrouw, ik kan niet verstaan wat ze zegt, maar ik herken de opgewekte toon waarmee vrouwen een lastig karwei aanvatten. Dat varkentje zullen we eens vlug even wassen. Ja, hallo, ik ben hier weg. Ik gooi me zowat op de grendel, het mes ontglipt me, maar het luik is los, gedreven werk ik me met kop en schouders naar boven.

Er hangt een broedse warmte op de zolder, als van een kippenhok, ik lig op mijn buik en moet wennen aan de duisternis. Maar al vlug zie ik de lichtstralen die door de kieren van de pannen vallen en in het fronton, hoger dan ik had ingeschat, het lichtende ovaal van het raam. Ik ga op mijn knieën zitten, ontdek dat de paraplu nog aan de ladder hangt, maar ik schuifel weg van het zoldergat, dat me plotseling angst aanjaagt.

Ik wacht even, maar beneden is het stil, of kan ik het niet meer horen? Mijn oren doen het anders nog prima. Maar het lijkt al zo veraf wat daaronder omgaat, dat het is alsof het er niet meer toe doet.

Toch moet dat luik dicht, en het gat afgesloten, zodat ik in mijn rug ben gedekt. Dat is ook vlugger gezegd dan gedaan, het logge ding helt over en het is te zwaar om het zachtjes neer te laten, ik moet het met geweld doen, en als ik er beweging in krijg, zwaait het met een klap dicht. Van schrik blijf ik met dichtgeknepen ogen zitten. Nu is vast het hele huis in rep en roer, maar nee, men heeft het te druk, of het kan ze niet schelen wat er boven hun hoofd gebeurt. Goed zo. Van de onverschilligheid moeten we maar een keer profiteren.

Op handen en voeten kruip ik over de zolder, oppassen dat ik niet door een vermolmde plank zak, een paar kisten zouden me goed uitkomen, aan spullen is er gelukkig geen gebrek, wat is er al niet op deze zolder terechtgekomen en onder het stof vergeten?

Ik heb altijd medelijden gehad met mieren en kevers, die met een wanhopige hardnekkigheid korreltjes of stukjes blad versjouwden, schepselen Gods – hij mag het zelf eens proberen, zie me hier zitten, op mijn kont, met mijn rug tegen een kist, duwend terwijl ik me afzet op mijn hielen. Het schiet niet op, en terwijl ik uitrust, luister ik ongerust naar de geluiden in het ruim van het huis. Het zou te wreed zijn als ik werd gesnapt voor ik het raam bereik. Eén kist heb ik al op de juiste plaats, er moet er nog een bovenop, maar ik krijg het logge ding niet van de grond.

Ik snotter als een kind, dat kan ik niet helpen. Zo vlak voor doel en dan moeten opgeven, voelt het zo aan als je krachten het begeven? Geen idee hoe lang ik hier al op zolder zit, vuil ben ik ondertussen wel, dat voelt onaangenaam, ik was altijd proper, uit mezelf en omdat je maar nooit kunt weten. Ik besluit de kist open te maken en krijg splinters in mijn hand, had ik nu maar dat mes, enfin het deksel is eraf.

Wat is dit? Wintergoed? Ik ruik eraan, geen kamfer, dan kun je er donder op zeggen dat het weefsel is aangevreten door de motten. De kleren zijn in ieder geval niet van ons, ik zou nooit wat hebben opgeborgen zonder het degelijk te verpakken. Ik haal de kleren uit de kist en laat ze liggen waar ze vallen, wat zou ik mij er nog om bekommeren? Mijn vingers kunnen het echter niet laten een geborduurde kraag te betasten; een avondjapon? En die metalen knopen, horen die bij een uniform? Niets meer mee te maken; weg ermee. Ik moet niezen van het stof, en ik durf niet aan mezelf te ruiken, had ik maar een flesje parfum van Madame meegenomen, de geur zou zich in de zwoele lucht van de zolder verspreiden; warm en zoet. Ik spreek mezelf vermannend toe: niet flauw worden, Celestien! Ik duw de kist met zoveel kracht omhoog, dat ze haast over de andere kist heen valt, maar het is gelukt. Nu ik nog.

Ik vind een steun voor mijn voet en trek me op, hopla, als Augustijn me nu kon zien, enfin, liever niet, hij zou schrikken. En ik zou me generen voor mijn slordige voorkomen. Hij houdt van verzorgde vrouwen. Maar ik ben er niet meer om aan zijn wensen tegemoet te komen, en al doet me dat pijn, ik moet een verlangen vervullen dat ouder is dan mijn liefde.

Van de eerste blik die ik op het witte landhuis wierp, werd ik aangetrokken door het ovale raam in het fronton. Daarboven, dacht ik, zou ik de hele wereld kunnen zien. Maar het huis slokte me op en hield me bezig, ik geraakte nooit zo ver. Toen we Mon Repos moesten verlaten was het raam als een blind oog. In de stad verdween ik voorgoed achter de muren, maar als ik even rust had, of als het nood deed, met de kinderen of in de oorlog, dacht ik aan het land, aan de zee, aan de wijde hemel, het was als heimwee naar een begin dat alles inhield. Ik had altijd het gevoel dat er meer was, of dat het belangrijkste nog moest komen. Toen Bertje me hier weer afleverde, gleed mijn blik langs de witte gevel naar het fronton, ik huiverde, er zat een heel leven tussen, maar het verlangen was onveranderd gebleven. Bertje trappelde van ongeduld, maar ik nam er mijn tijd voor om het huis binnen te gaan. Ik had mijn bestemming bereikt en moest een oud plan uitwerken.

Met mijn rok veeg ik het raam schoon, stof en spinnenwebben, er is hier een eeuw lang niet schoongemaakt. Het is alsof ik door een troebele camera kijk, ik verstijf van de schrik, vrees dat de oorlog zal verschijnen of mijn verloren kinderen, maar dan wrijf ik verbeten verder, dat raam moet schoon, het kan niet dat ik me vergis, de mensen en hun verschrikkingen, nee, zo was het niet bedoeld, het gaat om het leven en niet om de dood, ach, mijn engeltjes, zalig mogen ze wezen, het is alsof ze om mijn hoofd fladderen, en ziedaar, eindelijk, de kruinen van de bomen, de daken, de torenspits, en verder het land, zinderend en wuivend, alsof het vers is geschapen, weids als de zee, die ik ontwaar aan de horizon, waar water en hemel samenvloeien. Daar kom ik vandaan en daar ga ik weer heen. Verhef je, mijn hart.